Universale Economica Feltrinelli

COLIN THUBRON
IL CUORE PERDUTO DELL'ASIA

In treno dal Turkmenistan al Pamir

Traduzione di Alessandro Cogolo

Feltrinelli

Titolo dell'opera originale
THE LOST HEART OF ASIA

Traduzione dall'inglese di
ALESSANDRO COGOLO

Prima edizione in Feltrinelli Traveller settembre 1995
Prima edizione nell'"Universale Economica" maggio 2003

ISBN 88-07-81758-6

A mia madre

N
K A Z A K H
Kzyl - Orda
Lago
d'Aral
Deserto
del Kizil Kum
UZBEKISTAN
Nukus
Urgenč
Kunia
Urgenč
Khiva
Amu Darja
Čardžou
Deserto
del Kara Kum
TURKMENISTAN
Krasnovodsk
Mary
AŠKHABAD
Geok Tepe
Monte Kopet
IRAN
Mar Caspio

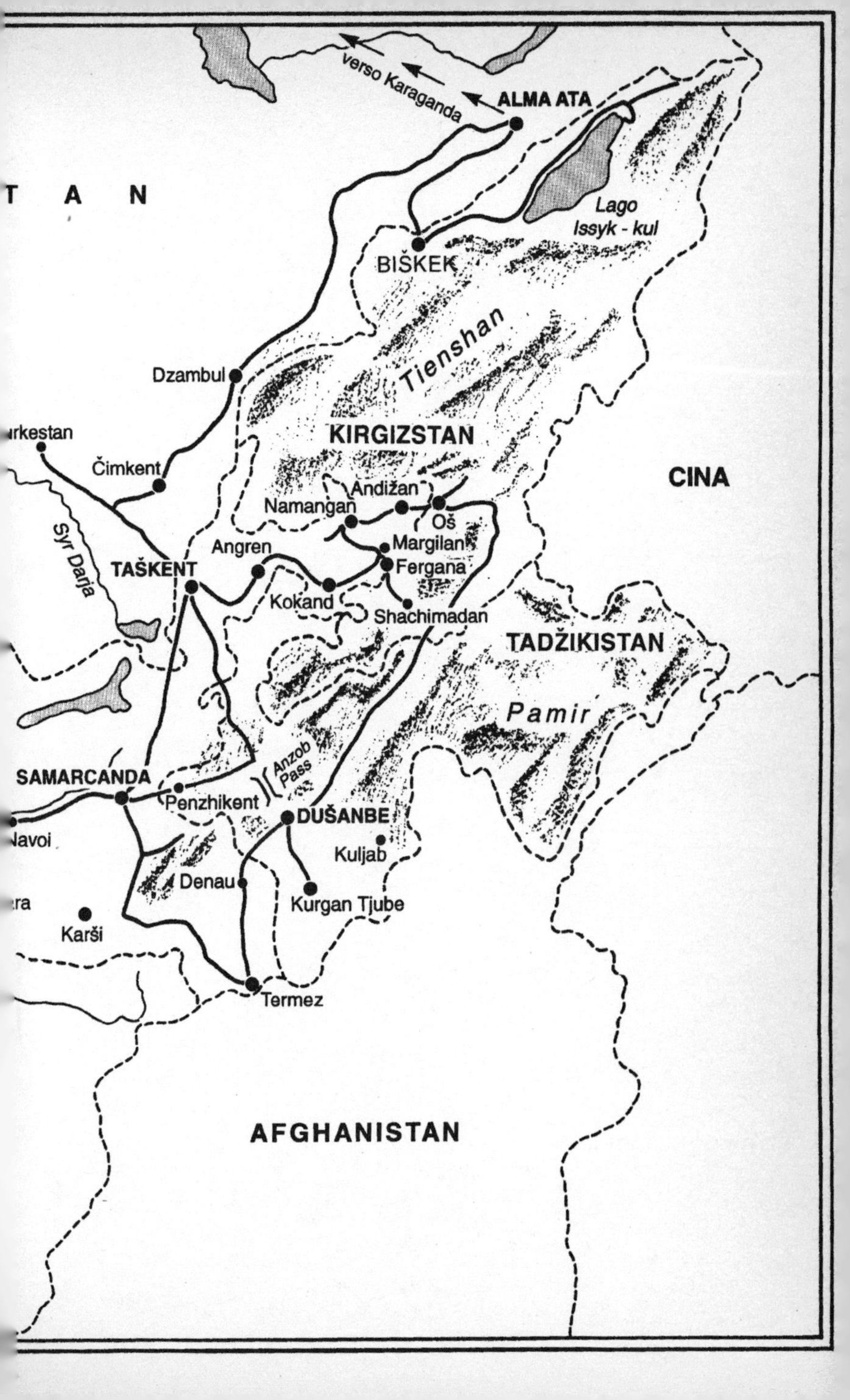

verso Karaganda
ALMA ATA
T A N
Lago
Issyk - kul
BIŠKEK
Tienshan
Dzambul
KIRGIZSTAN
Čimkent
CINA
Andižan
Namangan
Oš
Syr Darja
Angren
Margilan
TAŠKENT
Fergana
Kokand
Shachimadan
TADŽIKISTAN
Pamir
Anzob Pass
SAMARCANDA
Penzhikent
DUŠANBE
Kuljab
Denau
Kurgan Tjube
Karši
Termez
AFGHANISTAN

NOTA DELL'AUTORE

Questo viaggio è stato intrapreso durante la prima primavera e la prima estate dell'indipendenza da Mosca dell'Asia centrale. L'anno precedente, durante una breve visita, ero riuscito a stringere alcune interessanti amicizie; ma a causa dell'incerta situazione politica l'identità di varie persone qui menzionate è stata mascherata.

Anni prima avevo viaggiato nel vicino mondo islamico, quindi nella parte europea dell'Unione Sovietica (perciò avevo imparato un po' di russo stentato) e infine in Cina. L'Asia centrale ha fornito l'elemento più misterioso di questo mio personale mosaico.

1.

TURKMENISTAN

Il mare era scomparso alle nostre spalle, e stavamo volando sopra un deserto di onirica immensità. Le sabbie si disperdevano nel cielo, corrodendo qualsiasi orizzonte in una luce senza colori. Non c'era niente che suggerisse una qualche collocazione geografica, o il fatto che ci stavamo muovendo. Gli ultimi oggetti solidi dell'universo erano le punte delle ali dell'aereo. Eppure, quando fissavo le facce di quelli che sonnecchiavano o meditavano intorno a me, mi accorgevo che soltanto la mia non apparteneva a questo deserto battuto dal sole. Erano facce dall'ossatura larga, brune e immobili. Dormivano.

Ora avevamo virato lungo il quarantesimo meridiano, a metà strada fra Gibilterra e Pechino, diretti verso il cuore del mondo. Che il mondo abbia un cuore sospetto sia un concetto infantile, ma si era dimostrato bizzarramente resistente. Da bambino avevo ben presto perso la nozione che un giorno avrei potuto scivolare giù dal Polo Nord o avei potuto far scorrere i polpastrelli delle mie dita lungo la linea rossa e calda dell'Equatore. Ma ero cresciuto con l'idea inconscia che da qualche parte al centro della più grande massa di terre del pianeta, al di là di alcune nazioni più conosciute, pulsasse un altro paese, semidimenticato, rispetto al quale tutti gli altri risultavano periferici.

Tuttavia, anche sulla carta geografica esso era mal definito, e nella storia a malapena nominato: "Turkestan", "Asia centrale", "Terra oltre il Fiume". Da qualche parte a nord dell'Iran e dell'Afghanistan, a ovest del deserto cinese, a est del Mar Caspio (che ora si trovava di molto alle nostre spalle), questo paese enorme, segreto, s'era ritirato in se stesso. I suoi fiumi alimentati dai ghiacciai – quelli un tempo chiamati Oxus e Jaxartes, il Čhu e il

Zeravšan – non raggiungevano mai l'oceano, ma svanivano in mari completamente circondati da terre o morivano in mezzo al deserto. L'Himalaya sbarrava con le sue montagne la via ai monsoni, che portano la vita, nel punto in cui il Pamir si alza in scintillanti e nudi altopiani, così alti, scrisse Marco Polo, che nessun uccello vi volava sopra e il fuoco bruciava in una pallida fiamma su cui si poteva tenere la mano.

Tuttavia questa regione si estendeva dalle steppe del Kazakh fino all'Hindu Kush. Era più vasta dell'Europa occidentale e passava da un atroce estremo geografico all'altro. Mentre il Pamir giace sepolto dai ghiacci perenni, il deserto di Kara Kum sotto di noi può bollire lentamente per settimane a una temperatura di 41 °C all'ombra, e i suoi bassopiani possono solidificarsi in superficie lisce come pietra levigata.

"Non c'è niente da vedere laggiù," mi disse l'uzbeko che era seduto accanto a me. "È il paese dei turcomanni," – la sua voce si oscurò con disprezzo. "Sono pastori." Quindi, messo in allarme dal mio russo approssimativo, domandò: "Lei viene dal Baltico?".

"No, dall'Inghilterra."

"Inghilterra." Soppesò la parola come se stesse aspettando che qualcosa – qualsiasi cosa – gli vibrasse nel cervello. "Quella sta là, vicino all'America..."

Guardai di sotto. La fusoliera dell'aereo stava scivolando sopra una terra desolata dove si aggiravano piste evanescenti. Qua e là sopra l'immacolato tessuto sabbioso convergevano, come in una tavola anatomica, canali e arterie, o si propagavano in mezzo a campi scuri. Oppure, di tanto in tanto, il terreno addirittura sbiancava in pianure saline, sulle quali tutti i cespugli erano avvizziti, o non erano mai esistiti. Ma rispetto all'enormità del deserto questi tratti del terreno sembravano leggeri come crateri lunari. Per chilometri e chilometri l'unico colore era un terribile platino che alitava un senso di carestia, diverso da quello della sabbia vera, ma analogo a quello dell'argilla sgretolata degli imperi che si erano estinti nella sua polvere: Persia, Seleucia, Partia, Macedonia... Era inquietante e in qualche modo prevedibile che il cuore del mondo non fosse un organo pulsante ma un instabile punto di domanda.

La gente l'aveva riempito dei suoi demoni più intimi. Nell'antichità era stato il dominio delle orde dei cimmeri che vivevano nelle nebbie eterne, e dei terribili sciti con i loro cavalli e il loro oro. Divenne un corridoio di passaggio alla mercé di popoli nomadi. Per secoli sarebbe rimasto silenzioso e ignoti sarebbero stati i movimenti delle sue popolazioni, poi avrebbe sciolto le loro selvagge cavallerie verso ovest e verso est – sciti, unni, turchi, mongoli – per disfare i molli imperi circostanti. Era l'entroterra da cui si scatenava la vendetta di Dio.

Anche i suoi fiumi strozzati nutrirono questi imperi, il cui rumore arrivava alle orecchie degli occidentali attutito dalle vastità che li circondavano. Si lasciarono dietro città e tombe crollate nel deserto in continua espansione o nelle valli dei fiumi. Soltanto dopo il quindicesimo secolo, quando l'impero mongolo si frantumò e la Via della Seta decadde completamente, questa temibile zona centrale di vitale importanza naufragò fuori dalla storia, immobilizzandosi in oscuri khanati e in tribù di pastori. Quattro secoli più tardi l'impero russo la divorò in un battibaleno, e il suo rumore si udì soltanto sommessamente, via Mosca, come se fosse stato il falsetto di un ventriloquo.

"Lei andrà a Samarcanda e a Taškent," disse l'uomo al mio fianco. Le sue parole risuonarono più come un ordine che come una domanda. "Ma non andrà in Tadžikistan, là si combatte. Stanno combattendo ovunque, adesso. Nessuno sa cosa riserva il futuro..."

Ma nella mia mente il viaggio si dipanava lungo mille chilometri di montagne e di deserti. Il sistema turistico sovietico era a pezzi, e mi ero assicurato il visto grazie alle prenotazioni delle stanze in una catena di alberghi lugubri, che avrei spesso ignorato. Il vecchio ordine – tutta l'Asia centrale sovietica – si stava sbriciolando, e le sue cinque repubbliche, create artificialmente da Stalin, avevano dichiarato la loro sovranità pochi mesi prima. Uzbekistan, Tadžikistan, Kazakhstan, Turkmenistan, Kirgizstan – all'improvviso la marea sovietica si era ritirata da queste oscure nazioni musulmane e le aveva lasciate nude con la loro indipendenza. Che cosa sarebbero diventate? Mi domandavo se si sarebbero gettate nella fornace islamica o se sarebbero riconfluite in una massa comunista. Avrei potuto concepire il loro futuro soltanto nell'orbita dei poteri che già conoscevo: l'Islam, Mosca, la Turchia, l'Occidente.

Ormai da più di un'ora, i picchi nevosi del Monte Kopet, le "Montagne Aride", ci avevano guidato da sud verso est. Alla deriva in un mare di foschia, esse segnavano l'ancestrale linea di scontro fra il mondo turcomanno e quello persiano. Ci seguirono per più di trecento chilometri come fossero state le prime onde di un oceano sollevatesi per andare a infrangersi fuori dall'altopiano iraniano, ad appena cinquanta chilometri a sud.

Poi iniziammo a scendere sopra una vasta oasi. Sotto di noi il serpente del canale Kara Kum stava portando fango e acqua nel Mar Caspio. Le fattorie collettivizzate avevano contorni netti come quelli degli accampamenti romani, divise a metà da pallide strade sulle quali non si muoveva nulla. Una voce tuonante annunciò che nel giro di dieci minuti saremmo atterrati ad Aškhabad.

Aškhabad, la capitale del Turkmenistan, non evocava nessun tipo di sensazione. Il Turkmenistan era una delle più povere e selvagge fra le vecchie repubbliche dell'Urss, una regione desertica più vasta della Germania, abitata da meno di quattro milioni di anime. Più di un secolo fa i suoi abitanti erano coltivatori nelle oasi o nomadi allevatori di bestiame, che grazie alle loro scorrerie riempirono i mercati di Bukhara e Khiva con migliaia di schiavi persiani. Ora il Turkmenistan aveva scoperto il petrolio, il gas e i minerali, e – sembrava – i metodi della dittatura. Poco era mutato nel suo governo in seguito al collasso dei Soviet, a parte l'abolizione formale del comunismo.

Osservando i passeggeri mentre toccavamo terra, mi resi conto che il largo viso mongolo apparteneva a kazakhi e a uzbeki, che stavano viaggiando verso est. Ma le facce dei turcomanni erano fieramente individuali e anarchiche. A volte avevano capelli castani, mascelle allungate e nasi sottili. Alcuni di loro potevano sembrare tedeschi o inglesi. A due sedili di distanza dal mio una donna con un volto ovale e gli occhi azzurri stava allattando un bambino anch'egli con gli occhi azzurri. Davanti a lei stava mollemente adagiato un *mullah* con un turbante, la cui barba dalle guance concave si biforcava fino ad arrivargli sul petto. Quando si gettarono tutti insieme alla ricerca dei loro bagagli sotto i sedili del roboante Tupolev, vidi che avevano a malapena una valigia in due, ma che tiravano fuori fardelli legati con spago logoro, sacchi a pelo e borse strappate. Assomigliavano ancora a dei nomadi: predatori e opportunisti, sorpresi dalla storia a metà di una migrazione.

La capitale, quando la raggiunsi, non sembrava affatto essere la loro, ma sembrava una città russa, quasi senza forma. Mi aggirai stupito per le strade: strade incanalate fra viali di abeti e di platani, una vegetazione anonima. Un secolo fa, qui c'era soltanto un agglomerato di poche baracche, ma la postazione militare che li rimpiazzò aveva lasciato in eredità strade ampie costruite per i convogli militari e per le artiglierie. Nel 1948 Aškhabad fu polverizzata da un terremoto che uccise centodiecimila persone. Adesso tutto era modesto, basso, e d'aspetto provvisorio. La città possedeva una strana passività. Sembrava mezza vuota. I ministeri, le scuole e gli istituti dai colori pastello erano schierati in un ordine blandamente classico. Qua e là qualche piastrella di gusto finto orientale o qualche stucco facevano una concessione alla cultura locale, ma la falce e martello e la stella rossa marcavano ancora tutti i cancelli e tutti i frontoni. Nessuno si era preso la briga di scalpellarli via, e sembrava perfino che nessuno li notasse. Rimanevano lì come cattivi presagi in questo momento di transizione.

Le strade erano ancora piene di russi: ragazzi in jeans che si muovevano pesantemente e donne dai fianchi robusti con i capelli tinti di henné e facce sciupate. Nei parchi, i veterani di guerra impegnati a pettegolare erano ancora avviluppati nelle loro medaglie, mentre corpulente giardiniere stavano chine fra le aiuole di rose. Avevo una voglia matta di parlare con qualcuno. I giovani che gironzolavano sotto gli ippocastani e le giovani madri che portavano a passeggio i loro bambini, mi stuzzicavano con la loro carica di mistero, il mistero di un popolo ancora sconosciuto. Cosa facevano quando non erano qui? Che cosa pensavano? Per il momento rimanevano follemente distanti da me.

Lungo un sentiero fra gli alberi, due ragazzine stavano guidando un trenino per bambini. Stavano appollaiate su piccole ruote, e facevano finta di manovrare il treno mentre la loro mamma stava seduta e le osservava. Scherzammo un po' mentre le sue bambine guidavano dandosi un'aria d'importanza, ma le nostre risate risuonavano fragili e vuote. Forse l'illusione del controllo era una pena troppo da adulti. Venne fuori che la madre era mezzo russa e mezzo armena e che fino all'anno precedente era stata sposata con un turcomanno. Le ragazzine, con la loro pelle giallo pallido e gli occhi neri, erano il frutto di quest'unione. Ma lei adesso voleva andare in Russia. "Lo vogliamo tutti. I miei amici russi non parlano d'altro. Alcuni sono già andati. I miei nonni arrivarono qui come contadini al tempo degli zar – allora c'era fame di terra in Russia – così io non ho conosciuto nessun altro paese all'infuori di questo."

"Ti senti a casa qui?"

Esitò. "In un certo senso." Forse adesso lei non apparteneva a nessun luogo. Aveva una di quelle facce slave che si accendono di una languida tristezza paradossalmente contagiosa. "Sarà difficile tornare indietro. In realtà non si può neanche dire 'indietro'." Mentre parlava tremava un po'. "Ma loro stanno rendendo la situazione molto difficile per noi. Se vuoi un lavoro, devi fare domanda in turcomanno. La prima cosa che ti chiedono è: 'Parli turcomanno?' Ma io non ho mai imparato questa lingua..." disse con un'espressione di dispiaciuto stupore, come se avesse capito improvvisamente che qui c'era una cultura, e non solamente una realtà irrilevante destinata all'estinzione. Durante tutta la sua vita erano esistiti questi turcomanni quasi completamente ignorati che erano costretti a imparare il russo. Adesso, dall'oggi al domani, era diventata una straniera nel suo paese di nascita.

Domandai: "Ma dove andrai?".

"Non lo so. Ho dei parenti a Mosca, ma là è impossibile trovare lavoro. Un appartamento di due stanze costa un milione e mezzo di rubli... È un posto troppo difficile." Aggiunse tristemente: "Più difficile di qui". Il trenino giocattolo si fermò stridendo, e le ragazzine si stavano alzando per scendere. Lei esplose con improvvisa amarezza: "Ma questa gente si pentirà quando ce ne andremo via! I russi fanno funzionare tutto in questo posto! Noi siamo le uniche persone che fanno andare avanti le cose. Quando saremo partiti, quale sarà il loro futuro?".

Il futuro si stava muovendo tutt'intorno a noi nella città, naturalmente, ma rimaneva oscuro. I turcomanni abitavano queste strade e questi appartamenti come fossero stati degli stranieri. Camminavano con addosso giacche stracciate e scarpe impolverate. Le loro donne indossavano vestiti a fiori e le stesse giacche malinconiche; ma sulle loro teste risplendevano sciarpe di seta che coprivano trecce vistose e fluenti. Di tanto in tanto un vecchio con un troneggiante copricapo in pelle di pecora o un turbante blu sembrava essere sgattaiolato fuori da un'altra epoca, oppure passava una giovane sposa luccicante di velluto fino ai piedi.

Tuttavia, ognuno di loro si muoveva in una città sovietica. Improvvisamente avevano ereditato tutte le strutture e le istituzioni di un'altra civiltà. Per decenni Mosca aveva cercato di assimilarli in uno stereotipo sovranazionale – un *Homo Sovieticus* – e questo aveva schiacciato la loro cultura. Anche i nomi delle strade – prospettiva Gagarin, viale Lenin – rimanevano, per il momento, inalterati. Solamente piazza Karl Marx era diventata piazza Turkmenistan, e la prospettiva cinicamente denominata Libertà era stata ribattezzata Makhtumkuli, il fondatore settecentesco della vernacolare letteratura turcomanna, il cui ritratto ti guardava dalle pareti degli uffici e delle istituzioni come se fosse stato il presidente.

Scrutata da un qualsiasi punto elevato, la città sembrava precaria, quasi pastorale: una città di capanne i cui tetti di latta e di amianto affondavano fra gli alberi contro il vaporoso Monte Kopet. Certe volte mi figuravo fosse un enorme acquartieramento militare, costruito a fianco della vera città turcomanna che era scomparsa. Ma era impossibile immaginare quest'altra città.

Quando vagabondavo nelle piazze e negli asettici viali alberati, non riuscivo a comprendere il profondo cambiamento di questa gente. Sembravano cauterizzati. Sembrava che nemmeno gli stessi russi possedessero questa metropoli, si portavano addosso l'immagine di una trasferta rurale. Arrancavano sui marciapiedi come contadini. Era come se la città stessa non appartenesse a nessuno. Con il suo reticolo di strade, alberi protettivi e monumenti asettici, era il laboratorio perfetto per l'esperimento comunista, in cui le popolazioni più disparate avrebbero dovuto mescolarsi insieme, e il mondo avrebbe dovuto diventare più semplice.

Era l'inizio di aprile, e una calda pioggia cominciò a picchiettare giù dal cielo. Lustrò i viali fino a farli diventare di un verde brillante, agitò gli specchi d'acqua stagnanti delle fontanelle di innumerevoli condomini e fece schiudere uno sciame di ombrelli rosa sopra le teste delle donne. Ogni alito di vento che soffiava, filtrava attraverso l'intelaiatura della finestra del mio albergo.

Ma poco altro entrava nell'albergo. La sua costruzione era una parodia della sconfitta che il mondo sovietico aveva inflitto a se stesso. Roteava nel cielo con una scogliera di balconi e di porticati. Ma all'interno tutto cascava a pezzi. Pavimenti lastricati in pietra, fra la reception e le stanze da pranzo, coperte da soffitti corrosi, diffondevano una malinconia da mausoleo. Nelle camere non funzionava nulla, ma tutto – frigorifero, televisore, telefono – vi era rappresentato. Il mio bagno sembrava fosse stato progettato per uno zoppo, e la decorazione in pannelli di gesso, verniciata sinistramente di nero, stava andando a pezzi. I cavi elettrici penzolavano dai muri, un piccolo frigorifero arrugginito sostituiva il comodino di fianco al letto e singhiozzava sconsolatamente per tutta la notte. Sapevo che nel giro di un mese sarei diventato incurante di fronte a simili sciocchezze; ma per il momento le osservavo con una smodata fascinazione. Perfino in questa terra quasi priva di precipitazioni, l'umidità aveva sollevato l'intonaco mal steso dietro alla carta da parati sbrecciata, segnandola con un alone color seppia.

Fuori i corridoi erano bui. Quella primavera l'instabilità dell'Asia centrale aveva tenuto lontani gli stranieri. Soltanto nella sala da pranzo una piccola orchestra, composta da un tamburo, una batteria e una fisarmonica, suonava canzoni popolari turcomanne per una delegazione di Ankara.

Trovai un telefono che funzionava, e chiamai un numero che mi era stato dato in Inghilterra. Era quello di uno scrittore turcomanno. Un amico mi aveva detto che era stato un dissidente clandestino, e che il suo lavoro era stato pubblicato soltanto dopo la *perestroika*. E questo era tutto quello che sapevo.

In effetti l'intero suo popolo mi risultava misterioso. Era emerso nella storia conosciuta soltanto nel quattordicesimo secolo – una razza caucasica con una sfumatura di sangue mongolo – e il suo paese, insieme a tutta l'Asia centrale, era rimasto quasi impenetrabile fino a centocinquant'anni fa. Allora, per un breve periodo di mezzo secolo prima dello scompiglio bolscevico, i viaggiatori europei erano rientrati in patria con racconti contraddittori su di loro. I turcomanni erano selvaggi e depravati, dicevano: una popolazione orgogliosa, ignorante e inospitale, bizzarramente vestita con lunghi abiti scarlatti, sormontati da mostruosi copricapi di pelo di pecora. Erano in grado di cavalcare per centoventi chilometri al giorno e di sopravvivere semplicemente con grano pestato e latte cagliato. Erano allo stesso tempo golosi, austeri, affabili, ladri, sbruffoni, anarchici e sinceri. Erano capaci di piantarti un coltello in corpo per una misera somma.

Così, la comparsa di Oraz nel mio albergo sollevò un nugolo di miraggi che poi evaporò. Aveva una faccia regolare e bella, con guance alte e pelose e un fisico atletico. Sembrava sveglio, perfino vivace, eppure non proprio a suo agio, come se il suo prestigio – o quel che era – fosse soffocato dall'imbarazzo. Si stava avvicinando alla cinquantina, ma in lui c'era qualcosa di fanciullesco. Era uno strano miscuglio, piuttosto sconcertante.

"Non conosci la nostra città? Allora andiamo a fare una passeggiata insieme!"

A poco a poco, sotto la sua consumata soavità, notai emergere il rude turcomanno. Le grossolanità e la pericolosità di cui si era favoleggiato risultavano scomparse; camminò per ore con baldanzosa leggerezza, e parlò in un russo corretto e fluente, dimostrando un innocente orgoglio nei confronti della sua città presa a prestito. Per quindici anni aveva lavorato come funzionario nell'ufficio del primo ministro, disse – e indicò un edificio qualunque. "Il mio primo romanzo l'ho scritto lì."

"Proprio *dentro* l'ufficio del primo ministro?..."

"Sì, lo iniziai quando Breznev era ancora vivo. Ci ho messo sei anni. Era sulla corruzione nel governo, ed era ovvio da dove avevo tratto il mio materiale. Avevo studiato attentamente l'argomento."

Era stata un'impresa rischiosa, quasi temeraria. Forse rivelava la sua astuzia istintiva. Gli dissi: "Ma cosa ti aspettavi dal futuro?".

"Non immaginavo che il libro avrebbe mai potuto vedere la luce del giorno." Sorrise. Quegli anni adesso sembravano lontani. "Mi ricordo che pensavo che il manoscritto sarebbe passato di mano in mano fra i miei amici. Ma no, in realtà non avevo paura, non per la mia persona. Soltanto per i miei figli."

Tuttavia era andato avanti in quel lavoro segreto, all'apparenza senza futuro, anno dopo anno, e non saprei dire se l'avesse fatto per il disgusto che provava per quanto gli stava intorno – per una catarsi personale – o per la fascinazione che prova uno scrittore nei confronti del proprio materiale. "Ma anche nel bel mezzo dell'era brezneviana e di tutta l'ipocrisia," disse, "non credevo che la gente sarebbe andata avanti per sempre in quel mare di bugie. Non per sempre. Doveva finire."

Per un uomo nato nell'era stalinista, quella era una grande speranza. Ma il suo era un credo istintivo e oscuramente irreprimibile, cresciuto a dismisura nella convinzione che alla fine l'indottrinamento si sarebbe per forza incrinato, perché ogni generazione nasce innocente. "Al momento tutto è caos, e tutti sono amareggiati," disse. "La vita è diventata troppo cara, dalla *perestroika* in poi. Ma doveva accadere. Adesso può essere anche dura, ma la situazione migliorerà..." La *perestroika*, dopotutto, aveva trasformato la sua vita. Doveva crederci, in un futuro più libero. Egli ne era, in un certo senso, il simbolo e l'araldo.

Stava camminando con un'andatura nervosa e agitata. Aveva un aspetto allo stesso tempo allegro e vulnerabile. Il suo romanzo aveva venduto in Turkmenistan l'incredibile cifra di sessantamila copie. "Fu la prima cosa di questo genere permessa qui," disse, "uno scandalo."

Ma gli domandai chiaramente come la sua nazione avrebbe potuto svincolarsi dall'ombra sovietica. Di tutte le popolazioni della vecchia Unione, questa era la meno preparata all'indipendenza. Per settant'anni i modelli e la propaganda comunista, i collettivi e gli istituti, avevano soffocato tutta l'Asia centrale. Poi, dall'oggi al domani, quasi come nella fantasia di uno scolaro, i maestri se n'erano andati, lasciando dietro di loro l'indicazione che la lezione era sbagliata.

"Ma noi non siamo mai stati vicini ai russi," disse Oraz. "Noi turcomanni abbiamo un carattere completamente diverso. Hai mai sentito parlare del *chilik* turcomanno? È una cosa che potrebbe essere simile alla nostra essenza. Significa indipendenza, e anche pigrizia, e ospitalità e coraggio. È una sorta di orgoglio. I russi decisero di beffarsene. Se una donna tocca un uomo in pubblico, per esempio, ciò è contrario al *chilik*. Il pudore fra i sessi è molto radicato da noi. Anche nel matrimonio, noi non ci baciamo mai di fronte ai nostri figli. Tutto ciò è una faccenda privata." Il *chilik* sembrava esprimere una sobria, turcomanna dignità. Evitava le passioni, o qualsiasi forma di egoismo violento. "Ma, naturalmente, da quando erano arrivati i russi, tutto questo si era annacquato. Anche l'idea di dittatura ci è estranea. Noi eravamo sempre stati liberi..."

Un attimo dopo passammo di fronte all'ambasciata iraniana di recente apertura – un casamento grigiastro bucherellato da nidi di piccioni – e lui la guardò con disgusto. "Il nostro temperamento è diverso anche da quello degli iraniani. Quel fondamentalismo non arriverà qui. Noi siamo gente saggia."

Stava descrivendo uno spartiacque fra nord e sud: la divisione fra una Persia effervescente e il più calmo Turkmenistan. Dai suoi discorsi faceva intendere che ci fosse qualcosa di poco virile nell'estremismo. Inoltre, gli iraniani erano sciiti, e all'incirca un secolo prima i turcomanni sunniti li avevano ridotti in schiavitù, peggio degli infedeli.

"La nostra gente non è interessata al dogma. Noi non perseguitiamo nessuno per le sue credenze. Alcuni russi possono anche andarsene – quelli che non sono nati qui – ma la maggior parte di loro resterà. Sono invitati a rimanere – ma non come dominatori. Questa è la nostra terra, e sarà un buon posto." Rise di un riso gaio e fiducioso.

Il suo patriottismo era schietto, spesso ingenuo. Credeva nella rettitudine intrinseca del suo popolo, così come i russi avevano un tempo creduto nella propria. I turcomanni erano pacifici per natura, disse. Che avessero mai combattuto fra di loro era un mito degli storici russi. Passammo di fronte a una statua del seguace di Stalin, Kalinin, che sarebbe stata presto sostituita da un monumento al primo ministro turcomanno, fucilato per il suo patriottismo nel 1941. "Nessuno sa dov'è sepolto, ma qui avrà un monumento alla sua memoria." Quando passammo presso un cenotafio ai caduti della Seconda guerra mondiale, Oraz disse: "Almeno questo condividiamo con i russi, la vittoria contro il fascismo!".

Era uno di quegli strazianti monumenti ricoperti di polvere, di cui la vecchia Unione Sovietica è piena: la statua di una maternità troneggiante di fronte a una fiamma eterna circondata da colonne di marmo rosso. I morti erano ancora commemorati con mucchi di crisantemi e gladioli. Ma la fiamma eterna s'era estinta. Il condotto del gas era rotto e sibilava debolmente. Non avevo cuore di dire a Oraz che molte migliaia di soldati dell'Asia centrale, amareggiati da Stalin, avevano disertato in favore dei tedeschi.

Tuttavia egli sembrava, per il momento, immune dalla disillusione. In lui risplendeva un futuro fantasticato. Temevo per lui. Mi domandavo chi mai della sua generazione avesse creduto nel comunismo.

"Forse l'un per cento." Rise acidamente.

"Quelli proprio poveri?"

"No! Gli altri. I funzionari." Eravamo entrati in un parco dove sopravviveva una statua di Lenin. Si protendeva rabbiosamente verso di noi. "E ora non sanno in cosa credere."

Lenin si ergeva in piedi sopra un luccicante *ziggurat* di piastrelle turcomanne, e con enfasi declamatoria tendeva un braccio in direzione dell'Iran. Sotto, un'iscrizione prometteva la liberazione dei popoli dell'Est.

"In città ci sono cinquantasei monumenti a Lenin," disse Oraz. "Questo rimarrà e gli altri spariranno." Si aggirava a grandi passi attorno alle fontane prosciugate che circondavano il monumento, soave con il suo completo e la sua cravatta, mentre sopra di lui Lenin con i pantaloni larghi stringeva in mano il cappello. "Forse un giorno anche questo sparirà. Ma non ora."

Mi sentivo perversamente felice che rimanesse: un gesto di moderazione, e un fragile riconoscimento del passato. Un gruppo di contadini in visita s'era messo in posa lì sotto per una foto ricordo. Il fotografo – un austero giovanotto con una maglietta con la scritta "USA: Nice Club" – li aveva sistemati in un semicerchio di braccia allacciate e facce meste. Pensai: allora la gente continua a venire a farsi fotografare qui, per abitudine, o per un blando sentimento di lealtà.

Ma non appena il giovane aggiustò il suo treppiede, diedi un'occhiata nel mirino e vidi che i suoi clienti erano inquadrati entro il basamento di ceramica orientale, che si elevava fino alla sommità della fotografia e relegava Lenin in qualche punto dello spazio. "Non lo includiamo più," disse il giovane. "Non è più di moda."

Ma, mi domandavo, cosa potrà rimpiazzarlo? Quando, quella

sera, Oraz e io ci aggirammo faticosamente attraverso la sala delle esposizioni, ebbi la sensazione che la cultura turcomanna si stesse estinguendo irrimediabilmente. I quadri moderni che ornavano le pareti la celebravano soltanto con immagini convenzionali – popolazioni tribali che suonavano i liuti o che cavalcavano attraverso montagne brumose in un turbine di vestiti antiquati. Gli artisti erano turisti nel loro stesso passato. In fondo alla sala, un tappeto turcomanno lungo una ventina di metri, localmente considerato il più grande del mondo, faceva scendere una cascata cremisi di simboli aggrovigliati.

"Mi piacerebbe poterli interpretare," disse Oraz, indicando cavalli emblematici e occhi d'uccelli. "Ti potrebbero raccontare metà della nostra storia." Scosse la testa. "Ma non sono in grado." Anche l'arte classica della poesia, disse, stava morendo.

"Nessuno la scrive più?"

"Oh, sì. Tutti la *scrivono*. Ma nessuno la legge."

Quella notte, girovagando da solo per le strade vuote, mi imbattei nel podio dal quale un tempo il presidente turcomanno e i suoi ministri salutavano la parata del Primo Maggio. Fino a pochi mesi prima era stato il centro politico della città. Ora risplendeva cadente al di là dell'illuminazione viaria. Quando mi arrampicai sul suo rostro, il carapace del muro in marmo e calcare si sbriciolò sotto le mie mani. La statua di Lenin che ne coronava la sommità era sparita – come un enorme uccello volato via dal suo trespolo – ma il piedistallo, sollevato durante la rimozione, era stato circondato da assi di legno dipinto in modo da sembrare di pietra, come se i resti di quelle stupende impronte di piedi fossero ancora troppo dolorosi da esibire.

Fissai il viale di sotto, fornito di sette corsie per il passaggio delle parate. Il vento sollevava le foglie morte fin sopra i gradini. Mi ricordai di cosa aveva detto Oraz a proposito dell'incredulità della gente nei confronti del comunismo. Tuttavia quella notte immaginai che esso pervadesse ancora la città addormentata – con gli slogan che nessuno aveva osato cancellare dai muri, con il linguaggio sulle labbra della gente, perfino con la statua di Lenin che indugiava nel parco vicino, e che ammoniva a non provocare il suo fantasma.

Ora Korvus era un uomo anziano. Sotto un'esplosione di capelli bianchi la sua faccia risplendeva pesante e rugosa, e dietro agli occhiali gli occhi erano umidi. Trent'anni prima era stato ministro della Cultura del Turkmenistan, e un celebrato poeta; e nel suo paese era considerato un eroe di guerra. Salutandomi, la sua figura dimostrava ancora una parvenza di autorità. Portava un costoso completo finlandese e un anello d'oro in cui era incastonata una corniola. Tuttavia questo suo prestigio era un po' minato da una grossolanità turcomanna e da un vago senso dell'umorismo.

Sembrava vivesse in una situazione di schizofrenia. La sua vita pubblica era trascorsa nei ranghi del governo sovietico, ma la sua casa era annidata in un quartiere periferico turcomanno nell'intrigo di cortili privati, ombreggiati dalle vigne, dove i grossi tubi dell'acqua calda correvano nelle viuzze sostenuti da pali, e la gente si levava le scarpe prima di entrare nelle case, alla maniera islamica.

Mi fece strada all'interno. Aveva un aspetto gentile, premuroso. Viveva con la famiglia del figlio maggiore – nel corridoio erano sparsi giocattoli e scarpe – e non appena entrai nel salotto mi fermai stupefatto. Ero entrato in una giungla ingombra di oggetti d'artigianato turcomanni. Era come se fossi precipitato dalla pavimentazione di un'insulsa civiltà sovietica in un antico substrato della coscienza del suo popolo. Filatteri in argento sbalzato tempestati di pietre semipreziose, fruste per cavalli e faretre e campanacci per cammelli, lo stipite decorato di una porta di una yurta, ancora lucida di scuri colori vegetali, coprivano le pareti in un intrico barbarico.

"Li hanno collezionati mio figlio e sua moglie," disse il vecchio. Sembrava vagamente scontento.

"Sono magnifici."

Si sedette vicino a me su un divano. Non ero in grado di dire a che cosa stesse pensando. Tutta la sua vita era stata orientata verso un futuro sovietico, in cui le differenze nazionali sarebbero scomparse. Tuttavia, per anni, suo figlio aveva raccolto, pezzo dopo pezzo, il passato del suo popolo e l'aveva riversato sulle pareti per una sontuosa e muta celebrazione. Adesso stava appeso di fronte al vecchio come un atto d'accusa. Era la storia che lui aveva abbandonato.

Ma, dopo un po', disse sobriamente: "Penso che quello che è successo sia giusto, e che adesso abbiamo la nostra libertà. È giusto che la vecchia Unione si sia frantumata". Parlava come se avesse combattuto contro ogni frase prima di esserne conquistato. Non mi guardava. "Anche se la guerra sembrava averci unito."

La guerra: ne era ritornato con il petto carico di medaglie – "come Brežnev," rise. Era sopravvissuto alla feroce battaglia dei carri armati di Kursk, e aveva combattuto nel terribile inverno del 1942-1943, quando la spinta dell'intera guerra cambiò direzione e Hitler perse il mondo. Parlandone, la sua faccia si era infiammata. Si rilassò nel rievocarne la semplicità. Le cose erano state più facili allora. Da qualche parte nei campi dell'Ucraina meridionale, disse, aveva attaccato da solo un carro armato tedesco ed era stato ferito dalle schegge della corazza. "Ho riacquistato coscienza nella neve, coperto di neve." Si batté ironicamente il petto e la schiena, contorcendo le piccole braccia attorno al corpo. "Non sapevo se ero ancora vivo. Come stavano le mie gambe? Erano ancora lì. La testa? Era sul collo. Ma la schiena e il fianco erano squarciati, e la mano era un ammasso di legamenti. Così ricoprii le ferite con la neve, e il fuoco tedesco non mi colpì e mi trascinai via. Più tardi, uno dei nostri ufficiali – una specie di vandalo con la motocicletta – mi caricò e mi riempì di vodka e mi condusse via. Fui operato in un ospedale da campo sotto la luce a gas, e mi risvegliai così." Sollevò la mano. Vidi che gli mancavano due dita, i loro mozziconi erano rimasti attaccati a un carro armato accartocciato. Ci sogghignò su.

Nei desolati, trionfanti anni dell'immediato dopoguerra, era andato a studiare a Mosca. Forse allora ci credeva nell'unità sovietica. Si era sposato con un'orfana russa, ed era ritornato ad Aškhabad come un eroe. Ridacchiò sommessamente e si passò la mano mutilata sul petto per evocare file di medaglie. Dopo scrisse poemi sulla guerra, e liriche d'amore. Divenne capo dell'Unione degli scrittori del Turkmenistan, e poi, negli anni sessanta, ministro della Cultura.

Ma io mi chiedevo, quanto avesse creduto nella sua autorità. Aveva creduto nel marxismo-leninismo o nella letteratura o, arcanamente, in tutt'e due? Era difficile domandarglielo. Sembrava così vecchio ora, e in qualche modo svuotato, eppure a suo agio. Si era tolto la giacca, e si era messo un cardigan malridotto. Poggiava la mano lesa sulle ginocchia. Ma, disse, sua moglie viveva a Mosca – non ne voleva sapere di Aškhabad – e lui che non si era veramente separato, faceva la spola fra le due città. La sua vita sembrava ormai essersi risolta fra queste realtà divise. Forse erano la sua verità.

Mi stupivo che i componenti della sua famiglia riuscissero a coabitare con tanta facilità: l'eroe di guerra in declino e suo figlio Bairam regista di cinema – che stava lavorando a un documentario sulle atrocità dell'Armata Rossa – e un garrulo nipote di dieci anni. Un abisso senza fondo sembrava dividere completamente le loro esperienze.

Bairam arrivò più tardi, pallido e pieno di vitalità, senza quell'espressione di scontrosa insicurezza che notavo spesso per la strada nelle persone che mi passavano accanto. Si entusiasmò per il mio interesse per le faccende turcomanne, e mi illustrò la sua collezione pezzo per pezzo, srotolando ai miei piedi kilim centenari con un fiume di parole di orgoglio sciovinista. Questi non erano i prodotti senz'anima, intorpiditi dai colori dell'anilina, che (mi disse) duecento ragazze sottopagate facevano uscire dalla locale fabbrica sovietica. Erano lavori preparati con amore e pazienza, fatti con maestria ereditata da madre in figlia. Tirò fuori anche dei gioielli: collane che avevano inondato i petti con lapislazzuli e campanelle d'argento; bende per la fronte laccate e filigranate che scendevano ad abbracciare le orecchie della donna prima di scendere a cascata tutt'intorno in un tumulto di catenine. Scivolavano fra le mie dita come acqua.

Nel frattempo, il vecchio aveva acceso la televisione che troneggiava fra le insegne regali dei nomadi, e bevve un brandy mescolato a Pepsi-Cola. "Avevo l'abitudine di bere troppo," disse rivolto a nessuno in particolare. "Ma adesso bevo molto raramente." Sul canale che aveva scelto, l'Orchestra di Aškhabad, in frac e cravatta, stava eseguendo Musorgskij.

Bairam era pieno di progetti. Stava lavorando a un film che, disse, sarebbe stato impensabile due anni prima. Era un documentario sulla fuga della sua gente dall'Armata Rossa durante la collettivizzazione forzata degli anni trenta, quando un milione di turcomanni e altri scapparono in Iran e Afghanistan.

Parlava allo stesso modo di suo padre, con improvvisi accessi emotivi, mentre continuava a tenere in mano i gioielli per farmeli ammirare. "Mostriamo perfino una sequenza con le mitragliatrici dell'Armata Rossa che falciavano i fuggitivi sui passi di montagna. Sì, è successo proprio così." Alzò una bandana d'ametista, come se fosse appartenuta a uno dei caduti. "Il film è stato acquistato dalla televisione di Mosca! Ci hanno chiesto di tagliare il pezzo sui misfatti dell'Armata Rossa, ma noi abbiamo detto di no. Così lo trasmetteranno integralmente!" Proruppe in una potente risata. Era un sorprendente ribaltamento di potere.

Suo padre continuava ad ascoltare Musorgskij, ma dopo un po' se ne andò lemme lemme verso il cortile. Pensai che doveva essere stato più semplice sopravvivere alla guerra e a tutti gli anni stalinisti che imbattersi in questa scioccante indipendenza. Ma Bairam scartò questa considerazione. "No, non per mio padre. Lui era già indipendente. Non ha mai creduto nel partito. Lo ha lasciato ventiquattro anni fa."

Gli domandai stupito: "Perché?". Abbandonare il partito equivaleva al suicidio.

"Ci fu una specie di scandalo... quando lui era ministro della Cultura. Dissero che viaggiava troppo – in Turchia e in India. Il Kgb gli si mise alle calcagna."

Pensai: così agli occhi di Mosca le sue idee si erano contaminate. "Cosa fece dopo?"

"Non era possibile fare nulla. Se lasciavi il partito, per te era la fine. Non c'erano opportunità di lavoro. Così si ritirò in casa e si mise a scrivere poesie..." Sorrise debolmente. "Lo ricordo così per tutta la mia infanzia."

Insomma, qualsiasi cosa fosse successa, io non l'avevo capita; e l'atteggiamento irritato ma conciliante del vecchio nasceva da qualche avvenimento anteriore all'indipendenza del suo paese. Un po' dopo, gli domandai di Oraz – che aveva scritto il suo romanzo sovversivo proprio stando nel cuore del governo – e Korvus disse soltanto: "Ho capito di quale uomo intendi parlare".

La nota di censura era indubbia. Forse, una superstite lealtà nei confronti del sistema era stata turbata da quel tradimento. Lui s'era semplicemente messo a riposo ed era diventato un poeta.

Di domenica, quando apriva il mercato centrale, i contadini si riversavano in città. Dietro alle cataste di mandarini, melograni, barbabietole rosse, peperoni e albicocche secche, essi attendevano fin dalla mattina presto con risoluta tranquillità: un popolo con facce che esprimevano tutta la fiera gamma dei mutamenti subiti dai turcomanni. C'erano facce mongole con guance che rimanevano prive di rughe fino a tarda età, e lunghe facce caucasiche con occhi straordinariamente chiari, e visi da beduini con nasi affilati che si protendevano da fronti basse. Alcune delle donne più vecchie, memori della modestia della loro giovinezza, si toccavano in continuazione lo scialle che nascondeva i volti non più belli, e se ne stavano per tutto il giorno di fronte a una scodella di cipolle o ai carote coltivate nei loro orticelli privati.

Gli acquirenti si aggiravano sconsolati in mezzo a loro. L'improvvisa inflazione aveva sconvolto i frammenti dell'ex Unione Sovietica. Tutti si lamentavano. Tutti avevano sulle labbra la litania sui cambiamenti dei prezzi. "Un chilo di carne adesso costa un centinaio di rubli... l'anno scorso costava soltanto dieci! Tutto funzionava meglio sotto Brežnev..." E i russi che si muovevano fra loro sembravano perfino più poveri degli altri.

Fu qui che incontrai Momack, l'artista. Si lasciava trasportare dalla corrente, come me: un uomo esile, di mezz'età, con jeans larghi e felpa da ginnastica. In questo ambiente rude, il suo aspetto risultava vagamente teatrale. Possedeva la malinconica ipersensibilità dei re delle miniature persiane. Una barba satinata e nera gli invadeva le guance salendo fino agli occhi acquosi. Si sentiva vicino a questi contadini, disse. Gli sembravano più vicini alle radici del suo popolo. Ma io non riuscivo a figurarmi che loro si sentissero vicini a lui.

Mi condusse nel suo studio con una Zhiguli berlina, di una ventina d'anni. Tempo fa, disse, il suo sogno era stato quello di vendere tutti i suoi quadri e comperarsi una Mercedes. "Amo quelle macchine." Batté leggermente le dita su un finestrino incrinato. "Invece ho questa." La Zhiguli pareva assemblata con metallo di scarto. Si muoveva a scatti, e oscillava come una scultura mobile d'artista.

Procedemmo rumorosamente lungo via Gogol e via Puškin – "Spero che conservino questi nomi," disse. "Erano persone vere, scrittori, non politicanti..." Odiava la politica. Per lui anche l'Islam rappresentava non un credo, ma un'abitudine. L'Islam era sempre rimasto attaccato addosso ai bucolici turcomanni. Disse che era ben vero che in città avevano costruito tre nuove moschee, ma che questo non indicava una reale rivoluzione dottrinaria, quanto, piuttosto, un debole risveglio culturale. "Noi turcomanni non abbiamo mai avuto una fede troppo profonda. Non abbiamo mai avuto molte moschee. Era sufficiente che cinque o sei persone si radunassero in una casa a pregare... Me lo ricordo, quando ero bambino."

Il suo studio sorgeva in un sobborgo ancora costellato di abitazioni delle vittime del terremoto del 1948. Gli edifici erano rimasti diroccati per anni, finché lui e alcuni suoi amici li avevano restaurati. Ora era diventato un covo di squallidi atelier dove nessuno dava l'idea di lavorare. Rottami di sculture ingombravano il suo cortile – due resti decapitati nello stile del Realismo socialista intagliati in poliestere verniciato d'argento, e il piedistallo scartato di un busto.

Scendemmo un corridoio a spirale, dove in lontananza comparivano enormi stufe simili a colonne. Nello studio c'era una primitiva pressa che Momack utilizzava per preparare le sue litografie. Si sedette imbarazzato. I lavori di tutta la sua vita giacevano ammucchiati intorno a noi, invenduti. Le tele erano impilate su ripiani o erano ammassate contro i muri. Da studente si era infatuato di Picasso e Chagall, e nel corso degli anni i suoi quadri erano diventati pericolosamente astratti. Li aveva venduti soltanto agli amici. Dopo la *perestroika*, disse, aveva goduto di un certo successo a Mosca e nell'Europa orientale. Ma adesso la vita era difficile, era così isolato. Manteneva due figlie avute dalla prima moglie e, dalla seconda, un bimbo, che il giorno precedente era stato circonciso e aveva pianto tutta la notte.

Con una certa esitazione mi mostrò alcuni dipinti. I suoi primi oli erano scene romanticizzanti della vita dei villaggi turcomanni, e alcuni incerti esercizi nello stile picassiano. Ma le sue incisioni e gli acquerelli erano inquietanti e strani. Aveva dipinto ossessivamente matrimoni e miraggi. Soprattutto miraggi. Era come se il passato della sua gente brillasse appena fuori dalla sua portata, e il fatto di non riuscire ad afferrarlo lo faceva impazzire. Le sue figure erano simili a fantasmi. Camminavano o cavalcavano in deserti astratti e in valli montane, trasudando malinconia. Figure umane sospese in volo sotto la luce della luna. Le loro ombre sulla sabbia o sulla pietra avevano la stessa consistenza, e spesso erano intente a fare qualcos'altro.

"Questi sono soltanto abbozzi," disse. "Non si ottiene mai quello che si vuole, non è vero?"

Per lui il dolore, la ricerca di una qualche radice nel passato del suo popolo violentato avevano forse origine da una qualche forma di ansia tipica degli orfani. Suo padre e due sue sorelline erano rimasti uccisi nel terremoto del 1948, che aveva risparmiato sua madre incinta di lui; e anche lei era morta quando lui aveva soltanto tredici anni.

"Forse è per questo motivo che i miei capelli si stanno già imbiancando..." Si toccò un ciuffo di capelli color cenere che crescevano sulle tempie. Aveva soltanto quarantatré anni. Nessuna meraviglia, dunque, che tutti i suoi quadri sembrassero rimpiangere una madrepatria perduta. Aveva deciso di abitare ai bordi della sua città, fra le vittime, e i suoi amici appartenevano alla minoranza in bilico tra la popolazione russa e turca, qui, come in tutte le capitali dell'Asia centrale: armeni, tartari, ebrei, coreani, polacchi.

Domandai se avesse concepito la sua pittura come un mezzo per ritornare al passato.

"No, no, niente del genere in questo momento." La sua espressione si stemperò in una sorta di tragico abbandono. "Sono soltanto linee e colori. Ecco tutto. Linea e colore. No, non ho riscoperto la mia cultura, soltanto ampliato la mia tecnica."

Alcuni dei suoi quadri si abbassavano a una singolare prosaicità. In uno di essi le parole di un manoscritto turco miniato stavano sospese come una tenda dietro a un artista barbuto. Ma la composizione si disperdeva in quattro direzioni, le parole svanivano e la figura era simile a un'ombra. "Questo vuol dire che senza la conoscenza del proprio passato un uomo non è nulla," disse Momack pedantemente. "Lui non riesce a capire se stesso. E scompare."

Ora stava indicando un acquerello intitolato *Matrimonio: studio di uno vecchio e uno nuovo*. Il vestito di una sposa di villaggio – il vivido rosso della fertilità – giaceva nella vetrina di un museo, brillante ma inaccessibile; mentre dietro, in un bianco virginale, posava il manichino di una sposa occidentale. Sotto il velo era nuda.

Morivo dalla voglia di individuare il cuore geografico di questa nazione disordinata, ma non ne esistevano. Non possedeva nessun Vaticano, nessuna Acropoli. La sua popolazione s'era probabilmente spostata verso ovest, nel deserto del Kara Kum, nel corso del decimo secolo, ma anche questo è incerto. Verso la fine del diciannovesimo secolo, l'avanzata dei russi li trovò sparpagliati sotto le pendici del Monte Kopet, in villaggi fortificati e in campi nomadi. Fra tutte le popolazioni centroasiatiche i turcomanni erano quelli che più degli altri possedevano un forte senso della propria nazione, e la maggior determinazione nel combattere. Eppure anche fra loro questo concetto dello stato era piuttosto nebuloso. Si consideravano prima di tutto tribù – Tekke o Yomut o Salor – e le loro frontiere erano continuamente fluttuanti.

Pensavo che soltanto la piccola città di Geok Tepe – a circa trenta chilometri a nord delle prime alture dell'Iran – potesse essere chiaramente ricordata come un santuario nazionale. Nel 1879 i turcomanni avevano respinto un esercito zarista dalle sue mura, uno dei rari rovesci occorsi alle armate imperiali nell'Asia centrale, ma due anni dopo i russi ritornarono guidati dal loro sanguinario generale, Skobelev – "Vecchi occhi insanguinati", come lo chiamarono i turcomanni – e cinsero nuovamente d'assedio Geok Tepe.

All'interno dei cinque chilometri di bastioni di fango, la più selvaggia e potente fra le tribù, i Tekke, aveva radunato diecimila guerrieri organizzati per l'estrema resistenza. L'artiglieria non era riuscita a smantellare questo fortino, così i russi inviarono dei genieri per minare il soffice terreno sotto le sue mura. Dopo venti giorni d'assedio, un'esplosione da due tonnellate e una pioggia di colpi d'artiglieria aprì una breccia larga quasi cinquanta metri, uccidendo centinaia di difensori; quindi la fanteria russa attaccò accompagnata dalle sue bande musicali, e si riversò attraverso la breccia. Il combattimento corpo a corpo sgominò gli sbalorditi turcomanni. Si sparpagliarono fuori dalla fortezza con le loro donne e i loro bambini, e furono massacrati indiscriminatamente a migliaia. Per anni e anni le pianure circostanti furono cosparse di ossa umane, e per la gente delle tribù bastava soltanto udire una banda militare russa che suonava perché le donne iniziassero a lamentarsi istericamente e le facce degli uomini si contraessero in smorfie di terrore.

Tuttavia, Geok Tepe divenne la leggenda di un'eroica sconfitta, e quando la menzionai al figlio di Korvus, Bairam, egli si eccitò e insistette per condurmi lì in macchina. Disse che distava soltanto cinquanta chilometri. Conosceva uno studioso di storia locale che ci avrebbe accompagnato. Saremmo andati nel luogo di sepoltura del capo turcomanno Kurban Murat. "Faremo una festa!"

La mattina dopo, all'ora della partenza, il gruppo era cresciuto a dismisura, come un fungo. Lasciammo la città rombando a bordo di una Volga carica di amici dell'azienda televisiva di stato. C'erano un regista burlone, già ubriaco, uno sceneggiatore simile a un topolino e un serafico gigante dalla faccia butterata, che era lo storico. Avendo annusato il profumo di una festa, avevano abbandonato in massa le loro scrivanie e si stavano lasciando andare a un'euforia carnevalesca.

Già prima di abbandonare i dintorni, avevano teso un tranello a un loro amico che si era rintanato nel suo negozio di macellaio. Ci avventurammo in mezzo a una foresta ondeggiante di vacche e pecore punteggiate da uova di mosche, in un magazzino col pavimento di fango, e ci accomodammo in questo sordido nascondiglio per un improvvisato picnic. Comparvero fette di pane e piattini pieni di cetrioli, e ben presto la piccola stanza risuonò degli sciacquii e dei gorgoglii della vodka. Si sviluppò un'esaltazione contagiosa. Brindammo reciprocamente ai nostri paesi, alle nostre famiglie, ai nostri affari, al nostro passato e futuro. La lingua turcomanna e quella russa si mescolarono in un'impotente parodia. Di tanto in tanto il macellaio entrava per raccogliere in fretta un coltello o un grembiule macchiato di sangue. Ma nessuno ci badava troppo. Ci abbracciavamo, in un inebriato senso di fratellanza, e ripetevamo le barzellette oscene ogniqualvolta l'implacabile regista riempiva i bicchieri di ognuno di noi.

Pur nello stato di trance imbevuto di vodka nel quale mi trovavo, riuscii a percepire la stranezza del regista. Era il buffone accreditato del gruppo, ma la sua faccia era quella di un clown distrutto. A ogni suo movimento gli scompigliati capelli grigiastri si agitavano sopra due occhi gonfi. Non riuscivo a capire la gran parte delle sue battute di spirito, ma quelle che capivo erano sottilmente autodenigratorie. Gli altri ridevano servilmente. Il ruolo del giullare era diventato il suo tratto distintivo, il suo passaporto. Sembrava prossimo al collasso. "La cultura inglese! La cultura turcomanna!" Alzò un bicchiere colmo di liquido ondeggiante. "Queste sono culture superiori! Non come i russi..." I nostri bicchieri si toccarono. "Io amo l'Inghilterra... Più di tutti amo la principessa Anna! Quella è una bella donna!" I suoi occhi palpitanti si avvicinarono ai miei. Stava rovesciando la vodka nel mio bicchiere. "La vodka è la cura per qualsiasi cosa!"

Soltanto lo storico non beveva. "Lui è un uomo molto serio," borbottò il clown. "Lui vuole parlare con te di storia. Ma dice che bere gli fotte il cervello."

Sulla faccia dello storico si schiuse un sorriso, che rimase stampato lì senza alcun motivo per molto tempo, come se se ne fosse scordato. Tutti i suoi stati d'animo passavano attraverso queste lente gradazioni, e rimanevano arenati nelle espressioni del suo viso anche quando la sensazione era cessata.

A questo punto l'umidità che saliva dal pavimento di terra era penetrata nei nostri calzini e nei nostri pantaloni. Ma, ubriachi, continuammo a trangugiare tutto fino all'ultimo sorso e all'ultimo boccone. Con affievolito stupore mi venne in mente che gli uomini che stavano seduti in questa macelleria facevano parte dell'élite sofisticata di Aškhabad. Ma le loro camicie e le loro cravatte serie adesso sembravano solamente una pantomima, e il fatto di trovarsi in una compagnia di questo genere sembrava avesse scatenato in loro un desiderio profondo e terreno, più antico dell'Islam.

Un'ora più tardi stavamo vagando su una strada piena di buche in direzione di Geok Tepe. Aškhabad sembrava estendersi per chilometri sopra la steppa in villaggi sparpagliati formati da villini di mattoni chiari e da giardini arruffati. La campagna aveva un aspetto abbandonato, incompleto, come se fosse stata destinata a una periferia ancora da costruire. Piloni e pali telegrafici s'incrociavano sulle praterie come una ragnatela sporca. Ai bordi della strada erano ammucchiati cumuli di tubature e calcinacci. Tutti gli edifici sembravano incompleti o diroccati, senza soluzione di continuità fra la consunzione e la decadenza.

Passammo davanti a costruzioni in cemento e amianto, e ad aziende vinicole. Comparvero i campi di cotone e le vigne, e le fattorie collettivizzate denominate "Sole" o "Gloria", adorne di slogan sbiaditi che celebravano la forza e il lavoro. A un certo punto attraversammo il canale Kara Kum che scorreva dall'Amu Darja, originariamente chiamato Oxus, verso ovest per circa mille chilometri, per arrivare a fertilizzare tutte queste oasi sotto il Monte Kopet. Fluiva tumultuosamente con acque color marrone, fra due argini di cemento invasi dalle canne.

Subito dopo, guidando in mezzo ai pascoli, giungemmo a un enorme cimitero. Molti dei morti del massacro di Geok Tepe erano stati interrati qui e, un anno più tardi, in mezzo a loro era stato sepolto il capo turcomanno Kurban Murat. Non era stato soltanto un guerriero ma anche un sufi naqšbandi, un santo, e la sua tomba divenne un luogo d'attrazione per i pellegrini, e un simbolo di resistenza. Durante gli anni dell'era sovietica fu venerato segretamente per molto tempo. "Ormai si è trasformata in un tumulo," disse lo storico, "ma la gente se ne ricorda."

Ci arrampicammo attraverso una breccia nel muro di cemento. La tomba del santo era stata rozzamente ricostruita: un cubo di mattoni sotto una cupola d'argilla. Ci eravamo tutti un po' calmati, e ora procedevamo oscillando in silenzio in mezzo all'erba in direzione della tomba. Tutt'intorno a noi si alzava un oceano di tumuli senza nome cosparsi di papaveri bianchi. Lo storico disse: "Due dei miei bisnonni sono stati uccisi in quella battaglia. Anche loro sono sepolti qui". Conosceva il posto, ma non ci andò. Spalancò la porta d'ingresso della tomba di Kurban Murat. Rimase fuori soltanto il regista, che era stato improvvisamente assalito da un senso di vergogna o d'indifferenza, e si passava le mani sul viso per invocare Dio alla maniera islamica.

Ci intrufolammo in uno squarcio di luce fievole proveniente da un foro nella cupola. Eravamo soli. La tomba a tumulo si dilatò enormemente all'interno dei muri perimetrali. Era coperta da uno straccio di seta verde. I pellegrini vi avevano deposto sopra alcune pietre variegate, e c'erano anche alcune centinaia di rubli che nessuno toccava. Girammo tutt'intorno alla tomba per tre volte in senso antiorario, alla maniera musulmana, rasentando le pareti. Nessuno parlò. Poi, all'improvviso, i miei compagni si prostrarono con violenza davanti alla parte superiore del sepolcro, e picchiarono le loro fronti contro il tumulo. Li osservai in silenzio con stupore. Tutto d'un tratto il luogo riverberò dell'antico, prestigio tribale del morto e di tutto l'indicibile passato. Quando si rialzarono, avevano le fronti coperte di polvere.

Un attimo dopo eravamo di nuovo fuori in mezzo alle tombe. Alcune rondini stavano cinguettando sull'erba. "Molta gente viene qui per l'anniversario della battaglia" – lo storico fece scorrere la mano per indicare le code di gente – "specialmente i discendenti dei morti." Ma i morti erano in maggioranza ignoti. Qua e là un samovar turcomanno, scolorito e arrugginito, tradiva la presenza di una tomba, o indicava una pietra tombale piena d'iscrizioni. Ma per la maggior parte erano marcate soltanto da una zolla nuda che spuntava in mezzo a una trama di cespugli e papaveri.

"Ci vengono i naqšbandi?" Avevo letto che continuavano a riempire l'Asia centrale.

Ma lui disse: "No. Non sono importanti. La nostra religione è più antica della loro, più vecchia di quella islamica. Noi abbiamo il nostro credo. Ecco perché non accettiamo il fondamentalismo, o l'Iran, o nient'altro del genere". La sua faccia si stagliò davanti alla mia come una luna bianca. Voleva che capissi. "Vedi, la gente che viene nei nostri santuari non è esattamente musulmana, anche se viene chiamata così. La loro fede è più antica... diversa."

Indugiando dietro questo peculiare mausoleo – il covo di un santo guerriero – credevo alle sue parole. Aveva il sapore di un culto ancestrale. I rituali formali della moschea, tutte le strutture e le teologie dell'Islam urbano, sembravano lontane. Questo era un luogo segreto di memorie tribali, e di rabbia. "I russi uccisero quindicimila dei nostri quel giorno, molti dei quali erano donne e bambini, e persero tremila dei loro." Lo storico fissò lo sguardo al di là dell'agitato mare di terra. "Erano barbari."

Tuttavia, il numero dei nemici morti se l'era inventato. In contrapposizione alla pietosa cifra dei morti turcomanni, i russi (forse minimizzando) avevano calcolato il numero dei loro morti in meno di trecento. Ma ciò che raccontava lo storico era affascinante e semplice. Egli stava ricostruendo il passato del suo paese in un modo pericolosamente privo di verità, così come i russi avevano un tempo creato il loro. Aggirandosi fra le tombe, affermò che i turcomanni risiedevano in quella terra da settemila anni, come se fossero stati i semplici discendenti degli uomini del Neolitico. Delineava la loro identità non come quella di schiavisti idolatri che si erano rifatti una verginità grazie a una fede più sofisticata, ma come quella di un popolo antico, omogeneo, impregnato di primigenia saggezza.

Ora il regista stava caracollando dietro di noi lungo il sentiero. "Non è la nostra tragedia!" La sua camicia si era aperta sotto la cravatta allentata. "È la *loro* tragedia, la tragedia dei russi! Sono i russi che devono andarsene da questo paese, non noi. Come gli inglesi dall'India o i francesi dall'Algeria!" I suoi occhi clowneschi vagavano su di me. "Come ogni colonialismo – la tragedia è quella dei colonizzatori!"

Borbottai incerto. Il colonialismo non sembra si risolva in uno schema così facile. Lui si stava ubriacando fino all'autodistruzione, come qualsiasi russo.

"È il *loro* disastro, è il *loro* errore!" Le sue braccia tremanti si alzarono in direzione delle tombe. "Questi non furono errori..."

Un'ora più tardi, mentre ci stavamo dirigendo verso Geok Tepe, fu assalito nuovamente da quello strano, sprezzante fervore, e insistette perché ci fermassimo. Nessuno osò opporsi e subito dopo ci ritrovammo stesi mollemente sull'erba con altre due bottiglie di vodka e un sacchetto di formaggio semiliquefatto. Dietro a noi scintillava una pozza stagnante, in cui una chiusa di cemento armato incanalava l'acqua proveniente dal canale Kara Kum. Gorgogliava miseramente. A questo punto la mia mente fluttuava separata dal corpo, e mi sembrava che anche i piedi si fossero staccati dal resto. Stentavo a riconoscerli in fondo alle gambe. Il clown, che aveva creato da sé il suo personaggio, ci aveva trasformato tutti in bambini. Ridevamo a crepapelle, pervasi da un'allegria idiota, ogniqualvolta lui apriva bocca. Alcuni cespugli polverosi nascondevano il nostro scandaloso spettacolo dalla vista della strada. "Questo è un bellissimo luogo turcomanno," urlò, e tutti risero.

Ero cosciente soltanto della segreta accondiscendenza dello storico, che mi toccava di tanto in tanto il braccio, e che con i suoi occhi diceva: mi dispiace. E a volte Bairam mi ficcava in mano pane e formaggio e sussurrava: "Mangia, mangia, non bere soltanto. Salvati...".

Morivo dal desiderio di gettare via il contenuto del mio bicchiere senza farmi vedere, ma il regista mi osservava con occhi febbrili tutte le volte che me lo riempiva, e chiedeva di fare un brindisi dopo l'altro. Poi – mezzo scherzando, mezzo animato da un impeto di perdono – faceva scorrere le mani sulla faccia, facendo il segno islamico di benedizione, fino a contorcerle sulle guance con cinica disperazione. Ma borbottava: "Sono grigio. Soltanto gli uomini buoni diventano grigi... Guarda questi altri...". Si alzò e barcollò nell'erba. "Questo è un bel posto... Saluterai per me la principessa Anna?... La nostra è una grande cultura..."

Non arrivammo mai a Geok Tepe, ma in qualche modo ci rimettemmo in marcia verso Aškhabad immersi nei fumi dell'alcol. In albergo, il banco, dove la signora del mio piano di solito era seduta annoiata al suo posto d'osservazione, era vuoto e io mi misi ad armeggiare nel cassetto per cercare la mia chiave. Poi mi fermai. Il mio occhio era stato attratto da un pezzo di carta. Scioccato, mi ritrovai a leggere un rapporto sui miei movimenti. Vi erano scrupolosamente annotate tutte le mie entrate e uscite dalla camera, e l'identità di quelli che mi avevano fatto visita. Mi sentii piuttosto male. Fui travolto da una vecchia ansia, che dodici anni prima avevo conosciuto bene, quando il Kgb mi aveva pedinato attraverso l'Ucraina occidentale. Il pezzo di carta mi fece tornare alla memoria quello che già sapevo, ma che avevo dimenticato durante la piacevole giornata: che questo non era un paese libero.

Ma, mi chiedevo, a chi riferiva la sezione locale del Kgb? S'erano purificati dal loro elemento russo ed erano diventati semplicemente turcomanni, o i legami con Mosca si erano conservati? Soprattutto, qual era il loro fine? Ma, pensai, è più verosimile che costoro cambino soltanto con la lentezza di quei sauropodi del Giurassico che possedevano due cervelli, uno nella testa e uno nella coda: un organismo impacciato con l'istinto di un vegetale. Per un po' continueranno semplicemente a fare le cose per le quali sono stati programmati, anche se insensatamente, perché è quello che hanno sempre fatto.

Un attimo dopo apparve la signora del piano, agitata. Una obesa *babuška* russa con riccioli tinti d'henné e sopracciglia marcate da una matita, e anche lei sembrava appartenere a una specie in via d'estinzione. Mi salutò agitando le dita della mano, poi si frugò in tasca in cerca delle mie chiavi, sparandomi un sorriso. "Che stupida..."

Il giorno dopo rinnovai i miei progetti di raggiungere Geok Tepe. Un autista di nome Safar si offrì di accompagnarmi per cento chilometri al modesto prezzo di due dollari (la svalutazione del rublo aveva trasformato il dollaro in oro) e ci mettemmo in viaggio attraversando le stesse fabbriche, gli stessi campi di cotone e gli stessi pascoli desolati. A mano a mano che c'inoltravamo, la campagna diventava più povera. I villini si moltiplicavano in baracche dal tetto di lamiera ondulata: recinti per animali, abitazioni, gabinetti. Uomini con la pelle cotta dal sole oziavano sugli usci insieme a donne scure, dall'aspetto di beduine, con abiti neri e in testa scialli sgargianti. Sui prati erbosi vagavano mandrie di pecore e agnelli di razza karakul – quelli che danno la lana astrakan – e di piccoli dromedari. I campi, però, erano bordati da paludi salmastre che luccicavano come neve sporca.

Ormai le montagne del Kopet s'affacciavano oltre l'orizzonte meridionale, e le loro pendici digradavano verso la nostra direzione di marcia. Dietro a esse s'era scatenato un temporale che anneriva il cielo. All'improvviso apparve un aeroporto militare. Fuori dai bunker mimetizzati, i caccia a reazione erano tutti puntati verso l'Iran che si trovava sulle montagne, a una cinquantina di chilometri di distanza. Non ero sicuro che agli stranieri fosse permesso percorrere questa strada, ma i vecchi regolamenti non erano più validi, e l'aeroporto era circondato soltanto da filo spinato spezzato in vari punti e da cadenti torri di guardia sulle quali non c'era nessuna sentinella. Un attimo dopo lo avevamo superato.

Mi domandavo che cosa pensasse la gente di questo arsenale collocato in mezzo al loro territorio – le forze di un'unione di Stati Indipendenti – ma Safar si limitò a scrollare le spalle. Aveva fatto il servizio militare in un centro di ricerche chimico-militari vicino a Bukhara, ammise, e i russi non lo preoccupavano affatto. "Si può andare d'accordo con loro. Sono a posto. I russi non se ne andranno."

Ma io sapevo che stavano già lasciando quel territorio.

Mi domandai che tipo fosse Safar. Dalla sua fronte s'irradiava un velo di capelli bianchi, e la sua faccia ovale era segnata da rughe profonde. Tuttavia erano tutte regolari, e il naso sporgeva sopra una bocca grande e ridanciana.

La sua vita, però, era stata un susseguirsi di tragedie, come ormai mi aspettavo da chiunque vivesse in quel posto. Durante il terremoto, quando era soltanto un ragazzo, aveva perduto sotto le macerie la sorellina di tre anni, e il padre era scomparso molto tempo prima, durante l'epoca staliniana.

"Non l'ho mai conosciuto. Era un commerciante che vendeva il sale oltre frontiera, in Iran." Indicò con un gesto le montagne. "Laggiù aveva sposato mia madre – i turcomanni erano sparpagliati su entrambi i versanti della frontiera – ma lui fu arrestato in quanto *kulak* nel 1936 e fu deportato in Siberia. Mia madre adesso ha novant'anni, ma se lo ricorda ancora. Tornò da lei per un mese, quindi lo arrestarono di nuovo, e alcuni anni dopo lei ricevette una lettera da un compagno d'esilio che diceva che suo marito era morto là, vicino a Novosibirsk. Fu in questa maniera che venimmo a conoscenza della cosa."

Da un po' di tempo, sotto le pendici scoscese delle montagne, si era innalzata una linea più chiara di contrafforti, che ora si stava oscurando minacciosamente sopra la collina, a sud rispetto a noi. Era una città-palazzo dei parti, risalente a più di duemila anni prima. E questa era la magia di quella terra. Si stendeva completamente vuota per chilometri e chilometri, tranne che per i villaggi moderni o le fattorie statali, e poi – come se tutti i secoli passati si fossero compattati in un movimento a fisarmonica – l'aria secca o la sabbia mobile avevano conservato in un isolamento onirico le vestigia di un'epoca antica, come nel caso di questa città, Nisa.

All'incirca otto anni dopo che Alessandro il Grande aveva marciato attraverso questa regione diretto in India, i parti seminomadi si ribellarono al suo successore e fondarono il loro impero. Nisa deve aver segnato il limite settentrionale della loro dominazione, e aveva tuttora un aspetto straordinario. Lì non si muoveva nulla. Ma in prossimità delle sue porte udimmo un timido saluto e, nella luce spettrale, intravedemmo un ragazzo con la chioma rossa e gli occhi chiari. Si dileguò fra le rovine. Avrebbe potuto appartenere a qualsiasi luogo: alla Persia o alla Macedonia o perfino (la mia immaginazione si era scatenata) a quei legionari romani distrutti, che i parti fecero avanzare verso est, dopo la battaglia di Carre.

Davanti a noi la città appariva spettrale quanto quel ragazzo. Costruita in terracotta, era dello stesso colore della polvere tutt'intorno. Il vento, la pioggia e il sole l'avevano sbriciolata eliminando qualsiasi particolare e lasciando in piedi un labirinto rossiccio di mura e di torri. Vagabondai per i corridoi in uno stato di trepidante aspettativa. I suoi palazzotti erano così solidi che mi figuravo di incontrare da un momento all'altro qualche cosa di familiare o di caratteristico. Ma i bastioni alti venti metri e le fortificazioni che debordavano da queste, erano levigati a piombo, e sotto scorrevano passaggi simili a crepacci naturali. Anche la sala circolare del trono, un tempo abbellita dai principi semidivini che governavano quel luogo, esibiva soltanto la sua struttura a conchiglia. La terra stava riassorbendo l'intera città. Sembrava stesse perdendo i propri contorni.

Tentai con la fantasia di arredarla con quelle suppellettili che avevo visto nel museo di Aškhabad. Rivelavano la loro appartenenza a una città contagiata da un ibrido ellenismo. Ricordavo statuette in marmo levigatissimo, e stupende coppe d'avorio a forma di corno. Queste corna erano sufficienti per farmi immaginare almeno approssimativamente l'aspetto della città. Sulle basi fiorivano decorazioni a intaglio di draghi provvisti di baldanzose zanne e di ali infuocate, ma le strisce decorative che ne inanellavano i fusti erano cosparse di figure in bassorilievo quasi greche, che combattevano o celebravano sacrifici in atteggiamenti di una grazia sbiadita, o che percuotevano i cimbali per qualche rito dimenticato.

Tuttavia la città stessa era morta. I miei piedi calpestavano una polvere assolutamente inconsistente. A tratti, nelle brecce dei muri comparivano ancora alcune file di robusti mattoni cotti, che poi finivano con l'essere nuovamente inghiottiti. Stavo percorrendo un labirinto monocromo. Un vento proveniente da est mi batteva sulle orecchie, ma sembrava non sfiorasse quasi nient'altro. Intravidi soltanto una volta il misterioso ragazzo dai capelli rossi, che guardava da un bastione lontano.

Giungemmo nei pressi di Geok Tepe all'imbrunire. Safar non provava né amarezza né commozione all'idea di raggiungere il luogo del calvario del suo popolo, ma continuava a chiacchierare con severa vivacità. Verso sud, le montagne si alzavano in erbosi altopiani sui quali rotolavano nuvoloni tuonanti. Attraversammo una solitaria linea ferroviaria.

"Questo è il motivo che scatenò la nostra guerra contro i russi," disse Safar. "Volevano portare qui la ferrovia, ma noi turcomanni la odiavamo." Sospettai che inconsciamente si stesse rifacendo a una delle versioni sovietiche delle cause del conflitto: un'interpretazione fornita dall'imperialismo zarista secondo la quale i turcomanni figuravano come popolazioni arretrate. Per quanto riguarda i russi, l'impero zarista s'era disordinatamente spinto fin sotto le mura di

Geok Tepe per una caotica serie di motivi: l'avidità di commerci e di materie prime, la ricerca di confini sicuri, la rabbia per il traffico di schiavi slavi. Alla fine, il vuoto e la debolezza di tutto questo territorio – un puro e semplice vuoto di potere – risucchiarono i russi all'interno.

All'inizio intravedemmo soltanto una piccola città sparpagliata in lontananza, e la pacifica ferrovia. Poco dopo, stavamo procedendo vicino al recinto in cemento di una fattoria collettivizzata, che mascherava il perimetro di altre, più antiche mura. Forse era stata collocata qui di proposito, allo scopo di seppellire il passato in un sonno profondo. Si chiamava "Pace". Ma dopo un po' i suoi vigneti si esaurirono, e da quel punto incominciò a snodarsi sopra i pascoli una strada bassa a saliscendi formata da bastioni di terra, simile alla colonna vertebrale di un serpente sepolto nella steppa.

Ci arrampicammo sopra di essa. Vicino a noi una fortificazione esterna merlata era ridotta a un mozzicone irto di artemisie. Un ammasso di filo spinato ne coronava la cima. Non appena la raggiunsi, mi fermai sopraffatto dallo stupore. Sotto di me, nella penombra, si apriva a perdita d'occhio un immenso quadrilatero di bastioni fortificati, che aveva un perimetro di quasi cinque chilometri. Risplendeva sopra la pianura ed era totalmente deserto. Qui, trentacinquemila individui appartenenti alla tribù dei Tekke, insieme a circa diecimila guerrieri a cavallo, si erano radunati in una formicolante tendopoli. Adesso una parte delle fortificazioni s'elevava soltanto per tre metri e mezzo – dopo l'assedio gli spalti superiori furono smantellati per coprire i resti del massacro – ma per centinaia di metri rimanevano ancora misteriosamente intatte. I loro parapetti doppi scorrevano in decrepiti corridoi in cui le feritoie e i pertugi per i fucili s'erano erosi in crepacci o in larghe brecce. In quelle feritoie, dopo la battaglia, molti uomini furono trovati ancora seduti nel luogo in cui erano stati colpiti, alcuni di loro erano morti da giorni, con le teste accasciate fra le ginocchia.

Arrivammo in un punto in cui stavano costruendo una nuova tomba. Le sue fondamenta racchiudevano una pietra incisa con il nome del capo defunto e la data fatale, 1881. Safar si gettò a terra, bisbigliando una preghiera, poi girammo insieme tutt'intorno alla sepoltura. Domandai se veniva degnamente commemorata. "Sì," disse. "La gente del luogo si ricorda di queste cose. E hanno pagato le spese per la tomba."

Nella luce del crepuscolo che scemava progressivamente, camminammo per un po' lungo quei bastioni pieni di fantasmi. Scorrevano davanti a noi sopra collinette di terra unite l'una all'altra, corrose dalle precipitazioni e dai colpi dell'artiglieria. Al di là di una montagnola sulla quale i turcomanni avevano posizionato una batteria di cannoni e un posto d'osservazione, le mura meridionali s'erano dissolte nella luce del tramonto e la breccia fatale era stata sommersa dagli edifici della fattoria collettiva. In qualche punto lì intorno, i russi avevano ampliato il loro fortino fino a circa settanta metri dalle fortificazioni, per poterle minare dal di sotto, e si erano spinti così vicino che i soldati russi potevano sentire le sentinelle turcomanne che chiacchieravano e che si domandavano perché mai gli infedeli trivellassero il terreno con i loro brutti musi come se fossero stati dei maiali. Dopo l'esplosione delle mine e lo sconquassamento che aveva aperto le brecce, nel campo turcomanno era scoppiato il panico. La maggior parte dei maschi combattenti corse ai cavalli e sciamò fuori dai varchi apertisi nelle mura dove adesso noi stavamo passeggiando, imitati da orde di civili terrorizzati. I russi li inseguirono nella pianura per oltre quindici chilometri, falciandone a migliaia: vecchi, donne e bambini.

Ora, mentre vagavamo all'interno della cinta muraria, mi accorsi che tutt'intorno a noi la terra era corrugata da tumuli. Sciabordavano fino ai nostri piedi come onde di un pietoso oceano. Era impossibile non camminarci sopra, erano così tanti, irti di cespugli di spine di cammello e tutti anonimi. Il mattino successivo alla battaglia, all'interno del forte furono contati seimilacinquecento cadaveri, mentre altri ottomila appartenevano a quelli che erano stati massacrati durante la fuga.

"Nessuno sa chi giace in questo posto," disse Safar. "Furono i russi a seppellirli."

Mi guardai intorno, inebetito. Li avevano semplicemente ricoperti con la terra, nel punto in cui erano caduti.

Quando Safar e io tornammo alla macchina erano calate le tenebre, ed entrambi eravamo ammutoliti. I fari della nostra macchina ondeggiavano tristemente sulla strada. Avevo letto che i russi avevano eretto un monumento alla memoria dei loro caduti davanti alla breccia maggiore. "L'ho visto tre mesi fa," disse Safar. "Non è un granché."

Ma, pur sentendomi in colpa, gli chiesi di visitarlo. Ero confusamente impressionato dallo spirito di tolleranza che aveva consentito che questo monumento si conservasse intatto.

Tuttavia, mentre circolavamo lungo la ferrovia, Safar cominciò a perdere sempre più il senso dell'orientamento. "Pensavo fosse qui," disse, "sono sicuro che fosse qui." Per due o tre volte attraversammo la stessa strada, ma lui non riconobbe nulla. Attorno a noi la città era diventata un formicaio di finestre desolate illuminate da fioche luci.

All'improvviso alzò le mani perplesso. "Eccolo!"

Mi sporsi in avanti. "Dove?"

"Là!"

Debolmente, come se lanciassero una tenue aureola attorno a un oggetto di dubbia santità, i fari della nostra macchina si erano posati sopra una collinetta di polvere e calcinacci. Safar cambiò con decisione il senso di marcia dell'automobile. "Hanno fatto un bel lavoro!"

Domandammo a un passante che cosa fosse accaduto.

"Non lo so," rispose l'uomo. "È semplicemente scomparso."

"Come?"

La faccia dell'uomo si contrasse in una risata, poi disse con grande compunzione: "Dicono che sia stato Dio a farlo, di notte!".

2.

IL DESERTO DI MERV

A est di Aškhabad il mio treno procedeva pesantemente in mezzo a una regione di oasi in cui i fiumi digradavano giù dall'Iran per andare a morire nel deserto dei turcomanni. Le montagne del Kopet sbucarono all'improvviso fuori dalla foschia, incorniciate in uno dei finestrini, e si susseguivano con colori sempre più fluidi sullo sfondo lontano del cielo. Fuori dall'altro finestrino, scorreva una savana grigio verde, punteggiata di papaveri. Al di sopra di quest'immensità il cielo si curvava come un soffitto affrescato, in cui flottiglie di nuvole bianche e grigie galleggiavano sopra diverse correnti di vento.

Sotto le colline pedemontane intravidi un paio di volte il tumulo di un *kurgan*, tagliato in due come le labbra di un vulcano – forse il luogo di sepoltura di un capo tribù, oppure la pietra miliare di qualche avamposto nomade. Lungo questo stretto litorale, un secolo fa, i turcomanni della tribù dei Tekke avevano pascolato i loro cammelli e i robusti cavalli Argamak, e dissodato il terreno che circondava quarantatré fortezze di terracotta. Ora il canale Kara Kum scorreva giù dall'Oxus in mezzo a villaggi con nomi vecchi e disperati come "Punto Morto" e "Maledetto da Dio", e alimentava fattorie collettivizzate che coltivavano frumento e cotone.

Il treno era come una città in movimento. Nei suoi scompartimenti, le cuccette assiepate una sopra l'altra erano cariche di operai russi e di bande di turcomanni chiacchieroni. Attraverso i finestrini velati di sporcizia, il mondo esterno sembrava aspro, e dalle toilette si propagava un tanfo d'urina. Ma nell'aria c'era una turbolenta atmosfera di libertà. Tutti erano in viaggio, leggermente sradicati. Trangugiavano insalate e facevano a pezzi magri pollastri, giocavano a carte schiamazzando e vezzeggiavano reciprocamente i propri bambini, fino al momento in cui venivano cullati dal sonno del riposo pomeridiano. Allora i sudici materassi delle ferrovie venivano disposti sopra le cuccette, e il corridoio diventava un groviglio di braccia e di piedi infilati in logori calzettoni. Da una tundra di lenzuola sporgevano le barbe dei contadini turcomanni, e le teste rapate dei soldati che riposavano con i loro cappelli schiacciati sulla testa. Matriarche che si stavano recando a visitare i propri parenti nella prossima oasi si ergevano come montagnole sotto coperte o cappotti imbottiti, e giovani donne si attorcigliavano con i loro bambini in braccio, con le sciarpe gettate sopra il viso.

A trecento chilometri a est di Aškhabad, nel punto in cui il terreno digradava in due crinali di sabbia punteggiata di piante stentate, si alzò un vento tagliente. Soffiava contro i finestrini del treno e scioglieva pianura e cielo in un'unica luce giallastra. All'improvviso apparvero distese arate e canali d'irrigazione, e il luccichio dei campi di riso sommersi dall'acqua; e subito dopo una bianca foresta di pali del telegrafo, piloni e gru annunciò i sobborghi di Mary. Ebbi il tempo di spiare fugacemente dentro a una serie di cortili privati – una visione di orti ben curati e di oche sparpagliate – prima che il treno si fermasse con un sobbalzo.

Mary era un ghirigoro sopra un'oasi, costruita disordinatamente con mattoni chiari e opachi. Vagabondai fra massicci condomini e bungalow, diretto verso un centro inesistente. Trovai un alberghetto triste. Verso sera, mentre stavo seduto nella hall davanti a un televisore in bianco e nero, sentii che in Afghanistan era stato deposto Najibullah. Ma nella lobby non c'era nessuno con cui commentare questa notizia; e il notiziario proseguì. Con un vago senso di dissociazione, come se stessi ricevendo un resoconto da un lontano pianeta, sentii che i danesi avevano rifiutato l'integrazione nel Mercato Comune Europeo e che a Wembley ci sarebbe stato un concerto in memoria di Freddy Mercury.

Ma nulla del remoto presente sembrava reale quella notte. Era il passato che si intrometteva. Da qualche parte nella periferia di questa poco amabile città giacevano le rovine della città carovaniera di Merv, per duemila anni una delle stelle guida della Via della Seta, e capitale degli abili e tragici turchi selgiucidi: una città ricca, un tempo civilizzata e benevolmente potente, che aveva instillato nei suoi eterogenei cittadini una comune passione per il commercio.

Mi avventurai fuori nella tiepida notte di Mary. Le poche luci della strada spandevano squallore. L'unico ristorante aperto serviva rozze zuppe di verdura, insieme a cumuli di montone e capra sopra un riso colloso. Camminai lungo vicoli non illuminati in direzione di una debole musichetta, e sbucai sotto un gruppo di condomini per vedere una festa di matrimonio inondata dalla luce. Gli ospiti erano seduti a tavole poggiate su cavalletti sotto un soffitto di vigne, o danzavano in uno spiazzo in terra battuta. Li osservai dall'oscurità. Sembrava stessero festeggiando immersi in un'atmosfera di fragile isolamento. Danzavano tutti insieme con le braccia sospese sopra le teste. Erano come attori su un palcoscenico distante. Nulla sembrava solido. La distanza metteva la sordina alle abbuffate e alle bevute ai tavoli in un'aura di incantata convivialità. I discorsi e il fracasso dei brindisi scemavano in mormorii e tintinnii. Le donne scintillavano nei loro velluti rosso bordò e negli scialli multicolori, gli uomini giovani si pavoneggiavano nelle giacche nere da aviatori e nei jeans svasati.

Ad accentuare la stranezza della situazione, c'erano fra di loro alcuni russi: uomini grossi e biondi che danzavano, e affettuose donne giovani che baciavano i loro amici turcomanni. Ondeggiavano e cantavano languidamente accompagnando la musica rumorosa – turca e slava insieme – in una scena di fiabesca unità.

Volevo credere in quest'unità. La separazione materiale fra conquistatori e conquistati in queste zone era sempre stata sottile, cosicché la gente più povera, pensavo, avrebbe potuto integrarsi senza troppa pena. Ma la convinzione dei russi della loro superiorità culturale, e il profondo conservatorismo dei turcomanni, annientavano questa speranza. Safar mi aveva detto che per una famiglia turcomanna dare in sposa una figlia a un uomo russo era una pratica quasi sconosciuta. Così, mentre guardavo, la festa e la danza assunsero la finzione di una pubblicità, e non fui sorpreso quando gli ospiti russi lasciarono in anticipo la festa, essendo la loro presenza un accidente momentaneo, mentre i turcomanni continuarono a danzare fino a tarda notte.

Il taxista aveva occhi inquisitori e una faccia dura. Viaggiammo per trenta chilometri in direzione di Merv in mezzo alla tenue luce dell'aurora e a relitti di case e fabbriche. Due secoli fa l'oasi era stata rasa al suolo dall'emiro di Bukhara che ne distrusse il sistema d'irrigazione e ne deportò gli abitanti. Sembrava non si fosse più riavuta. Dopo la conquista russa era diventata un luogo d'esilio per gli ufficiali militari caduti in disgrazia, e i nativi si guadagnarono la reputazione di perfidi. "Se incontri una vipera e uno di Merv," dicevano gli altri turcomanni, "uccidi prima quello di Merv e poi la vipera."

L'autista si aggiustava continuamente i capelli e i baffi guardandosi nello specchietto rotto. Il suo aspetto s'adattava fastidiosamente al cliché degli abitanti di Merv, e non c'era nessun tratto del suo viso che ne ammorbidisse il meschino senso di sfiducia che emanava. Che cosa ci facevo qui, domandava? Perché volevo vedere quel vecchio posto? "In Inghilterra le città sono tutte belle."

"No..."

"In Inghilterra le strade sono tutte buone." Ci stavamo schiantando su una serie di buche. "Com'è la situazione alimentare in Inghilterra? Avete cammelli e deserti?"

"No."

"Allora ci sono le montagne." Mi guardava con la tagliente, frustrata violenza della sua incomprensione. Il russo che parlava era soltanto una stridente accozzaglia di parole smozzicate. "Scambieresti il tuo orologio con il mio?... Quanto costa una macchina come questa in Inghilterra?" Era una Lada scassata, nella quale, da sotto il cruscotto, calava una giungla di fili. Ogni pochi minuti si fermava per raccogliere o far scendere altri passeggeri. Sembravano poveri e duri quanto il taxista. Chiesi notizie di una vicina moschea, ma nessuno sapeva dove fosse. C'era una moschea in qualche punto del centro della città, dissero, ma non ne conoscevano il nome. Parlavano a stento un po' di russo.

Subito dopo l'autista si fermò sul bordo di un terreno incolto, increspato da cumuli e crinali, e disse con una noncuranza ingannatrice: "Ecco qui".

Uscii e cominciai a camminare. Il terreno aveva un aspetto assolutamente innaturale, quasi privo di forme. Per un bel po' di tempo soltanto le peculiari caratteristiche del terreno – avvolto da un terribile e polveroso torpore – tradivano il fatto che mi trovavo a camminare fra le viscere di una città. Era così impalpabile che avrebbe potuto essere stato divorato e digerito dagli insetti: duemila anni di detriti di mattoni polverizzati, di tessuti e di ossa. A ogni passo si alzava una piccola e volatile esplosione. Dappertutto si accumulava in forme misteriose che un tempo avrebbero potuto essere mura, passaggi, stanze, oppure nulla. Erano ricoperti da ciuffi di piedi d'oca e da spine di cammello, e segnati da ammassi di terra che si era frantumata oltre ogni misura, ma che non era terra vergine.

Arrancai per ore ignaro in mezzo alla terra sterile. Mi aspettavo di incontrare qualche altro viaggiatore, ma non ce n'erano – non avevo visto nemmeno un occidentale da quando ero arrivato nel Turkmenistan. A un certo punto, in un riparo sottovento dei bastioni sepolti, mi imbattei in una mandria di cammelli dal mantello rosso chiaro che pascolavano sopra il nulla: bestie dall'aspetto preistorico con gobbe striminzite. Di colpo un paio di aquile pescatrici s'alzarono in un silenzioso volo da un canale soffocato dalle canne.

Dopo questo accenno di nemesi biblica, la vastità della città abbandonata cominciò ad assumere un crudele splendore. Non avevo mai visto rovine di città – né Balkh, né Ninive, né Ctesifonte – che provocassero uno shock così desolante come queste. Da un capo all'altro misurava ventitré chilometri. Il sole la flagellava anche ad aprile (e la temperatura poteva raggiungere i 70°, la più calda dell'ex Unione Sovietica). Una linea di fortificazioni si elevava e luccicava in mezzo al deserto, interrotta qua e là per chilometri. Ogni tanto, sopra le mura livellate dal vento, esplodeva una torre fantasma; ma più spesso erano spezzate in poderosi tronconi e, con la loro vasta e futile circonferenza, sembravano soltanto enfatizzare il vuoto al loro interno. A tratti, vidi una collina fortificata ergersi nuda e improvvisa, come se l'oasi fosse stata travolta e livellata da una grande tempesta che l'avesse inesplicabilmente mancata.

Tutto sembrava appartenere a una stessa epoca, o a nessuna. Ma in realtà Merv era composta da molte città. Probabilmente era stata fondata dalla dinastia di Alessandro il Grande, ma nel 250 a.C. passò al regno dei parti, e qui furono tratti in schiavitù i diecimila legionari romani catturati dopo la sconfitta di Crasso. Una narrazione apocrifa situa *Le mille e una notte* a Merv, e verso la fine dell'ottavo secolo Muqanna, il Profeta Velato di Khorasan, diede vita a uno scisma contro gli occupanti arabi.

Nel cuore della sua lussureggiante oasi, dove la Via della Seta fra la Cina e il Mediterraneo si univa e rigurgitava di fasti e di idee, divenne, dopo Baghdad, la seconda città del mondo islamico. Patria di mercanti indù e di artigiani persiani, si dilatò in una metropoli potente e cosmopolita di razze e interessi, con ricche biblioteche e celebri osservatori, e fu seggio di un vescovato cristiano fin dal quinto secolo.

Ma raggiunse l'apice sotto i turchi selgiucidi, che filtrando a sud dal lago d'Aral verso la fine del decimo secolo, stabilirono qui la loro capitale nel 1043, e spinsero il loro impero in profondità nell'Asia occidentale. Sotto il prodigioso sultano Alp Arslan, il loro dominio si estese dall'Afghanistan all'Egitto, e nel 1071 avanzarono nell'Asia minore, annientarono un vasto ed eterogeneo esercito bizantino nella battaglia di Manzikert, e catturarono l'imperatore. Alp Arslan, "il valente leone", divenne un modello per il suo popolo. Di nobili ideali, generoso e austero, si riscattò dalla santità per certi eccessi d'intemperanza ed esorbitanti stranezze nel vestiario. Accentuava la sua straordinaria altezza con cappelli troneggianti, e i suoi baffi erano così lunghi che prima di andare a caccia se li annodava dietro la testa. Al suo ritorno nella capitale, alla testa di un'armata forte di duecentomila uomini, stava per condannare a morte un comandante prigioniero prostrato ai suoi piedi, quando l'uomo gli conficcò un coltello nel cuore. "Tu che sei stato testimone della gloria di Alp Arslan esaltata fino al cielo," cantava il suo epitaffio, "vieni a Merv, e la vedrai sepolta nella sabbia."

La tomba, però, era scomparsa insieme all'iscrizione. Nel 1221 i mongoli di Gengis Khan avevano saccheggiato l'intero paese. Il terrore che ispirarono pervade ancora le descrizioni degli scrittori musulmani. Essi scrissero che i barbari erano numerosi come le cavallette: uomini tozzi, che puzzavano in modo ripugnante, con la pelle dura come cuoio e cosparsa di pidocchi. Le loro frecce trasformavano il cielo in un mare di strali, e il nitrito dei loro cavalli tappava le orecchie del cielo.

Il saccheggio di Merv fu uno dei più atroci della storia. Toloi, il figlio più giovane del Khan, assicurò agli abitanti la salvezza delle loro vite se si fossero arresi, così essi aprirono le porte della città, e furono condotti fuori nella pianura. Allora a ogni soldato mongolo, come è stato riferito, fu ordinato di decapitare da trecento a quattrocento cittadini, e nel giro di poche ore ne avevano massacrati oltre mezzo milione. Distrussero e incendiarono sistematicamente la città: canali d'irrigazione, moschee, tombe. Quindi i mongoli svanirono con la stessa spettrale velocità con la quale erano arrivati. Era uno stratagemma che i mongoli usarono frequentemente. Non andarono lontano. Timidamente i fuggiaschi sopravvissuti si riavvicinarono alle loro rovine, e devono essersi aggirati in mezzo a esse in uno stato di sconvolta disperazione. Poi, all'improvviso, i mongoli riapparvero e completarono il loro massacro.

Più di un secolo dopo, la città continuava a giacere in rovina, e le sabbie vi si riversavano sopra. Adesso i resti della città risorta tempo dopo e distrutta dai bukharioti erano precipitati nella polvere lì di fianco. Calpestando i detriti sparsi fra le dune, mi imbattei nelle tombe semidimenticate di alcuni santi. I cimiteri ricoprivano le dune tutt'intorno in una sorta di caotica coltre di terra trasportata a mano, punteggiata di travi e di bandiere ammuffite. Il ronzio delle mosche e lo sbattere al vento dei teli induriti sembravano accentuare il silenzio. Lontani da qualsiasi città, gli abitanti erano rientrati qui a migliaia per essere sepolti, guidati da una memoria atavica. Molte delle tombe erano state di nuovo restaurate, cinte da mura e da inferriate, con rinnovata fiducia nella loro fede.

Giunsi a un tumulo dove sopravviveva soltanto un doppio arco semirestaurato di un edificio. Confinava con un paio di tombe sormontate da piccole cupole, e tracce del culto erano evidenti ovunque. Sulle tombe, sul recinto perimetrale, e perfino sui cespugli tutt'intorno erano stati annodati migliaia di brandelli di stoffa strappati dai vestiti dei pellegrini come simboli di preghiera. Era come se il luogo fosse stato spazzato da una grossa folata di rifiuti, che avevano fatto colare i propri detriti da ogni spunzone.

Mentre indugiavo fra gli archi, avanzò da un sentiero che spuntava dal nulla un serpeggiante corteo di otto giovani donne. Le osservai con la stessa apprensione di un cacciatore, preoccupato che fuggissero via. Ma quelle, al contrario, si tolsero le scarpe e deposero le loro borse davanti all'entrata ormai scomparsa del sepolcro – come se volessero liberarsi della loro modernità – e si affollarono in un'angusta camera con il soffitto a volta, dove potevo sentirle pregare. Poi, scalze, in un bagliore di vestiti rosso magenta e blu ultramarino, girarono tre volte intorno alle tombe, in silenzio, fermandosi per toccare la pietra con la fronte. Strusciarono i palmi delle mani prima sulla grata e poi sulle facce, baciando il ferro. Sembravano allo stesso tempo umili e maestose, perse nel loro contrito atto d'amore. Non appena ebbero finito, ammucchiarono vicino alle tombe ciottoli e polvere, e la più vecchia fra loro – di carnagione scura e simile a un'amazzone furiosa – legò una sciarpa bianca al recinto. Cinque minuti più tardi, fiutando un'altra tomba da onorare, erano svanite nella landa in un serpentone luccicante, e sentii le loro risate che risuonavano sopra le dune.

Mi avvicinai con circospezione alla stanza dove avevano pregato. Me l'ero immaginata vuota. Ma spalancai con facilità la porta sopra una grotta ingombra di un fantastico bric-à-brac. Dalle pareti pendevano enormi vasi e mestoli di legno, con manifesti accartocciati della Mecca e di luoghi santi di Bukhara, e i ripiani erano pieni di mozziconi di candele e di bottiglie opache alla rinfusa.

Una piattaforma di legno, ingombra di trapunte sudicie, riempiva quasi completamente il pavimento, e sopra vi era seduta una donna anziana illuminata dalla pallida luce che scendeva dalla cupola. Nella semioscurità sembrava enorme e stregata. Il suo corpo era avvolto in un tessuto rosso pieno di macchie, e sul suo petto scendeva un diadema d'argento massiccio, ricoperto di monete bucate e pietre dure. Su un ripiano alle sue spalle se ne stava appollaiato un ragazzino con la testa rasata, la cui bocca era allo stesso livello delle orecchie della donna. Come entrai, le mani grinzose della donna si alzarono automaticamente in segno di preghiera, ma sulla sua faccia da molto tempo era svanita ogni traccia – tutta la vitalità, la profondità, l'emozione –, e quegli occhi che vagavano davanti ai miei erano muti e privi di sogni.

Domandai delle due tombe. Ma il ragazzo si limitò a squadrarmi con occhiate trucide sotto le fiere sopracciglia, e la donna continuò con voce rauca la sua imcomprensibile preghiera. Mi accovacciai sulle anche in maniera involontariamente deferente. Il ragazzo mi osservò senza battere ciglio, simile a un Ariel nero. Con esitazione spinsi un po' di denaro sull'imbottita, immaginando che la donna stesse pregando per me. Ma dopo essersi fermata, non lo prese, e nemmeno diede segno di avermi notato. Grondante gioielli come un'antica sposa, sembrava stesse aspettando qualcosa, e non riuscii a liberarmi dell'impressione che quella camera con il soffitto a volta fosse la tomba che lei stessa si era scelta, in cui la sua santità postuma sarebbe cresciuta senza ostacoli, finché anch'essa non fosse divenuta un luogo di pellegrinaggio.

Mi alzai e svicolai nella luce, dove i rondoni stavano planando fra gli archi della moschea in rovina. Vi erano attaccate impalcature sconnesse, e sotto a queste un argano s'era trasformato in una massa di ruggine e di fili tranciati. Dopo un po', un vago e ritmico suono di metallo percosso echeggiò da una dimora che sembrava in rovina. L'avevo considerata troppo squallida per essere un'abitazione, ma quando sbirciai all'interno vidi un vecchio che batteva con un martello da gnomo sopra una piccola incudine. Davanti a lui giaceva un tornio in miniatura e una scatola di arnesi per scalpellare e intagliare – tutti di aspetto intricato e fragile come il loro proprietario – e con questi stava creando gioielli in miniatura e producendo quella soprannaturale musica argentina che si udiva a ogni battito del suo martello.

Scoprii che viveva qui con la vecchia in mezzo a un disordine di piatti sbeccati e di oggetti indecifrabili, e che intagliava mezzelune islamiche nel legno o nell'avorio, per poi venderle ai pellegrini. Quando entrai, mi invitò a sedermi vicino a lui. Arrischiai un'indagine sui santi sepolti lì, e domandai se ne fosse il guardiano.

Con voce sottile e musicale disse: "Erano soldati, martiri. Quando? Non lo so, ma durante il secolo dei grandi sultani. La loro storia è scritta in arabo e persiano. Non la troverai in russo". Aggiunse come una debole riprova: "La gente dovrebbe imparare le lingue sacre. Ne puoi imparare una in pochi mesi se la tua volontà è abbastanza forte, e se il tuo cuore è giusto". Si massaggiò il cuore con il pugno minuscolo. "Guarda." Armeggiò fra i suoi attrezzi e da un telo accuratamente decorato di nastri tirò fuori un Corano scritto in arabo. "La gente dovrebbe leggere questo!"

Tuttavia i suoi occhi scintillavano sopra il libro senza vedere nulla; non era in grado di leggerlo, come me. Era soltanto un talismano. Negli anni di Stalin un'intera generazione di turcomanni ben educati, quelli che parlavano arabo, fu spedita nell'oblio.

Lo presi dalle sue mani e girai le sacre pagine. "Da dove viene?"

"Dall'Iran. A volte quelle persone vengono qui, anche dall'Afghanistan."

"Sei favorevole a quel sistema, a quel..." – la parola uscì dalle mie labbra sussurrata come un segreto – "fondamentalismo?"

Per un momento proseguì nel suo lavoro d'intaglio del pezzo d'avorio che aveva fra le mani. All'improvviso mi resi conto di quanto fossi ansioso di sentire la sua risposta. Un posto di questo genere, più di altri, fra gente povera e pia, dovrebbe essere il terreno di coltura adatto per la rinascita islamica.

Ma, alla fine, egli rispose semplicemente: "No. Qui non abbiamo bisogno di quello". Accennò bruscamente con il mento in direzione del Sud. "Quello è per la gente di laggiù."

Era strano, pensai. In apparenza il terreno qui era perfetto per il fondamentalismo: la povertà sempre più radicata, il senso di un errore storico, l'orgoglio mortificato. Ma, in realtà, la risposta del vecchio era tipica del suo popolo. L'idea della religione come sgretolamento dottrinario della società sembrava essere radicata superficialmente fra questa gente, e la loro fede sembrava prosperasse in un ambito un po' diverso, più sensoriale e pagano.

"Tutte quelle leggi e abitudini..." Il vecchio risistemò la sua sudicia papalina. "Non hanno importanza. Quello che importa è ciò che sta qui sotto!" – si percosse la giacca – "Quello che importa è il cuore."

Depose la sua sgorbia e cercò di attivare un fornello a gas annerito. Entrò la vecchia che si mise a girargli intorno, mentre lui le indicava alcune piccole faccende da compiere che si trovavano al di là della sua portata – raccogliere una tazza lì, togliere una ciabatta là. Adesso la vecchia aveva perso la sua aria strana. Si muoveva intorno a lui con un'andatura lenta e normale. "È sorda," disse. Ma la sua voce era troppo debole per poterle strillare. Parlava dolcemente. Le sue gambe sottili stavano distese davanti a lui in una maniera innaturale.

"Il nostro paese ha avuto abbastanza interferenze da parte di altri popoli," disse. "L'intero nostro mondo si sta suicidando." Si passò la mano sulla gola in segno di spettrale sacrificio. "Tutti questi treni, aeroplani e automobili, quando ciò di cui abbiamo bisogno è il cibo! La nostra terra ci può dare tre raccolti l'anno, ma quanti ne abbiamo normalmente? Uno! Piantiamo soltanto cotone, ma non si può *mangiare* cotone. Lo si può solo vendere in cambio di rubli. Questo è quello che ha fatto il nostro paese. E non si possono nemmeno mangiare i soldi." Prese in mano una banconota da un rublo e finse di masticarla con un senso di frustrazione. "Adesso nessuno lavora. La gente deve lavorare. Poi, se Dio vuole, tutto darà i suoi frutti..."

Il suo discorso era un minestrone di consuetudini islamiche e di etica del lavoro di stampo marxista. Disse che, però, anche il suo lavoro era quasi terminato. Due anni prima, mentre stava lavorando per restaurare gli archi della vicina moschea, era caduto e si era fratturato la spina dorsale. Era paralizzato dai fianchi in giù. Tuttavia, accennò a questo fatto con la stessa vivacità da folletto con cui descriveva qualsiasi altra cosa, e per illustrare la dinamica della sua caduta, sbatté il suo piccolo pugno sulla trapunta. Mi venne in mente l'impalcatura esterna dalla quale doveva essere precipitato, e allora mi resi conto del perché le sue gambe, così magre, restassero stese davanti a lui. Le muoveva aiutandosi con le mani. "Niente!" Si toccò la base della spina dorsale. "Niente!" Quindi indicò verso la porta. "Adesso vado in giro con quello. Me lo sono fatto da solo." Il mio sguardo seguì il suo dito, e scese sopra uno di quei carrelli strappacuore che vengono usati dagli sciancati in India e in Iran – tavole con le ruote, che si spingono con le mani per avanzare sull'asfalto.

Doveva aver notato la mia espressione. "Non importa," disse. "La mia vita ormai si è conclusa. I miei figli sono tutti adulti. Non hanno più bisogno del mio aiuto." Recuperò il Corano dal mio grembo. "Ora posso morire."

Aveva un modo di fare che rifiutava qualsiasi tipo di pietà, ma prima di andarmene presi una delle sue mezzelune, e gli allungai una banconota da cinquanta rubli.

La guardò senza interesse. "Avete copechi in Inghilterra?"

"Abbiamo monete."

"La prossima volta che vieni, portamene un po'. Le metto nei miei monili. I pellegrini afghani mi danno monete." Mi ricordai delle monete di rame che scendevano sul petto della vecchia, stampate con i leoni afghani. Mi resi conto adesso del perché le domandasse continuamente di eseguire semplici incombenze intorno a lui, subito fuori dalla portata delle sue mani. "Il metallo e l'avorio vanno bene. La carta è inutile."

Vivendo fra le tombe, e circondati dai rottami dei secoli, l'enorme donna e il suo consorte pigmeo mi colpirono con un'irrazionale senso di tristezza. Ma non c'era nulla che in realtà potessi fare per loro.

Al tramonto raggiunsi una cittadella del settimo secolo che si stava sgretolando sopra al suo cucuzzolo. I suoi bastioni assomigliavano a un rettangolo di grossi ceppi d'argilla drizzati fianco a fianco, e mi domandai perché questa palizzata pietrificata non fosse stata dotata di soldati per difenderla dai mongoli. Ma forse il cuore umano, come diceva il vecchio, non era stato giusto, e ora le merlature s'erano consumate e la rampa d'ingresso s'era trasformata in sabbia.

Guadai i fossi stagnanti, e passai a lato di uno stagno stagionale dove uno stormo di trampolieri dalle ali nere avanzava in punta di zampe in mezzo all'acqua bassa. Davanti a me, un mausoleo gigantesco si innalzava per una dozzina di metri dal nulla sopra la pianura cosparsa di rifiuti; il cubo delle sue mura compariva nudo in lontananza. Era stato pesantemente restaurato e soltanto un paio di alte porte spezzavano le sue forme austere. Ma verso la cima si apriva in un portico ornamentale, e sopra il timpano, dal quale erano scomparse tutte le decorazioni, si librava una grande cupola.

Questa era la tomba dell'amatissimo sultano selgiucide Sanjar, nipote di Alp Arslan, il cui dominio vacillò per cinquant'anni su tutte le province orientali dell'impero in via di disintegrazione.

All'inizio i suoi trionfi sui nemici turchi puntellarono il suo fragile reame, ma, quando raggiunse la mezz'età, le sconfitte trasformarono il suo nome in un sinonimo di umiliazione. Nel 1156, all'età di settant'anni, perì in una città semidistrutta e fu interrato nel mausoleo che si era fatto costruire lui stesso, denominato "La dimora dell'eternità".

Gli successe il caos, durante il quale la sua memoria risplendette. La forma della sua tomba – con le mura chiuse verso la terra ma aperte verso il paradiso – segnalava al suo popolo che forse egli era ancora vivo, e avrebbe potuto ritornare per risuscitare il suo impero. Ma all'interno trovai un vuoto rimbombante. Le mura tinte di bianco si elevavano in un ottagono sui cui pennacchi galleggiava una cavernosa cupola interna. Risuonava dei battiti delle ali dei piccioni. Nastri di stucchi decorativi, ancora tinti di azzurro, s'irradiavano sulla sua superficie e confluivano verso l'apice formando una stella a otto punte. Ma sotto a essa, in verticale, al centro della stanza, una tomba semplice, coperta da un lenzuolo per proteggerla dagli escrementi dei piccioni, ribaltava la gloria del sovrano nella banalità della morte.

"Fai attenzione in quelle rovine," disse Murad, l'autista del camioncino. "Ci sono i fantasmi."

"Di chi?"

"Non lo so. Si sono sentite grida di persone là dentro." Stava tentando di dissuadermi dal tornarci. Era vivace e impetuoso, e voleva che lo seguissi per un picnic nel deserto. "E nel castello che hai visto," continuò, "c'è sepolto dell'oro, dappertutto, ma nessuno riesce a trovarlo. Il suo sultano teneva là un harem di quaranta donne e c'è un tunnel sotterraneo che conduce dall'altro lato della città. È pericoloso."

In tutto il mondo islamico queste fiabe sull'oro e sui passaggi segreti si intrecciano alle rovine, così acconsentii a partecipare al picnic, e un attimo dopo ci stavamo precipitando rumorosamente in mezzo alle stradine laterali di Mary per reclutare i suoi amici. Suonò il clacson e gridò il suo invito sotto una mezza dozzina di condomini, finché alcune teste brizzolate spuntarono da davanzali e balconi decrepiti, per mugghiare verso il basso il loro assenso o il loro rifiuto. Poi si lanciò all'interno per intimar loro d'affrettarsi, urlandomi di seguirlo. Balzammo su fetide scale a chiocciola, inondate dalla pioggia recente, in cui galleggiavano bottiglie e mozziconi di sigarette e a volte preservativi rotti. Si unì a noi un uomo grosso e irsuto con sopracciglia aggressive e una bocca molle e crudele. Poi arrivò un vecchio con un avizzito viso mongolico che stringeva una scatola di velluto contenente un liuto. E subito dopo stavamo procedendo a grande velocità attraverso il deserto con gustosa anticipazione, mentre sopra i monticelli intorno a noi i piedi d'oca e l'artemisia si rarefacevano, e ogni segno d'abitazioni svaniva.

Dopo un'ora la faccia di Murad – un palpitante profilo dalle ossa allungate – si ravvivò. "Eccoci arrivati!"

Curvò sopra la sabbia vergine e andò a fermarsi in un avvallo fra le dune. Una trama di veccia gialla e viola pallido risplendeva su tutta la savana, e i bordi rosseggiavano di papaveri. Non s'era dimenticato nulla. Un tappeto di feltro, simile a quelli che una volta coprivano le yurte dei turcomanni, fu srotolato sopra la sabbia. Apparvero sacchetti di montone speziato, con due samovar a carbone, uno smisurato tegame per stufati, un canestro di verdure crude, un mazzo di spiedini di kebab e alcuni mattoni anneriti dal fuoco. Appena iniziammo la ricerca di saxaul morti – quelle piante portate dal vento i cui pallidi fusti ingombrano l'intero paese – scoppiò un'euforia familiare. Le loro voci erano leggere e ironiche. I loro corpi sembravano tenersi soltanto precariamente in equilibrio sulle gambe storte, come se avessero il desiderio di fare un balzo sul dorso di un cavallo. Ben presto avevamo tre fuochi in azione. I samovar crepitavano in un nido di rami fiammeggianti, gli *shashlik* trasudavano grasso e mandavano faville sui mucchi di braci, e il tegame – in cui Murad aveva gettato una testa di vitello – sobbolliva malignamente su una piastra di mattone. Le facce degli uomini s'accesero di ghigni sibaritici. L'amarezza abbandonò la bocca dell'uomo grosso e la faccia del mongolo s'increspò in una smorfia d'allegria.

"Non è meglio qui che a casa?" urlò, mentre ci sistemavamo cerimonialmente sul tappeto. "Non c'è nulla di meglio di questo!"

Ben presto gli *shashlik* cominciarono a passare di mano in mano. Colavano sangue e grasso ed erano duri come pezzi di corda. Ma i tre uomini li trangugiavano a bocconi interi, o, come mastini, ne serravano uno fra i denti o lo azzannavano a brani, finché si staccava con un rumore simile allo strappo di un lenzuolo. Ciascùn boccone veniva celebrato con un rutto carnivoro, e immergendo ghiottamente le dita in montagne di ravanelli e olive. Nelle brevi pause fra uno spiedino e l'altro attaccava un preludio composto dal digrignare dei molari d'oro e d'avorio e dagli schiocchi delle labbra unte. Il loro aspetto era ingenuo e senza tempo. Pensai che da un momento all'altro avrebbero potuto dare inizio a un canto sciamanico o avrebbero potuto proporre una razzia. Non era passato molto tempo da quando i loro antenati trottavano per centoventi chilometri al giorno per andare a mietere schiavi persiani – era probabile che il padre del mongolo ne sapesse qualcosa – e sembrava che impercettibilmente il deserto ancora li nutrisse. Il loro paese devastato dai terremoti non dava alcuna sicurezza alle costruzioni, o forse a qualsiasi forma di permanenza stabile. Meglio il cielo aperto!

Si davano un gran da fare per offrirmi i pezzi più teneri degli *shashlik*, ma i miei denti inorriditi si rifiutavano di masticare anche questi. Li tiravo fuori dalla bocca senza farmi vedere e li infilavo di nascosto dovunque fosse possibile: nella siepe dietro di me, nella sabbia fra le mie ginocchia, nelle tasche della camicia. Murad continuava a passarmene altri, con la punta dello spiedo puntata minacciosamente sul mio petto. Ma stava sorridendo con grande senso dell'ospitalità. Stavano sorridendo tutti. L'omaccione staccò i pezzi più succulenti per passarmeli, insieme alle cipolle più croccanti. Ma ben presto le mie tasche cominciarono a deformarsi con rivelatrici macchie di carne, e un alone traditore di grasso si stava estendendo sul davanti della mia camicia.

Mentre masticavo disperatamente un altro grosso pezzo, morsi qualcosa di duro, e immaginai fosse un osso di montone. Quindi mi accorsi che quello che stavo masticando era un mio osso. Avevo perso un dente. Feci scorrere nevroticamente la lingua avanti e indietro sulla fessura. Nessun altro l'aveva notato. Desideravo ardentemente guardarmi in uno specchio, ma ero in grado di immaginare abbastanza bene ciò che era successo anche da me: nella doppia fila di incisivi ora si apriva un orrido buco, evidente quanto una sentinella svenuta. Visto da destra, poteva anche essere accettabile. Ma da sinistra, pensai, dovevo avere un aspetto poco raccomandabile, da Dracula. Farneticavo temendo che per la perdita di questo incisivo mi sarebbero stati rifiutati permessi, visti, perfino stanze negli alberghi. Le conversazioni si sarebbero spente all'improvviso non appena mi fossi messo a sorridere?

Queste meditazioni furono interrotte dall'arrivo della zuppa. Murad sollevò il calderone sopra la testa, come per un'eucarestia pagana, mentre la testa del vitello saliva oscenamente in superficie. L'omaccione schiumò via il grasso e lo gettò sulla sabbia. Poi bevemmo, e fu una delizia. Armeggiando nel mio zaino, trovai un pacchetto di gallette inglesi e le distribuii in giro con una certa soddisfazione. Le sbocconcellarono senza commenti. Più tardi notai Murad che lasciava cadere la sua sulla sabbia.

A poco a poco, l'atmosfera della festa si ammorbidì. Il linguaggio svelto e gutturale degli uomini mi risultava misterioso, ma loro tradussero i loro scherzi in un russo tentennante, e alla fine Murad fece comparire magicamente tre bottiglie di vodka. "Ecco qui la cosa più importante!" La versò in bicchieri bassi, e li vuotammo in un sorso, alla maniera russa, dopo ogni brindisi. Soltanto il vecchio mongolo all'inizio si rifiutò di bere. Disse che gli rovinava lo stomaco. "Lui è un *ishan*, un santo!" ruggì l'omaccione, ironicamente.

"Loro bevono più di tutti gli altri!" replicò il mongolo, e i due si rotolarono ridendo fra i fiori.

Alcune teiere carbonizzate di tè verde diedero vita a un momentaneo intermezzo. Quindi la bevuta di vodka riprese. Ogni tanto, versavo di nascosto la mia nella sabbia, ma Murad mi riempiva nuovamente il bicchiere a ogni brindisi, e ne persi fatalmente il conto. Nel frattempo assolvevano se stessi con benedizioni, e disseminavano i loro discorsi con "Se Dio vuole!" o con "Sia grazie a Dio!", mentre versavano l'alcol proibito. Quindi si misero a dissertare sui rimedi per le sbronze, e si affidarono alle proprietà medicinali della radice del saxaul o del tè verde (il rimedio sovrano per il mal di testa se si inala il suo aroma tenendolo con le mani a calice).

"Provalo! provalo!" Ma era troppo tardi. La vodka mi aveva ormai distaccato da tutto e i miei compagni li vedevo da lontano. Seduti a gambe incrociate sul loro tappeto fra i fiori, sembravano essere rimpiccioliti alle dimensioni di una miniatura persiana. Tuttavia in mezzo a loro era seduto questo straniero proveniente da terre lontane, con una macchia nera che si stava allargando sulla sua camicia...

L'omaccione si girò verso di me con inebriata lentezza e domandò: "Ma allora, *da dove vieni?*". Qualsiasi paese, pensai, risultava per lui immerso nella nebbia oltre l'oasi che costituiva il suo. "Londra? Sta in America!"

"No, no!" urlò Murad. "Gran Bretagna!"

Il gigante fece uno sguardo perplesso, ma disse: "Aah!".

"Margaret Thatcher!" rifletté il mongolo. "È molto bella. Non pensavo che una donna così vecchia potesse essere così bella. Così magra!" Strinse le mani per congratularsi. "Chi è il presidente della Gran Bretagna adesso? Lei ha un figlio?"

A questo punto, mentre il sole calava, le ombre degli arbusti ondulavano allungate sopra le dune, e la sabbia si fece di un colore sempre più dorato. Gli uomini si pulivano i denti con gli stecchini e si lasciavano andare a delicati sibili di soddisfazione. Il mongolo aveva raccolto un po' di papaveri intorno a lui, e li masticava. Ma ora aveva tirato fuori il suo *dutah* – il fragile liuto turcomanno simile a una lacrima allungata – e iniziò a suonare. Dalle due corde di questo rudimentale strumento ricavava piccoli suoni lamentosi, che a volte accompagnava con il canto, o con un mezzo discorso – ma le parole, disse, erano intraducibili – sull'amore, sul desiderio, e sul fluire di tutte le cose. La sua voce era velata dalla raucedine. La sua testa rasata, coperta dal chiaroscuro di una peluria grigia e bianca, si ripiegava vicino alle corde, come se si stesse sforzando di ascoltare. Nessuno gli aveva mai insegnato a suonare, disse, ma aveva imparato ascoltando i vecchi bardi al tempo della sua giovinezza. Eppure le sue dita nodose svolazzavano sulle corde, e molto dopo che la sua mano destra ne aveva pizzicata una, quella sinistra dardeggiava su e giù lungo il fusto del liuto, mentre le note svanivano.

Molto lontano sull'orizzonte, fluttuando nera nel cielo, s'innalzava un'enorme colonna di fumo, nel punto in cui un'installazione petrolifera aveva preso fuoco.

Il sole discese fra le dune. Gli avanzi degli *shashlik*, dimenticati, si erano carbonizzati trasformandosi in una fila di sassi di basalto, e su di noi discese una spossatezza postprandiale. L'ultima canzone svanì sulle labbra del vecchio, che risistemò il *dutah* nella sua guaina di velluto. Il picnic era ormai ridotto a bucce e avanzi. Le mosche si erano incollate su ogni pezzetto di cibo abbandonato. Barcollando ci alzammo in piedi e iniziammo a pulire. Il vecchio si schiaffeggiava la testa per cacciare le mosche. Pulì gli spiedi infilandoli nella sabbia, come facevano i romani per pulire le loro corazze. Nessuno sembrava notare la lunga processione di stercorari che procedeva in un pellegrinaggio gastronomico verso la siepe che stava dietro di me.

Anche la vodka era scomparsa, e durante tutto il tragitto di ritorno a Mary la mia testa rimase separata dal corpo. La vedevo ondeggiare quando occhieggiavo nello specchietto retrovisore del camioncino. Ogniqualvolta aprivo la bocca la mancanza del mio dente mi colpiva con uno sconfortante shock. Non era proprio caduto, ma si era piuttosto disintegrato, e conservando una zanna striminzita che ciondolava sopra la fessura come una stalattite gialla. Ma quando raggiungemmo la casa di Murad in un villaggio nei dintorni di Mary, avevo smesso di preoccuparmene. Le mie gambe si rovesciarono di loro iniziativa fuori dal camioncino, e s'imbarcarono in una barcollante esistenza quasi autonoma.

Della sua casa ricordo soltanto come una carrellata di lanterne deformate dalla vodka, che tuttora si riaccendono nella mia memoria con una sfumatura di vergogna. Due donne con vestiti locali stanno in piedi vicino alla porta d'ingresso. Sono la moglie e la sorella maggiore di Murad. La moglie sta confortando il suo bambino piccolo che per qualche ragione le piagnucola in grembo. Li saluto debolmente. La mezza luce che proviene dalla porta, o una vigna rampicante, sembrano trasformarli in qualche cosa di biblico. Immagino di trovarmi nuovamente in Siria. La luce delle stelle rivela un orticello privato, e due mucche ritte sotto una tettoia. Un cucciolo dimena il suo sederino sfigurato. Per salvarlo dai maltrattamenti degli altri cani, gli hanno tagliato le orecchie e la coda con un rasoio.

Le gambe mi trasportano senza peso nell'interno disadorno. Nella stanza d'ingresso rifulge un appendiabiti con qualche misera decorazione, e c'è un silenzioso apparecchio televisivo. Anche Murad è ubriaco, e cammina impettito urlando. Le donne ci guardano con quello sguardo indulgente riservato ai bambini senza speranza.

L'obnubilamento della sbornia si interruppe per un po' davanti alla faccia mite di un maestro di scuola che era stato invitato per parlare inglese con me. Costui si mise a parlare imbastendo un irregolare monologo di frasi dickensiane, che per un paio di volte cominciarono con "È doloroso riflettere che..." o "Com'è mio costume...". Nel frattempo mi ero allungato su un cuscino come un sultano indolente, e cercavo di non sprofondare in catalessi. Per il mio divertimento, dal villaggio fu mandato a chiamare anche un giovane musicista. A metà del suo improvvisato concerto, lo guardai con occhi annoiati mentre sistemava due batterie nel suo *dutah* – "Così fa più rumore!" – per poi lanciarsi in nuovi arpeggi.

La musica ronzava lontana. Una grande ondata d'oscurità si stava sollevando dietro i miei occhi. Mi ricordo che, quando si rinserravano di colpo, speravo che tutto questo si trasformasse in un'estasi accompagnata dalla musica del *dutah* invece che in un rovente mal di testa. A ogni modo, qualsiasi cosa succeda, pensai, non devo assolutamente dormire.

Poi mi addormentai.

3.

BUKHARA

Il deserto di Kara Kum si increspa in pallide onde gialle per milleduecento chilometri verso l'Afghanistan. Delimitato a sud dal Monte Kopet e dall'Hindu Kush, a nord dalla lunga ipotenusa del fiume Oxus, questa mobile distesa selvaggia di sabbia fine rinuncia a qualsiasi punto di riferimento, a qualsiasi caratteristica distintiva, ma è orlata di pozzi insabbiati e di campi salati. Uno storico romano aveva sottolineato con stupore che le sue popolazioni potevano viaggiare soltanto con l'aiuto delle stelle, come i marinai.

Dal finestrino del treno il paesaggio brillava attraverso tre strati di foschia. Annebbiato dai postumi della sbornia e dal vetro insudiciato, l'intero deserto risultava indistintamente in movimento. Quasi impercettibile, un vento leggero sollevava i soffici granelli sopra le dune, finché tutta la superficie finiva leggermente sfuocata. Desolantemente, chilometro dopo chilometro i semicerchi giallastri si arrotolavano verso la linea del cielo – non secondo contorni nitidi, ma in crinali frastagliati e in collinette frananti.

Al di là dei deserti, nel 329 a.C., Alessandro il Grande aveva marciato con il suo esercito di sessantamila uomini in direzione dell'Oxus sotto un sole devastante, e qui, quando un soldato gli portò dell'acqua con il suo elmetto, rifiutò di berla mentre il suo esercito stava morendo di sete, e la versò nella sabbia.

Col passare del tempo, le spedizioni si esaurirono e svanirono del tutto. Il generale Skobelev, che marciò contro Merv nel 1881, partì con una carovana da trasporto composta da dodicimila cammelli, e arrivò con soltanto seicento sopravvissuti; e il formidabile generale Kaufmann, durante la sua marcia nel deserto verso Khiva, nel 1873, riuscì a salvare a malapena un dodicesimo dei ventimila cammelli e cavalli.

La mancanza d'acqua è drammaticamente evidente in tutta la regione. Gli affluenti dei grandi fiumi si esauriscono in gole soffocate dalla sabbia, e interi laghi si prosciugano in letti di sale. L'irrigazione ha allo stesso tempo esteso e ridotto le loro risorse. Perfino i mari interni – l'Aral, il Caspio, l'Issyk-kul circondato da montagne – si stanno gradualmente svuotando.

La famiglia seduta dietro di me guardava fuori dal finestrino con disgusto. Mentre il vuoto diventava sempre più profondo, emettevano degli striduli "Ehe!" o "Pfffu!", e scacciavano la visione con le mani. "Non c'è speranza," disse la donna. "Non c'è niente da fare."

Erano forti e vecchi, con corpi grossi e colli robusti: una coppia di russi con la loro nipotina piccola. Avevano entrambi le stesse sembianze torvamente sulla difensiva. Nelle loro facce tutte uguali una tundra di guance e mascelle sovrastava tutto il resto, isolando la loro visuale e comprimendo le loro bocche in gemme carnose. Le trecce della bambina erano raccolte in alto sotto un vaporoso groviglio di nastri di mussolina e un fermacapelli a forma di Topolino, ma il suo sguardo era già imperturbabile come quello dei nonni.

Il vecchio aveva lavorato per quarant'anni nei pozzi petroliferi del Monte Nebit, vicino al Caspio, e sul bavero gli pendeva una medaglia per meriti di lavoro. Ogni primavera, prima dell'arrivo del caldo – "Un vento trasporta la sabbia dall'Afghanistan e trasforma il luogo in una sauna," disse – scappavano verso nord in una dacia vicino a Samara in pieno territorio russo. Lì vivevano della frutta e della verdura che la donna aveva coltivato e messo sotto vetro l'anno precedente, e ritornavano a sud soltanto quando cominciava a nevicare.

Negli scompartimenti intorno i turcomanni giacevano addormentati sui cuscini a fiori delle ferrovie. I loro cappotti imbottiti pendevano decorosamente da ogni gancio, ma le facce rilassate erano quelle degli unni distruttori. Le barbe si biforcavano rabbiosamente sulle lenzuola pulite. Le giovani donne, discendenti di quelle amazzoni che avevano seguito i loro uomini in battaglia, giacevano completamente vestite in un luccichio di scialli trapunti di fili d'oro e di orecchini pendenti.

Un centinaio d'anni fa, la costruzione di questa ferrovia Transcaspica aveva posto il sigillo alla loro sconfitta nazionale. Per i lavori di movimento terra e di trinceramento furono impiegati ventimila operai indigeni e persiani, mentre dietro di loro due battaglioni di soldati inchiodavano a terra la linea ferrata. Lungo questa linea i treni vacillavano incerti a meno di venticinque chilometri orari, ma nel 1895 la ferrovia aveva già unito i domini russi del Caspio a Taškent, e sospeso una spada di Damocle sopra la Persia.

Ora il treno si spingeva attraverso una terribile steppa diretto verso la frontiera dell'Uzbekistan. Una tempesta offuscò il cielo di sabbia, facendo ruzzolare da una duna all'altra i saxaul estirpati. I turcomanni locali dicono che i grani di sabbia di una duna tendono ad aggregarsi gli uni agli altri come i membri di una tribù e che non si mescolano mai con quelli di un'altra, ma verso sera il nostro panorama si era liquefatto in una fulva foschia. Per un paio di volte passammo attraverso villaggi impoveriti, con cammelli che girovagavano nelle strade spazzate dalla polvere trasportata dal vento, sui cui muri s'andava ad ammassare il deserto. Il sole penzolava sopra di noi come una moneta ossidata.

"È spaventoso!" gridava in coro la famiglia. Stavano sognando il verde Nord, le fresche brezze e i prati acquitrinosi intorno a Samara.

Un'ora più tardi sferragliammo attraverso i quartieri industriali di Čardžou e pochi minuti dopo, mentre gli ultimi sobborghi scomparivano, stavamo attraversando l'Oxus. Si snodava come un gigantesco punto di domanda sopra la terra arida: più simile a un atto di fede che a un vero e proprio fiume. Sia la sorgente sia l'estuario erano molto lontani. In passato, prima che l'irrigazione lo svuotasse, straripava fino a raggiungere una larghezza di quasi otto chilometri, e anche adesso, confinato nei suoi argini, era largo più di ottocento metri. Scorreva con una soffice, muscolare naturalezza. Sulla sua superficie risplendevano montagnole di lino simili a dorsi di balene affogate, o allungate in isolotti occasionali tanto da sembrare che stesse arrivando al suo estuario con quasi mille chilometri d'anticipo.

Il treno attraversò il ponte per un minuto buono. Lo fissai con un'eccitazione fanciullesca – pochi occidentali avevano avuto occasione di vederlo – e con un leggero rimpianto nostalgico che non riuscii a identificare. A memoria d'uomo questo era il punto di separazione fra la Persia e il mondo turco e per tutto il suo corso di duemilacinquecento chilometri, dal Pamir al morto Lago d'Aral, pensavo che era difficile esistesse qualcosa che apparteneva al presente. I turchi lo chiamavano Amu Darja, "il fiume-mare", perché sembra così vasto, e per molto tempo i geografi arabi lo considerarono il fiume più imponente della terra. Secondo una leggenda persiana (e nell'epica di Matthew Arnold) sulle sue rive Rustam aveva ucciso il figlio Sohrab. In cinque giorni l'armata di Alessandro riuscì a passare sull'altra sponda su zattere fatte con le pelli delle loro tende imbottite di sterpi, e diciassette secoli dopo l'imperatore mongolo Tamerlano lo attraversò nel senso inverso per conquistare il mondo.

Feci in tempo a intravedere due o tre antiquati traghetti che si agitavano fra le secche di fango, e la campata di un nuovo ponte per i camion. Poi il deserto ci circondò nuovamente, e ci ritrovammo a procedere nella notte attraverso la frontiera non segnata dell'Uzbekistan diretti verso Bukhara.

Come incoraggiato da qualcosa, un giovane uzbeko si appollaiò sul nostro sedile e iniziò a fare domande. Il suo copricapo era di un verde pallido, e le sue scarpe erano consunte. I russi lo osservavano con furioso sospetto. Il vecchio gli rispondeva soltanto con sorrisini, e la donna rimaneva aggressivamente silenziosa. Ma il ragazzo fingeva di non notarlo. Quando offrì alla donna un sorso dalla sua bottiglia di limonata, ella rifiutò quasi urlando, e guardò torvamente incredula quando il ragazzo la passò alla loro nipotina. "No, no, no!" E la piccola, contagiata dal nervosismo circostante, echeggiò: "No, non la voglio, no...".

Il giovane si voltò verso di me. "Da dove vieni?"

"È ucraino!" si intromise la donna. "È un insegnante! Sta proprio andando in un albergo a Bukhara."

Gli occhi dell'uzbeko si voltarono rapidi verso di me. Aveva un aspetto delicato, divertito, innocuo. Era impossibile indovinare cosa volesse. Mormorò: "Ucraino...", e se ne andò.

La donna disse: "Stia attento. Quelli vogliono i dollari. Sono capaci di ucciderla per impossessarsene". Puntò le dita contro la testa e schiacciò un immaginario grilletto. "Adesso sparano per portare via agli stranieri i loro dollari. Pff!...Pff!...Pff!"

"In Russia è peggio," disse l'uomo. "Là la situazione è diventata tremenda."

"Ma sta arrivando anche qui," disse la donna. "Tra un po' qui non ci saranno più viaggiatori."

Mi inabissai in una sgradevole quiete. Fuori, i fari del treno oscillavano miopi sullo stesso deserto dall'aspetto mutilato. Nulla rivelava che stavamo entrando nel più antico e popoloso paese dell'Asia centrale, il suo cuore permanente, o che i deserti dei nomadi avrebbero ben presto lasciato lo spazio alle valli ricche d'acqua della Transoxiana, la "Terra oltre il Fiume".

Per alcune migliaia d'anni, in tutta la regione, la Via della Seta aveva nutrito le città carovaniere – Samarcanda, Bukhara, Margilan – con le loro popolazioni che parlavano una lingua iraniana. Gli uzbeki erano venuti dopo, migrando verso sud alla fine del quindicesimo secolo. Avevano preso il loro nome da un *khan* dell'Orda d'Oro, erano di origini turche, ma il loro sangue si era ormai mescolato a quello degli iraniani, e aggiunsero soltanto l'ultimo strato a un palinsesto di genti che si identificavano più nei clan che in una vera e propria nazione. Sulla mia mappa l'Uzbekistan componeva una confusione multicolore. Aveva la forma di un cane che abbaiava contro la Cina. Un paese di venti milioni di persone – più del settanta per cento dei quali erano uzbeki – cozzava contro le montagne del Tienshan e del Pamir con i suoi verdi bassopiani e un improvviso intreccio di strade sinuose. Ma restava un enigma: una terra dove i governanti comunisti continuavano a rimanere al potere con un altro nome, che offrivano soltanto un'adesione formale all'Islam, e avevano liberalizzato l'economia senza alcuna promessa di democrazia.

Mentre entravamo a Kagan, la stazione di Bukhara, la donna mi sibilò nell'orecchio: "Si mescoli soltanto con i russi! Dica che è un estone! *Mai* parlare con gli uzbeki!".

Uscii nella notte calda. Il mio zaino era diventato improvvisamente pesante. La sua paura mi aveva un po' contagiato. Continuavo a guardarmi alle spalle; ma le famiglie che passeggiavano sulla piattaforma del binario avevano un aspetto docile e sembravano badare ai fatti loro. Un treno merci solitario era fermo sotto le stelle.

Un secolo fa, quando per la prima volta la ferrovia si avvicinò alla città, la gente non aveva mai visto una cosa del genere. Non era degno dell'emiro di Bukhara – un vassallo della Russia fin dal 1868 – viaggiare su un treno, e il suo pericoloso tracciato dovette costeggiare la città santa a una distanza di quindici chilometri. La popolazione lo soprannominò "il Vagone del Diavolo". Tuttavia, nel momento in cui arrivò a Kagan, gli abitanti si ammassarono a centinaia nei vagoni aperti e attesero estaticamente per ore di vederlo sbuffare il suo incomprensibile fumo e di avvertire l'eccitante terrore del suo movimento.

Adesso arrancavo faticosamente fuori da una stazione silente verso le luci della notte. Una perversa eccitazione mi stava agitando. Bukhara! Per secoli aveva brillato remota nella coscienza degli occidentali: la più misteriosa e fanatica delle città carovaniere, fortificata nell'inespugnabile deserto contro il tempo e i cambiamenti. La Via della Seta era sfiorita in entrambe le direzioni, cosicché entro la fine del diciannovesimo secolo la città aveva rinserrato le fortificazioni intorno alla sua popolazione in una barbarie, auto inflitta, e s'era ritirata nel mito.

Mi avviai lungo la strada verso un gruppo di luci sparse e un albergo scuro.

Il sole si alzò su una città di gesso bianco. Il suo cuore era un labirinto lastricato di fango, da cui le automobili scomparivano. I vicoli girovagavano tra gole di mattoni e stucco, così mi ritrovai incanalato per chilometri fra muri disadorni sui quali l'argilla tinta di bianco e gli infissi scoloriti delle porte si puntellavano reciprocamente, quelli vecchi mescolati a quelli nuovi, in un marasma di schegge e frammenti di gesso. Travi di legno fuoriuscivano dai muri come cannoni di un relitto di nave da guerra, o sollevavano da terra interi piani di passaggi sopraelevati. In questo cieco girovagare le porte leggermente intagliate, ornate e cinte d'ottone, di solito erano chiuse. La luce del sole non le raggiungeva mai. Le strade curvavano davanti a me come un ambulacro pieno di cappelle chiuse. Soltanto occasionalmente, nei punti in cui dietro a una porta aperta si annidava qualche cerbero rognoso, potevo intravedere in fondo a un lungo passaggio un cortile in cui sbocciavano le rose o s'arrugginiva una bicicletta o una scala scendeva contorcendosi da un balcone.

Nel frattempo, una eterogenea mescolanza di cittadini bighellonava tutt'intorno. Alcuni di loro continuavano ad andare avanti con i loro cappotti tradizionali lunghi e multicolori; su ogni testa stava appollaiato un copricapo blu o verde. Ma tutte le facce erano caratterizzate da una mescolanza di lineamenti turchi e iraniani. Tratti aquilini e occhi vivaci e spalancati rivelavano una popolazione principalmente tadžika – i primi abitanti persiani – ma altre facce si appiattivano in maschere della steppa nelle quali gli occhi diventavano dettagli sfumati e le sopracciglia si assottigliavano in archi leggeri.

A un tratto fui sorpassato da un uomo che stava andando a incontrare la sua sposa: un giovane dall'aspetto imbarazzato, avvolto in una bizzarra sciarpa e in un turbante. Procedeva in mezzo a una compagnia di allegri compari che sollevavano in aria corni lunghi più di un metro ed emettevano un raglio rude e innaturale.

Dietro di loro saltava una banda di ragazzine di strada nella quale si potevano quasi riconoscere i vari ruoli dei suoi membri: la capa maschiaccia che faceva sfavillare i suoi denti da adulta, la ribelle, il pagliaccio, la bella, e la femminuccia che rimaneva molto indietro.

Dopo che se n'erano andate, una di loro ritornò indietro, con i piedi affondati in ciabatte troppo grandi per lei. Aveva un paio di occhioni e la carnagione chiara dei russi, e riccioli biondi che scendevano da sotto lo scialle che le copriva la testa. Sembrava una domestica in miniatura. Mi domandò: "Hai un cane? Anche noi lo abbiamo, ma è vecchio. Speravo di poterne avere un altro dall'America...".

Le domandai, nella noiosa maniera degli adulti, che cosa avrebbe voluto fare finita la scuola.

Ma lei si allontanò. "Sarò una giovane donna, poi una madre, poi una vecchia..." Il suo passo rallentò in un'oscura passeggiatina, e si girò a guardarmi da dietro le spalle. "...poi un cadavere."

I vicoli svoltavano in spiazzi, e in uno di questi mi imbattei nella tomba di un santo, restaurata quarant'anni dopo la sua distruzione avvenuta ai tempi di Stalin. La montagnola era segnata da un albero di fichi, cosparso di mozziconi di candele, sopra il quale era stato nuovamente rialzato uno stendardo costituito da una coda di cavallo. In momenti come questo l'era comunista si contraeva in una minuscola onda di un mare senza tempo. Altrettanto senza tempo, nelle sale da tè del Lyab-i-Khauz, dove le stradine si aprivano su una vasca circondata da medrese – le scuole religiose, – un immemorabile conclave di vecchi pigramente adagiati su panchine come se nulla fosse mai cambiato. Sulle loro teste erano annodati turbanti azzurri o erano sistemati cappelli di pelo di pecora. Le barbe serpeggiavano dalle loro guance come fili sottili. Se ne stavano comodamente seduti a gambe incrociate, o penzolavano edonisticamente un arto oltre il bordo del divano, mentre i proprietari si muovevano amabilmente in mezzo a loro, versando tè verde da teiere incrinate. Nell'aria c'era una gentile euforia. Non si udiva nessun rumore, se non il tintinnio della porcellana e un simpatico mormorio di cospirazione. Una brezza portò un'increspatura sopra il pelo dell'acqua. Tutt'intorno le scuole religiose formavano un cerchio di alti cancelli e di arcate cieche, nei cui pennacchi svolazzavano fenici di ceramica. Qua e là una facciata proiettava un versetto coranico verso il cielo, e sotto i platani vicini una statua di Kodhja Nasreddin, il saggio folle della leggenda sufi, cavalcava il suo mulo con il muso da pazzo.

"Che cosa sarà di noi adesso? Tutte le cose sono impazzite!" Mi ero seduto per sbaglio vicino a un uomo che era rabbiosamente ubriaco. "Guarda il nostro Uzbekistan! abbiamo cotone, oro, pelli, petrolio, uranio, marmo, ma viviamo tutti come topi!" la sua voce rauca scombussolava l'atmosfera serena del luogo. Le facce serafiche degli anziani si voltarono sonnolente verso di noi. "Le nostre famiglie dovrebbero essere dieci volte più ricche di quelle francesi! Il nostro potenziale è più grande di quello dell'Arabia Saudita! Potremmo essere come l'America!"

L'uomo era infiammato da una frenetica violenza interiore, tuttavia la sua faccia era tenera e pigra, e la bocca era atteggiata in una smorfia ironica.

Cominciai: "Poi le cose andranno meglio...".

Ma la sua voce calò in un tono di cospirazione. "No, ci hanno svenduto anni fa, sotto Brežnev, sotto Rašidov. Mosca disse 'Date!' e noi demmo. E le cose vanno ancora avanti così. I leader uzbeki e russi si baciano alla televisione, come puttane. Il nostro presidente è un tale codardo, ha il terrore che qualcuno gli spari. È uno dei *loro.*" Le sue labbra s'arricciavano sardoniche. "Oh sì. Conosco queste cose. Il Grande Fratello è ancora il Grande Fratello!"

Nel mese seguente avrei ascoltato spesso questa litania: la sfiducia in qualsiasi conduzione politica, e il lamento per le ricchezze che i russi avevano razziato.

Gli dissi: "Ora siete liberi di commerciare fuori dalla Russia. Potete fare i vostri affari".

Agitò un dito grassoccio. "Io ti dico che i russi non ci lasceranno andare. Un centinaio di anni fa, quei pederasti del Cremlino si guardarono intorno e videro che i britannici e gli americani stavano prendendosi le colonie... e allora perché non la Russia? Continuano a cavarci il sangue..." Sembrava stesse recitando due diverse parti: una rabbiosa e iperbolica; l'altra distaccata, tortuosamente ilare, e forse in preda alla disperazione. Paragonava la storia a una recita di pupazzi.

"Ora tutto quello di cui abbiamo bisogno è di essere lasciati soli con la nostra terra," disse. "Soltanto per vivere in pace con la terra. La terra è stata data a ciascuno di noi. Può nutrire e vestire tutti quanti."

Anche questa mistica della terra mi sarebbe diventata familiare. In assenza di eroi, era diventata la depositaria del patriottismo, della purezza dell'animo della gente. I russi avevano sfruttato e inquinato la terra, ma essa apparteneva a quelli che la amavano, e alla fine li avrebbe ricompensati.

Il sorriso autoironico era scomparso dalla faccia dell'uomo. Cominciò: "Prima che Alessandro il Macedone morisse, egli disse: *Fate una scultura soltanto delle mie mani sopra la mia tomba! Soltanto le mani e la terra! Questi sono i miei strumenti!*"

"Disse veramente questo?"

"Egli disse che con il lavoro noi raggiungiamo..."

Era una grottesca fusione di leggenda e di etica comunista del lavoro. L'uomo iniziò a gironzolare. Rosicchiò alcune croste lasciate sul tavolo. Fin dall'antichità questo paese è stato pervaso da epici racconti orali su Alessandro. Nelle valli remote, fino nel cuore di questo secolo, i capiclan proclamavano di discendere da lui.

"Ricorda!" L'uomo si alzò del tutto. "Non sono un pazzo. Mio nonno fu un profeta nel suo villaggio. Aveva il dono della preveggenza. Anch'io ce l'ho..." Traballò davanti a me. "E io ti dico che tutto peggiorerà. Ciascuno è o un tiranno, o un ladro o uno schiavo!" Si allontanò cupamente fra le panchine. "Non c'è null'altro..."

Mi alzai e iniziai a camminare in direzione del cuore della città. I vicoli si erano aperti in piazze e viali impenetrabili per le automobili, in cui canali soffocati scorrevano in profondità all'interno delle fognature di pietra. All'improvviso entrai in uno spiazzo desolato pieno di polvere lambito da una pallida schiera di moschee e medrese. Il baccano e la cappa provocati dai lavori di restauro scuotevano l'aria. Gli edifici risplendevano in un'uniformità nuda e il suolo era abbagliante privo di ombre. Ricoperti di mattoni color cemento, non possedevano la sontuosa pienezza delle moschee piastrellate dell'Iran, ma erano decorate soltanto qua e là con uno strato sottile di vernice indaco o verde. Per il resto, erano del colore della terra sulla quale si elevavano: platino spento. Era come se la polvere si fosse rappresa in muri e torrette e finestre munite di grate. Ogni cosa – perfino il cielo color argilla – rifulgeva della stessa fissità smorta.

Ma più in alto, un tumulto di cupole turchesi si librava in raggiante redenzione. Al di là degli alti ingressi e degli *iwan* – i grandi portali a volta – esse nuotavano sopra i loro tamburi come frutti appartenuti a un altro mondo, e inondavano il cielo con il blu provvidenziale della Persia. Da lontano sembravano brillare di un'uniforme blu acquamarina, ma in realtà le piastrelle che le ricoprivano erano sottilmente diverse l'una dall'altra, così da diffondere una patina vibrante e cangiante sopra ogni cupola: guscio d'uovo, martin pescatore, zaffiro scuro.

Queste moschee e medrese erano state per la maggior parte

elevate dai successori di Tamerlano o dagli sheibanidi del sedicesimo secolo, che li seguirono, la prima e più gloriosa dinastia uzbeka. Sopravvive ben poco di più antico. Nel 1220 Gengis Khan aveva raso al suolo una città che aveva già più di mille anni, e soltanto lo stupendo minareto di Kalan, che si eleva possente nel cielo fino a cinquanta metri, fu intenzionalmente risparmiato. Un tempo questo minareto serviva come punto di riferimento per le carovane che viaggiavano di notte nel deserto e nei decadenti anni degli ultimi emiri i criminali condannati a morte venivano fatti precipitare dalla sua cima. È un colosso non troppo gradevole alla vista. Tutti i colori sono scomparsi – la fluttuante iscrizione di piastrelle in arabo è caduta – ma il disegno in rilievo dei mattoni sopravvive quasi perfetto, e sale fino a una ricca galleria sostenuta da modiglioni smerlati.

In realtà dalla cima risuonava soltanto la chiamata alla preghiera, lamentosa e debole, mentre in basso due donne stavano spazzando la polvere.

Mi allontanai. L'arida monocromia tutt'intorno mi opprimeva in maniera inesplicabile, come se la città stesse morendo invece di rinascere. Perfino la polvere sembrava lisciviata da qualche spettrale perossido. Ma in realtà Bukhara stava risorgendo a tutto campo: i muri venivano ricostruiti malamente in massa, le piastrellature erano riprodotte all'ingrosso. I lavori erano iniziati nel periodo sovietico, ma gli eventi li avevano superati, e le moschee che erano state ricostruite con freddezza per i loro pregi artistici o turistici stavano nuovamente animandosi di una vita quasi autonoma.

Proprio mentre ero intento nelle mie osservazioni, studenti con turbanti bianchi uscivano in fila dalla medresa di Mir-i-Arab ed entravano nella vicina medresa di Ulug Beg. Li avevo visti in precedenza, procedere frettolosamente in mezzo ai mercati dove non comperavano nulla, e avevano suscitato la mia curiosità. Li seguii con un senso di pigra frustrazione. Si distinguevano per il loro aspetto austeramente zelante. Coltivavo l'illusione che grazie a loro avrei potuto scoprire l'identità del paese, come se esso possedesse una sorta di cuore unificato e comprensibile. Ma non sapevo se loro rappresentassero il futuro o il passato.

Li seguii alla medresa di Ulug Beg, costruita dal nipote di Tamerlano, e occhieggiai all'interno. Alcuni uomini e alcuni ragazzi stavano passeggiando fra le arcate. Le doppie file di celle sembravano vuote. Ma esitai, il ronzio diffuso di un canto coranico si elevava dalle profondità dell'edificio, come se fosse un vasto alveare al quale le api facevano ritorno.

Poi un guardiano arcigno mi ordinò di tornare indietro. Era animato da una rabbia repressa. Mi ricordai d'aver riscontrato la stessa rabbia nei luoghi sacri dell'Iran e dell'Iraq. "Questo posto non è più aperto. È riservato ai musulmani." Il suo sguardo non riusciva a sopportare la mia presenza.

Mi accorsi che anche dentro di me stava crescendo una rabbia che sarebbe andata a scontrarsi con la sua. Non capivo. Mi sorpresi a sfidarlo perché mi accettasse, facendogli domande ingenue. "Quanti scolari avete qui?"

Disse bellicoso: "Quattrocento, inclusi quelli del Mir-i-Arab". Le cifre erano raddoppiate in due anni.

"E per quanto tempo studiano?"

"Cinque anni." Ma il suo sguardo non s'incontrava con il mio, come se avesse il potere di contaminarlo, o forse di ammorbidirlo. Fissava dritto sopra la mia testa.

Notai l'iscrizione scolpita in caratteri kufici sopra l'ingresso. Risaliva ai tempi del sultano liberale Ulug Beg, che aveva promosso gli studi di astronomia e le scienze. "Che cosa vuol dire?"

L'uomo ripeté meccanicamente, con rabbia: "È sacro dovere di ogni uomo e donna musulmani perseguire la conoscenza".

Dissi freddamente: "È una bella cosa". Mi squadrò con aria truce. "Ho sentito dire che qui dentro ci sono dei bei lavori di ceramica."

"Li potete guardare nei libri." Mi voltò le spalle. "Questo posto è per i musulmani."

Silenziosamente mi ripromisi di tornarci.

L'eresia incipiente in Ulug Beg (che fu assassinato da reazionari puritani nel 1449) si abbandonò a ogni eccesso nella medresa del diciassettesimo secolo che stava di fronte a me, la turrita e decrepita Abdul Aziz Khan. Qui, sotto la luce del sole calante, trovai un portale decorato con ceramiche a crisantemi e fiori di ciliegio; ma fra questi, facendosi beffe del divieto islamico di ritrarre cose animate, c'erano serpenti che si contorcevano sollevandosi dal suolo, mascherati in maniglie di vasi, e parrocchetti con la testa blu che volavano a coppie verso il sole. All'interno, una robusta custode mi indicò la silhouette di un uomo, dipinta nel *mihrab* – la nicchia rivolta verso la Mecca – una terribile eresia, che la deliziava. "Guardi! Non riesce a vederlo? Quella è la barba... gli occhi..." Ma non riuscivo a vedere niente.

Una corrente d'apostasia ha sempre percorso l'Asia centrale. Gli uzbeki si portarono dietro residui di sciamanesimo inseriti nell'ortodossia sunnita delle loro vite stabilizzate, e un sostrato compensativo di demoni persiani aveva continuato a pulsare per secoli sotto la superficie delle grandi città carovaniere. Sei metri sotto il pavimento della moschea di Attari, vidi le pietre di un tempio dedicato al culto del fuoco zoroastriano e mi raccontarono che qui, come ricordo atavico, si continua a portare il fuoco davanti alle processioni di alcuni matrimoni islamici. In un sussulto di memoria, mi ricordai che anni fa a Gerusalemme avevo incontrato l'ultimo discendente di una setta di sufi bukharioti, che contemplava Dio fissando le fiamme.

Anche il culto dell'acqua e della sacralità delle fonti si dimostravano inestirpabili. La pagana venerazione nei confronti di un pozzo profondo sotto i muri della città fu santificata già molto tempo addietro con la costruzione di una moschea che la copre. Divenne la Fonte di Giobbe (un profeta adottato dai musulmani) che si disse avesse fatto uscire l'acqua dalla terra per soccorrere gli abitanti assetati. I russi trasformarono il sacrario in un museo, e lo trovai fiancheggiato da pannelli che illustravano i trionfi dell'irrigazione sovietica. Ma nessuno li guardava. Invece, in mezzo alle bacheche, un gruppo di contadine stava tirando su dal pozzo l'acqua gelida, versandosela sui polsi e sulle teste con piccoli gemiti piagnucolosi, e poi la portavano via in piccoli recipienti di vetro.

Fu la mancanza d'acqua, insieme alla ferocia del conservatorismo, ad affrettare l'isolamento di Bukhara. Il fiume Zeravšan, che dal Pamir scorre per quasi ottocento chilometri, esala il suo ultimo respiro nell'oasi, e si sta prosciugando. A nord e a ovest le sabbie hanno sepolto una moltitudine di città e villaggi che il sistema d'irrigazione ormai in via d'esaurimento non potrà salvare.

Perfino nel diciannovesimo secolo, i resoconti dei viaggiatori erano carichi d'ambiguità. La Bukhara musulmana era "la Nobile, la Sublime". Era cinta da dodici chilometri di mura e di porte fortificate, e le sue moschee e medrese erano innumerevoli. I bukharioti, si diceva, erano gli abitanti più distinti e civilizzati dell'Asia centrale, e i loro modi e il loro abbigliamento divennero un parametro dell'eleganza orientale. Gli uomini camminavano a piccoli passi su tacchi alti – un'andatura pomposa e trotterellante molto ammirata – e i turbanti avvolgevano le loro teste fino ad arrivare a quaranta pieghe di sgargiante mussolina. Alcuni dignitari viaggiavano in carrozza; altri, indossando stivali lunghi fino alle cosce con puntali frivolmente allungati, cavalcavano purosangue bardati con turchesi e oro. Sotto i loro veli di crine di cavallo le donne camminavano inguainate nelle sete più morbide dell'Asia; riunivano le loro sopracciglia in un doppio arco disegnato con il nero d'antimonio, e ungevano con il balsamo le dita delle mani. Perfino durante il declino, si favoleggiava che i bazar fossero magnifici, e pullulanti di indù, persiani, ebrei e tartari.

Tuttavia questo splendore nascondeva a malapena l'intimo squallore. Gli uomini che all'esterno giravano come re, la notte ritornavano in tuguri. Le porte e le mura della città erano un appariscente scenario teatrale, e le famose medrese cadevano a pezzi. Le spie dell'emiro terrorizzavano l'intera popolazione, e l'uso della cannabis era così endemico da ridurre metà del governo all'apatia. Di tanto in tanto un'epidemia di colera si diffondeva fra una popolazione già minata dalla dissenteria e dal tifo. Chi faceva il bagno o beveva nelle piscine pubbliche contraeva la ributtante filaria della Medina, che soltanto un barbiere esperto era in grado di estrarre dalla carne incidendo la pelle con una lama e attorcigliando il verme – a volte lungo più di un metro – su un ramoscello.

Per quanto riguarda le donne, soltanto le mendicanti potevano avventurarsi in strada a viso scoperto (con la speranza di essere scelte per un harem) e anche fra quelle velate era *bon ton* affettare un'aria di decrepitezza. Non si vedeva mai un uomo in compagnia di una donna. La loro segregazione spingeva gli uomini alla pederastia, e di notte le strade erano infestate da bande omosessuali. La gente comune sembrava avvezza alla crudeltà e al sotterfugio. Pochissimi occidentali osarono entrarvi prima del 1870.

Tuttavia l'oscurantismo religioso era corrotto dall'ipocrisia. Immersa com'era nell'esaltata santità della città, la gente osservava il codice della legge religiosa, ma ne travisava gli scopi. I musulmani negligenti venivano fustigati nelle moschee da ufficiali armati di una cinghia di pelle, e nel momento in cui i russi abolirono questa pratica, la frequentazione cessò. Dopo pochi anni di dominazione russa, la feroce ostilità nei confronti degli infedeli si era placata in una misteriosa tolleranza, quasi un letargo. I viaggiatori scrissero che non esisteva popolazione più pacifica in Oriente, e occasionalmente, quando meditavo sul futuro, mi ritrovavo a pensare a questa strana flessibilità con un leggero senso di inquietudine.

Adesso, però, la Bukhara del diciannovesimo secolo sembrava remota. Andando alla ricerca dei bazar che erano l'orgoglio dell'Asia centrale, mi resi conto che erano quasi scomparsi. Soltanto le insegne stradali del mercato – cupole con lanterne che si alzavano da un nido di mezze cupole – indicavano i portici scomparsi sotto ai quali le merci provenienti dalla Cina, dall'India, dall'Afghanistan e dalla Russia si mescolavano in un'area coperta estesa su ventiquattro acri. Ora, al posto delle antiche mercanzie esotiche – lana di cammello e seta, le porcellane e l'oro dei tartari, i completi di cotta di maglia, i fucili a miccia e le spade di Khorasan (e gli occasionali revolver americani) – vidi ben poco a parte una vistosa accozzaglia di vestiti spruzzati di paillette e ciabatte. Stava emergendo un'esitante libera impresa, ma l'inflazione che affliggeva il vecchio impero sovietico aveva impoverito tutti. Commercianti tristi occhieggiavano fuori dai loro chioschi simili a pupazzi, o si infiltravano nei meandri del bazar con un'aria di vigili predatori. Ma non avevano quasi nulla da vendere. Un tempo il nome di Bukhara era stato sinonimo di radiose sete colorate e dei tappeti rossi dei turcomanni che qui li commerciavano; e i tappeti a disegni persiani venivano intrecciati con telai domestici sparsi in tutta la città. Ma sotto Stalin, l'artigianato domestico era stato messo fuori legge. La produzione di massa aveva steso la sua mano morta su tutta la vecchia produzione artigianale. Camminai faticosamente attraverso tutto il quartiere del mercato fino a quando divenne buio, ma non trovai traccia di seta o tappeti fatti a mano.

L'oscurità svuotò i vicoli. Pochi lampioni si elevavano in mezzo a pozze di luce stagnante, e il richiamo alla preghiera vibrò nel tramonto. Dietro porte sprangate, le colonne a forma di tulipano di una moschea diruta vacillarono nella polvere. In un paio d'occasioni, nei punti in cui si apriva una visuale, vidi che tutte le cupole erano incoronate non dalla mezzaluna islamica ma da un'unica punta. Attorno a esse le cicogne migratrici – uccelli di buon augurio – avevano l'abitudine di ammassare i loro nidi compatti come urne, per poi mettersi a fare la guardia su metà delle cupole della città. Finché le cicogne fossero tornate, diceva la gente, Bukhara avrebbe prosperato; ma una ventina d'anni fa il loro numero aveva incominciato a calare, e adesso erano scomparse. Alcuni sostenevano che i fiumi e le paludi dell'oasi stavano morendo, e che ciò costringeva le cicogne, ghiotte di rane, ad andarle a cacciare altrove. Altri ne attribuivano la colpa ai fumi delle industrie periferiche. Però altri interrogati da me personalmente, dopo aver fissato mestamente le guglie senza inquilini, ammisero che non lo sapevano, ma che temevano soltanto che le cicogne, per l'imperscrutabile volontà di Dio, fossero volate via insieme al loro futuro.

Zelim era un artista che viveva con la madre e la moglie nei viali a sud del Lyab-i-Khauz. Un amico mi aveva dato il suo indirizzo, avvisandomi che era un tipo silenzioso, e mi imbattei nella sua casa soltanto per caso. Sopra la porta d'ingresso una placca di latta diceva: "Qui vive un veterano della Grande Guerra Patriottica". Ma non avevo idea chi fosse questo veterano, e quando bussai mi aprì una donna di quarant'anni con i capelli tinti con l'henné e gli occhi verdi. Era la moglie di Zelim, Gelia, che mi fece strada prima attraverso un corridoio e poi in un cortile che sembrava quasi vuoto. Le stanze della casa risuonavano come cisterne. Gelia disse che non sapeva esattamente dove fosse suo marito. Così ci sedemmo in attesa in un salotto con un soffitto alto ricoperto di tappeti e tappezzato di romanzi russi classici. Leggermente imbarazzata, spinse verso di me alcuni piatti pieni di noccioline e di dolci. Aveva un viso evanescente, tenero, che avrebbe potuto essere quello di un'europea, e parlava un morbido inglese. Mi disse che i suoi genitori erano tartari, arrivati a Taškent nel 1949, provenienti dalle regioni settentrionali sconvolte dalla carestia, perché era ritenuta "una città di pane". La sua risata tintinnò nella desolazione. A quel tempo era solo una bambina. Molto tempo dopo qui aveva sposato Zelim e gli aveva dato due figli: ora erano due ragazzi magri e fiacchi che si aggiravano lentamente e silenziosamente nel caseggiato.

Ma un'altra presenza, più corposa, aleggiava nel corridoio. Massiccia e attenta, la madre di Zelim si sistemò davanti a noi, sgranocchiando semi di girasole. I suoi occhi erano pietose mezzelune. Si sedette distendendo le gambe avvolte in calzetti di lana, e si mise ad ascoltare. Il pallido ovale del suo viso – sciupato da un naso improbabile e da guance cascanti e flaccide – le donava la gravità lunare di una cinese.

Infatti per un quarto era cinese. Nel secolo scorso sua nonna era stata rapita all'età di sei anni a Kašgar e venduta come schiava nel mercato di Bukhara. Poi suo nonno, un ricco mercante, s'era innamorato di questo suo acquisto, e l'aveva sposata. Gli occhi dell'anziana donna si inumidirono di lacrime al ricordo. "Era molto piccola e delicata, con scarpine e manine." Cercò a tentoni un album di fotografie in uno degli scaffali e lo aprì sulla foto di una donna avvolta in sete di Bukhara. "Eccola!" Vidi un viso meditabondo dalle labbra sottili, stranamente attraente. Era morta quando aveva poco più di quarant'anni. "Loro erano gente ricca," disse la vecchia. "Anche mio padre. Allora avevamo una dacia e un giardino, nel punto in cui adesso c'è la statua di Lenin."

Suo padre aveva avuto due mogli e molti figli, e i suoi ricordi erano tutti felici, di una vita in comune nella stessa casa. "Avevamo servitori, molti, e quando venivano degli ospiti papà uccideva una pecora in loro onore." Poi sputò con amarezza: "E adesso viviamo con una razione di cento grammi di carne al mese! E costa centodieci rubli!". Cominciò a tremare. Diede un'occhiata alla foto del padre, che era in alto sul muro al centro della stanza. "Papà ha costruito questa casa. È un monumento alla sua memoria."

Scuro e avvolto in un turbante, egli guardava fisso verso il basso con sobria autorità. Sembrava avesse vissuto in un mondo di gran lunga precedente all'epoca delle macchine fotografiche, ma lei aveva l'abitudine di chiamarlo "papà" come se stesse ancora nella stanza accanto.

Aveva combattuto come rivoluzionario bolscevico, disse Gelia – in inglese, in modo tale che la vecchia non potesse capire – ma era troppo ricco per riuscire a sfuggire alle purghe staliniane, ed era morto in un campo di concentramento siberiano nel 1937. Sua figlia si era innamorata di un musulmano ceceno del Caucaso, e si erano sposati, ma nel giro di un anno anche lui era stato spedito in Siberia e lei aveva divorziato. Ora lei ci guardava, senza capire, e respirava con lunghi e pesanti sospiri. Pur essendo metà tadžika e metà cinese, aveva sviluppato uno di quegli imponenti corpi da slava che sembrano nati per soffrire. "Aveva abbandonato il marito perché le ricordava suo padre," disse Gelia, "e non aveva la forza di rivivere la stessa storia." Era stata sposata solamente per un anno, e aveva dato alla luce un figlio, Zelim.

Egli entrò nella stanza come un fantasma. Era alto, con una leggera gobba, anche se aveva soltanto quarantatré anni. Il suo torace sembrava fosse sprofondato verso l'interno e, sotto una chioma rada, il suo volto gentile e senza rughe aveva un'aria assolutamente remota. Parlava in modo confuso e sottovoce, e la voce ogni tanto svaniva. Ebbi la netta sensazione che l'intera casa appartenesse ai suoi morti. Era impregnata dei loro ricordi, di quel padre e di quel marito che erano stati ingiustamente maltrattati. Per contrasto, i vivi si erano rattrappiti all'interno delle mura domestiche.

Tuttavia la vecchia continuava a rimanere stoicamente, violentemente comunista. Suo padre e suo marito potevano anche essere sepolti in fosse anonime nei campi di lavoro di Stalin, ma il suo credo politico era radicato nel suo corpo monumentale e immobile, e nulla l'avrebbe scosso. "Era convinta che non fosse stata colpa di Stalin," disse Gelia. "Pensava che fosse stato sicuramente qualcun altro. Credeva che lui non lo sapesse."

Eppure, anche adesso, quando ormai il ruolo di Stalin era chiaro, questa schizofrenia continuava, tanto brutale e completo era stato il suo indottrinamento. Udì il nome di Stalin nel farfugliare in inglese di Gelia, e immediatamente batté i pugni. "Stalin era forte! Ha imposto la disciplina!" Si raddrizzò con uno sforzo sulla sedia. Il vestito era teso come pelle di tamburo sulla pancia e sulle cosce "A quei tempi i prezzi erano controllati. Tutto era controllato! È soltanto dopo Gorbacëv che abbiamo queste guerre e quest'inflazione... I russi hanno bisogno di disciplina. Noi possiamo lavorare soltanto se c'è disciplina!"

Gelia stava scoppiando dal ridere. "Lei è una comunista," disse, come se si trattasse di una malattia. "È famosa per questo."

La vecchia si passò una mano dal collo fino al grembo, come se stesse eseguendo un intervento chirurgico a cuore aperto. "Io sono comunista fin nelle vene," disse fieramente. "Questa è stata la mia educazione."

Ero ammutolito dallo stupore. Con un certo disagio avvertii la presenza del padre assassinato che osservava la stanza dalla sua fotografia conservata come una reliquia; mentre il marito aveva lasciato il suo segno in Zelim – "È il ritratto di suo padre!". Però lei se ne stava seduta immobile come una roccia in mezzo al caos dei suoi valori. Si crogiolava nei ricordi della sua infanzia privilegiata – i servitori, la proprietà – ma continuava a tenere conferenze domestiche che glorificavano il comunismo. Ogni volta che vedeva Zelim, guardava in faccia il marito che aveva abbandonato.

Per quanto riguarda Zelim, i suoi occhi erano coperti da folte sopracciglia, e la faccia sembrava non registrare nulla. Ma mentre Gelia e sua madre parlavano fra loro, mi disse con voce distante: "Mio padre non s'interessava per nulla di politica. Era soltanto uno scrittore di storie di campagna. Ma essere uno scrittore era già sufficiente, in quei giorni, per condannare una persona". Mi guardò con uno sguardo gentile e impenetrabile. Adesso era più vecchio di quanto suo padre fosse mai stato. I capelli gli si erano ritirati dalla fronte lasciando scoperte due lucide insenature. "Non ho mai letto le sue opere. Scriveva in ceceno, e io non sono in grado di leggerlo. È morto lassù in Siberia..."

Gelia stava dicendo dispettosamente alla madre: "Ce l'hai, ce l'hai!".

All'improvviso la vecchia lasciò la stanza e ritornò portando una giacca militare tintinnante di medaglie. Era sua. Aveva combattuto durante la Seconda guerra mondiale, e la placca di metallo che sormontava la porta della casa era stata messa in suo onore. Sollevò la giacca. Forse riteneva che fosse più incisiva delle sue parole. Le sue dita grassocce giocherellarono con le medaglie. "Questa è la più importante di tutte," disse. "Guarda, oro e platino. L'Ordine di Lenin!" L'effigie di quella testa screditata tintinnò contro il suo pollice. "Al fronte ero radiofonista, comunicavo le avanzate dei carri armati. Ho aiutato a sconfiggerli tutti – tedeschi, americani, inglesi!"

Per molti russi, la guerra era stata combattuta soltanto da loro contro il mondo intero. Gelia disse: "Gli americani e gli inglesi erano dalla nostra parte...".

"...E riferivo anche sui combattimenti aerei," la vecchia continuò, "e sull'artiglieria..."

Per un attimo l'impero sovietico sfolgorò ancora una volta grandiosamente nella medaglia attaccata alla giacca. "Era un'eroina," disse Gelia quietamente.

"E tutta quella lotta," continuò la vecchia. "Per cosa? Perché? La gente oggi, il mio cuore sanguina per loro... Sa quanto costa un televisore?"

Gelia disse: "È vero. Qui tutto è cambiato nel giro di sei mesi. Le nostre fabbriche non producono nulla. La gente commercia soltanto in cianfrusaglie, o compra e vende da qualche altra parte".

"È la vendetta di Dio per tutti i loro aborti!" disse la donna enigmaticamente.

Gelia disse: "Ma i pregiudizi cominciano a terrorizzarci. Quando vado al mercato, adesso, i venditori mi danno i tagli peggiori di carne, o semplicemente mi squadrano da capo a piedi. Credono che io sia russa. Questa avversione non c'era mai stata qui, non apertamente...".

"Quattrocento rubli!" disse la vecchia. "Questo è quanto costava questo televisore un anno fa. Ora sono ottocento. E quel frigorifero... e il tappeto..." Conosceva tutti i prezzi, e tutto era aumentato di dieci o venti volte. "Il treno per Samarcanda costava..."

Gelia disse: "Gli uzbeki una volta studiavano il russo. Ora stanno togliendo i loro figli dalle scuole russe e li mandano in quelle uzbeke. Sono loro che hanno il potere adesso!".

"I pomodori... trenta rubli... ora costano..." La voce della vecchia signora s'era inacidita in un rabbioso piagnucolio. "I cavoli costavano..."

Ma, disse Gelia, Bukhara era una città complessa. Una buona parte della sua popolazione non era composta né da tadžiki, né da uzbeki, ma da russi, tartari, ebrei e orde di altri. La scuola russa dove lei insegnava inglese era una piccola enclave cosmopolita. "Perfino i tadžiki e gli uzbeki sono mescolati. In un'unica famiglia un fratello è registrato come uzbeko, un altro come tadžiko. Non c'è speranza. Ma forse questo ci salverà. Forse la gente è troppo mescolata per diventare nazionalista."

Ma la litania della vecchia continuò sguaiatamente, simile a un disco rotto, come sottofondo al discorso di Gelia. "Il sapone... le arance..." Non si può immaginare cosa la gente sia in grado di fare quando la miseria diventa estrema.

Dopo un po' la vecchia portò un piatto ricolmo di montone e di riso pilaf, il cibo universale dell'Asia centrale, e cenammo con quello, bevendo zuppa di cavolo e sorseggiando vino di ciliegie. Avevo sentito dire che Zelim s'era rivoltato contro sua madre molto tempo fa, e per anni non si erano parlati. Ma ora la vecchia era raggiante di gioia quando parlava con lui, la sua faccia fremeva, e lui le rispondeva nella sua maniera calma e distratta, mentre lei continuava a tremolare e ad arrossire, a volte parlando per lui, tanto profondi erano i suoi silenzi. "Lui adora il pilaf della sua mamma... Ha parlato più oggi di quanto abbia fatto per tantissimo tempo... Non mangia mai abbastanza, è troppo magro..."

"Non va bene essere troppo magri," disse Gelia. "Le persone importanti sono tutte grasse!" Era misteriosamente ottimista in mezzo a quel mondo che le si stava disintegrando intorno. La vita della casa era sostenuta principalmente dal suo lavoro d'insegnante. Adesso Zelim vendeva pochissimi quadri. Le sue battute erano di tanto in tanto velate da una reticente tristezza, ed erano simili al suono di uno strumento basso in un'orchestra leggera.

Prima che ci lasciassimo mi disse: "Non so se i fondamentalisti islamici arriveranno qui. Hanno aperto piccole scuole religiose in ogni distretto della città. Stanno tutti studiando l'arabo".

Dissi: "Pensavo che Stalin avesse spazzato via la generazione che ancora parlava l'arabo".

"Non del tutto. La gente ha continuato a impararlo e a leggerlo nelle case, pur facendo finta di non saperlo... e ora sta uscendo allo scoperto."

Attraversammo il cortile al buio, sotto un quarto di luna, superando le fila di camere vuote, e ci salutammo nella strada illuminata. Gelia mi guardò con una improvvisa, dolorosa vivacità.

"Questa potrebbe essere l'ultima volta che vedi le nostre facce," disse, e alzò una mano per proteggersi gli occhi. "Quando tornerai, porteremo il velo!" Fu scossa nuovamente da una risata; ma sotto la sua mano gli occhi non erano felici.

Ai bordi occidentali della città, le ultime fortificazioni vacillano e muoiono in giardinetti derelitti. Le torri erose ruzzolano nel terreno, e le merlature sembra possano precipitare a ogni soffio. Ma subito all'interno, nascosta in mezzo agli alberi, si eleva la Tomba dei Samanidi del decimo secolo. Slegata temporalmente e stilisticamente da qualsiasi cosa la circondi, si erge isolata, senza antenati o eredi, come se fosse stata trasportata intera da qualche altro posto e lì deposta.

Il suo aspetto è modesto: un alto cubo che sorregge una cupola. Ciascuna facciata è traforata da porte ad arco, e in ogni angolo è incastonata una colonna, mentre una piccola galleria decorativa ne circonda la sommità. Ma su tutte le superfici – fregi, colonne, lunette – si estende una griglia di mattoni ornamentali. Nessun accenno di colore le sfiora tranne il monocromo color sabbia di queste schegge di argilla cotta. Sono disposte con vivace accortezza e varietà. Il chiaroscuro delle loro superfici modulate conferisce all'intera tomba l'avvolgente ricchezza di un favo di miele, che sembra essere stato maturato dal sole. Il gioco dei mattoni è ossessivo e brillante, tanto che il mausoleo si staglia sullo sfondo degli alberi con l'intensità nitida di un gioiello.

La tomba è tutto ciò che sopravvive della precoce dinastia dei samanidi, gli ultimi persiani ad aver governato l'Asia centrale, il cui impero si spingeva dal Caspio meridionale fino all'interno dell'Afghanistan. La tomba sfuggì al saccheggio dei mongoli perché giaceva sepolta sotto una coltre di sabbia trasportata dal vento, i suoi costruttori erano semidimenticati, e probabilmente le sue origini architettoniche risalgono ai palazzi e ai templi del fuoco di epoca preislamica. Ma la sua raffinatezza – la sontuosità quasi giocosa della decorazione di mattoni – tradisce l'appartenenza a un'epoca più coraggiosa, più intellettuale rispetto a tutte quelle che seguirono.

Per oltre cent'anni, fino alla fine del decimo secolo, una frenesia creativa attanagliò la capitale. Accanto all'austerità morale dell'Islam, qui fiorì un gusto estetico di matrice persiana che si rifaceva alla magnificenza e al liberalismo filosofico dell'epoca sassanide, estinto dagli arabi oltre due secoli prima. Quando la Via della Seta si dipartiva da Bukhara in due direzioni – le pellicce, l'ambra e il miele viaggiavano verso est; la seta, i gioielli e la giada verso ovest – i samanidi spedivano cavalli e vetro in Cina, e ricevevano in cambio spezie e ceramiche.

Un'era di pace radunò letterati e scienziati che giunsero ad affollare la corte, e la lingua persiana fiorì nuovamente con una galassia di poeti locali. Fu un'epoca vivacissima. La musica, la pittura iraniane e il vino fiorirono ereticamente insieme agli studi coranici, e la grande biblioteca di Bukhara, ricca di quarantacinquemila manoscritti, divenne un ritrovo di dottori, matematici, astronomi e geografi.

La breve era produsse uomini di straordinario ingegno: l'erudito al-Biruni, che calcolò il raggio della terra; il poeta lirico Rudaki; e il grande Ibn Sina, Avicenna, che scrisse duecentoquarantadue trattati scientifici di stupefacente varietà: fra questi i *Canoni di medicina*, che furono un testo capitale perfino negli ospedali dell'Europa cristiana per cinquecento anni.

Ma di tutta questa laboriosità quasi nulla sopravvive in mattoni o in pietra. Il muraglione che circondava l'oasi per una lunghezza di duecentoventi chilometri, proteggendola dai nomadi e dalle tempeste di sabbia, fu lasciato cadere a pezzi in quel periodo di grande ricchezza, e gli invasori turchi, che arrivarono da est nel 999 d.C., s'impossessarono di una città che stava già declinando nello squallore. Resta soltanto il mausoleo in mezzo agli alberi; un gemma preziosa e opaca. Il rimanere protetto sotto la sabbia per secoli lo ha preservato intatto. Perfino da lontano la decorazione in mattoni color marrone chiaro gli conferisce una leggerezza traforata, come se fosse rivestito da un ordito a larghi nodi.

Tuttavia nessuno sa chi vi sia sepolto. Alcuni secoli più tardi, avvertendo la nostalgia di una gloria passata, la popolazione s'immaginò che appartenesse a Ismail Samani, fondatore della dinastia; sulla sua tomba si notano due buchi, dentro ai quali i supplicanti sussurravano le loro richieste all'emiro mentre un *mullah* nascosto dentro dava le risposte. Perfino nel ventesimo secolo si credeva che quei capi sepolti proteggessero l'emirato, cosicché gli uomini pii rimasero perplessi quando gli spiriti vendicatori non si levarono dalle loro tombe per scagliarsi contro le forze bolsceviche, nel 1920, e massacrarle. Ora, dopo anni di quarantena in quanto monumento ufficiale, la tomba era stata riaperta come rifugio per i fedeli. Certe volte si poteva vedere un gruppo di pellegrini d'aspetto maestoso che pregavano disposti in semicerchio nella stanza interna, mentre uno di loro di tanto in tanto poneva le labbra sul buco nella tomba e sussurrava qualcosa.

Una mattina ritornai alla medresa di Ulug Beg. Il guardiano burbero se n'era andato, e un gruppo di studenti in abiti chiari si attardava all'entrata. I vestiti conferivano loro un'anonima fratellanza, e sotto i turbanti bianchi come neve le facce sembravano imbalsamate in una comune delicatezza asessuata. Fui nuovamente assalito dalla sensazione che fossero depositari di qualche fondamentale segreto dell'anima del paese, e che ne conoscessero il futuro.

Ma non appena cominciai a parlare con loro questa uniformità si sgretolò. Fui circondato da un semicerchio di facce diverse. Ero arrivato in mezzo a loro come un virus in un flusso di sangue. Alcune cellule ruotarono via, temendo la contaminazione, ma uno sciame compensatorio di anticorpi si spinse più vicino. Provenivano da tutta l'Asia centrale e anche da più lontano. Erano uniti soltanto da un accenno di reticenza, un vago sospetto che svanì a poco a poco. Avevano espressioni rustiche, claustrali, prive dell'avido guizzo dei ragazzi che guidavano le moto nei viali vicini e che cercavano di vendere qualcosa. C'era un uzbeko di Namangan con il volto accaldato, un giovane urbano di Taškent, un azero dai tratti affilati, un kirgizo, un turco, anche un afghano tadžiko. Dissero che erano lì per studiare per cinque anni il Corano, la Tradizione e la Legge musulmana, e che non volevano diventare *imam* nelle moschee – "gli *imam* non sanno niente!" – ma continuare il loro apprendistato nelle medrese. Erano l'élite del domani.

"Quanti musulmani vivono in Inghilterra? Quanti in America?" schiamazzavano. "Quante moschee ci sono a Londra?"

Azzardai una cifra.

"In Italia ci sono molti musulmani," disse il giovane fervente di Namangan. "L'Italia è molto musulmana."

"L'Italia è un paese cristiano," dissi.

"Ma io ho letto che..." Il giovane mi guardò perplesso. "C'era scritto!"

Gli dissi: "Si legge di tutto".

"Ma voi cristiani dite che Gesù era figlio di Dio, e che Maria era la madre di Dio. Com'è possibile? Dio non ha né madre né figlio. Dio è uno." S'era illuminato per la sua ritrovata certezza.

Mi sentivo imbarazzato. L'albero genealogico di Dio ha sempre stupito i musulmani. Un po' anche me. Mi ritrovai a lanciare un appello alla tolleranza. Perché una religione dovrebbe avere il monopolio della verità, domandai? La fede era materia della coscienza privata... Il luogo comune mi fece sprofondare in un vicolo cieco espresso in un russo sgrammaticato. Il mio messaggio evangelico in favore della tolleranza cominciava a suonare fanatico. Le facce davanti a me erano miti e attente. Alcuni di loro mormoravano frasi d'approvazione; altri si erano placati in un'educata attesa. Credo che la tolleranza si adattasse bene alla loro modestia.

"Sì, cristiani, ebrei, indù... la gente dovrebbe essere libera," disse il kirgizo. "Ma noi siamo convinti che alla fine tutti diventeranno musulmani."

"Se Dio vuole!" intonarono in coro.

"L'Islam è l'ultima rivelazione," continuò il kirgizo. Aveva una faccia piatta, ellittica, con gli occhi poco infossati dei mongoli. "Prima venne il libro degli ebrei, poi il libro dei cristiani, e alla fine il Corano. Il Corano è l'ultima parola di Dio. Al tempo degli ebrei e dei cristiani era giusto credere come avevano fatto. Non avevano nient'altro. Ma adesso è il nostro il modo giusto." Tuttavia pronunciò queste parole cortesemente. Mi interessava.

Dissi con pedanteria: "La dottrina comunista è arrivata dopo l'Islam, ma non lo smentisce. L'ultimo libro non è necessariamente quello giusto. Le vostre stesse Tradizioni sono venute dopo il Corano, ma non lo sostituiscono". Quest'uscita produsse un mormorio d'assenso, e il kirgizo fece un cortese cenno affermativo con la testa, e per una qualche ragione mi vergognai. "Gli ebrei ritengono che il primo sia il migliore," aggiunsi gentilmente, "perché è quello originale."

Pensieri semplificati come questi creavano in loro una profonda e imbarazzante incertezza. Non c'erano abituati. Erano abituati alle certezze scritte. Indugiavano sui confini di questi concetti, come se aspettassero un imprimatur.

All'improvviso l'azero disse: "Che cosa mi dice di quell'altro libro? *I versetti satanici*?".

Fui colto alla sprovvista. Le notizie su quel libro erano filtrate fin dentro le viscere dell'Asia. Rinviai: "Che cosa ne pensi tu?".

"Non lo so," rispose. "Non l'ho letto." Fra le sue dita scorrevano le perle di un rosario.

Guardai gli altri. Ma nessuno l'aveva letto, e soltanto l'azero sembrava avere qualche opinione in proposito, ma non la rivelò.

Dissi: "Non è un libro di fatti. È un romanzo. Le nostre tradizioni riguardo alla narrativa sono diverse".

"È ancora vivo?" domandò l'azero.

Tentai di interpretare la sua espressione, ma non ci riuscii. "Sì. Alcuni musulmani volevano ucciderlo, ma ciò è contrario alla nostra giustizia."

Nessuno sollevò obiezioni, e il momento passò. Il giovane di Taškent disse: "A noi non piace il modello iraniano. Loro sono lontani dall'Islam, lontani". Unì le dita, e poi le staccò. Quel semplice gesto creò un abisso. "Loro non capiscono i testi."

"Quali testi?"

Alzò un dito come un maestro. "La legge islamica, per esempio, non prescrive il velo in modo assoluto. Se una donna desidera portare il velo, lo può fare. Ma per noi, tre parti possono rimanere scoperte: l'arco dei piedi, le palme delle mani, e la faccia. Sì, la faccia." Si passò la punta delle dita vicino alle guance e alla fronte. "I capelli devono restare coperti, ma la faccia può rimanere scoperta."

"La cosa migliore di tutte è che la donna resti a casa," disse sinistramente il giovane di Namangan. "C'è scritto che una donna deve lasciare la propria casa soltanto due volte: una volta per il matrimonio e una per la sepoltura."

Dissi: "Che ne pensano le donne di questo?".

Si azzittirono per un momento. L'azero sorrise. Ma il ragazzo di Taškent disse: "Le donne qui sono lontane dall'Islam. Non capiscono, non sanno nulla".

"Bisognerà costringerle a portare il velo," disse un altro ragazzo, "così non è possibile!"

L'azero avvertì il mio timore. Disse: "Quando la nostra gente vede una donna straniera con le gambe e le braccia nude, s'infiamma e non riesce a studiare per ore. Ma so che fra voi è una cosa comune, e che voi non notate e non provate nulla".

Gli altri rumoreggiarono in segno di assenso. Sembravano un po' infelici. Parlavano dell'Occidente con un misto di rifiuto e di sgomento. L'Occidente significava licenza, sregolatezza. Nei pensieri di ciascuno di loro esisteva un'ammaliatrice occidentale.

"La gente qui a Bukhara non sa nulla di religione," continuò lo studente di Namangan. "Sono stati sovietizzati. È un luogo senza Dio. Nei villaggi sanno qualcosa, ma qui nulla."

"Non nel nostro villaggio," disse un turcomanno scuro. "Là non c'è religione."

Li guardai con una certa sorpresa. Inconsciamente me li ero immaginati come il cuore di Bukhara, come se fossero stati la sua unificante essenza; ma qui si sentivano sempre stranieri, così com'erano in realtà. In questo stagno conservatore – Bukhara "il pilastro dell'Islam" – si rendevano contro di procedere in un esilio spirituale, in mezzo a un mare di incredulità. Era strano.

Ben presto mi salutarono con il solenne gesto musulmano di porre la mano destra sopra il cuore, e rifluirono nelle loro medrese. Se nessuno li agiterà, pensai, la loro naturale adesione all'islamismo sarà controllata e dignitosa, nonostante la loro tirannia nei confronti delle donne. Più pericolosa risultavano l'ignoranza – non conoscevano quasi nulla di nessuna realtà esterna, ma soltanto il loro mondo – e lo spettro del collasso economico, che può condurre la gente agli estremi. Li osservai scomparire con un misto di rispetto e di apprensione. Comparata all'indifferenza commerciale dei giovani nelle strade, la loro intensa sete di sapere era arcaica, attraente e pericolosamente innocente.

Mi avviai senza una meta precisa. I vicoli chiusi e le piazze davano il senso di una città esposta soltanto per metà al sole. Mi ritrovai a meditare sugli studenti, consolato dal loro pacato conservatorismo turco. Si avvertiva che i fuochi del fondamentalismo erano ancora lontani.

Ma mentre camminavo, scivolai in uno stato di intima apprensione. Che cosa succederà, mi domandavo, a quelle ragazze senza Dio che passeggiavano con le gonne appena sotto il ginocchio e con le gambe che esibivano calze ricamate e tacchi alti? Feci calare un immaginario velo sopra ogni donna che vedevo, e mi figurai un mondo visto attraverso una garza di nero crine di cavallo. Per quanto riguardava i ragazzi che tentavano di convincerti a cambiare soldi, trasformai la passione per i dollari in passione per Dio, finché riuscii a rimpiazzare le loro facce opportuniste con altre più moralistiche e più minacciose.

In questo stato di inquietante sbalordimento, girovagai tutt'intorno e arrivai dalla parte opposta della medresa di Mir-i-Arab. Su un lato si estendeva l'enorme moschea di Kalan, dove Gengis Khan aveva scagliato a terra il Corano e iniziato il massacro della città. Sull'altro, i timpani della medresa risplendevano dei complicati intrecci di scritture kufiche, ed esplodevano in cupole azzurro cielo.

Alcuni studenti stavano chiacchierando sotto il portone d'ingresso, e riconobbi il giovane kirgizo che un'ora prima si era prodigato nell'opera di proselitismo. Si avvicinò a me timidamente. Privato dei suoi compagni, sembrava più gentile, più goffo, e con addosso un'espressione di costante sorpresa. Per un minuto ci scambiammo qualche facezia, poi disse: "Non parlare con nessuno. Seguimi e basta".

Con la gioia che prova il viaggiatore per le cose proibite, lo seguii senza incontrare ostacoli attraverso le porte della medresa fin dentro al cortile. Traboccava di vita. Sui suoi archi erano affissi cartelli in arabo e in uzbeko che esortavano alla sobrietà, all'amicizia e all'integrità. Sotto i portici piastrellati gli studenti conversavano riuniti in bisbiglianti conclavi, oppure sedevano da soli con i Corani appoggiati alle sedie, ripetendo di continuo la stessa *sura*. Sopra la doppia fila delle loro cellette, due cupole turchesi emanavano verso il basso una bellezza astrale. Il passato si rifletteva completamente su di essi, e sembrava convogliare una verità. Era la medresa principale. Per molti anni dopo la Seconda guerra mondiale questa fu l'unica a cui venne concesso di restare aperta in tutta l'Asia centrale, con appena settantacinque studenti. Ora ne ospitava più di quattrocento, e il canto nasale della ricordanza riempiva le sue volte.

Seguii a passi felpati il kirgizo, ma sembrava che nessuno ci notasse. Spalancò una porta bassa che dava in una delle cellette. Era minuscola: l'antro di un eremita. Una sfilza ininterrotta di studenti aveva studiato qui per più di cinquecento anni. L'aria era satura di dogmatismo. Nulla di sostanziale era cambiato, all'infuori delle trapunte di due letti di ferro che erano buttate sul pavimento, e di una stufa di ferro che impregnava l'aria di calore. Il kirgizo mi sorrise. "Qui nessuno ti vedrà." Ci accomodammo a un rude tavolo mentre lui lasciava cadere in una teiera un pizzico di tè e spezzava del pane fresco. Tutt'intorno a noi i muri erano traforati di ripiani di nicchie pieni di oggetti disparati: un calendario arabo, una bottiglia d'acqua di colonia, un orologio, una scatola di tè indonesiano, un assortimento di bottiglie, libri e penne.

Versò il tè in una tazza sbeccata. Veniva dai dintorni di Biškek, disse, la capitale del Kirgizstan, la misteriosa nazione montuosa ai confini con la Cina. Sarebbe stata l'ultima tappa del mio viaggio. Tuttavia non era di razza kirgiza, ma un cinese *dungan*, uno di quelli appartenenti alla remota comunità musulmana che nel 1870 erano fuggiti dalla Cina verso ovest. Quando attraversarono le montagne di Tienshan in pieno inverno, avevano lasciato le distese di neve ricoperte di cadaveri di loro compagni. "I miei nonni parlano ancora di ciò che avevano ascoltato dai loro nonni, di come la gente fosse morta sotto le valanghe e sui ghiacciai. E i russi ne fucilarono a migliaia..."

Voltò la faccia mite verso di me, senza dimostrare rabbia. Era passato troppo tempo per provare rancore. E le leggende s'erano intrecciate alla storia. Tutti i disastri erano stati imputati ai russi, e con esitazione gli raccontai che (secondo gli storici occidentali) costoro non avevano massacrato i *dungan* e che i nativi kirgizi avevano accolto i sopravvissuti che si trascinavano malfermi e cenciosi dopo aver attraversato le montagne.

"Questo è il vantaggio di questo posto," disse il ragazzo, che non mi stava ascoltando. "Noi qui non abbiamo nazionalità, nessun odio. Nessuno dice 'Tu sei kirgizo', oppure 'Tu sei uzbeko'. Loro dicono soltanto 'Tu sei musulmano', e noi ci sentiamo tutti uniti." Ammonticchiò i pezzi di pane nello spazio che ci separava in segno di fratellanza. "È stata l'Unione Sovietica che ha creato qui il nazionalismo. Prima di Stalin, localmente non esistevano confini. È solo da quel periodo che la gente dice d'appartenere a un paese o a un altro."

Era vero, e lo avrei sentito ripetere altre volte: la nostalgia per un tempo precedente alle frontiere, per una sorta d'immaginaria fratellanza. In quei secoli di trasmigrazioni, quando i confini degli emirati dell'Asia centrale erano soltanto opinioni transitorie, le varie popolazioni si identificavano prima di tutto nelle famiglie e nei clan. L'intera regione indugiava in un lapsus temporale in cui la tragedia del moderno nazionalismo difficilmente aveva corso. Ora la gente riconsiderava quell'epoca come un'epoca di pace senza patrie, a misura non dei politici ma dei mercanti incamminati sulle strade dell'oro. Eppure fu proprio la superficialità delle radici di quel patriottismo a spingere queste terre ad assoggettarsi passivamente sotto il tallone sovietico.

"La nostra identità risiede nell'Islam. L'Islam va più a fondo," disse il ragazzo. "È vero che nel Kirgizstan, da dove vengo, non esiste un grande sentimento religioso. Ma anche durante gli anni staliniani la gente pregava in segreto, chiudendo le porte dietro di sé al buio, in famiglia."

Domandai: "Anche tu?".

"No, la mia famiglia non l'ha mai fatto. Io sono arrivato alla fede per un altro percorso."

Si ammutolì, meditando se divulgare o meno il modo in cui era avvenuta la sua conversione. Io non ero in grado d'indovinarlo. Aspettai. Forse qualche illegale *mullah*, pensai, aveva accolto il ragazzo nel suo giro. O forse una forma d'idealismo adolescente lo aveva portato da solo su quella strada.

Poi disse: "Avvenne così. Nelle vicinanze del villaggio dove vivo c'era un cimitero, e un anno vi avevano sepolto due uomini.

Erano musulmani, ma erano dei bevitori, il che è contrario alla nostra fede. Ora tu sai che i nostri morti vengono sepolti con la faccia scoperta...". Tacque nuovamente e diede un'occhiata verso l'alto alla finestra grigliata, dalla quale filtrava una debole luce. Allora, in un freddo scatto della memoria, disse: "Quando uno degli uomini fu disteso nella tomba, i suoi occhi si spalancarono all'improvviso. Sì, erano dilatati dalla paura! Bianchi e sbarrati. Terrorizzati". Anche i suoi occhi fissavano i miei, e si erano perfino dilatati, ricolmi dello stupore e del terrore di quel fatto. Le sue parole uscivano con un'agitazione affannosa. "E quando calarono l'altro uomo nella tomba – cosa pensi?" Le sue dita s'erano aggrappate ai bordi del tavolo. "Era pieno di serpenti!" Mi guardava a bocca aperta. "I nostri morti sono sepolti almeno a due metri sotto terra, ma nonostante questo c'erano questi serpenti, a dozzine, che lo aspettavano nella tomba. Era orrendo. Ne parlarono tutti." La sua calma era svanita. "So queste cose perché in quel posto uno degli scavatori delle tombe era mio zio. Da quella volta ho cominciato a pregare e a leggere le nostre scritture, e sono arrivato a capire."

Osservai la sua faccia che era una maschera imberbe – la triste linea curva degli occhi, che veniva richiamata dalle sottili sopracciglia – e mi immaginai che l'accecante momento della sua rivelazione vi si fosse impresso permanentemente, lasciando dietro di sé una traccia di pietrificata sorpresa.

"Tu sei europeo, e perciò penso che tu sia cristiano." All'improvviso aveva assunto un tono affannato e supplichevole. "Ora, lo zio di Maometto, che era il suo custode, era anche lui un cristiano" (questo è falso) "ma poi si era convertito all'Islam. Preferì l'Islam al cristianesimo." Accarezzò nuovamente la parola: "*Islam*".

"Conosco uno che è stato educato senza religione," dissi. "Ne ha studiate alcune. E ha scelto il buddhismo."

Ciò produsse un silenzio terrorizzante. Poi il ragazzo disse: "Ma tu *devi* credere. Quando torni a casa, leggi i nostri libri, leggi di più". Mi guardava con uno sguardo irritato, confuso, ancora immerso nell'orrore. "Vedi, l'Ultimo Giorno, alla fine della luce, ci sarà una suddivisione dei popoli, e soltanto i musulmani saranno salvati." Illustrò questa separazione con rammarico, ma con decisione, usando i pezzi di pane sparpagliati sul tavolo. "Soltanto i musulmani! E in quanto agli altri, gli indù, i comunisti, gli ebrei, i cristiani..." Spazzò dal tavolo le briciole miscredenti. "Finiti!"

I suoi occhi mi imploravano!

Subito dopo venne il momento della preghiera, e tornammo indietro, un po' abbattuti, verso l'uscita. Mentre ci salutavamo mi prese la mano con un'espressione piena di tristezza. Il suo sguardo continuava a essere perplesso, quando disse: "Penso che tu sia un uomo buono". Penso che fosse stato toccato per un attimo dal barlume di un'altra giustizia. In fondo a sé, forse, si era domandato perché io, che avevo diviso con lui il suo pane e il suo tè, meritassi un destino così diverso dal suo.

"Dovresti studiare e credere." La sua mano si sollevò all'altezza del cuore. "E poi devi tornare da noi."

4.

IDENTITÀ PERDUTE

Un unico edificio e un'unica epoca sovrastano Bukhara come un deformante ricordo. Da più di un millennio le metamorfosi successive di un enorme palazzo fortificato, l'Arca, si stagliano minacciose a ridosso delle mura nordoccidentali. Nella sua ultima mostruosa incarnazione, l'edificio giace, avvolto da misteriosi puntelli, su un irraggiungibile e arruffato pendio fuori mano, e le estremità delle travi di sostegno, dalle quali risulta fasciato, lo infiorano come teste nere, mentre i bastioni che lo circondano sono speroni dell'ampiezza di dodici metri. Dal basso si possono scorgere soltanto alcune cupole e un porticato facenti parte degli edifici interni; ma nella parte retrostante, l'edificio si disintegra in un rettangolo di decrepite fortificazioni che si sbriciolano in mattoni semipolverizzati tutt'intorno all'altura sulla quale si erge. Dà l'impressione d'essere franato da un'era più crudele. Tuttavia il suo antico uso è durato fino al 1920, quando fuggì l'ultimo emiro, ed è questa incongruenza temporale – ora è un museo, ma a memoria d'uomo era sempre stato una corte insanguinata – che contribuisce a diffondere tutt'intorno un particolare senso d'inquietudine.

Mentre mi avvicinavo alla rampa d'ingresso, questo senso di disorientamento aumentò. Due alte torri serravano il passaggio fino a ridurlo a una cruna d'ago. Un tempo, nella loggia soprastante, i musicanti di corte intonavano macabri rullii di tamburi e squilli di corni. In questo punto era appeso un orologio meccanico progettato da un prigioniero italiano che, grazie a esso, nel 1851 riscattò temporaneamente la sua vita; ma adesso non c'era più. Un passaggio coperto saliva passando a fianco delle striminzite stanzette delle sentinelle e dei guardiani, per poi girare a spirale intorno a una serie di sterili piattaforme fino a perdersi nel vuoto.

Vagavo con una sensazione di annoiata sorpresa. Per settant'anni l'intero elaborato, apparato di sostentamento del palazzo, popolato da tremila fra cortigiani e soldati, concubine ed efebi, si era disgregato in un mosaico di vuote corti. Poche stanze ospitavano piccoli e deprimenti sale da esposizione nelle quali gruppi di scolari osservavano svogliatamente alcune fotografie (rimasugli della propaganda sovietica) che documentavano le crudeltà dell'epoca dell'emirato. Ma tutto il resto era diroccato e inabitabile.

Stavo camminando sopra le macerie di tutta la storia recente di Bukhara. Dopo il saccheggio dei mongoli, la città era rifiorita sotto la dinastia di Tamerlano, e quando gli uzbeki si mossero verso sud e se ne impadronirono nel 1506, ne protrassero lo splendore per altri cento anni. Ma alla fine del diciottesimo secolo l'Asia centrale si era divisa in tre stati belligeranti – Bukhara, Khiva e Kokand – circondati da intransigenti tribù di kazakhi e turcomanni. Ormai l'intera regione era in decadenza, e nel diciannovesimo secolo Bukhara fu soggiogata da due emiri feroci e degenerati, frutto di un isolamento che li aveva educati a tutto tranne che all'indulgenza.

Il terribile Nasrullah segnò la sua ascesa al trono con l'assassinio dei tre fratelli e quando, nel 1860, si trovò sul letto di morte, diede ordine di pugnalare una delle sue mogli davanti ai suoi occhi. Il figlio Mozaffir incominciò il quarto di secolo del suo dispotico regno massacrando il legittimo erede al trono. All'inizio le classi più povere diedero fiducia a Mozaffir, soprannominandolo "uccisore degli elefanti e protettore dei topi", per la sua bizzarra crudeltà nei confronti dei suoi ministri e dei suoi cortigiani. Ma verso la fine del suo regno, uno dei pochi occidentali che riuscì a raggiungere vivo Bukhara, lo descrisse come un dissoluto dalla carnagione giallastra, con occhi sfuggenti e mani tremanti, che, secondo la credenza dei suoi sudditi, possedeva la facoltà demoniaca di gettare il malocchio.

Mi avvicinai alla sala dove teneva le udienze, passando attraverso un cancello in rovina con un leone di pietra che ruggiva inoffensivo, ed entrai in uno spazio pavimentato. I basamenti di un porticato facevano apparire orfane file di pietre. In fondo, su una lunga pedana, il baldacchino del trono scomparso si innalzava su colonne vacillanti e dava al generale stato di abbandono un tocco di pomposità dozzinale. Non c'era nient'altro. Persino il tesoro sul quale si sorreggeva questa pantomima – la miniera d'oro segreta dell'emiro – rimase ignota per anni dopo la caduta dell'emirato.

Prima di poter andare in pensione, ai minatori venivano abitualmente cavati gli occhi e strappata la lingua, e i viaggiatori venivano giustiziati al minimo sospetto di sapere dove si trovasse. I russi la localizzarono soltanto negli anni sessanta e si affrettarono a rimetterla in produzione.

Fu proprio l'emiro Nasrullah a far rabbrividire la Gran Bretagna vittoriana, quando giustiziò due ufficiali dell'esercito inglese in missione diplomatica. Il colonnello Stoddard era un violento veterano che arrivò a Bukhara con la speranza di convincere l'emiro a far fronte all'avanzata della Russia zarista. Ma non portò in questa corte sensibile all'etichetta e alle vanità puerili doni adatti, e la sua lettera di presentazione non era firmata dalla regina Vittoria, ma semplicemente dal Governatore generale dell'India. Nasrullah giocò con lui come un gatto gioca con un topo. Alternativamente lo viziava tenendolo agli arresti domiciliari oppure lo seppelliva nel *Sia Chat*, il pozzo più profondo della sua prigione. Più di tre anni dopo il capitano Conolly, un romantico ufficiale dei Cavalleggeri del Bengala dal cuore infranto, raggiunse l'Asia centrale per tentare di unire i khanati contro la Russia e salvare Stoddard. Fu lui che coniò l'espressione "il Grande Gioco" per definire il teatro d'ombre in cui si muovevano le spie britanniche e zariste attraverso l'Asia centrale, mentre le frontiere russe s'avvicinavano sempre di più all'India. Venne anch'egli gettato nel pozzo.

La prigione è situata su uno sperone polveroso dietro alla cittadella. Trovai le celle affollate di fantocci con il collo incatenato ai muri di fango. Dietro a questi si apriva sul pavimento un buco rettangolare. Nella fossa, con soffitto a cupola, dalla quale era impossibile fuggire, Stoddard e Conolly s'erano consumati in mezzo a escrementi e ossa umane.

Scrutai giù, individuando due fantocci in decomposizione e il bagliore di alcune monetine gettate dai visitatori in segno di buon augurio. Un'ispirazione demoniaca aveva riempito un tempo il pozzo di un ammasso di vermi, rettili e zecche gigantesche che si rintanavano nella carne degli uomini. Nel giro di poche settimane i corpi venivano completamente divorati. Scesi con una scala di corda e approdai in mezzo alla polvere a sei metri di profondità. I muri erano rivestiti di mattoni inscalfibili che rimbombavano a ogni sospiro. Al mio fianco le figure di gesso e stracci erano marcite a tal punto da essere diventate disgustosi scimmioni, con le braccia tese in atto di supplica e le gambe penzolanti. Era impossibile dire chi mai potessero rappresentare. Ma guardai verso l'alto il terribile buco che toglieva ogni speranza, posto alla sommità della volta, e pensai agli ultimi miei compatrioti che si erano ritrovati lì. Le pareti si richiudevano sopra la testa con orrore. Il 24 giugno del 1842, Stoddard e Conolly furono fatti marciare all'aperto nella pubblica piazza sotto la cittadella e furono costretti a scavare le loro tombe. Poi si abbracciarono, dichiararono di essere cristiani e vennero decapitati dalla lama di un carnefice.

Due anni dopo, un eccentrico e involontario partecipante del Grande Gioco apparve sotto le modeste spoglie del reverendo Joseph Wolff, il figlio di un rabbino bavarese convertitosi all'anglicanesimo. Vestito con un abito nero, un cappello a larghe tese e un dottorale cappuccio scarlatto, cullando ostentatamente una Bibbia fra le mani cavalcò fino a Bukhara per scoprire che fine avessero fatto i due dispersi. Descrisse la città come una Oxford pagana, ma ormai le trecentosessanta moschee e le centoquaranta medrese tanto strombazzate erano per la maggior parte in rovina, se mai erano esistite. Invece di decapitare Wolff, l'emiro si contorse dalle risate. Per settimane il reverendo rimase virtualmente prigioniero nella casa del comandante dell'artiglieria (che l'emiro, anni dopo, fece tagliare in due con l'accetta). Da un giardino vicino, poteva ascoltare un'orchestra di indù che provenivano da Lahore e che suonavano in suo onore *God Save the Queen*; veniva continuamente chiamato a rispondere alle domande dell'emiro: sulla mancanza di cammelli in Inghilterra, o sul perché la regina Vittoria non potesse giustiziare a suo piacimento un qualsiasi suddito britannico. Alla fine, frastornato, Nasrullah lo lasciò partire.

Ma la brutalità e l'autoindulgenza degli emiri li allontanò fatalmente dal loro popolo. Minacciati dalla Russia, non potevano promuovere nessuna guerra santa, né alimentare nessun tipo di patriottismo. I loro eserciti schierati sul campo erano un'assurda marmaglia. Vestiti con uniformi improbabili dai colori arlecchineschi, si portavano sulle spalle una fantasmagoria di fucili a miccia, bastoni, picche e mazze. Durante le marce di trasferimento, cavalcavano muli e cavalli, a volte in due o tre sulla stessa cavalcatura, mentre pochi pezzi d'artiglieria, trainati dai cammelli, si trascinavano nella retroguardia.

Le armate zariste li spazzarono via. Nel 1868 la Russia divorò mezzo emirato, occupando Samarcanda, e ridusse Bukhara a uno stato vassallo. Durante tutte le loro guerre nell'Asia centrale, fra il 1847 e il 1873, i russi sostennero di aver perduto soltanto quattrocento uomini, mentre le perdite dei musulmani ammontavano a decine di migliaia.

Gli anni successivi portarono l'ambigua pace dovuta all'assoggettamento. La Russia zarista, come quella bolscevica, disprezzava il mondo che aveva conquistato. Le scorrerie dei turcomanni furono placate e la schiavitù abolita, almeno sulla carta, ma i nuovi dominatori coltivarono ben poche idee per il miglioramento dei loro sudditi. Quanto ai musulmani, che erano anche in grado di sopportare stoicamente i loro stessi despoti, si sentivano insultati dalla tirannia del Grande Zar Bianco a causa della sua aliena miscredenza. "Meglio le erbacce della propria terra," mormoravano, "che il grano di qualcun altro."

Tuttavia sarebbe arrivato il giorno in cui avrebbero rimpianto l'indifferenza zarista come un'età dell'oro.

In Asia centrale lo straniero più miserabile divenne milionario dalla sera alla mattina. Il rublo era crollato. Un solo dollaro poteva equivalere a due giorni di paga di un operaio dell'industria o a una settimana di pensione. Il pasto più sontuoso (ammesso di riuscire a procacciarselo) costava meno di una sterlina, e per pochi penny potevo viaggiare in treno per centinaia di chilometri. Ma le carte di credito e i traveller's cheques erano diventati inutilizzabili. I pagamenti erano soltanto in contanti. Gli stranieri che avevano con loro pochi dollari erano come tesori ambulanti, e la gente aveva cominciato a rendersene conto.

"Le cose qui sono diverse da come pensi," mi confidò un ufficiale russo. "Adesso per gli stranieri la situazione è pericolosa." Perfino gli uzbeki non si fidavano più dei loro stessi connazionali. Sostenevano che i turisti che viaggiavano da soli – quei mostruosi e solitari alieni con la loro inspiegabile innocenza e le loro ricchezze – erano una preda naturale.

Il mio status di viaggiatore solitario li disorientava. Che fine aveva fatto il mio gruppo? Ma l'invito personale di un amico uzbeko mi aveva liberato dalle sopravvissute costrizioni della burocrazia sovietica; sul mio visto era stata timbrata una pletora di destinazioni, e nessuno si assunse la responsabilità di indagare in che modo, o per quale percorso, le avrei raggiunte. Tuttavia le poche centinaia di dollari che possedevo mi mettevano a rischio. Mi portavo addosso quasi l'equivalente dei risparmi di tutta una vita di un operaio di fabbrica.

Non sapevo cosa fare con questi soldi. Ne avevo sigillato una metà in una bottiglia di medicinali dall'aspetto verdastro; l'altra metà la nascosi nel condizionatore d'aria di metallo della mia camera d'albergo – un'idea ingegnosa che mi aveva piuttosto soddisfatto.

Ma una notte rientrai tardi. Nella mia stanza non si notava nessuna apparente alterazione, tuttavia provavo una fastidiosa sensazione d'intrusione e rimossi il telaio dal condizionatore. Il denaro era scomparso.

Lo shock fu sconvolgente. Tutto il resto giaceva indisturbato, intatto, così come l'avevo lasciato. Mi ricordai di come il Kgb avesse perquisito la mia stanza in Ucraina, dodici anni prima: tutto era stato rimesso impeccabilmente (o quasi) a posto, senza nessun segno d'irruzione. Questa volta il movente non era politico, ma più volgare e meno intimidatorio, e il resto del denaro era sigillato nella sua bottiglia di medicinale repellente.

Dall'albergo convocarono la polizia in borghese. Mentre due pesi massimi smontavano il condizionatore d'aria, mi interrogavano e si scusavano, un terzo individuo magro e dalla carnagione scura li guardava con aria cinica, sorridendo un pochino e tastandosi la cravatta. Per un po' cercarono di sostenere che mi ero sbagliato, poi ritrattarono. L'entità della somma sembrò sbalordirli. Sapevo che non avrei mai più rivisto quei soldi. Se ne andarono senza aver combinato nulla.

Provai un paradossale senso di vergogna, come se fossi stato un criminale. Mi ricordai quello che mi avevano detto i miei amici sovietici a proposito della sorveglianza fotografica del Kgb negli alberghi per turisti, e di come avessi sfacciatamente contato i dollari sul letto la sera precedente. Tuttavia per alcuni giorni i miei sospetti si appuntarono su metà delle facce che incrociai nell'albergo, e tutte le volte che rientravo nella mia stanza smontavo l'aeratore per vedere se per caso il denaro fosse magicamente ritornato al suo posto.

Alla fine rimossi il fatto dalla mia mente.

Una sera tornai da Gelia e Zelim, con la speranza di vedere i suoi quadri. Quando arrivai, notai che la madre, enorme e sonnacchiosa, stava ricurva su una panchina all'angolo della strada a osservare il mondo che ora odiava. Gelia venne ad aprire la porta. "Allora sei tornato!"

Sedemmo nuovamente nella stanza disadorna, in attesa del ritorno di Zelim. Gelia aveva passato la giornata a insegnare alla scuola russa e aveva un'aria pallida. "Tanti russi se ne stanno andando," disse. "Dicono che la nostra scuola sarà unita alle altre." Incominciò ad accendere le luci in giro per la stanza. "Adesso anche i miei amici parlano di partire."

"Tu partiresti?"

Rispose semplicemente: "Per dove?".

Lei era tartara e Zelim mezzo ceceno. Non avevano una vera patria. Lei capiva il confuso o smorzato senso di nazione che tanti suoi allievi avvertivano. In quella settimana le celebrazioni religiose s'erano susseguite l'una dopo l'altra e così aveva assegnato ai suoi allievi una serie di compiti per riscoprire il loro passato: il passato che era stato loro negato. Tartari, uzbeki, russi, ebrei, tadžiki si erano portati a scuola i loro cibi rituali: i musulmani il pilaf di Bairam, gli ebrei il pane azzimo di Pesach, gli ortodossi le uova della loro Pasqua. L'incensurabilità di ciò che un tempo era proibito l'aveva turbata.

"Ma adesso la gente è disorientata. Ieri è venuto da me un ragazzo e mi ha detto: 'Mio padre è ucraino, mia madre tartara, per cui io cosa sono? Credo di essere soltanto russo'. E io non ho saputo cosa rispondergli." Sorrise mestamente. "Quanto ai musulmani, in realtà non avvertono nessuna vera identità. Si possono chiamare uzbeki o tadžiki, ma per loro non ha molto significato. Prima erano sovietici e basta. Tutti noi avevamo l'idea di essere un unico popolo, e che ci saremmo mescolati gli uni agli altri... E ora siamo rimasti senza nulla."

"O con l'Islam."

"Forse." Sembrava dubbiosa. "Ma io penso che la maggior parte di loro si senta perduta..."

L'assenza di uno spirito nazionalista fra uzbeki e fra tadžiki li aveva riavvicinati per molti decenni. Un secolo fa i conquistatori uzbeki e tadžiki stanziatisi in quest'area da lungo tempo, si disprezzavano reciprocamente. Gli uzbeki erano nomadi guerrieri. Molti di loro disdegnavano il commercio, che avevano lasciato nelle mani dei tadžiki e degli ebrei, mentre la coltivazione della terra veniva praticata da un esercito di schiavi persiani. Avevo letto che un uzbeko si presentava indicando la propria razza e il proprio clan, mentre un tadžiko si presentava nominando semplicemente la sua città. Ma adesso perfino questo diffuso senso d'identità etnica caratteristico degli uzbeki sembrava essersi affievolito. "Fanno parte di grosse famiglie," disse Gelia vagamente. "Forse questo gli basta..."

Tuttavia nel 1924, quando Stalin creò gli stati dell'Asia centrale mai esistiti prima, seguì spesso e con precisione scrupolosa la realtà geografica delle varie etnie. Intendeva dividerli e comandarli, sollecitato dal timore dei sovietici di un "Turkestan" unificato e musulmano. Ma in certi casi le popolazioni erano così mescolate che era impossibile definire una linea di demarcazione, e gli uzbeki e i tadžiki di Samarcanda e Bukhara erano i più aggrovigliati di tutti.

Gelia disse misteriosamente: "Forse hai ragione, questi qui possono ritrovarsi soltanto nell'Islam". Sollevò gli occhiali e mi lanciò una comica occhiata di traverso. "Non voglio pensarlo. Sono sempre stata terrorizzata dalla religione. Una volta, quando ero piccola, fui ospitata da una compagna di scuola che era cristiana, e passai l'intera notte in preda al terrore al pensiero che sua madre entrasse in camera e facesse il segno della croce sopra di me! Non sono mai andata in una chiesa." Rise vedendo la mia sorpresa. "Ma in quest'ultimo anno sono cambiata, non so perché. Forse sto diventando vecchia – i miei denti e i miei occhi non sono più buoni. Ora penso ogni tanto alla religione, cosa che prima non ho mai fatto." All'improvviso la sua gaiezza fanciullesca fu spazzata via dalla malinconia. Sembrava che in lei la giovinezza e la maturità coesistessero. "Adesso certe volte mi chiedo se vivere senza Dio non sia una colpa."

Mi udii pronunciare queste parole: "Non so niente di Dio". Adesso sembravano tutti alla caccia di Dio: come mezzo per affermare una propria identità, per gettare un ponte all'indietro sopra il vuoto lasciato dalla fine della dominazione sovietica.

Gelia disse: "Nemmeno io".

Entrò sua suocera con passo felpato e si mise a sedere accanto a noi, attenta ma senza capire niente. Il suo sguardo sembrava lentamente inondare la stanza fino a sommergerci. Come per giustificarla, Gelia disse: "Adesso non ha niente da fare. Legge soltanto le memorie dei marescialli sovietici". L'anziana donna continuava a fissarci. La fioca luce elettrica diffondeva una penombra tutt'intorno a noi. "Il suo mondo non esiste più e non tornerà più, e lei lo sa. Ma è tutta la vita che ama Zelim e ora anche i miei figli, e forse ama anche me perché io amo lui."

Debolmente dissi: "Lo spero".

La sua voce divenne più roca a causa dell'esasperazione. "Ma mi spia. Fruga ovunque. Vuol sapere tutto. Vuole sapere che cosa ci stiamo dicendo in questo momento." La sua voce si inorgoglì di un tono di malizioso trionfo, che poi svanì. Disse: "Questa casa, vedi, non è mia. È sua. Io qui sono una specie di ospite".

Tuttavia, di tanto in tanto, la tristezza delle sue parole veniva sovrastata da una sonora risata, e nella morbida luce le sue guance tartare e i suoi capelli ramati risplendevano in tutta la loro intensa bellezza. C'era da credere che il riso fosse l'unico sollievo dalla realtà dei fatti: di essere un'ospite in casa altrui, in un paese estraneo, probabilmente per sempre. E quando Zelim tornò, e sussurrò un saluto nel suo modo cortesemente riservato, mi venne in mente che in questo posto, in realtà, nessuno coabitava con gli altri, che la vecchia occupava ancora uno scomparso impero sovietico, mentre Zelim viveva in una sorta di personale entroterra interiore.

Uscimmo fuori nel cortile spoglio e scendemmo le scale fino allo studio. Mi venne in mente un prete quando entra in una cappella: il santuario della sua mente. Sembrava sempre curvo, ma non fisicamente, emotivamente. Entrammo in una stanza in cui erano accatastate centinaia di tele e di disegni, con la parte dipinta rivolta verso la parete. Non sapevo cosa aspettarmi mentre lui li girava timidamente dalla mia parte. Erano incubi: scene di violente trasmutazioni. Uomini che si erano trasformati in animali e animali che erano diventati mezzi uomini. Perfino nelle scene che rappresentavano le strade di Bukhara, le cupole familiari oscillavano vertiginosamente sui vicoli in cui trottava un asino deforme o sopra ai quali svolazzava un uomo-avvoltoio. La realtà quotidiana era minacciosamente stravolta, e le proporzioni svanite. La testa con turbante di un uomo riposava sopra la cupola di una moschea come se stesse sopra un cuscino. Greggi di pecore dai colori sgargianti pascolavano sopra il nulla; le teste dei cavalli erano ridotte a teschi.

Curiosamente, Gelia disse: "Nessuno di loro sorride".

Zelim non diceva niente, erano le sue opere che ormai parlavano per lui. In molti dei suoi quadri erano dipinti luoghi solitari in cui pochissimi alberi si reclinavano sopra a rovine o a erba ondeggiante. "Gli piacciono posti di questo genere," disse Gelia. "A me spaventano."

In uno dei pochissimi ritratti, Gelia era stata ridotta a una bambola nuda e rosa, con il volto cancellato e con uno sguardo stravolto e crudele. C'erano alcuni quadri astratti. "Lui stesso è un'astrazione," disse lei, come se lui non fosse presente. "Non ha idea di che cosa facciano gli altri. Ecco perché è felice." Lo guardò. "Vola nei suoi sogni."

Zelim si accorse del mio interesse. Girò lentamente sotto la luce molti altri quadri, ma mentre il suo tormentato, vibrante mondo si rivelava, e io gli dicevo che volevo comperarne uno, lui opponeva una difficoltà dopo l'altra. Uno dei quadri era troppo significativo per il suo passato, perché rappresentava un'innovazione del suo stile personale; il successivo, che era una cianografia, apparteneva al suo futuro.

Ammirai una *Madonna con Bambino* in stile matissiano, con colori rosa e grigio, e mi sarebbe piaciuto averlo: ma faceva parte di un ciclo. "Possiede una semplicità," disse, "a cui adesso aspiro costantemente. Semplicità."

"Vieni e lo rubi," disse Gelia. "Forse a quel punto s'innamorerà di qualcos'altro – magari di me!" Rise, con quel suono ritmico e avvilito che le era fin troppo facile. Zelim rigirò la *Madonna con Bambino* verso la parete.

Alla fine trovai un acquerello con certi cavalli preistorici, che era disposto a cedere. Ma era molto preoccupato per come lo avrei incorniciato, e insisteva che lo dovevo appendere all'ombra e che la cornice fosse grigia, inclinata di traverso. Mi domandavo segretamente se mai sarei riuscito a portare l'acquerello intatto in Inghilterra. Lo arrotolò delicatamente per inserirlo nel mio zaino e per la prima volta notai che le sue mani erano sproporzionatamente robuste.

"Oh sì," disse Gelia mentre uscivamo in strada. "Una volta mi portava sulle sue mani, così!" Stese i palmi in fuori. "Ma adesso è troppo debole, o forse sono io che sono troppo grassa!"

Zelim sorrise distratto, come se Gelia gli avesse riportato alla mente una remota felicità, e poi ci avviammo lentamente verso il limite della città cinta dalle mura. Un solitario acquazzone aveva inumidito il terreno del vicolo che stavamo percorrendo; si allungava vuoto sotto un cielo stellato. Si fermarono nel punto in cui la città vecchia finiva e iniziava quella nuova. Ci separammo per la seconda volta. Diedi un bacio di addio a Gelia e Zelim mi strinse in un imbarazzato abbraccio russo, poi mi avviai per rientrare in albergo attraversando i giardini coperti di vegetazione della città moderna. Il tramonto aveva steso una silenziosa coltre su ogni cosa. Un minuto dopo mi voltai a guardare la stradina illuminata dai lampioni lungo la quale stavano camminando Gelia e Zelim diretti verso casa, e vidi che lui l'aveva presa per mano.

Il monumento ai caduti della città si ergeva dove la famiglia della vecchia aveva un tempo posseduto una dacia. I nomi dei morti incisi erano quasi diecimila ed erano a malapena leggibili sotto la luce delle stelle; ai loro cognomi islamici erano state attaccate delle *ov* e delle *ev* slave. Le erbacce spuntavano fra le lastre della pavimentazione. Passai vicino al basamento dove si trovava la statua di Lenin. Era costituito da una piattaforma spettralmente bianca, abbandonata, e dava l'impressione che Lenin se ne fosse sceso al chiarore delle stelle e se ne fosse andato.

I confini nordorientali dell'antico impero islamico abbondavano di religioni aliene e di pericolose forme di culto. Il sufismo fece la sua prima comparsa nell'Asia centrale già nell'ottavo secolo, e col tempo l'intera regione si riempì di confraternite mistiche concentrate intorno alle tombe dei loro santi fondatori. Nel diciannovesimo secolo la loro teologia era ormai retaggio di un lontano passato, ma i luoghi santi erano ancora affollati di devoti che cantavano e andavano in estasi con le loro chiome arruffate e i copricapi a forma di smoccolatoi, mentre i *kalender* intossicati dall'hashish giravano per le strade piroettando e prostrandosi.

Con l'avvento del comunismo, le confraternite divennero clandestine. L'Islam ufficiale venne brutalmente perseguitato e decine di migliaia di religiosi furono giustiziati. Stalin fece chiudere ventiseimila moschee e nel 1989 in tutto l'Uzbekistan ne erano rimaste soltanto ottanta. Ma sotto quest'esile corazza rappresentata dal culto istituzionalizzato, i cui capi erano costretti a scendere a patti con Mosca, pullulava tutto un sottobosco di *mullah* e di santi non ufficiali. I centri di culto più ferventi non furono più le moschee regolamentate, ma le tombe dei venerati sufi, oggetto di pellegrinaggi segreti. Questo Islam sotterraneo alimentò le paranoie di Mosca. I comunisti individuarono l'influenza di maligne diramazioni sufi ovunque e il Kgb fallì nel tentativo di penetrarle.

Eppure, tutti quelli che avevo interpellato descrivevano le confraternite come pacifiche. I loro seguaci erano impegnati in un viaggio interiore, un ritiro puritano dal mondo corrotto che li circondava. Il sufismo divenne un rifugio per tutti quelli che si sentivano spiritualmente oppressi. Nel mondo esterno i sufi *murid* erano artigiani, commercianti, perfino soldati e membri del partito, ma nell'ermetica segretezza dei loro circoli ritrovavano la tranquillità nell'incontaminata espressione della loro fede e nel canto.

Il più potente fra questi ordini era quello di naqšbandi, il cui fondatore era morto a Bukhara nel 1389. Nel secolo scorso, i suoi guerrieri dervisci avevano combattuto contro i russi nel Caucaso ed erano riemersi nel 1917 per attaccare i bolscevichi. Il mausoleo del santo era stato chiuso all'epoca di Stalin e quindi trasformato in un museo dell'ateismo. Ma, come venni a sapere, doveva esserne sopravvissuto un ricordo molto diffuso, perché nel 1987, durante le manifestazioni contro l'aborto, fu proprio verso questa tomba proibita che marciarono i contestatori di Bukhara, come se fosse l'ultimo simbolo di purezza rimasto nella città.

Intravidi il santuario all'estrema periferia della città, concentrato intorno a una cupola piena di crepe. Era circondato da due moschee, una per gli uomini e una per le donne, che si sviluppavano in una serie di porticati ormai senza colore e in un vicino minareto pendente che si assottigliava verso l'alto. Tutt'intorno, però, fervevano furiosi lavori di restauro con lo sferragliare assordante dei macchinari impiegati per la ricostruzione. Il santuario era stato riaperto da tre anni. Stavano sorgendo elaborate foresterie, insieme con un bazar. I pellegrini affluivano all'interno. Adesso erano a centinaia, intenti a chiacchierare, a festeggiare, a pregare. Erano avviluppati in un fervore festivo. Famiglie incredibilmente numerose erano intente a consumare un picnic sotto i salici, e i loro componenti, accovacciati sulle ottomane, frugavano in alte pile di riso pilaf, di carote e di cetrioli.

Vagavo tranquillo. Il luogo sembrava incontaminato, irreale. Per quanto ne sapevo nessun viaggiatore moderno era mai passato di qua. Mi imbattei in un gruppo di zingari – anche qui un popolo disprezzato e non accettato – che si erano accoccolati in un piccolo avvallamento intenti a macellare una pecora sacrificale, e si stavano abbuffando con un'altra. Poco oltre c'era un albero colossale, che sembrava si fosse schiantato a terra nella preistoria e poi pietrificato. Le sue crepe erano state riempite di stracci votivi e messaggi, e i rami erano completamente levigati dalle carezze delle mani. Il seme che l'aveva generato era stato piantato, come dissero gli zingari, alla nascita del santo, e l'albero era crollato il giorno della sua morte. Adesso era diventato santo, come lui. Aveva il potere di rendere fertili e di curare il mal di schiena.

Un malinconico terzetto maschile ci girava intorno in senso antiorario. Uno di loro ne estrasse una scheggia con un coltello. Poi sopraggiunse un gruppo di giovani contadine, vivaci e chiacchierone. Passeggiarono familiarmente intorno al tronco e si chinarono sotto al punto in cui il fusto ingrigito s'inarcava sul terreno. Al loro passaggio, ne accarezzarono i nodi e le fessure come fossero degli amanti. Quindi legarono alcuni nastri di seta e se ne andarono allegramente. Dietro a loro sgambettò una donna di mezz'età con il volto triste. Indossava una gonna stretta sui fianchi e scarpe con i tacchi alti. Passò velocemente le dita sul tronco ritorto, come se stesse cercando qualcosa che aveva lasciato lì, poi vi strofinò violentemente contro la pancia, lanciando alcuni gridolini.

Oltrepassai una porta d'accesso al cortile centrale del santuario. Era un luogo molto tranquillo, cinto da entrambi i lati dai porticati della moschea. I soffitti erano ricoperti da profondi poligoni e da stelle che ora si distanziavano sempre di più l'una dall'altra, forate da nidi di passeri, con i colori blu e oro che stavano scomparendo. Una fila di pellegrini si stava avvicinando al sepolcro lungo un percorso coperto da tappeti. Le ragazze sfilavano con vesti e pantaloni della festa, con le trecce raccolte sulla nuca da fermagli sgargianti o che ricadevano a cascata da sotto i cappelli ricamati. Gettavano monetine nella fontana ora prosciugata, le cui acque quattro secoli prima erano ritenute sacre, e ne baciavano le pietre. Poi ogni gruppo andava ad accovacciarsi alla fine del percorso, mentre un ragazzo austero intonava una preghiera. Sopra di loro pendeva un pennone con due braccia simile a una forca, da cui era scomparso il trofeo di coda di cavallo. Su una terrazza più lontana giacevano sotto cubi di pietra grezza i seguaci e i discendenti del santo. Due donne stavano spazzando la polvere in cambio di una benedizione. Accanto a loro, un alto, imperituro rettangolo di pietra grigia era tutto ciò che rimaneva della tomba del sufi.

I fedeli giravano tutt'intorno con l'estasiata dignità di una processione. Prima toccavano le pietre, poi affondavano i loro volti nel palmo delle mani. Battevano delicatamente la fronte sulle pareti e poi le baciavano. Baciavano una lastra nera incastonata in una delle facciate, che sostenevano provenisse dalla Mecca (e che fosse infallibile contro il mal di testa). Una commistione di sacro e profano conferiva dolcezza alle loro adorazioni. Il pellegrinaggio sembrava avanzare con la facilità di una passeggiata, in cui le benedizioni e lo stare in compagnia, il gusto per i picnic e la possibilità della nascita di un figlio si armonizzavano nella santità delle cose semplici: pietra, legno, acqua.

I devoti del mezzogiorno arrivarono e ripartirono, e il cortile si svuotò. L'uomo dall'aspetto austero che aveva diretto le preghiere sotto l'asta a forma di forca si mostrò timidamente disposto a un approccio. Sì, disse, in città c'erano ancora dei sufi naqšbandi, ma non era in grado di calcolarne il numero. "Nemmeno loro sanno quanti sono."

Tutti concordavano nell'affermare che adesso i seguaci della setta erano ben pochi. I timori dei sovietici sembravano improvvisamente assurdi. Ma la purezza della fede dei sufi aveva conservato un pericoloso ideale, come se costoro fossero stati il vero cuore del popolo. Avevano mantenuto l'anonimato perfino qui, nel loro Vaticano.

"Forse l'*imam* di questa tomba è un naqšbandi," provai a dire.

L'uomo sembrava improvvisamente imbarazzato. "Solo lui lo sa."

"Ma la gente dev'essersi ricordata di questo posto anche per tutto il periodo in cui è rimasto chiuso."

"Sì, sì, se lo ricordavano tutti. Per settant'anni. Venivamo qui di nascosto di notte e pregavamo rasente ai muri." La sua voce si colorò di un tono di meraviglia nel ricordare quell'epoca, come se fosse già passato tanto tempo. "Alcuni di noi si arrischiavano ad arrampicarsi al buio per andare ad abbracciare la tomba."

"E tu qui sei un *mullah*?"

"No, oh no." Sorrise. "Io sono un uomo qualunque. Prima ero un falegname, ma ho imparato da solo le preghiere in uzbeko e in arabo, e sono venuto qui per servire."

Da come lo raccontava sembrava fosse stata una cosa facile, e forse era stato proprio così. Ma quando gli domandai perché avesse fatto questa scelta, mi rispose: "Solo Dio lo sa". La sapienza di Dio sovrastava ovunque la sua. Conosceva a malapena la storia del santo che serviva, ma per descriverlo inciampò in un linguaggio da comunista: un santo stakanovista che si era realizzato con il lavoro e che piantava meloni.

La pietra nera incastonata nella tomba, domandai, è stata davvero presa dal santo dalla pietra nera della Kaaba, l'astro guida dell'Islam?

E lui rispose: "Solamente la pietra sa".

Sedendoci ai piedi delle colonne tarlate della moschea traballante, aprì un tovagliolo affardellato e spartì con me il pilaf e il pane. Subito si alzò un manovale pazzo, con gli occhi roteanti e i pantaloni coperti di sangue. Secondo una vecchia consuetudine democratica dell'Islam, si sedette al nostro desco, ghermendo freneticamente bocconi di pane e di riso, tanto che alcuni passeri si gettarono sovreccitati verso di noi per beccare tutto quello che costui spargeva in giro.

"La gente si porta qui tutti i propri dolori," disse il giovane, come per giustificarlo. "Li portano per dimenticarli, per aprirsi senza segreti al cospetto di Dio. Allora Dio li istruisce." Precipitò nuovamente nell'agghiacciante gergo comunista. "Senza istruzioni non puoi fare nulla."

Gli occhi del muratore, che s'erano rivoltati all'indietro, ripresero improvvisamente il loro posto e si misero a fissarci con due pupille di un nero incandescente. Tutto d'un tratto si sollevò in piedi e si allontanò trascinandosi dietro un piede storpiato. "È un po' malato," disse l'uomo. "Questo posto lo può curare."

"In che modo?"

"Ti sembra strano? Forse i cristiani non hanno simili credenze." Meditabondo, ripiegò il tovagliolo e lo ripose nel suo cesto. Divenne pacifico. Per lui l'albero magico era meno misterioso degli individui che bevono il sangue trasfigurato di un Dio assassinato o di coloro che credono che Dio abbia un figlio. Ma alla fine disse: "Noi abbiamo tutti lo stesso padre e la stessa madre, e Dio conosce tutti i nostri pensieri".

Alcuni pellegrini erano rientrati alla spicciolata nel cortile. L'uomo era imbarazzato, ma non troppo, dal fatto che lo avessero trovato in mia compagnia. Si accovacciarono intorno a lui, con i palmi delle mani rivolti verso l'alto, non nell'atteggiamento riservato e chiuso della preghiera cristiana, ma in quello ricettivo conforme a un'antica gestualità orientale, come se si fosse intenti a raccogliere gocce di pioggia. Per alcuni musulmani un viaggio in questo luogo veniva considerato per la sua santità al secondo posto subito dopo il pellegrinaggio alla Mecca. Qui, sotto la luce del sole, tutto era tranquillo e pacifico. I santuari sciiti dell'Iran e dell'Iraq, afflitti dalle loro atmosfere esclusive e rancorose, sembravano lontani. Il sufismo stesso, diffuso in tutta l'Asia centrale, si oppone al radicalismo dell'Iran e dell'Arabia Saudita. La sua locale sopravvivenza era una specie di promessa di pace.

Mi feci cullare da questi pensieri, forse pericolosamente, mentre me ne stavo sotto i portici divorati dai tarli di questo santuario che stava risvegliandosi, finché non sprofondai in un sonno ecumenico, tranquillizzato dal soffice calpestio dei piedi nudi dei fedeli e dal tubare sotto i cornicioni delle tortore dal capo rosato.

Il mio vagabondare per i sobborghi della città mi condusse, il mattino seguente, a un ingresso policromo simile a quello di un luna park, all'interno del quale c'era la dimora estiva dell'ultimo emiro. L'edificio fu completato nel 1912: una capricciosa commistione d'Oriente e d'Occidente. Lungo le facciate i frontoni e i pilastri s'aggrovigliavano in stucchi turchi che andavano opulentemente ad avvolgersi su tutto lo spazio. Arcate arabe poggiavano sopra porticati cinesi. Cupole birmane svettavano sopra ibridi padiglioni.

Quando osservai attentamente l'interno, notai che ogni superficie era stata tormentata fino a raggiungere una lucentezza surreale. File sovrapposte di nicchie scendevano a cascata lungo intere pareti, mentre altre mutavano in decorazioni murali a forma di fiori che si alzavano dai loro vasi in getti spatolati. Gironzolavo lungo i corridoi scintillanti di specchi e di vetri colorati. Sopra la testa roteavano soffitti dorati, e dagli angoli emergevano stufe olandesi di terracotta. A volte avevo l'impressione di trovarmi a bighellonare in un vero e proprio carnevale, altre in mezzo a una esangue e giocosa raffinatezza: le ultime delicatezze dell'Asia centrale che stavano affondando in una marea di sciocchezze.

La Sala delle Cerimonie e la Camera dei Ministri alle mie spalle erano in un guazzabuglio di delicati stucchi e di specchi kitsch. Dagli arruffati giardini esterni si levò il grido impazzito di un pavone. Qui, sotto tutela russa, l'ultimo emiro, Mahomet Alim, aveva governato negli ultimi anni del suo stato con grande fasto. Le sue fotografie, lussuosamente incorniciate, erano disposte in bella mostra su molti tavoli. Perfino nell'abbigliamento si rivelava l'ibrido di due mondi. Favolosamente avvolto da fusciacca e turbante come i suoi antenati, era appesantito da grosse spalline e da fatue decorazioni zariste: un piccoletto robusto ed edonista che aveva terrorizzato il paese con i suoi esattori delle tasse.

Il palazzo tradiva la sua natura. Un giocattolo intricato e privo di proporzioni. Vagavo al suo interno con gioia sfacciata. Certi bizzarri chioschi sembravano precipitati dal suo corpo centrale: costruzioni folli di stupefacente ingenuità rivestite di piastrelle da bagno, in cui teneri leoni di pietra sembravano in grado perfino di miagolare. In uno di questi padiglioni scovai i vestiti dell'emiro e delle sue mogli.

"Io però penso che abbia avuto un'unica moglie," disse una ragazza accanto a me. Guardava senza invidia gli armadi con i vestiti. "O magari due." Lei stessa aveva abbandonato il vestito tradizionale in favore di un golfino malconcio sopra una gonna lunga fino alle caviglie. "Nel tuo paese gli uomini hanno più di una moglie? No? Nemmeno da noi."

Dissi: "Ho sentito dire che alcuni uomini si tengono... beh...".

Si mise a sghignazzare. "Sì, le chiamano *sorelle*. Ma non è permesso." Gettai uno sguardo su un viso radioso. Ella disse convinta: "Non sono d'accordo con queste cose".

"E il velo?"

La sua faccia assunse un'espressione di vuota sorpresa. "Lo indossano ancora da qualche parte? *Al giorno d'oggi*?"

"Sì," dissi. Riprendemmo a osservare l'interno degli armadi.

"Odio queste cose!" Girò le spalle contro gli armadi. "Non provo nessuna emozione per quella storia. Nessuno ne ha. È successo tanto tempo fa. Quell'ultimo emiro?" Si avviò baldanzosamente verso la porta. "Era ricco" – e questo fatto sembrava lo ponesse fuori dalla portata dei suoi pensieri.

Scesi in mezzo a dei frutteti fino a un laghetto segnalato da pietre, dove un enorme belvedere era sospeso sopra esili palafitte. Era collegato con delle scale sistemate all'interno di un fantasioso minareto di latta e si affacciava sul laghetto verde. Si dice che dalla loggia vicina l'emiro avesse l'abitudine di guardare le donne del suo harem che sguazzavano nell'acqua e di lanciare una mela alla bella prescelta. Ma forse non era così. Sembra che fosse un inveterato voyeur – il suo palazzo è crivellato di spioncini e di scale segrete – e sembra che preferisse i ragazzi.

Tuttavia sperimentò un periodo di potere tra la caduta della Russia imperiale e l'avanzata bolscevica. Nel 1918 respinse dalla sua città i russi invasori, in un tumulto di tradimenti e fanatismo che vide il massacro di centinaia di civili russi. Due anni più tardi, prima dell'avanzata del generale Frunze, abbandonò Bukhara e il suo harem di quattrocento donne nelle mani dell'Armata Rossa, e alla fine fuggì in Afghanistan attraverso l'Amu Darja, lasciandosi alle spalle un codazzo di giovani danzatori scelti.

Non lasciò nessun affetto né considerazione nei suoi confronti; ma era un musulmano che non interferiva nei costumi della sua gente, dopo di lui sarebbe sopraggiunto un periodo in cui la sua rustica indifferenza sarebbe stata ricordata come clemenza. Paragonato al successivo proselitismo comunista, il suo governo fu beatamente privo di principi. La repressione ideologica di massa e la collettivizzazione forzata erano al di là del suo orizzonte.

In un punto di quella che era stata scherzosamente chiamata via Centrale – un vicolo in cui le automobili riuscivano a malapena a penetrare – trovai la sinagoga di una antica comunità ebraica. Era affondata dietro a una cancellata in ferro lungo il muro della strada. All'interno era appeso il vecchio slogan sovietico "Pace al mondo", e le sale posteriori fervevano di preghiere serali. In una individuai la seggiolina, rivestita di seta rossa, sulla quale venivano circoncisi i ragazzini. In un'altra, una ventina di uomini sedevano con le gambe incrociate sotto pareti tappezzate di dediche, con i loro libri da preghiera appoggiati su bassi tavoli rivestiti di un sudicio linoleum. Con molta cordialità m'invitarono a entrare. Con le teste coperte dalle papaline e dai berretti, la maggior parte di essi non era distinguibile dai comuni cittadini di Bukhara. Ma altri sembravano dotati di una sensibilità più acuta e anche più pallidi. In un altro luogo, in un'altra epoca, pensavo, avrebbero potuto essere intellettuali o poeti.

Invece borbottavano le loro preghiere con solare gagliardia. Erano calzolai, sarti, fotografi di strada. E le loro stanze avevano conosciuto tempi migliori. Sedevano sotto una luce al neon e un intreccio di fili e lampadine penzolanti percorreva tutte le pareti. Dal candeliere a sette braccia invece che le fiammelle spuntavano lampadine, in maggioranza fulminate, e alle pareti erano appesi quattro orologi differenti, tutti fermi, come se il Tempo si fosse guastato.

E tale era la situazione. Appena un secolo fa, gli ebrei bukhārioti dominavano i banchi e i bazar della città. Erano proprietari delle carovane dei cammelli che s'inoltravano attraverso l'Afghanistan e, raggiunta la Cina dopo aver superato il Pamir, controllavano il prezioso mercato della seta. Nessuno conosceva meglio di loro le tinture segrete che rilucevano nei tappeti di Bukhara. Furono loro che riuscirono a estrarre un cremisi intenso dai corpi schiacciati e arrostiti di insetti trovati sui frassini e sui gelsi, e spremettero un bel giallo indelebile da una specie di consolida maggiore. Le mani di metà degli ebrei della città erano macchiate di colore fino alle nocche.

Adesso avevano un aspetto misero. Le facce erano stanche e le mani ruvide. Non parlavano l'ebraico (ormai da secoli). Gli ebrei stranieri s'erano scandalizzati per la stranezza dei loro costumi. Mi sedetti in mezzo a loro mentre sciorinavano le preghiere, leggendole su libricini spediti da Israele (i quali riportavano le parole ebraiche traslitterate in cirillico, ma non la traduzione). Quattro o cinque uomini con molto zelo si alternavano l'un l'altro nella catena della preghiera. Un giovane dal viso affilato ne sospirava le parole verso il soffitto, con improvvisi sussulti di memoria, e un pesante patriarca la intonava davanti all'Arca. Ma mentre uno di loro recitava i versi, gli altri spettegolavano, sorseggiavano il tè e occasionalmente parlottavano a un telefono scolorito.

Seduto al mio fianco, un ciabattino magro e cadaverico mi inondò con una valanga di domande furtive. "Che cosa mangiate in Inghilterra?... Quanto guadagna una persona del ceto medio?... Ecco qui un po' di tè... Vieni a cena a casa mia... I tuoi figli sono stati circoncisi?" Gesticolò contro il muro che ci sovrastava. Dietro alle sete dorate e scarlatte, i rotoli delle pergamene della Legge giacevano nelle loro custodie. "Da quanto tempo gli ebrei si sono stabiliti in Inghilterra? Noi siamo arrivati qui al tempo di Tamerlano..."

"Prima! Prima!" Lo interruppe un vicino. "Siamo arrivati più di duemila anni fa, dopo il saccheggio di Gerusalemme da parte dei babilonesi!"

"Saranno piuttosto tremila anni," disse un altro.

"Non è esatto," insistette un pedante. "Credo che noi siamo arrivati nel 1835 dalla Persia e dall'Afghanistan."

"No, no. Siamo arrivati..."

Ma in realtà nessuno lo sapeva. Duecento anni fa i missionari marocchini avevano convinto la comunità che la sua origine era sefardita, e a loro piaceva l'idea che la loro diaspora passasse attraverso la Persia e perfino attraverso la Tunisia. Alcuni studiosi ritenevano che Tamerlano li avesse portati da Shiraz o da Baghdad, oppure che fossero arrivati da Merv all'inizio del diciottesimo secolo.

"È stato Tamerlano," affermò il ciabattino, mentre uscivamo in strada. "Ci fece trasferire tutti quanti. E dopo diventammo ricchi, ho sentito dire, ma adesso siamo tutti poveri. Guarda le mie mani." Erano tutte cosparse di calli. "Queste sono le mani di un operaio. La maggior parte di noi fa il barbiere o ripara orologi, oppure commercia in vestiti."

Mi condusse dentro un intricato labirinto di vicoli. Nel buio la sua bassa statura mi faceva uno strano effetto, come se stessi seguendo un bambino. Ma i suoi discorsi erano una lunga sequela di lagnanze sulle difficili condizioni di vita della sua gente. Metà di loro era già emigrata, disse: i più ricchi o i più intrepidi erano andati in America o in Canada o in Israele. "Ora siamo rimasti soltanto in settecento. La maggior parte dei miei parenti se n'è andata."

"Cosa dicono nelle loro lettere?"

"È difficile laggiù in America. Pensavano fosse facile, ma è dura. Il governo gli dava ottocento dollari al mese. *Ottocento dollari*!"

La sua voce sprofondò nella disillusione: “Ma è l’equivalente di un mese di affitto!”. Bussò a una porta bassa in un muro disadorno. “Però adesso hanno trovato lavoro e staranno meglio.”

La porta si aprì davanti a una donna graziosa che sembrava un uccello. Pensai fosse sua moglie: non dimostrò di riconoscerla. Lui e suo fratello vivevano in un agglomerato di stanze all’estremità opposta di un lungo cortile. Mentre lo attraversavamo, fummo circondati da uno stuolo di figlioletti e di nipoti. L’oscurità s’inondò dei loro occhi neri come ribes e dei volti pallidi. Internamente le stanze non erano diverse da quelle dei musulmani della città. Le pareti e i pavimenti erano ricoperti di tappeti dozzinali, e le fotografie degli antenati erano appese a dei pendenti subito sotto il soffitto del salotto. Le trapunte, il televisore in bianco e nero, la vetrinetta cinese erano tutti al loro posto. Soltanto su una parete pendeva una stampa dai colori accesi con Mosè che teneva strette a sé le tavole, e alcuni scialli da preghiera spediti dal Canada da uno zio.

Tutte le finestre erano sbarrate, ma il ciabattino riteneva che nei loro confronti ci fosse ancora un’ostilità sommessa. Nel lontano nord-ovest, a Khiva, l’antisemitismo era diventato così violento che gli ebrei erano tutti fuggiti, e stava diventando inquietante anche a est, nella valle di Fergana. “Nessuno sa cosa succederà.” La *perestroika* li aveva autorizzati a praticare apertamente il loro culto e ad aprire le loro scuole, disse, ma aveva scatenato contro di loro un tetro razzismo, e forse era per questo che ora si riunivano ogni mattina e ogni sera nella sinagoga per consultare le loro scritture.

Mentre la famiglia si riuniva per la cena, stretti in un quieto rettangolo intorno alla stanza semilluminata, sembravano già avvolti dall’alone di lutto dei profughi. I ragazzi erano cenciosi e diffidenti. La moglie dalla bella struttura ossea sembrava straordinariamente delicata. Una nonna silenziosa, a cui era morto il marito cinquant’anni addietro, si ergeva come un piedistallo in mezzo ai bambini, mentre davanti a lei poltriva il fratello del ciabattino, un individuo di una fanatica cupezza con le guance gonfie. Immergevano vecchi cucchiaini da tè nel riso pilaf. Il vino fatto in casa dalla nonna gorgogliava in boccali sbeccati. Soltanto il cucchiaio della donna, dopo aver frugato nel riso alla ricerca di pezzetti di pollo, non raggiungeva mai le sue labbra, ma andava a finire nelle bocche dei figli più piccoli.

“Questa è la ragione per cui è difficile per noi essere amici degli uzbeki." Il ciabattino fece sballonzolare un pezzetto di pollo. "Non possiamo mangiare con loro. Il nostro è cibo *kosher*. Il loro..." Lasciò cadere con una certa formalità il boccone nella sua bocca. "Le nostre comunità non hanno mai contratto matrimoni con altre comunità. Ogni tanto con i russi. Ma con i musulmani mai."

"Con i russi cristiani?"

"No, con i russi e basta." Sembrò che gli si fosse arrestato in gola un debole sospiro. "La vita era migliore allora, sotto i comunisti. Ora le cose procedono troppo in fretta per noi. Hai visto che hanno portato via la statua di Lenin? Penso che non l'avrebbero dovuto fare."

Leggermente sorpreso, domandai: "Perché no?".

Si accigliò. Tutto era più insignificante adesso. Lenin aveva segnato una sorta di continuità. "Nel tuo paese penso che facciano questo: se un re è buono o cattivo, il suo monumento rimane sempre. Fa parte della storia. Non si demolisce la storia in questa maniera."

Suo fratello, però, si scatenò. "Chi voleva quella statua?" Si esprimeva a urla staccate. "Chi gli ha chiesto niente? Guarda che cosa ho ottenuto da loro!" Sollevò la camicia. "Questo è successo nella guerra in Afghanistan!" Il suo stomaco irsuto era percorso da parte a parte da due livide cicatrici parallele. "Uno shrapnel!"

Tutti tacquero. Quelle cicatrici ripudiate erano la sua dignità. Le parole non significavano nulla davanti a esse. Ma il ciabattino mi sussurrò: "Il nostro astrologo locale dice che nel giro di quarantacinque anni l'America tramonterà e Mosca risorgerà. Pensi che sia vero? Dice di conoscere il futuro, e che tornerà il comunismo".

"Non nella sua vecchia forma."

"Stupidaggini!" urlò il fratello. "È tutto finito! *Pfiuu*!" Il naso e le guance s'erano gonfiate come palloncini, riducendo gli occhi a due fessure. "Finito per sempre!"

Forse fu in segno di riconciliazione che accesero un registratore con una musica che avevano suonato insieme e registrato. Usciva da un apparecchio scricchiolante: erano suoni sorprendentemente delicati. Ascoltavo cercando d'individuare qualche traccia di melodie ebraiche, ma non ci riuscii. Mentre il ciabattino suonava un *dutah* uzbeko, suo fratello cantava canzoni popolari tadžike dell'Afghanistan. Se il loro popolo s'era portato qui secoli prima qualche forma musicale, era stata obliata nelle vastità dell'Asia centrale. Avevo letto che, con il passare del tempo, gli ebrei erano diventati musicisti nelle corti degli emiri, ma che il loro repertorio attingeva nelle profondità della musica musulmana indigena. I suoni registrati dai due fratelli rimbombavano nell'atmosfera chiusa della stanza, mentre loro due erano intenti ad ascoltarli come se fosse la prima volta.

La mia anima è una casa incenerita,
Tu sei il suo distruttore

Le dita del ciabattino tamburellavano le sue ginocchia, mentre il fratello, accasciato in un improvviso stato di malinconia, ripeteva le parole pronunciate dalla sua voce registrata – melodiosa, quasi dolce – che tornavano verso di lui.

O usignolo del mio cuore
Cantami che facevo bene a fidarmi di te…

Le donne giovani ascoltavano queste astratte parole d'amore con imperscrutabile impassibilità, mentre i ragazzini più piccoli sprofondavano nel sonno. Mi sentivo a disagio per loro. Assoggettati a un impero che ora stava franando nel nazionalismo, la loro vulnerabilità generava echi sconvolgenti provenienti dalla lunga storia del loro popolo. Perfino qui gli ebrei erano tenuti in disparte. Poco più di un secolo fa, erano obbligati a portare cinture di corda grezza e ad andare in groppa soltanto agli asini. Si sviluppò anche una setta di cripto ebrei, denominata *chalas*, "fatto a metà", frutto di una forzata o pragmatica conversione all'Islam. Evitati sia dagli ebrei sia dai musulmani, s'indebolirono sposandosi tra di loro e si erano pressoché dispersi, e i loro cognomi caratteristici venivano ancora considerati con disprezzo.

Ora le canzoni tadžike erano svanite dal registratore, e i bambini venivano avvolti nelle loro imbottite. Mi alzai con l'intenzione d'andarmene e con il desiderio di offrire loro qualcosa. Ma mentre mi congedavo dal ciabattino nella strada completamente buia, egli disse: "Non dire a nessuno che sei stato qui. È illegale".

"Non più."

Sorrise, piuttosto confuso. La paura brillava ancora nei suoi occhi. "No," rispose. "Ma tu non dirlo lo stesso."

Durante il mio ultimo pomeriggio a Bukhara uscii fuori città in auto insieme a Zelim fino a una malinconica necropoli che quando era un giovane pittore frequentava spesso. Anche sua madre si issò sulla macchina, contornata dalle medaglie di guerra e, lungo la strada, indicò i miglioramenti apportati dal comunismo. Aveva un'aria pallida e a volte tremava, ma guardava fuori dal parabrezza con sguardo malefico. "Trent'anni fa qui per ogni automobile vedevi un centinaio di carri con cavalli," disse. "Questa era soltanto una pista sporca..."

Zelim con la sua voce lontana disse: "Mi ricordo dei cavalli, quando ero ragazzo. Non rimestano il fango come fanno le automobili". Amava i cavalli, che affollavano le sue tele con teste pesanti e criniere scarmigliate. Li dipingeva con più amore di quanto dipingesse gli esseri umani.

La vecchia disse: "Una volta questi sobborghi erano un disastro".

Dopo alcuni chilometri arrivammo a un cimitero in rovina, che circondava una moschea semidiroccata. L'edificio era stato costruito nel sedicesimo secolo, con al centro un cortile triangolare, ma la struttura centrale era crollata, lasciando separate nell'oscurità due pompose sale per la preghiera. Sotto un porticato c'erano una lavagna e alcune panchine dove stavano iniziando le lezioni di Corano.

"Soltanto rovine," disse l'anziana donna, mentre sgusciava fuori dalla macchina. Odiò subito il posto.

Tuttavia era comparso un *mullah*, che era venuto a salutarci – un uomo alto con la faccia affilata e furente – seguito da uno storpio che continuava a inciampare e a lamentarsi. Il *mullah* si ricordava di Zelim nonostante fossero passati molti anni e ci intrattenne raccontandoci la storia del cimitero. Emanava una fiera e tesa energia. Ma lo storpio, con la testa bianca avvolta in un logoro turbante, lo seguiva passo passo come un'ombra rimpicciolita e insidiava i suoi discorsi con commenti terra terra. Mentre camminavamo in mezzo a cumuli di terra polverosa e a recinti semirestaurati ricolmi di cenotafi istoriati, il *mullah* sciorinava nomi e pregi dei defunti parlando meccanicamente con improvvisi sussulti di memoria.

"Non gl'importa niente di ascoltare tutte queste storie," disse lo storpio. "Lascia perdere."

Ma il *mullah* continuò a parlare nel suo tono aspro e uniforme, come se non si stesse rivolgendo soltanto a noi, ma alla moschea, al cielo offuscato e ai morti che ci circondavano. Strombazzava tutte le genealogie dei suoi santi sepolti lì, alcuni dei quali giacevano in quel luogo da prima della costruzione della stessa moschea e si richiudeva in un muto dolore davanti alle iscrizioni consunte o deturpate; contemporaneamente lo storpio, che impersonava il ruolo di Sancho Panza per il suo Don Chisciotte, brontolava e controbatteva e lanciava frecciatine sprezzanti. Spesso il *mullah* parlava troppo in fretta per le mie capacità di comprensione. Quanto a Zelim, sembrava fosse diventato sordo e presente soltanto in apparenza. Stava osservando la struttura e le varie forme del cimitero toccate da una pittoresca luce crepuscolare, e poco dopo si allontanò. All'improvviso la vecchia signora, che zoppicava alle mie spalle, mi afferrò il braccio, in una maniera malferma che risultava quasi affettuosa. "È una cosa che risale alla guerra," disse. "Mi sono rotta la spina dorsale." Le sue dita si aggrapparono debolmente al mio avambraccio. Gettò uno sguardo sulle lapidi incise: le scritte in arabo erano quasi svanite. "Non so di chi siano antenati questi qui." Fece una smorfia e distolse lo sguardo. "Alcuni dei miei," aggiunse con incertezza, "avevano gli occhi azzurri e i capelli biondi. Penso che fossero discendenti dei soldati di Alessandro il Macedone. Quegli uomini si imparentarono da queste parti." Esaminò quelle tombe con annoiato disprezzo, e dopo un po' si trascinò faticosamente verso la macchina.

Mi lasciarono da solo con il *mullah* e con lo storpio. Mi sembrava che da quando ero arrivato in Asia centrale il mio cammino fosse costellato di tombe. Le restauravano ovunque, le riconsacravano, tornavano a frequentarle. A volte più che tombe erano ricordi tribali. Rappresentavano il passato ammantato di nuova dignità. I sovietici avevano tentato di amputare la storia, ma ora ogni manufatto storico – una tomba, una moschea, un'iscrizione – era una pietra miliare lungo il sentiero a ritroso nel tempo semidimenticato. I morti erano diventati il veicolo grazie al quale i vivi si stavano reintegrando.

La voce del *mullah* strideva e si propagava fra le tombe. Tuttavia, ogni volta che interrompevo questo profluvio di parole, mi ascoltava con un'aria intensa e accigliata e si acquietava. Si sforzava di decifrare le scritte in caratteri kufici sulle lapidi, ma senza successo. Disse che come molti altri stava cercando di imparare l'arabo, ma i suoi insegnanti uzbeki erano a malapena in grado di leggerlo, non di parlarlo. Intorno a noi la terra si alzava e si abbassava sotto i cippi funerari, inclinandoli verso sinistra o verso destra. Talvolta si spalancava in cripte vuote, poi si richiudeva verso l'alto nel punto in cui i cenotafi erano stati violentemente ammassati in ordine precario. Il *mullah* indicò in basso verso un recinto di sepolcri sbreccati. "Queste sono le tombe dei capi religiosi naqšbandi." La sua voce si alzò con un tono ammirato. "Guarda come sono grandi! A quel tempo la gente era più alta. Guarda. Tre metri di lunghezza! Tutti. E guarda quelli odierni." Gesticolò in direzione di alcuni tumuli abbandonati. "Al massimo due metri! Adesso la gente è piccola. Non siamo com'erano loro."

"Il cibo è razionato," disse lo storpio. "Ecco il perché. Perfino l'olio per cucinare."

Domandai: "Esistono ancora sufi naqšbandi da queste parti?".

"Sì, sì," rispose il *mullah*. "Ce ne sono molti che vivono ancora in città. Ma il loro abbigliamento non rivela nulla. Sono pressoché invisibili!" Si batté il petto e quasi recitando disse: "Quello che importa sta nel cuore! Soltanto il cuore conta!".

Dissi: "Forse tu sei uno di loro".

Lo storpio rise cinicamente. Ma il *mullah* non rispose, si limitò a sciorinare impetuosamente un'altra genealogia di santi defunti. C'è stato un tempo, disse, molto prima del profeta, in cui in questo posto c'era un tempio consacrato al culto del fuoco e al matriarcato. "Ecco perché alcune donne venerano ancora il fuoco."

"Donne? Le hai viste tu?"

"Si vedono spesso. Pregano sulle tombe. Questa gente venera il fuoco. Quando lo fanno, ricordano e onorano l'antico matriarcato."

Era nuovamente rabbioso e sfavillante. Non ero in grado di capire se questa presunta eresia lo oltraggiasse o lo eccitasse. Gli domandai. "E tu?"

"Io posso pregare soltanto rivolgendomi a Dio, non alle tombe. Ora tutto sta cambiando. Qui abbiamo un doposcuola per imparare il Corano a cui partecipano quaranta bambini. Stiamo restaurando la nostra moschea con il denaro donato dalla gente comune, visto che il governo non dà niente, e sarà finita quando Dio vorrà."

Sembrava insieme entusiasta e adirato. Mi chiedevo come porgli una domanda che mi rodeva dentro. Ma in mezzo a quelle gelide tombe, nella repentina oscurità, la domanda uscì da sola: "Qui volete il fondamentalismo?".

Si girò verso di me con uno sguardo furente. "No! Non succederà."

"Perché no?"

Rispose: “Nel Corano c’è scritto che gli ebrei e i cristiani sono nostri vicini”. Strofinò le dita di una mano accanto a quelle dell’altra in segno di amicizia. “Non possiamo sollevarci gli uni contro gli altri.”

Poi si girò e si lanciò in un nuovo encomio sui morti. Sempre i morti! Sembrava che tutto il passato fosse risorto per castigo. Ma ormai la sua stridente durezza sembrava essere diventata un’abitudine, semplicemente una maniera di esprimersi. Alla fine disse: “Devi scusarmi. Devo pregare”.

Entrò in una capanna e ne riemerse con un cappotto e un turbante bianco. Alcuni pipistrelli sbucarono dagli alberi emettendo deboli suoni. La vaga cantilena della preghiera già risuonava dentro le mura della moschea semidistrutta; da una porta intravidi sopra una variopinta distesa di tappeti una fila di uomini inginocchiati.

La mamma di Zelim, la veterana di guerra, era in attesa nell’oscurità. Si era spaventata per l’arrivo improvviso di alcune colombe che provenivano dalle tombe, disse, ed era ritornata alla macchina. Anche Zelim era stato a camminare malinconicamente sulla terra ondulata. Il crollo della facciata centrale, che aveva unito le due sale di preghiera, lo aveva riempito di sconforto. Soltanto due anni prima c’era ancora, disse. Da ragazzo era venuto spesso, qualche volta a piedi, e vi era tornato più volte per dipingerla. “Era tranquillo allora. In rovina. Non c’era nessuno, soltanto gli alberi.”

Che cos’era che aveva amato così tanto, domandai: la malinconia, l’aspetto selvaggio delle tombe, il silenzio?

Ma egli disse: “No. Vedi, la moschea ha giuste proporzioni. L’intero edificio è costruito in un unico stile. Questo mi piace. La sua armonia.”

Si allontanò per osservarla da un’altra angolazione, come se ciò potesse restituirgli una qualche illusione di quello che era stata. Era quasi buio, e una valanga di stelle stava calando nel cielo. Ma lui continuò per cinque buoni minuti a guardare l’edificio verso l’alto, cercando di ricreare nella sua testa quell’armonia che ricordava da quand’era un ragazzo.

5.
LA SOLITUDINE DEL KHOREZEM

L'oasi si stava diradando. I campi si perdevano in paludi uniformi, che poi scomparivano sotto le dune. La contadina seduta al mio fianco scese dall'autobus nei pressi dell'ultimo villaggio e si allontanò nel nulla. L'intera regione a ovest di Bukhara era stata densamente abitata fino all'undicesimo secolo, e a tratti montagnole e crinali si elevavano spettrali, ricoperti dal saxaul; ma non si capiva se fossero tumuli che ricoprivano fortezze e villaggi, o casuali ammassi di polvere. Il nostro autobus procedeva rumoreggiando e rombando nel silenzio. Soltanto raramente la sabbia si solidificava in distese pianeggianti, delicatamente ravvivate dall'erba e luccicanti per le pozzanghere che s'erano formate a causa delle recenti piogge, sulle quali sostavano i piovanelli.

Ci lanciammo verso ovest, lungo una strada dritta come una freccia, per percorrere i trecento chilometri che ci separavano dall'oasi di Khorezem e dal lago d'Aral. A nord le dune rosate del Kizil Kum, le "Sabbie Rosse", si muovevano in disordinati semicerchi verso l'orizzonte, mentre in un qualche punto alla nostra sinistra, si snodava, ancora invisibile, il lento corso dell'Amu Darja, che attraversava le distese deserte color cammello e divideva le "Sabbie Rosse" dalle "Sabbie Nere" del Kara Kum.

All'interno dell'autobus le melodie delle canzoni popolari uzbeke coprivano parzialmente il festoso vociare dei ragazzi; alcune contadine si erano appisolate, e due ragazze erano intente nella lettura di romantici romanzi russi. Uno studente che si chiamava Rachmon si spostò avanti nel posto accanto al mio, e iniziò a conversare. Portava un paio di scarpe consumate e un panciotto nero, e sembrava un apprendista-impresario di pompe funebri. Una massa di capelli gli ricadeva sulla fronte come una visiera, sotto alla quale sporgevano gli occhi con un'espressione curiosa da adolescente. Stava tornando a casa, con in tasca il diploma di perito tecnico in costruzioni. Ma, con il suo fascino immaturo, aggiunse che la sua vera passione era l'Islam. Disse che nella sua fattoria collettivizzata aveva vissuto di nascosto un *mullah*, che era stato la sua guida spirituale. Ma il suo desiderio era quello di approfondire il suo sapere. L'Islam era l'unica strada che conosceva per attingere al passato del suo popolo. Gli prometteva di coinvolgerlo in una sorta di perduto senso della famiglia. Il suo ardente desiderio era più una ricerca della propria identità che una ricerca di Dio. Domandò pateticamente: "Parlami del mio paese". Ero sconcertato: "Tu hai letto dei libri. Che cos'è accaduto in questo posto?".

Risposi con un certo disagio: "Che cosa vuoi sapere?".

"*Qualsiasi cosa*. Tu sostieni che i negozi nel tuo paese sono più forniti dei nostri. Perché?"

Cercando di semplificare qualcosa che non capivo, gli parlai della scoperta delle rotte di circumnavigazione dell'Africa, grazie alle quali il potere si era trasferito negli stati della costa atlantica – il Portogallo, la Spagna, l'Inghilterra – mentre le vie commerciali dell'Asia centrale erano decadute. Ma Rachmon non conosceva queste cose. Pensava che l'Inghilterra si trovasse poco più a ovest della Moldavia, dove aveva concluso il servizio militare. Con orgoglio mi mostrò il suo libretto scolastico, in cui erano registrate le votazioni dei suoi esami finali, sostenuti a diciassette anni. In storia – "sovietica" e "mondiale" – aveva preso "Voto 5: buono", eppure non sapeva assolutamente niente del passato del suo popolo, e la storia del mondo gli era pervenuta distorta da una rigida interpretazione marxista. Mentre fui felice di constatare che in geografia aveva ricevuto soltanto "Voto 3: sufficiente".

Si sentiva profondamente frustrato per la sua ignoranza sul mondo islamico. Tentava di costruire una sorta di ideale da una serie di frammenti. Intuii che perfino i suoi amici sull'autobus lo trattavano con una vaga condiscendenza, come se fosse stato una specie di scemo del villaggio. Mi ripeteva in maniera pedissequa i dogmi appresi dal suo *mullah*. Voleva la completezza, voleva far parte di qualche cosa di nuovo. Gli sarebbe piaciuto viaggiare come me. Il suo sguardo si posò sul mio zaino. Ma disse: "Non hai paura? La polizia non ti sta seguendo? Uno straniero come te che viaggia nel nostro paese! Non pensano che tu sia una spia?".

"Non lo so," dissi. "Pensi che mi stiano seguendo?"

"Non lo so neanch'io." Mi guardò confuso. "Sono una persona qualunque, come te."

All'orizzonte, in direzione nord, sbucò, come fuoriuscita da un cratere soprannaturale, una nuvola a forma di fungo di un temporale, e mentre il sole tramontava aveva ricoperto tutto il cielo a eccezione di uno spiraglio a occidente. Poi anch'esso si chiuse, e noi continuammo a viaggiare sulla strada deserta nel cono di luce dei nostri fari.

Ormai il vociare dei passeggeri s'era ridotto a un brusio. Le due ragazze si erano addormentate con i loro romanzi in grembo. Rachmon disse: "I russi hanno portato qui un sacco di brutte cose".

"Vorresti che quei libri lì fossero proibiti?" dissi scherzosamente.

"Sì."

Gli domandai: "Anche le donne lo vorrebbero?".

Ma sembrava che non mi ascoltasse, come se avessi fatto la domanda in un'altra lingua. Avevo cominciato a intuire che la sua mitezza era illusoria. Disse soltanto: "Le nostre leggi dovrebbero essere quelle islamiche".

I luoghi comuni occidentali riguardo alle leggi islamiche mi ronzavano in testa da alcuni giorni. Sentii la mia voce che diceva: "Tu taglieresti la mano a un ladro?".

"Sì. Penso che la legge sovietica sia troppo tenera riguardo a questo genere di cose. Pensi sia crudele? Veramente?" Lo stupore adolescenziale del suo sguardo si acuì. "Ma, allora, se qualcuno ruba qualcosa, tornerà a rubare!" Mi sorrise con stupefacente innocenza. Mattone dopo mattone stava costruendo una torre di convinzioni assolute nelle vastità della sua ignoranza, senza inframezzarla con nessuna esitazione creativa intermedia. L'apprendimento per lui era un processo di accumulazione.

Di colpo, le due matriarche sedute dietro di noi batterono con violenza lo schienale del sedile. Avevano percepito la parola *mullah* e volevano sapere di che cosa stavamo discutendo. Avevano gli scialli avvolti intorno alle guance nella maniera approvata da Rachmon, ma i loro lineamenti appuntiti avevano sporgenze caparbie, i loro occhi erano fiammeggianti e i loro capelli si ingrigivano sulle guance in una sfumatura di cinerea autorità. La più giovane colpì Rachmon sulla spalla e sbottò in una sequela di parole in uzbeko. Ascoltavo senza capire, mentre le loro raffiche lo mitragliavano da parte a parte. La scarica finale scoppiò all'unisono dalle due donne, e Rachmon si azzittì.

"Che cosa hanno detto?" domandai.

Alzò le spalle. La sua faccia da ragazzino era distesa. "Ha soltanto parlato. Di uomini che hanno due donne. Nulla."

"Cosa?"

"A lei non piace."

Quando mi voltai verso di loro, la più vecchia, ricordandosi qualche parola di russo, disse: "È male, male, male", e la sua amica si corrucciò e urlò "Male!".

"Non sanno niente," disse Rachmon. "E se tua moglie si ammala e non è più utile?"

"In quel caso ha ancora più bisogno di te," dissi.

La sua faccia si paralizzò nuovamente come capita a chi ascolta una lingua straniera, tuttavia il suo sguardo era travagliato e confuso come se fosse agitato da una sorta di sconforto interiore. Ma disse: "Nel tuo paese è possibile avere un'altra moglie?".

"Solo dopo che ti sei separato."

Rimase in silenzio per un momento, poi disse con orgoglio: "Io ho pagato una grossa cifra per mia moglie".

Ero sorpreso che fosse sposato, aveva un aspetto così infantile. Durante il regime sovietico pagare grosse cifre per una moglie era pratica disapprovata, ma non fu mai soppressa completamente. Rachmon aveva conosciuto la moglie per caso due anni prima, disse, e loro due avevano deciso privatamente di sposarsi. "Per tutti i miei amici è diverso. Sono i loro genitori che scelgono per loro." Ma i suoi genitori ne erano rimasti contrariati e la ragazza non gli aveva ancora dato un figlio. Mi domandai vagamente se per caso fosse stata l'ostilità dei genitori a gettarlo nelle braccia della ben più ampia famiglia degli islamici, ma il mio pensiero svanì.

Ormai avevamo attraversato l'Amu Darja su una diga sfavillante di luci, e stavamo transitando in mezzo a campi coltivati a cotone avvolti dalle tenebre e a campi raccolti intorno a un argine quadrato per la coltivazione del riso, dove il ragazzo scese davanti ai cancelli della sua fattoria collettiva. Affaticato dai sobbalzi della strada, pensai a lui con apprensione. All'improvviso il futuro sembrava minacciato più da una accecante semplicità che dalla rabbia di un popolo privato della sua dignità, o dagli eccessi a cui la povertà poteva condurlo. Subito dopo, stavamo procedendo in mezzo alle fioche luci sparse qua e là dell'oasi di Khorezem, fino a entrare nella città priva di centro di Novi Urgenč e in un albergo vuoto.

Isolato dal deserto da qualsiasi altra civiltà, quello di Khorezem era un paese-oasi di leggendaria lontananza, che attingeva dalla sedimentazione dell'Amu Darja, l'antico Oxus, le cui deviazioni s'erano estese a nord-est in un infido delta fangoso che fluiva nell'ormai rattrappito lago d'Aral. Duemila e cinquecento anni fa, l'oasi era diventata una provincia del grande impero achemenide, in cui le popolazioni iraniane avevano prosperato al riparo di un intricato sistema di dighe e terrazze, e dove un tempo si credeva fosse nata la fede zoroastriana.

L'antica capitale selgiucide di Kunia Urgenč fu abbandonata soltanto nel diciassettesimo secolo, quando l'ingovernabile Oxus cambiò il suo corso, e gli abitanti migrarono a Khiva, che distava più di centocinquanta chilometri a monte del fiume, nelle vicinanze della inconsistente metropoli in cui mi risvegliai la mattina dopo. Novi Urgenč avrebbe potuto anche essersi cristallizzata durante la notte intorno a una manciata di villaggi e di campi. Aveva un aspetto arido e povero. Un alienante reticolo di strade sovietiche era stato sovrapposto al tracciato dei vicoli uzbeki. Nel mausoleo dedicato al Potere Sovietico c'erano due bambini che marciavano sarcasticamente e che battevano sui bassorilievi con dei bastoncini.

Il governo di Khorezem non si era trasferito in questa squallida metropoli, ma nella vicina città di Khiva. Nel diciottesimo secolo i suoi governanti, insieme a quelli di Bukhara e di Kokand, s'erano spartiti il cuore dell'Asia centrale. Khiva era più compatta dei suoi rivali, ma anche più povera, più remota e travagliata dalle scorrerie dei turcomanni. Tutta l'oasi era costellata di fattorie fortificate. Tuttavia nel loro isolamento i *khan* locali finirono col credersi invincibili. Riempirono i loro campi e le loro case di schiavi persiani e russi. Tre spedizioni cosacche naufragarono nel tentativo di attaccarli, e nel 1717 un corpo di spedizione russo di quattromila uomini comandato dal principe Bekovich fu tratto in inganno da un finto atto di ospitalità, e poi quasi totalmente massacrato. Nel 1839, dopo aver proceduto faticosamente in mezzo a eccezionali tempeste di neve, un'altra spedizione ritornò indietro senza infierire, cospargendo il deserto di un migliaio di cadaveri congelati e di novemila cammelli. Soltanto nel 1873 un'armata russa, capeggiata dal generale Kaufmann, marciando su tre fronti conquistò Khiva quasi senza perdite, e ridusse il khanato a uno stato fantoccio, che fu completamente soppresso nel 1920.

Tuttavia, quando raggiunsi la città, ebbi la sensazione che l'atmosfera fosse come ibernata. Sotto i sovietici, aveva subito un impietoso restauro, che aveva prosciugato ogni energia vitale. All'interno dei suoi bastioni avvertii che non era mai successo nulla e che mai sarebbe successo. Il luogo poteva essere stato creato proprio in quel momento, senza un passato.

Indugiai nei pressi di un passaggio sopraelevato fra i bastioni. Nei camminamenti si spalancavano tre enormi porte, una di seguito all'altra, alte cinque metri e mezzo e delicatamente intarsiate. Sbucai in strade vuote. Certe volte serpeggiavano come canyon fra doppie file di muri, con torri leggermente piastrellate che spuntavano verso l'alto. Su ogni lato si aprivano porte scolpite, rovinate e scolorite che conducevano in case sventrate. Risultavano leggiadramente sospese nelle loro cavità, costellate di esagoni e losanghe o avviluppate in una giungla di foglie scolpite. Tutta la confusione dei luoghi abitati era stata spazzata via, e i cancelli e le torrette, i minareti e le cupole sembrava appartenessero a una civiltà più remota di quella bizantina. Tutto era curato e asettico. Sul monocromo bronzeo delle medrese, splendevano rare e improvvise piastrelle verdi e blu. Non c'era nessuno che pregava nelle moschee-museo. Soltanto le pietre del selciato nei vicoli, corrose come quelle di Pompei dalle ruote cerchiate di ferro dei vecchi carri a cavalli, tradivano che lì qualcuno aveva vissuto.

A mezzogiorno le strade pullulavano di turisti – uzbeki e russi – e lungo le mura erano stati aperti un po' di chioschi, che vendevano cassette di musica pop turca e poster di Rambo e di star di film indiani. Li evitai sgattaiolando in stradine solitarie. A un certo punto mi chinai per passare attraverso una delle porte che si aprivano sul retro di un palazzo, e mi ritrovai nel cortile dell'harem di un *khan*. Era di una bellezza bizzarra. Sulle facciate di tre lati luccicava una fresca spruzzata di piastrelle, con soffitti dipinti sospesi sopra gallerie, e certe porticine appariscenti. Sulla quarta, c'era una fila di colonne di legno che si assottigliavano come tulipani capovolti e dai muri scavati in profondità ombreggiavano le alcove. Tutte le superfici erano intagliate con motivi floreali, tralci di vite e iscrizioni. Era come se per secoli in tutto il cortile una legione d'insetti avesse tarlato nervosamente il legno e il marmo, rosicchiando tutte le intricate decorazioni con un appetito fastidioso e minuzioso, in modo tale da supplire al lavoro non sufficientemente paziente degli uomini.

Mi tuffai attraverso un'infilata di porte, di cortili e di camere decorate con piastrelle. Stavano procedendo a una serie irregolare di restauri. Attraverso le fessure delle porte sprangate intravidi cortili in rovina, con cumuli di detriti. Non c'era nessun segno della vita degli abitanti scomparsi. Anche quando attraversai i contrafforti della cittadella, mi ritrovai sperso in un campo argilloso, sul quale un desolante intrico di piattaforme e di muricci oli era tutto ciò che rimaneva dei corrosi palazzi di fango. Qui, nel secolo scorso, in un macabro clima da operetta avevano regnato i dispotici *khan*. Indossavano anche d'estate copricapi di pelo di pecora e stivali imbottiti di stracci. Il loro lusso era costituito da alcuni tappeti, da qualche sofà e da cassapanche intagliate. Giustiziavano i sudditi a loro piacimento. L'inviato russo Muraviev, che giunse qui nel 1819, descrisse come in mezzo alle folle che assistevano con stupore al suo ingresso ci fossero migliaia di schiavi russi, che sussurrando imploravano da lui un aiuto che egli non era in grado di fornire. Sapeva che l'intruso che l'aveva preceduto, Bekovich, era stato spellato vivo e che la sua pelle era servita per costruire un tamburo.

Superai una porta aperta sulla stanza del trono. Su un lato un baldacchino in ceramica inabissava la corte in un'ondata di blu abbagliante. Dall'altra parte un cumulo di mattoni sosteneva un tempo una tenda foderata di feltro – la yurta dei pastori – nel cui caldo fetore si ritiravano durante l'inverno i *khan* semiselvaggi.

Fu in questa corte che, nel 1863, il viaggiatore ungherese Arminius Vambéry, travestito da derviscio, doveva essere stato ricevuto in udienza dal *khan* Sayyid Mahomet. Quando la tenda fu srotolata dal baldacchino, il sovrano gli si mostrò reclinato su un cuscino di velluto di seta, con in pugno un piccolo scettro d'oro. La vista della sua faccia da degenerato con un mento da imbecille e con labbra bianche, e la sua tremolante voce effeminata avrebbero ossessionato Vambéry per anni. Il più piccolo errore avrebbe potuto costargli la vita.

Una volta, qualche tempo dopo, passando in una pubblica piazza, si imbatté con orrore in un gruppo di cavalieri che si trascinavano dietro intere famiglie di prigionieri di guerra. Aprirono dei sacchi dai quali ruzzolarono teste umane, che un contabile accatastò a calci prima di consegnare a ciascuno dei cavalieri una veste di seta come ricompensa per quattro, venti o quaranta teste. Subito dopo Vambéry assistette alla consueta esecuzione di trecento prigionieri. Furono in gran parte impiccati o decapitati. Ma gli otto capi con i capelli grigi erano stesi a terra in attesa di essere ammanettati, poi il boia si inginocchiò sui loro petti e cavò loro gli occhi, pulendo il coltello insanguinato sulle loro barbe. Tentarono di sollevarsi in piedi, ma sbatterono alla cieca gli uni contro gli altri, o crollarono al suolo agonizzanti. Perfino Vambéry, che aveva nervi d'acciaio, da vecchio rabbrividiva quando ricordava questi episodi.

Vagai per la cittadella con una sensazione di terrore e di malinconia. Sullo sfondo dei suoi bastioni occidentali, sopra un pinnacolo di roccia naturale, un estremo soprassalto di merli e di scalinate sosteneva un chiosco improvvisato. Era sospeso lì sopra come un trono perverso, sul quale i *khan* dissoluti sorseggiavano sorbetti e tramavano intrighi sospesi in aria, mentre l'intera città si stendeva ai loro piedi.

Tuttavia, durante gli ultimi anni, anche prima del protettorato russo, Khiva fu ravvivata da un pacifico rinascimento. Il visir progressista dell'ultimo *khan* (che costui fece assassinare) costruì strade e scuole, e nel 1910 fece edificare quello che forse era il più alto minareto dell'Asia centrale, una colonna imponente e affusolata circondata da sedici fregi decorativi. Un *khan* antecedente aveva progettato un minareto ancora più straordinario che però non venne mai ultimato. Era accoccolato nelle vicinanze della strada principale, opulento quanto un gasometro. Strisce di piastrelle, create per un colosso dell'aria, lo avvolgevano in una scia immobile color genziana e turchese, che titillava l'immaginazione con la sua aura da futuro cancellato.

L'Islam era ricomparso in città soltanto debolmente. Il suo sacrario locale era costituito da una tomba-santuario, dove un *mullah* aveva preso residenza in compagnia del suo gatto fulvo. Ma l'adiacente caravanserraglio era stato trasformato in un ufficio dell'anagrafe. All'interno, i ragli e le bave dei cammelli erano scomparsi da tanto tempo, e il loro abbeveratoio s'era trasformato in un magico pozzo dei desideri. La storia aveva assunto un carattere pittoresco. Su una parete l'immagine di un'esile cicogna faceva dondolare il familiare fardello e un cartello riportava una lista di nomi adatti ai nascituri. Quindi comparvero le coppie appena sposate che andavano a farsi fotografare sotto il minareto. Si sistemavano in graziosi quadretti, incorniciati in un passato purificato. Gli uomini posavano con addosso abiti sgualciti, le donne in veli bianchi sotto ai quali le loro chiome corvine scendevano scarmigliate quasi in segno di sfida.

Ma quando entrai nella Moschea del Venerdì – un tempo il massimo centro religioso del khanato – le duecento colonne di legno che sostenevano il soffitto della sua sala di preghiera cangiarono e si oscurarono come una foresta al tramonto, nella quale nessuno pregava.

"Lo stato turco è il nostro fratello!" I due uomini alzarono le mani per mimare un invisibile brindisi. "Il nostro futuro è insieme alla Turchia!"

Ci sedemmo a gambe incrociate su una predella coperta di tappeti come fossimo tre Buddha sopra un altare, e parlammo di comuni amici di Bukhara. Shukrat era un uomo magro e pallido, provvisto di una voce tonante. Il portone d'ingresso della sua casa – una costruzione tipica delle vecchie oasi – s'era spalancato direttamente sulla cavernosa sala d'ingresso, come se fosse stato un garage. L'unico altro pezzo d'arredamento era un televisore in bianco e nero, che stava diffondendo le immagini della visita del primo ministro turco al presidente uzbeko.

Shukrat e il suo amico le guardavano con misteriosa euforia. Erano innamorati di una idea della Turchia. La consideravano come il referente ideale per il loro paese. La Turchia lanciava segnali dal ricco Occidente, invitandoli in paradiso. Lingua e cultura erano identiche alle loro – un'anima musulmana in uno stato laico – e destava in loro un senso di orgoglio. Sullo schermo tremolante la parata delle automobili proseguì per fermarsi dopo un tratto: i due uomini corpulenti e calvi entrarono nel Palazzo dei Deputati.

"I turchi ci hanno inviato degli aiuti," disse Shukrat.

Domandai: "Di che genere?".

"Giusto un po' di cibo," replicò Racoul. "Ma è un aiuto per il nostro cuore." Era un uomo scuro e grosso, l'opposto di Shukrat, che era il suo migliore amico. Un ciuffo di peli satinati e di barba gli anneriva la parte inferiore della fronte e le mascelle. Sembrava un re di picche, ma parlava con un sussurro flautato. Era come se lui e Shukrat si fossero scambiate le voci.

"Guarda lì! È disgustoso!" I loro occhi erano nuovamente incollati allo schermo televisivo. I due statisti erano saliti su un podio, mentre i delegati erano rimasti di sotto e li applaudivano con la rigidezza inespressiva dei vecchi comunisti. "Macchine!" tuonò Shukrat. "Proprio come ai vecchi tempi! Come ai tempi di Brežnev! Hanno tutti un unico cervello!"

"Mi vergogno di loro," sussurò Racoul. "Che cosa ne penserà il primo ministro? In Turchia non esistono cose di questo genere."

Lui e Shukrat, naturalmente, sapevano che l'Uzbekistan era governato dai vecchi comunisti che avevano cambiato nome. Entrambi appartenevano al piccolo partito d'opposizione denominato Erk – le tasche di Racoul erano zeppe di volantini – ma l'attività di questo partito era limitata, e i partiti dissidenti più pericolosi erano stati messi completamente al bando.

"Qui la democrazia è ancora in fasce," disse Shukrat.

Similmente all'intellighenzia di tutte le città dell'Asia centrale, anch'essi aspiravano ardentemente al "modello turco". La Turchia stava educando gli uomini d'affari e gli studenti uzbeki, e stava facendo pressioni alle Nazioni Unite per la creazione di un blocco turco. Si facevano inebrianti discorsi su monete e bandiere comuni, e sulla possibilità di imitare l'adozione dell'alfabeto latino compiuta da Ataturk. Shukrat e Racoul spazzarono via le mie apprensioni sulle scarse risorse della Turchia. Le loro dita frugavano nelle ciotole piene di semi di girasole, mentre annunciavano che i più importanti presidenti dell'Asia centrale si erano tutti pronunciati in favore del modello turco. Le loro chiacchiere ascendevano al mondo dei sogni. Sostenevano che la Turchia sarebbe diventata il centro del mondo. Da parte mia sapevo che essa aveva improvvisamente trovato un nuovo scopo. Non si considerava più un'umiliato postulante ai margini dell'Europa, ma il paradigma per un Commonwealth centroasiatico.

"Ma noi abbiamo troppi poveri." Shukrat s'era incupito tutto d'un tratto. "Penso che il loro numero crescerà ulteriormente. Le cose stanno talmente peggiorando qui. Adesso c'è la fame." Ciò che temeva era il ritorno del comunismo. "Non ho paura dell'Islam. L'Islam ha un cuore." La sua faccia aveva assunto un'espressione amareggiata. "Ma i comunisti potrebbero fare qualsiasi cosa."

"La Turchia ci potrebbe salvare," sussurò dolcemente Racoul. Il suo sguardo tornò verso il televisore, ma la Camera dei Deputati era stata sostituita da un balletto. Domandò: "Pensi che i turchi siano europei?".

Mi trincerai dietro una maschera di pedanteria: "Istanbul è una città europea!".

"Istanbul!" urlò Shukrat. "È la città che desidero vedere! So che le capitali europee devono essere belle, ma Istanbul! Ci sei stato? Sì?" Entrambi i loro sguardi puntarono su di me accendendosi di un'invidia quasi accusatoria. "Com'è?"

Descrissi il magnifico profilo delle cupole e dei minareti sopra il Corno d'Oro, e le abitazioni costruite nottetempo di una città traboccante di poveri immigrati. Ascoltavano immobili e rapiti. La grande metropoli – con tutto il suo duro fascino, con la sua povertà e le sue burrascose energie – ai loro occhi era madida di una gloria atavica. Nulla di quello che dicevo poteva sminuirla. Un ingegnere di provincia e un maestro di scuola, isolati nei deserti del Khorezem, si riscaldavano l'anima con questa speranza, come se avessero riscoperto la fede.

Ma Racoul era ancora tormentato da una preoccupazione. All'improvviso domandò: "Che cosa pensano gli europei quando sentono la parola 'turco'?".

Farfugliai a disagio, cercando di prendere tempo.

"Sì? Sì?" Le due facce ora mi stavano scongiurando. Erano pallide, ansiose di ascoltare un riconoscimento.

"Quelli che si recano in viaggio in Turchia la trovano bella."

"Ma per gli europei comuni," proseguì inesorabile Racoul, "qual è la loro prima reazione all'idea di un 'turco'?"

"Pensano, beh..." ero disperato. "Probabilmente pensano ai guerrieri, ai sultani..."

"Ah sì, sì!" Si rallegrarono d'essere ridotti a identità fiabesche. Conferiva loro un lustro imperiale. "Guerrieri..."

Shukrat scomparve in un'altra stanza e ritornò con una di quelle carte geografiche in cui sono segnati soltanto i confini del mondo, in modo tale che i bambini delle scuole possano riempirli con i colori per le lezioni di geografia. L'aveva riempita di colore da una parte all'altra, lungo una fascia giallo ranuncolo che si stendeva a ventaglio da est a nord, dal Mediterraneo fin quasi allo Stretto di Bering, fino alle più remote distanze del mondo turco. Era il vecchio sogno della Turania, di una risorta Grande Turchia.

"In fondo al nostro cuore ci consideriamo un unico popolo," disse. "Non pretendo che dovremmo essere necessariamente un'unica nazione, ma che potremmo essere una sorta di federazione." S'illuminò profeticamente. "Guarda... guarda..."

Stese delicatamente la mappa sulle mie ginocchia, mentre Racoul premeva su un fianco, confermando le parole dell'amico con mugolii e grugniti. Sotto le mie mani l'intero cuore dell'Asia giaceva sigillato dal colore giallo ranuncolo. L'indice di Shukrat scendeva in picchiata e saettava da una parte all'altra della cartina geografica. Nelle antiche regioni turche piene di steppe e di altipiani, dove giganteschi fiumi serpeggiavano verso nord diretti alle pianure siberiane, si apriva il calice di questo ranuncolo che originava dalle nazioni infanti dove io stavo girovagando. Uzbeki e kazakhi, kirgizi e turcomanni ne costituivano il nucleo. Verso est l'immaginario impero girava intorno all'altopiano del Pamir per annettersi la provincia nordoccidentale della Cina, nota come Sinkiang, patria dei turchi uighuri, quindi inghiottiva la Mongolia prima di farsi trasportare verso nord per punteggiare la Siberia orientale – luogo di nascita degli yakuzi – con un'impaziente serie di macchioline gialle. Traboccava verso ovest oltre l'Asia minore, per inondare la Bulgaria, la Macedonia e Cipro, e poi saltava verso nord per reclamare lontani legami con l'Ungheria, la Finlandia, l'Estonia.

Indagai sulla capitale di questo miraggio.

"Non m'importa!" gridò Shukrat magnanimamente. "Taškent o Istanbul o Alma Ata! Lo possono decidere loro! Bisogna soltanto abbattere le frontiere come un tempo. Un centinaio d'anni fa nessuno qui si sentiva tadžiko o uzbeko o kirgizo. Si consideravano soltanto membri di famiglie, e musulmani. Allora le frontiere non avevano alcuna importanza. Bastava attraversarle con il proprio cammello e scambiarsi i saluti!" Alzò una mano per mimare un gioviale saluto, mentre con l'altra conduceva un immaginario quadrupede oltre la frontiera. "Tutta quella demarcazione è stata opera di Stalin, di Brežnev, di Gorbacëv! Decisioni di altre persone! Stupidaggini. Mia moglie, per esempio, è tadžika, e non è diversa da me!" Osservò colpevolmente la sua fotografia sul televisore, e spense a metà la sigaretta che stava fumando. "Detesta che io fumi." Lei ricambiò l'occhiata dalla sua cornice dorata: aveva un bel viso con labbra carnose e occhi ben spalancati. Lui rise. "Mi tiranneggia. Quando non è presente, come adesso, continuo a immaginarmi che mi sta sgridando."

Il suo sguardo tornò alla mappa. "Così non sono uno sciovinista! Mia moglie è una tadžika – loro sono iraniani – e noi siamo sposati. Questa grande Turchia non ha niente a che vedere con lo sciovinismo! *Niente*! È una fratellanza!"

Andò a rovistare nei suoi scaffali per cercare dei libri sull'Asia centrale, e attribuiva tutte le sue civiltà ai turchi, tirando fuori riferimenti decaduti e avanzando teorie vertiginose. La cultura persiana, l'araba, e la cinese deperivano davanti alla sua avanzata. I sogdiani erano dimenticati. La Battriana capitolò. Interi imperi venivano ricacciati indietro senza alcuna vergogna. La storia si risolveva in un requiem per una magnifica e perduta Turania. Agitò minacciosamente la carta geografica. Notai che l'ondata burrosa del suo impero soffocava cinicamente l'Armenia e i tadžiki della moglie: e la sopravvivenza di minoranze uzbeke e turcomanne sanciva enormi conquiste territoriali nell'Iran settentrionale e in Afghanistan. Un punto interrogativo giallo pendeva perfino sopra il Volga e sugli Urali, cosparsi di tartari, e sopra i samoiedi amanti delle renne.

Shukrat domandò: "In Inghilterra ci sono turchi?".

Risposi nervosamente: "Alcuni provenienti da Cipro".

Assunse un'espressione contrariata. Dietro ai suoi occhi un'onda gialla si era forse impennata per un attimo, e quindi era defluita.

Racoul era rimasto a lungo silenzioso, ricomposto in una fosca maestà. Ma ora tubava: "L'Occidente vuole che l'Uzbekistan adotti il modello turco?".

"Sì," dissi, sollevato dal fatto di poter essere sincero. "È considerato più moderato di quello iraniano."

"Moderazione!" sbottò Shukrat. "Sì! Noi siamo moderati! La televisione di Mosca insiste noiosamente sui massacri in Armenia, come se le popolazioni turche fossero tutte barbare. Non capisco! Perché tutta questa confusione?"

Perché, dissi, nel 1915 erano morti più di un milione di armeni, e la Turchia non ha mai ammesso la sua colpevolezza.

Shukrat fece una smorfia. "Non sto dicendo che penso fosse stata una buona cosa. Ma ci sono stati anche terroristi armeni, sai. Questi armeni... E gli slavi sono dietro di loro!" Le sue dita si agitarono nervosamente sulla carta geografica come se cercassero disperatamente di afferrare una scimitarra. "Ma noi siamo moderati!"

Il 3 luglio del 1881, una colonia di tedeschi mennoniti, che si erano stabiliti nella parte inferiore del Volga per sfuggire al reclutamento forzato in Prussia, ammassò i propri averi su dei carri e avanzò gravemente verso oriente fra le schiere di Dio. Erano pacifici agricoltori dai costumi fanaticamente semplici, discendenti di dissidenti anabattisti del sedicesimo secolo, che rifiutavano di obbedire a qualsiasi governo. Fu il *khan* di Khiva che alla fine offrì loro asilo. Circa sessantaquattro famiglie raggiunsero il suo regno a bordo di otto chiatte sul fiume Amu Darja; gli altri scaricarono le loro masserizie dai carri e le sistemarono sul dorso dei cammelli, quindi si misero in marcia al loro fianco. Così giunsero finalmente alla fine del mondo, dove si stabilirono in due colonie e lavorarono la terra. Il *khan* apprezzava le loro qualità di falegnami e lucidatori. Essi ripararono il suo fonografo e lo deliziarono appiccicando certe decalcomanie colorate su tutti i mobili che fabbricarono per lui. I viaggiatori li rintracciarono in questi paraggi fino al 1933, intenti a condurre una vita austera e comunitaria priva di divisioni di classe in mezzo agli stupiti nativi del luogo.

Erano la mia ossessione. Continuavo a domandarmi che cosa fosse successo a queste persone. A dispetto di ogni logica, speravo che qualche superstite, dimenticato in quei remoti villaggi, fosse sopravvissuto alle persecuzioni staliniane. Feci un'indagine fra i taxisti che stazionavano negli spazi brulli che circondavano la stazione di Novi Urgenč, ma soltanto un autista si ricordava del loro villaggio di Ak Metchet. Aveva sentito parlare di una bizzarra comunità di tedeschi che aveva vissuto lì molti anni addietro, ma disse che se n'erano andati tutti. Mi guardò con sospetto. Perché mai volevo vederli?

Tuttavia ci mettemmo in marcia attraverso una campagna avvolta in una placida nebbiolina. L'intero territorio era permeato dai silenzi dell'Amu Darja, che trasportava a valle più limo di quanto ne trasporti il Nilo e lo diffondeva per centinaia di chilometri sopra le oasi, come un copriletto d'argilla solida e chiara. Su entrambi i lati il suolo era coltivato a cotone, e qua e là spuntavano anche macchie di giovani piante di granturco. Nulla si interponeva fra noi e l'orizzonte, dove i salici e i pioppi si stagliavano con linee sottili contro un cielo opalino.

L'autista si contorceva per il mal di denti. Spalancò la bocca per mostrarmi un mozzicone di dente annerito. Gli indicai a mia volta la draculesca fessura nella mia dentatura, che lo rallegrò perversamente. Mentre procedevamo rumorosamente lungo la strada attraverso villaggi di fango, scribacchiavo pigramente alcune note di viaggio, e mi accorsi che mi stava guardando dallo specchietto retrovisore e che i suoi occhi si erano rimpiccioliti pervasi dal sospetto. "Che cosa stai scrivendo?"

"Soltanto degli appunti sul territorio."

"Non va bene. Ci sono troppi poliziotti. Metti via il tuo quaderno e stai seduto tranquillo e guarda davanti a te, altrimenti ci beccano."

Feci quello che mi aveva detto, con una certa disperazione. Qui, un senso di asprezza provinciale permeava ogni villaggio. Gli stranieri non venivano mai da queste parti. Ci stavamo avvicinando al limite più aspro della zona abitata, dove all'improvviso il deserto riluceva giallo e vicino, in agguato, nella zona in cui i mennoniti avevano strappato Ak Metchet alle paludi stagionali.

L'autista disse: "Adesso siamo quasi alla fine".

Alcune villette erano sparpagliate su entrambi i lati di un tratto senza uscita della strada. Le loro porte erano delicatamente intagliate alla maniera uzbeka, e le loro pareti in mattoni erano decorate con le stelle comuniste. L'unico uomo che vedemmo non conosceva nulla della storia del posto, ma ci indirizzò verso una casa dall'aspetto derelitto in cui viveva il più anziano del villaggio. Continuavo in parte ad aspettarmi che i porticati si riempissero di corsetti bianchi e neri e dei capelli intrecciati delle donne chine sui loro filatoi, delle Gretchen e delle Dorotee di sessant'anni prima, con le loro nidiate di bambini lentigginosi.

Al contrario un vecchio uzbeko raggiunse ciondolando la porta e ci invitò a entrare. Un grosso cappello di pelle di pecora gli spingeva le orecchie in avanti come fossero gli scanner di un radar, e la sua faccia era intrappolata in un paio di possenti basette. Ci fece sistemare sulla piattaforma che occupava metà della stanza. La sua voce fuoriusciva sottile e acuta. I tedeschi se n'erano andati, disse, tutti quanti. Parlò di loro con un tono distrattamente affettuoso. Due suoi nipotini ci ronzavano intorno, ci offrì del tè e spezzò un pane duro in mezzo alle suppellettili e sopra le trapunte su cui sedevamo. La loro povertà era disperata.

"Mi ricordo di loro," disse il vecchio, ma la sua voce tremava, come se tutto ciò che diceva avesse ormai un fragile significato. "Ho lavorato con loro quando ero giovane. Vivevano lungo il lato in fondo alla strada, dove adesso c'è il campo dei Giovani Pionieri."

"Che aspetto avevano?"

"Come il tuo!" esclamò. "Le loro facce! Proprio come la tua!" Mi contemplò con un'improvvisa dolcezza, e mormorò fra sé: "Aach, aach" e alla fine: "Tu vieni dall'Inghilterra". L'Inghilterra e la Germania si stavano confondendo nella sua mente. "Erano brava gente, gente onesta. Lavoravano sodo, perché erano tedeschi. Avevano l'abitudine di andare a vendere i latticini che producevano lungo la strada per Khiva." Ora mi fissava di nuovo. "Aach, aach. L'Inghilterra. I tuoi parenti vivevano qui in quell'epoca? Anche *tu* vivevi qui per caso? No..."

"No."

"Eravate brave persone..." Distolse lo sguardo e per un attimo le sue orecchie storte, guarnite di ciuffi di peli bianchi, diedero l'impressione che stessero ascoltando qualcosa. "...Falegnami fantastici. Non si vestivano come noi, ma le loro donne erano sempre vestite di bianco e nero, e i loro capelli..." Le sue mani tremanti si avvicinarono alla nuca per evocare una treccia ravvolta a chignon.

"Dove sono andati?"

Chiuse gli occhi. "Subirono le persecuzioni ai tempi di Stalin. Se ne andarono all'improvviso. Credo nel 1935. Li portarono nel Tadžikistan, a Dušanbe. Scomparvero." Aprì il pugno in aria. "Non lasciarono niente. Tutto negli anni di Stalin. Perseguitati."

"Non esiste più niente?"

"Niente." Il tono della sua voce oscillava fra la tristezza e la meraviglia. "Se li sono portati via."

Un po' più tardi ci mostrò il luogo dove si trovava il loro villaggio. Era stato trasformato in un campo dei Giovani Pionieri Comunisti, quasi a cancellarne la memoria. Adesso anche il campo, a sua volta, stava cadendo a pezzi. Le altalene e i dondoli cigolavano e oscillavano mossi da una leggera brezza. Nella piscina vuota, con le piastrelle che si sfaldavano, era caduto un cane, che era morto. Su una parete c'era un murale sbiadito in cui giovani entusiasti preannunciavano l'avvento del paradiso comunista, e sotto gli alberi una statua argentata rappresentava un ragazzo che suonava un corno trionfale. Ma tutto era in uno stato di abbandono. Soltanto i fusti di due grandi gelsi sopravvivevano – chiari, spaccati in due, immensi – dall'epoca in cui erano stati piantati, un centinaio d'anni prima, e in mezzo alla grande desolazione avevano un aspetto più resistente di tutto il resto.

Il vecchio procedeva davanti a me, scrutando a destra e a sinistra. Il suo collo allungato sembrava particolarmente fragile, e pensai che si potesse spezzare. Qui, disse, c'era una scuola, laggiù una casa per le riunioni. I suoi stivali scalciavano la polvere. Indicò un frutteto al di là di una palizzata con qualche albero di mele in fiore. "Quello era il loro cimitero."

Il terreno del frutteto era striato di stoppie nere. Batuffoli di fiori volteggiavano tra i filari. Non riuscivo a vedere nient'altro. Era difficile credere che sotto la sua terra incolta giacessero gli austeri patriarchi e le provvidenti figliatrici del protestantesimo, che s'erano spinti fino qui alla ricerca della pace di Dio.

Il giorno seguente, al mattino presto, scelsi la macchina e l'autista dall'aspetto più resistente che trovai in circolazione e mi misi in viaggio diretto a nord-ovest verso il lago d'Aral, a trecento chilometri di distanza. Le fattorie fortificate costellavano i dintorni della città – ricordi di un'epoca in cui i predoni turcomanni tormentavano le frontiere del khanato – ma, superatele, l'oasi si spianava in un vasto, sonnolento lago di fango. Sotto quel cielo sbiadito ogni segno di vita sembrava consumato. Tutto era immobile. La terra era imbalsamata in un vuoto e avvolgente chiarore. Sapevo che in un qualche punto verso nord l'Amu Darja stava scorrendo al nostro fianco in un flusso rosso-marrone, che dava origine a una nutrita serie di laghi limacciosi. Ma il fiume stava morendo. Un secolo prima le sue rive cosparse di foreste risuonavano del fruscio di tigri, di cinghiali, di pantere e di un mucchio d'uccelli selvatici. Ora era violentemente regolato dalle dighe e dissanguato da centinaia di pompe idrauliche che con i loro tubi ne risucchiavano l'acqua per irrigare i campi di cotone, finché non stillava le sue ultime gocce nel lago d'Aral.

Il mio autista era amareggiato. Diceva di ricordarsi di quanto, al tempo della sua giovinezza, quelle acque fossero state ricche di sedimenti. Ora metà del suo limo era intrappolato dietro alla grande diga a monte, e qui l'acqua scorreva chiara e impoverita.

Ricordai il lamento di un poeta uzbeko:

Quando Dio ci amava
ci donò l'Amu Darja.
Quando smise di amarci
ci mandò gli ingegneri russi.

L'autista rise contrariato. Sembrava sprofondato in un cupo cinismo. La sua era una delle tante facce sconcertanti che avrei incontrato lungo tutto il mio viaggio, che mi facevano venire in mente certi conoscenti europei. I suoi occhi azzurro ghiaccio erano così insoliti per un uzbeko da farmi sospettare che nelle sue vene scorresse sangue russo (lo negò), e sotto il suo basco francese le folte sopracciglia e il naso carnoso gli davano un aspetto piuttosto urbano. Sembrava Manet. Ma invece di discutere del *Salon des Refusés*, malediceva il paesaggio insieme all'economia, sputando fuori dal finestrino.

"Lavoriamo e lavoriamo, e non prendiamo nemmeno un copeco. Ecco come stanno le cose da queste parti. No, non vado alla moschea. Non ne ho il tempo. Devo sopravvivere."

Le sue parole riecheggiavano il messaggio che proveniva dalla campagna circostante. Stava soffocando nella miseria. Passammo attraverso città accerchiate dal cemento, da fabbriche per sgranare il cotone e da industrie che intossicavano l'ambiente con le discariche e le loro fornaci, dalle quali penzolavano ancora nell'aria puzzolente i vecchi slogan sovietici in favore del Lavoro e del Partito. C'erano murales di Lenin con le mani alzate in segno di saluto e sopra le strade sui lampioni defunti pendevano falci e martelli, che nessuno aveva osato o s'era preoccupato di abbattere. La gente aveva un aspetto sfinito e malato. Il mantello variopinto di Bukhara era scomparso. Il mondo sembrava allo stesso tempo più contemporaneo e più miserabile.

Subito dopo apparvero le doppie baracche di un nuovo valico di frontiera, nel luogo in cui i turcomanni s'erano infiltrati tanto tempo prima nell'oasi degli uzbeki. I poliziotti uzbeki chiesero due sigarette prima di sollevare la barra. I turcomanni dalle facce rubizze ci fecero passare senza dire una parola. "Sempre più restrizioni!" ringhiò l'autista. "Altre fottute frontiere, fottuti burocrati, e fottuta corruzione!"

I campi si stavano trasformando in distese semidesertiche. La sabbia si era ammassata in cumuli, e qualche occasionale distesa salata luccicava come se fosse stata coperta dalla brina. Qua e là, un contrafforte di terriccio salino marcava gli argini di un canale artificiale, in cui l'acqua, era vero, fluiva depurata di un colore verde giada, mentre un temporale aveva ingioiellato la pianura di stagni, che si andavano a confondere con il cielo acquoso.

Gli occhi chiari di Manet erano sospesi sopra il paesaggio, con un'espressione accusatoria. Disse che la situazione s'era deteriorata ancora di più dai tempi di Gorbacëv. "Una volta la gente aveva paura del grande orso russo, ma adesso ci sputano sopra." Sputò. "In un paio d'anni saremo circondati da guerre civili, vedrai."

"Chi combatterà?"

"Come posso saperlo? Ma guarda l'Armenia e l'Azerbajdžan. Guarda la Georgia, la Moldavia!" Una confusa nube si stava formando nella sua testa. "Il Khorezem forse è calmo, e la situazione a Bukhara non è malvagia, ma a Samarcanda è terribile, e quanto a Taškent" – bestemmiò in maniera irripetibile.

Ma conosceva ben poco al di là della sua oasi super sfruttata. La sua diffidenza si irradiava da lì in cerchi concentrici, che diventavano sempre più spaventosi, fino a lambire i confini del mondo a lui noto per lasciarsi andare a fantasie: un Occidente magico, una Cina demoniaca.

Gli dissi: "Ma devi essere contento che Mosca vi abbia reso la libertà".

Rispose: "No. Non sono contento. Mi piacerebbe che tornassimo indietro".

Lo fissai con muto stupore. Imprigionato nella mia inconscia inglesicità, credevo che una nazionalità desse un senso d'identità, d'appartenenza. Ma la sua era una nazione giovane. Disse: "Un sacco di gente prova le mie stesse sensazioni. Non ho mai sentito nessuno dire a Mosca 'Grazie!' per averci lasciato così. Stavamo meglio sotto di loro".

Intorno a noi il paese si era dissolto nella desolazione. Un vento tagliente si alzò da nord, e le pianure erano inframmezzate soltanto da filari di pioppi indeboliti sovrastati da nubi sempre più scure. Perfino i campi sembravano squallidi, quasi sterili, come se, nel giro di un anno, il deserto li avesse ripresi con sé.

Poi all'improvviso, senza avvisaglie, un enorme minareto chiaro si librò nel cielo. Era la cosa più colossale di quella zona, solitario e inspiegabile. Subito dopo comparve un mausoleo, quindi un altro – coniche tombe barbariche, simili a tende di pietra piantate nel deserto. Nell'avvicinarci, vidi che la terra s'era trasformata in un mare di tombe. Scorrevano a perdita d'occhio, su bassi declivi, con le loro lapidi seminghiottite dalla polvere. I feretri simili a scale a pioli sui quali venivano trasportati i cadaveri erano stati impilati accanto alle tombe, e sembrava che ricoprissero le dune con patetica speranza, come se fossero stati appoggiati in quel modo per raggiungere il paradiso.

Mentre l'autista fermava la macchina e si preparava per mettersi a dormire, io uscii fuori in mezzo al vento che ululava. Sferzava la pianura e appiattiva l'erba secca sulle cime delle collinette. Mi avvolsi la sciarpa attorno al viso e mi incamminai in direzione del minareto. Tre mausolei si innalzavano fra le dune dei morti, a una certa distanza l'uno dall'altro. Erano più o meno tutto ciò che rimaneva dell'antica Urgenč, capitale del sultanato che si era distaccato dall'impero selgiucide dopo il 1092. Questo regno remoto di Khorezem era rimasto indipendente e potente per più di cento anni, e all'inizio del tredicesimo secolo abbracciava l'intera Asia centrale. Ma nel 1221 le armate di Gengis Khan diedero fuoco alla capitale; circa centomila cittadini furono tratti in schiavitù, mentre il resto venne massacrato. Quindi furono aperti gli sbarramenti sull'Amu Darja e la città fu sommersa.

Anthony Jenkinson, inviato dalla corte elisabettiana che raggiunse Urgenč nel 1558, scoprì che le sue mura lunghe sei chilometri circondavano soltanto rovine. A quell'epoca, ormai, la città era rifiorita sotto l'Orda d'Oro, era stata rasa al suolo da Tamerlano, arata e seminata a orzo, e quindi ricostruita. Ma nel 1575 l'Amu Darja aveva cambiato il suo corso e la città fu abbandonata. Soltanto nell'ultimo secolo fu scavato un canale e sorse un nuovo insediamento; gli abitanti turcomanni vivevano al di là delle colline settentrionali, e i loro morti erano sepolti nei cimiteri che mi circondavano.

Più in là, sopra una piattaforma di mattoni alta sei metri, c'era la tomba del sultano-guerriero Takesh. Il suo corpo centrale a forma circolare, perforato da archi e incoronato da una bassa guglia, galleggiava come un padiglione sopra il deserto. Le piastrelle aderivano ancora alla cima a cuspide che si era rotta lasciando trapelare una cupola interna, incurvata come un teschio coperto da un elmetto. La forma strana, assira, di questo desolato sepolcro rimandava a quelle delle tombe selgiucidi dell'Anatolia. I loro costruttori erano instancabili re-guerrieri. Tekesh, il sesto sultano di Khorezem, annetté il regno dei selgiucidi in Persia alla fine del dodicesimo secolo, prima di essere sepolto nella sua tomba della steppa, e questa, con il cenotafio più piccolo sistemato dietro, dava ancora l'illusoria sensazione di una precarietà nomadica, sebbene sorgesse in quel posto da ottocento anni.

Quando raggiunsi l'ultima di queste tombe più antiche, bramavo dal desiderio di trovare un riparo. Sembrava essere stata costruita come un mausoleo reale comunitario, ma aveva preso il nome di Tubarek, una principessa mongola. Il vento del nord gemeva fra le porte. La personale ignoranza riguardo a questi governanti da sogno, così potenti ai loro tempi, raddoppiò la mia sensazione di estraneità a quel posto. Non riuscivo a ricordare nessun monumento precisamente simile a questo. Una camera sepolcrale esagonale era incastonata in un alto santuario dodecagonale che, pur nello stato di decadenza in cui si trovava, era più ricco di qualsiasi altro monumento di Khiva. Sotto le sue arcate cieche, le decorazioni a nido d'ape si ammassavano in densi grappoli, piastrellati da una soffice lucentezza di un blu violaceo come quello delle campanule o dell'uva, e da un tenue verde opale. Esposte agli agenti atmosferici e apparentemente fragili, queste decorazioni erano sospese lì con un'enigmatica forza, mentre più in alto la cupola danneggiata lanciava nel cielo un frammento turchese.

Rabbrividii nella camera vuota. Sembrava fosse stata restaurata. La cupola centrale era ricoperta da stucchi che rappresentavano un cielo matematico pieno di costellazioni e di fiori, come un linguaggio perduto.

L'autista mi trovò lì e guardò in alto quasi furioso, come se ci dovesse essere qualcos'altro da vedere. Qualche piccione svolazzava in mezzo alla vegetazione e alle costellazioni di stucco. Dopo un po' mi sollecitò affinché ci affrettassimo verso Kunia Urgenč, dove voleva andare a mangiare, e le tombe a padiglione si inabissarono in mezzo ai cimiteri alle nostre spalle, come dei sopravvissuti alla loro epoca che si rinfilavano sottoterra.

Kunia Urgenč, che si stagliava di fronte a noi, era stata riportata in vita attorno a un nucleo di santuari. Le sue strade erano piene di fantastici vecchi. I copricapi di pelle di pecora grondavano sulle loro sopracciglia fili di lana simili a riccioli intrecciati, e sporgevano all'infuori da entrambi i lati della testa per un'abbondante trentina di centimetri. Coperti da questi mostruosi velli, procedevano calzando stivali alti fino al ginocchio e indossando con grande disinvoltura cappotti imbottiti, tastando il terreno davanti a loro con certi nodosi bastoni da passeggio. A volte si atteggiavano con un tono di decrepita e favolosa maestosità. Le barbe si biforcavano in una doppia cascata o si aggrovigliavano in una confusa matassa; e spesso – se i loro proprietari volevano fare bella figura – scendevano dritte sotto menti ben rasati, quasi le avessero appiccicate sopra allo stesso modo dei pizzetti da cerimonia dei faraoni. Soltanto lo scintillio di una medaglia al valore militare o di un orologio da polso rivelava che queste tribù di canuti e ridondanti guerrieri viveva nel ventesimo secolo, e a volte, fra la cascata di lana di un cappello e il bianco zampillio delle basette, risplendevano in bizzarro isolamento un paio di occhiali come se fossero stati un paio di fanali in mezzo alla nebbia.

Avevano appena costruito una moschea, orrenda e luccicante. Il suo *mullah* ci intercettò mentre passeggiavamo all'interno, e ci invitò a bere il tè da lui. "Un posto nuovo di zecca!" urlò. "Al venerdì abbiamo un raduno di settecento persone, e a volte anche di più!"

Nel cortile dell'abitazione della sua famiglia, ricoperto di immondizie, spiccavano un'automobile e una motocicletta affiancate. "Due macchine!" sogghignò. "Siamo ricchi!"

Era un uomo gagliardo e gioviale, con un accenno di barba che gli donava una certa maestosità. Sul suo pullover galoppavano un paio di idolatriche antilopi, e sulle pareti della sua casa erano appesi calendari che esibivano giovani dive del cinema uzbeko. Ci sedemmo sotto a queste e cominciammo a spettegolare. Parlava il russo con quella cadenza sdolcinata tipica del suo paese. Due figlie robuste che non portavano il velo disponevano fette rotonde di pane sulle nostre trapunte lerce, servendo tè verde, e un paio di figli molto moderni con giacconi bomber si misero a sedere insieme a noi facendomi un po' di domande sulla musica pop.

Era compito del *mullah*, disse, offrire ospitalità agli stranieri, non bigotteria. Noi eravamo tutti uomini di Dio. Una risata risuonò dalla stanza accanto, nella quale suo nipote stava guardando un cartone animato alla televisione. Il *mullah* voleva avere notizie dell'America. Vagheggiava dove si trovasse esattamente l'Atlantico, e quali terre separava. E l'Inghilterra?

"L'Inghilterra è un'isola," dichiarò orgogliosamente uno dei suoi figli. "E lì c'è anche l'Irlanda, vero?"

"Sì," dissi, "c'è anche l'Irlanda."

Meditarono sulla questione. Poi io domandai: "Dov'è Dev Kesken?".

Si consultarono brevemente fra loro. Dev Kesken era una misteriosa città fortezza dove, quasi cinque secoli fa, il primo uzbeko di Khorezem fu proclamato *khan*. Ne avevano sentito parlare, dissero – si trovava a circa centocinquanta chilometri a occidente, in qualche punto del deserto – ma non ci erano mai stati. Era abbandonata.

Il *mullah* si girò a guardare un uomo che stava pacificamente seduto lì vicino. "Kakajan," disse, "conosce il deserto."

Era la prima volta che mi rendevo conto della sua presenza. Un uomo probabilmente sulla cinquantina, che se ne stava accoccolato dietro a noi ad ascoltare, timido o scoraggiato. La sua faccia brunita era ravvivata da due occhi che sembravano fari neri, e i suoi zigomi sporgenti erano arrossati e alti, con le guance che si incurvavano verso l'interno in vere e proprie cavità. Annuì debolmente alle parole del *mullah*. Un paio di baffi corti si arricciava in un bianco punto interrogativo sotto il suo naso. "Dovremmo partire prima di notte," disse.

L'autista scolò il suo tè e ci apprestammo a partire. Davanti alla porta la più lubrica delle bellezze del calendario era in posa per illustrare il mese di maggio. Il *mullah* le diede un'occhiata indulgente e poi mi guardò. "Quella è Miss Lusso," spiegò. La ragazza gli restituì un'occhiata da brivido.

Si congedò da noi sul cancello del cortile, e sollevò la mano sull'antilope disegnata sopra il suo cuore; Kakajan, Manet e io ci mettemmo in moto in mezzo alla distesa desertica diretti a ovest. Su entrambi i lati della strada piena di buche il saxaul ricopriva le vastità del paesaggio di un verde scuro. Cominciò a diradare soltanto un'ora dopo, mentre la sabbia diffondeva una pellicola rosata a perdita d'occhio. C'era un freddo pungente. Il cielo in verticale sopra le nostre teste era sconquassato da nuvole temporalesche, ma verso sud, lungo la linea sgombra dell'orizzonte, un vento stava surriscaldando la sabbia fino a farla diventare un fumo acceso dai raggi del sole, e processioni di demoni di polvere roteavano in una luce gialla e mortuaria.

Manet guidava in silenzio, ma Kakajan s'era incurvato dietro di noi, all'erta. S'era vestito sportivamente, e aveva un aspetto vigoroso e ordinato, con stivali lucidati e una giacca a vento bianca. Sulla sua testa stava appollaiato un vecchio cappello di feltro, floscio, che risplendeva come un metallo ammaccato. Il suo aspetto era allo stesso tempo attento, distaccato e triste. Disse che il deserto potenzialmente era fertile, aveva soltanto bisogno d'acqua. Dopo le piogge primaverili pullulava di funghi, serpenti e orchidee. "Questa è una terra d'oro!" Parlava un russo stretto e veloce, risucchiando le parole fra i denti con i quali masticava il *nass*, una miscela di tabacco, succo di saxaul, calce e cenere dall'odore disgustoso. "Secoli fa c'era un sacco di gente da queste parti. C'erano venti milioni di persone soltanto nel Khorezem, dicono, e adesso guarda qui..."

Le gobbe di alcuni cammelli, all'apparenza selvatici, si muovevano lentamente al di sopra dei cespugli, cammelli della Battriana misti a dromedari. Kakajan si ricordava delle mandrie che aveva visto da bambino. Durante il periodo di Chruščëv, disse, era permesso possedere soltanto un cammello, dieci pecore e un asino a testa, cosicché i cammelli cominciarono a scomparire. Tuttavia c'era stata un'epoca durante la quale le carovane attraversavano il deserto in lungo e in largo. "Potevi andare da Kunia Urgenč ad Aškhabad seguendo semplicemente i pozzi – ed esistono ancora." Indicò dei cumuli in mezzo alla sabbia. "Un'altura con tre lati sta a segnalare l'esistenza di un pozzo; un'altura singola segnala uno stagno aperto, in cui si possono far immergere i cammelli. Ecco come ci si muoveva una volta. Da una sorgente d'acqua a un'altra. Sì, proprio da una parte all'altra delle Sabbie Nere!"

Egli stesso non aveva una dimora fissa. Emanava il coraggio di uno zingaro. Era il rappresentante di una fabbrica di Krasnodar, disse, e svolgeva un suo piccolo commercio spedendo via treno verdure da Kunia Urgenč al Mar Caspio. Il suo distacco melanconico mi fece fantasticare sulla sua identità. "Ai vecchi tempi potevi viaggiare dove volevi," disse; quindi subentrò l'ormai familiare risentimento: "I confini sono stati creati dai russi".

Manet domandò scetticamente: "Ma adesso che ci sono i confini, come si farà per rimuoverli?".

"La gente li abbatterà," disse Kakajan. All'improvviso sembrava una specie di fessacchiotto sotto quello strano cappello. "Nessuno li vuole. Costruiremo un Commonwealth turco!"

Le labbra di Manet si contrassero in una smorfia nervosa. "E quale sarà la capitale?"

Kakajan lo squadrò come se fosse un povero di spirito. "Kunia Urgenč, naturalmente!"

"Perché?"

Ci pensò su. "Nei vecchi tempi c'erano solo due capitali nell'Islam. La Mecca a occidente e Kunia Urgenč a oriente. Qui c'erano tutti." La sua mente ora brulicava di leggende e fantasie. "'Omar Khayyam stava qui! Anche Navoi. Qui hanno inventato tutto! A quel tempo tutto andava bene."

Manet rispose soltanto: "A quel tempo".

"E guarda le strade!" sospirò Kakajan. "Ai russi non piaceva che noi guidassimo, così le hanno mantenute in un cattivo stato." Ci stavamo fracassando in mezzo a un campo minato da crateri e da smottamenti. Si girò dalla mia parte. "Scriverai qualcosa sulle nostre strade? Scrivi che questa è una strada sovietica, e per questo è così scassata. Ora che siamo indipendenti, ci saranno soltanto strade turcomanne e tutto sarà a posto." Mi batté sulla mano. "Ricordati di scriverlo."

La macchina si impennava come uno stallone a ogni buca, mentre Manet era preoccupato per l'albero di trasmissione e i pneumatici. Ma Kakajan lo incitava con grida petulanti, solleticandolo con il racconto della leggendaria storia di Dev Kesken. Era un luogo di selvaggio splendore, disse, dove una volta un demone aveva combattuto contro Dio...

Per un lungo tratto, lontano verso ovest, una linea grigia s'era insinuata all'orizzonte, all'inizio a malapena percepibile, ma che cresceva gradualmente. Mi trovavo a più di centocinquanta chilometri da un qualsiasi posto in cui uno straniero potesse trovarsi, ma la polizia era sparita, e con essa anche le regole. Deviammo dalla pista battuta e c'infilammo in mezzo alla sabbia vergine. Il remoto segno a matita s'era ingrossato fino a diventare una rupe che sovrastava l'intero orizzonte. Nel punto in cui girava verso ovest, si innalzava a strapiombo dalla sabbia fino a un'altezza di sessanta metri, coronata da una torre di avvistamento semidistrutta e da una tomba con cupola. Ai suoi piedi era sistemata la capanna di un *mullah*. Mentre Manet fumava e brontolava rivolto al cielo, Kakajan entrò per pregare. Disse che voleva che il *mullah* benedicesse il nostro viaggio. Adesso Dev Kesken si trovava soltanto a pochi chilometri di distanza, ma era un posto selvaggio. "C'era questo demone..."

Mentre lui pregava, mi arrampicai da solo lungo il tortuoso sentiero che portava sulla rupe. Alcuni paletti di legno essiccato erano rigidamente conficcati nella dura terra, con stracci votivi che ondeggiavano al vento. Sulla sommità battuta dalle tormente, nel punto in cui la strada si stendeva in un altopiano di terra rilucente, i pellegrini avevano ricoperto la terra con migliaia di piccole pietre ammassate delicatamente le une sulle altre per segnare il punto del loro passaggio. Circondavano il mausoleo come fossero stati il letto di un fachiro.

Mi inoltrai con una certa esitazione all'interno del muro di cinta interrotto qua e là da qualche breccia. Sotto la cupola era stato interrato un oscuro derviscio di nome Sultan Ibrahim, e le tombe di altri tre santi, flagellate dal vento, erano ammucchiate vicino al battente dell'ingresso. Perfino Kakajan non sapeva nulla di loro. Era sufficiente che fossero vecchi, e santi e che avessero compiuto miracoli. Tutt'intorno erano raggruppate candele e lampade spente da molto tempo. Una serie di teiere carbonizzate erano sistemate in una fila votiva, insieme a recipienti ricolmi di stracci. Mi aggirai lì in mezzo in preda a un gelido stupore. Sembrava fosse un posto selvaggio e sciamanico, in cui l'Islam non era mai comparso. I miei passi scricchiolavano nel silenzio. C'era un'iscrizione su una tomba: "La principessa vivente". Giaceva sotto una nuda montagnola. La luce cruda e l'aria secca l'avevano resa immortale: l'epitaffio sognante e la polvere lo contraddiceva. Avevo la sensazione di essere di fronte alle origini della fede. Il vento mi faceva rabbrividire in modo incontrollato. Guardai oltre il bordo del dirupo, verso il deserto che si stendeva a oriente. Sotto di me la scarpata zigzagava scendendo a precipizio fino a scomparire dalla vista in mezzo alle sue stesse ombre e ai raggi del sole che tramontava. La brulla immensità suggeriva una sorta di divisione della mappa del mondo. Lontano, in basso, la sottile sagoma di Kakajan mi stava facendo segno di affrettarmi a scendere.

Una mezz'ora più tardi, stavamo procedendo sinuosamente sotto i dirupi in una luce sempre più flebile. I costoni di roccia si innalzavano ai nostri lati come due muraglioni costruiti dalla mano dell'uomo. In lontananza le loro venature sembravano lisce, finché l'intera scarpata sembrò una specie di bizzarro dolce a strati. Gli strati scendevano in una gamma di rosa chiaro che diventava sempre più intenso, per poi trasformarsi in un marmo bianco e verde, e lungo le venature più tenere era scavata una teoria di caverne. Ma la sua cima era sospesa in un insieme di rocce color ardesia, simile a un tetto in via di sfaldamento, che qua e là era precipitato nell'abisso in cui stavamo procedendo, spaccato in scisti e polveri.

Inizialmente non riuscivo a indovinare che cosa avesse creato tutto questo. Quindi diedi un'occhiata alla mia mappa e con un certo stupore realizzai dove ci trovavamo. Stavamo procedendo lungo il letto abbandonato del fiume Oxus. A memoria d'uomo l'enorme fiumana aveva scavato tre diversi percorsi fra il Caspio e il lago d'Aral. Non c'era da meravigliarsi che gli strati dei suoi scoscesi argini scorressero come correnti d'acqua! Sopra di noi l'altopiano dell'Ustrut era irrigidito nell'argilla per centinaia di chilometri, mentre invisibile verso sud rispetto a noi un mosaico di laghi e di paludi, alcuni sotto il livello del mare, tracciavano il corso morto del fiume fin quasi al Caspio. In un'epoca così recente come il sedicesimo secolo, l'Oxus scorreva lungo la titanica gola che stavamo percorrendo, rifluendo in remote paludi e lasciando che l'Aral si inaridisse. Avevamo ormai viaggiato per chilometri nel suo letto, mentre i fantasmi delle navi dell'antico Khorezem navigavano a una ventina di metri sopra le nostre teste.

Kakajan indicò davanti a noi. "Eccola là. Dev Kesken."

A una certa distanza da una scarpata, sulla sponda del fiume scomparso, davanti ai nostri occhi si stagliava una fila di mura. Perfino l'autista si lasciò andare a un'esclamazione e si toccò la faccia in segno di benedizione. "Vedi, un Dio c'è! Se non avessimo preso il tè con il *mullah*, non avremmo mai trovato questo posto!"

Ma un minuto dopo, si era raggomitolato per il freddo, con una smorfia annoiata, e rimase nella macchina a sgranocchiare crostini di pane tostato, mentre Kakajan e io ci incamminavamo a piedi verso le rovine. All'inizio non riuscivamo a vedere nulla al di là dei suoi lunghi bastioni esterni, che attraversavano il nostro spazio visivo con un nastro di un giallo sbiadito sotto il sole che stava scomparendo. Kakajan si era tranquillizzato. Non sapeva nulla del luogo eccetto il suo nome, e la sua testa era piena di demoni. Le nostre ombre rimpicciolite si rattrappivano al nostro fianco. Se questo era il luogo che egli sosteneva fosse, avrebbe dovuto essere collegato a nord a un castello in cima a una rupe, e un tempo era una città chiamata Vezir, dove il primo governante uzbeko del Khorezem, il sultano Ilbars, fu proclamato *khan* nel 1512. L'ultimo inglese ad averla vista fu con ogni probabilità Jenkinson, che arrivò qui nel 1558 per scoprire che il fiume stava già cambiando il suo corso spostandosi verso il lago d'Aral, e minacciava di desertificare questo territorio.

Ora era difficile immaginare che fosse mai stata abitata. L'oscurità stava trasformando la terra in ambra. Quando ci avvicinammo le mura sembravano miserabili. Il vento fischiava debolmente in mezzo alle crepe. Varcai la porta senza troppe aspettative e il vallo esterno precipitò alle nostre spalle. Allora, in uno di quei momenti in cui finisce intrappolato il viaggiatore incauto, davanti a noi si spiegarono i bastioni di una città fantasma interna, con torri che sporgevano dai bastioni, otto su ogni lato, fra mura bianco gesso. Si ergeva meravigliosa nella sua solitudine, terribilmente lontana da qualsiasi luogo attualmente abitato. Era permeata da una bellezza afflitta. La pioggia e il vento avevano levigato i suoi mattoni d'argilla in un'unica massa coibentata, cosicché tutte le decorazioni erano state cancellate, lasciando ossature astratte.

Attraversammo un fossato disseccato fra due torri, e ci ritrovammo in uno spazio desolato. Il rettangolo di mura si estendeva per circa quattrocento metri quadrati, ma racchiudeva soltanto tamerici ed escrementi di cammello. Tuttavia, tutt'intorno si ergevano quasi intatti i parapetti e i camminamenti e le feritoie risplendevano ancora nel deserto.

Soltanto il rimbombo malinconico del clacson suonato dal nostro autista riuscì a strapparmi da quel luogo. Manet era spaventato dalla lunga strada per il ritorno, e si rifiutò categoricamente di proseguire fino al castello in cima alla rupe. La notte calò molto prima che raggiungessimo Kunia Urgenč. Kakajan disse che suo fratello gestiva una fattoria statale nei dintorni dell'oasi nella quale avremmo potuto dormire; così l'autista ripartì da solo mentre noi ci mettemmo faticosamente in cammino sotto uno sfavillante e gelido manto di stelle.

In giro non c'era anima viva. Sulle palizzate che fiancheggiavano il cancello della fattoria, quasi invisibili nell'oscurità, una maestosa schiera di ragazzi e ragazze avevano lo sguardo puntato in alto verso un'alba marxista, con le braccia colme di frutta e di fasci di grano. Ma, poco oltre, la strada finiva in mezzo a un gruppo di casette di fango. Erano di una povertà straziante. Intorno a noi, sotto il chiarore delle stelle, la terra salmastra luccicava come un campo innevato. Una serie di scalini rotti di legno conduceva nel cortile della casa del direttore, un po' più grande delle altre. Alcune mucche spettrali sollevarono il capo al nostro passaggio, e un asinello si scosse.

La mia idea dei direttori di posti simili era quella di aridi ingegneri attenti soltanto alle statistiche, ossessionati dalle quote di produzione e dalla corruzione. Invece, dalla casa sbucò per salutarci un contadino in pigiama con un paio di occhiali e una faccia allungata e gentile. I capelli gli ricadevano lisci sulla fronte bassa e sorridendo mise in mostra un luccicante dente d'oro. All'inizio non voleva credere che fossi inglese. "Penso che mio fratello stia scherzando," disse. "Forse sei un estone." Ma, in seguito, ogni tanto mi fissava esprimendo il suo distaccato e stupito affetto per la mia visita, e mormorando "Inglese, inglese..." e scuoteva la lunga testa dicendo: "Sono spiacente per la povertà di questo posto. Non abbiamo niente. Tutto è così difficile. Mi spiace tanto".

Lo avevamo sorpreso durante una cena a base di pane raffermo e tè verde. Una lampadina elettrica penzolava senza protezioni dal soffitto di canne, cospargendo di ombre tutte le pareti circostanti, fatte di fango e di paglia e prive d'intonaco perché il direttore non poteva permettersi nemmeno d'imbiancarle. A fianco di una delle pareti c'era una stufa d'argilla che, disse, diffondeva soltanto fumo e quindi era completamente inutile anche con quel freddo, e in un angolo c'erano due cassapanche dipinte che la moglie aveva portato in dote quindici anni prima.

Non appena ci fummo sistemati sui tappeti di feltro, entrò il figlio maggiore portando una bacinella, un asciugamano e una brocca e si inginocchiò per farmi lavare le mani; a poco a poco l'intera famiglia si radunò tutt'intorno con biblica formalità. Due figlie entrarono tutte agitate e poi scomparvero, mentre una schiera di figlioletti più piccoli si accovacciò di fronte a me rimanendo in estatica contemplazione con le bocche spalancate.

"Non hanno mai visto uno straniero prima d'ora," disse il direttore.

D'un tratto ebbi la sensazione di essere diventato una specie di ambasciatore. I ragazzini scrutavano ogni mio movimento, con i loro occhi luccicanti o stupiti. Rinserrai le labbra sul mio dente mancante, e offrii loro delle caramelle. Le afferrarono con le dita o se le avvicinarono con la punta dei piedi. Mi sentii agitato quanto lo erano loro. Improvvisamente non stavo incarnando soltanto la loro idea dell'Inghilterra, ma quella dell'intero mondo occidentale. Qualsiasi cosa facessi – se mi accigliavo o sbavavo o mi stuzzicavo i denti – era come se lo facesse l'Occidente.

La madre comparve rapidamente a piedi nudi e sistemò le trapunte e i cuscini. Aveva gli occhi neri ed era bella, ma la vita l'aveva consumata parecchio. Dal suo vestito a fiori sbucavano due caviglie sottili come un wafer e due lunghe mani vigorose. Mentre lei era intenta nelle sue occupazioni, suo marito la stuzzicava: "È vecchia, è lenta, non riesce a fare più niente", e lei si dimenava e rideva per le cose che lui diceva, sistemando i cuscini tutt'intorno a noi.

Nel frattempo Kakajan se ne stava seduto di fianco a me smontando e riparando il loro minuscolo fornello, che sembrava abbastanza arrugginito. Era piombato in una sua dimensione tranquilla e solitaria che gli competeva in qualità di fratello maggiore, rispettato e indefinibilmente malinconico. Finalmente si tolse il berretto che gli schiacciava la chioma, la quale scendeva morbidamente sul viso brunito con un accenno di prematura canizie. Dopo un bel po' la donna portò uno stufato di mele, zucche e un abbacchietto, che si stava ancora rosolando nel grasso. C'erano volute due ore per prepararlo, e per recuperare affannosamente gli ingredienti nelle case dei vicini. I bambini sgattaiolarono via, uno per volta, e noi tre uomini mangiammo da soli – ma mangiare cose che loro non potevano permettersi mi riempiva di profonda amarezza.

In queste contrade il senso dell'ospitalità poteva anche accecare il viaggiatore. Cullato dal loro linguaggio tradizionale, mi capitava spesso di dimenticare lo squallore – a volte la brutalità – delle condizioni di vita dei miei ospiti, e di pensare: queste sono persone buone e felici. In questa desolata fattoria i segnali erano quelli di un'unione benevola. Esaminarono increduli il mio passaporto, facendo scorrere le loro unghie nere sopra la copertina. "*Dieu et mon Droit*... Il Segretario di Stato di Sua Maestà Britannica ordina..." Il direttore sussultò in silenzio alla vista dei vari timbri stampati sopra. "E io che pensavo che mio fratello stesse scherzando..."

Poi fu preso da un senso di mortificazione. "Mi vergogno di

poterle offrire così poco. La nostra vita qui... Questa terra è senza speranze. Anche se riusciamo a raggiungere la quota di produzione, il governo ci offre in cambio una misera ricompensa. Non abbiamo macchinari. Dobbiamo raccogliere tutto a mano. E il cotone non cresce bene – soltanto fino a quest'altezza!" Portò la mano all'altezza delle ginocchia.

Dissi: "Non riuscite a coltivare verdura o frutta?".

"Il terreno è pessimo. Non ce la fa. Ha visto, no. È soltanto sale."

"Sale," ripeté Kakajan. "Ovunque."

Sì, dissi, ho visto. Mi ero reso conto di quest'insidia che amaramente sviliva qualsiasi cosa; sale lungo le rive dei canali, sale in ogni fossa, sale che incrostava i campi, sale nell'aria, nell'acqua, nei polmoni. La leggenda diceva che era causato dalle lacrime di disperazione degli abitanti.

Ora riuscivo a capire perché il direttore avesse un aspetto così affranto, senza speranze. Tutto il suo senso di sconfitta sembrava compresso nella sua bocca contraffatta in un'espressione di autodenigrazione. "E voi in Inghilterra avete tutto. Mi dispiace... Mi vergogno, signor Colin."

Avevo sentito dire che i campi potevano essere bonificati scrostando via la superficie salata e ammassandola in cumuli per farla lisciviare dalla pioggia. Ma il direttore scosse la testa. "Da queste parti è salata perfino la pioggia. Ho visto come si accumula nelle pozzanghere subito dopo un acquazzone e, quando evapora, ecco che compare il sale. È perché il lago d'Aral sta evaporando. Le nuvole raccolgono i suoi vapori e li depositano qui." Sembrava quasi contrito, come se quello che stava succedendo fosse opera sua. "Così dalle nuvole piove sale."

"Un giorno o l'altro l'Aral scomparirà," disse Kakajan. "Un tempo là c'erano case di villeggiatura e spiagge, ma ora per trovare almeno un po' d'acqua ci si deve spostare ogni anno più lontano. Ed è così inquinato che i pesci sono quasi scomparsi, oppure sono piccolissimi. Quando ero giovane, se ne pescavano normalmente di dimensioni enormi..."

L'idea ossessionava le loro menti come una vera e propria disgrazia: il delicato Aral, che si stava inaridendo su a nord. Gli si attribuivano le cause di tutti i mali: dai piagnucolii lacrimosi dei loro bambini ammalati ai mutamenti climatici. "L'aria è diventata fredda," disse Kakajan. "Non è mai stato così."

Già un centinaio d'anni prima il lago era talmente basso che i nomadi lo guadavano con i loro armenti fino a raggiungere un'isola a dodici chilometri dalla riva, e un vento forte era perfino in grado di soffiare via le acque dal suo letto a perdita d'occhio. Ma ora i due grandi fiumi che lo alimentavano erano salassati per tutto il loro corso da una rete di canali che ne filtravano e ne disperdevano le acque. Più della metà della sua acqua era scomparsa, e il porto principale giaceva insabbiato a circa novanta chilometri dall'attuale riva.

"Qui non c'è futuro," disse Kakajan. "La gente in questa regione si becca qualsiasi cosa, signor Colin. Sfoghi sulla pelle, problemi di stomaco, problemi all'udito e alla vista. Anche mio fratello. Adesso i suoi occhi si stanno indebolendo."

Il direttore si lasciò andare a un mesto sorriso. "Durante il giorno riesco a vedere, ma la notte no, non so perché." Si tolse i suoi occhiali con la montatura spessa e i suoi occhi si contrassero. "E ora la faccenda sta diventando complicata perfino alla luce del giorno. Ai lati tutto si confonde. Riesco a vedere soltanto dritto davanti a me."

Si voltò dalla mia parte per fare una prova, e improvvisamente immaginai me stesso agli antipodi del suo nebbioso tunnel, e gli sorrisi. "I dottori non possono fare granché," disse, "e i *mullah* pregano e basta. Nessuno può sottrarsi al sale. Tutta la nostra acqua ne è contaminata." Rise cinicamente, sollevando la sua scodella di tè. "Ora beviamo!"

Poi, essendo più o meno alla ricerca di qualcuno a cui brindare, mi misi a fare delle domande sulla famiglia di Kakajan. Avrei dovuto capire meglio la situazione. Da quelle parti nessun uomo si aggira volontariamente per il paese come un vagabondo. L'espressione della sua faccia si indurì immediatamente – come se una ferita che era sempre stata lì fosse diventata all'improvviso ancora più evidente – e s'immobilizzò in silenzio a contemplare il pavimento. "È successo in un incidente stradale," disse il direttore. "La macchina si è ribaltata. Mio fratello ha perso la moglie e il suo unico figlio."

Kakajan rimase immobile. Non riuscivo a trovare nessuna parola per spezzare il silenzio, e mi limitai a mettere la mano sul suo ginocchio mentre il fratello tirava fuori un *dutah* dalla sua custodia, e iniziava a suonare. Ecco la ragione, pensai, per cui Kakajan conduceva la sua vita da mendicante, passando da un fratello a una sorella, o restandosene seduto con il *mullah* come se fosse un commerciante zingaro con il cappello e gli stivali lucidi, perennemente ospite, circondato dai figli di altri, cercando di rendersi utile. Il *du-*

tah gemeva al vibrare delle corde. Le dita del direttore erano agili, ma lui non avrebbe cantato. Sembrava che le note giungessero da lontano, minute e solitarie, come il distillato di un suono più corposo e appassionato che qualcun altro stava suonando in un altro posto. Il direttore sorrise con gli occhi stanchi e aprendo le labbra nel vedermi intento ad ascoltare, e scosse un poco la testa, mentre Kakajan stava seduto ritto, con le palme delle mani sollevate sopra le ginocchia come se stesse pregando, e così la notte si consumò lentamente.

Dormimmo in fila sul pavimento. Per un po' i fratelli conversarono nell'oscurità, con quelle voci calme e sconnesse delle persone che giacciono le une accanto alle altre ma che non si possono vedere.

A un tratto dissi a Kakajan: "Almeno hai una famiglia di fratelli e sorelle...". Le parole galleggiarono incorporee nella notte.

Mormorò stoicamente: "Sì. Tanti".

Alla fine le loro voci si confusero nel sonno, e io rimasi ad ascoltare il silenzio. Dal tetto di paglia mi caddero sui capelli alcuni insetti provocando un suono metallico, e io li spazzai via finché non mi addormentai.

Nel grigio mattino Kakajan stava contemplando qualcosa, seduto dritto con il suo cappello floscio di feltro comicamente piantato in testa. Il cappello lercio e gli occhi neri, che roteavano al di sotto, avevano cancellato la sua aria malinconica trasformandola in una vigile attenzione da uomo che sa il fatto suo. Mangiammo insieme il pane duro con un po' di marmellata insapore. Il fratello se n'era già andato. Dopo un lungo silenzio meditabondo, disse: "Signor Colin, sarebbe possibile che io l'accompagni a Nukus?".

"Naturalmente." Nukus era la capitale della regione di Karakalpakia alla quale ero diretto. (Si rivelò un luogo sinistro e senza carattere.)

Silenzio. Poi: "Signor Colin, sarebbe possibile anche riaccompagnarla a Novi Urgenč?".

"Sì, certo, ma forse per te potrebbe essere noioso."

"Non mi annoierò," sorrise tristemente. "Oggi sono libero, e anche domani..."

Pensai con un certo senso di colpa a questa sua vita, e acconsentii. Forse per lui qualsiasi compagnia era meglio di niente, io in quanto straniero ero una novità, e il suo sembrava un gesto cortese. Ma dopo un'altra pausa, durante la quale le sue dita non s'incurvavano più in atto di devozione sulle sue ginocchia, la sua faccia annerita dal sole si sollevò e disse: "A Novi Urgenč ho un fratello che sta raggranellando un po' di dollari. Ne ha bisogno perché vuole comperare una macchina. Signor Colin, se io l'accompagnassi a Novi Urgenč, lei magari potrebbe offrire una somma...".

"I miei dollari mi servono tutti," dissi, con l'impietosità del viaggiatore. L'idea di quest'irritante presenza all'improvviso si affievolì. Non potevo indovinare con precisione a cosa stesse pensando. Il vedovo inconsolabile stava svanendo dalla mia mente, mentre stava emergendo un individuo più risoluto e astuto.

Con tono neutro disse: "Allora l'accompagnerò fino alla stazione degli autobus".

Mi separai dalla famiglia con un senso di tradimento. Le figlie più grandi comparvero all'improvviso mentre stavo partendo, quindi si dileguarono imbarazzate, lasciando la madre a salutarci da sola in mezzo a una schiera di figlioletti dei quali nessuno poteva prevedere il futuro.

Nella stazione recintata degli autobus, dove mi apprestavo a intraprendere la lunga strada verso Bukhara via Nukus, Kakajan disse: "Gli autisti degli autobus ti imbrogliano sempre. Dammi trecento rubli così vado a contrattare. Me non m'imbroglieranno".

Cinque minuti dopo mi restituì un biglietto e una misera manciata di banconote; ciò che aveva fatto era evidente. Lo perdonai senza parlare, un po' tristemente. Non possedeva quasi nulla. Ma adesso la sua testa brunita oscillava e risplendeva sul collo come un girasole contento, e i suoi occhi sprizzavano nella mia direzione un bagliore che sembrava d'amore. Furtivamente gli avevo dato ciò che forse equivaleva alla paga di una settimana. "Oh, signor Colin! È stato così... oh..." Quindi non riuscì a trattenersi dal chiedere a questo enigmatico straniero: "Quando torna in Inghilterra, mi potrebbe spedire alcuni dollari?".

Dissi: "Soltanto via Aškhabad; se no li potrebbero rubare".

Fece un muso lungo, ma si rianimò quando salii sull'autobus. "Arrivederci, signor Colin. Lei è veramente..." Voleva ringraziarmi, ma non ci riusciva. "Sono così contento che ci siamo incontrati!" E un attimo dopo era scomparso.

Ma pochi minuti più tardi, mentre l'autobus avanzava lentamente lungo la strada in direzione nord-est, lo superammo. Tutto baldanzoso con il suo cappello stropicciato, si stava pavoneggiando lungo il bordo della strada, intento a contare il mio denaro.

6.

SAMARCANDA

Ai primi di maggio mi stavo muovendo da Bukhara attraverso una terra addolcita dalla fertilità, in mezzo a villaggi d'argilla imbiancata, in direzione di Samarcanda. Finalmente i deserti e gli altipiani che splendevano per migliaia di chilometri a est del Caspio si stavano disperdendo, mentre io stavo seguendo il corso di un fiume che conduceva alle pendici del Pamir. Dietro di me l'oasi di Bukhara impallidiva fra i campi in cui l'acqua scorreva verde in canali sempre più stretti. Nei villaggi sparsi qua e là le uniche insegne dicevano "Negozio" o "Bagni" o "Alimentari" secondo la brutale abitudine russa. Sembravano posti di frontiera. Mandrie nere arrancavano in mezzo a terreni incolti cosparsi di tralicci e di pali del telegrafo. Un paio di volte comparve l'arco di una moschea in rovina, oppure un minareto spuntò dal nulla.

L'autobus attraversò rombando l'agglomerato di Navoi. Le tubazioni dell'acqua calda si snodavano in mezzo alle boscaglie, e le fabbriche malandate pulsavano e vomitavano imperturbabilmente come se stessero ancora suonando le trombe trionfali del socialismo. I loro effluvi che avevano avvelenato bambini, frutteti e mandrie di bestiame in tutta la repubblica, e che avevano riempito le sue acque di solfati e di detriti d'alluminio, annerivano il cielo fuoriuscendo da antiquati impianti chimici e da centrali elettriche. L'aria puzzava.

Un attimo dopo eravamo immersi nella desolazione dei campi di cotone, solcati adesso da trattori che sollevavano batuffoli di polvere, e ora lungo la strada si aveva la sensazione di una vita rilassata e trasandata. I frutteti si infittivano. Sotto filari d'alberi sistemati a frangivento le rive erano ridiventate verdi, e lungo i canali pascolavano le mucche. Sull'orizzonte davanti a noi si elevavano impercettibili colline di un colore azzurro cielo.

“Fai attenzione a Samarcanda,” disse l’uomo accanto a me. “Bukhara è una città tranquilla, ma a Samarcanda sono violenti. Vivono tutti di mercato nero.” Era anziano e naturalmente veniva da Bukhara. “Tutto sta peggiorando. La nostra gente sta cambiando. I giovani non lavorano più, e la gente non è in grado di comprarsi niente. Stai in guardia.”

Sul lato opposto c’era un geologo russo diretto a Taškent con i suoi due bambini . In mezzo a tutti quei bruni, i suoi capelli biondi lo facevano sembrare un candido adolescente. Dal suo labbro superiore scendeva un baffo da vichingo. Per anni aveva lavorato nel sud all’estrazione del gas, disse, e i suoi amici uzbeki lo avevano implorato di restare. Ma il futuro era troppo incerto, ed era sua intenzione trasferirsi in Ucraina. “Non sono mai uscito dall’Asia centrale prima d’ora.” La contemplava attraverso il finestrino in un lungo, impassibile addio. I suoi bambini stavano appoggiati a lui, biondi e addormentati, con in bocca gomme da masticare rinsecchite. “Mia moglie è ucraina, e là lavorerò come operaio, giusto per sopravvivere. Costruirò una casa e darò un futuro ai miei figli.”

Attorno a noi le colline stavano cominciando a stringere la vallata, mentre un vento tagliente raggelava i campi incolti. Stavamo seguendo la curva di un fiume che zampillava giù dagli alti ghiacciai del Pamir occidentale. Le pagliuzze d’oro che scintillavano inutilmente nelle sue acque gli avevano meritato il nome di Zeravšan, “il dispensatore d’oro”, e perfino gli antichi greci lo conoscevano come Politimeto, “molto prezioso”. Un centinaio d’anni prima, i viaggiatori avevano descritto i frutteti che fiorivano lungo tutto il suo corso: alberi di mandorle, pesche, prugne viola, ciliegie, fichi e mele, oltre alle migliori albicocche e pesche noci dell’Asia.

Ora gli alberi erano separati da estesi campi di cotone, e il fiume serpeggiava in mezzo agli acquitrini in direzione nord, dissanguato dai canali d’irrigazione. I raccolti di cotone dell’anno precedente erano ancora ammassati qua e là in cumuli sui campi delle fattorie collettive. Il cotone, ecco qual era stata la speranza e la maledizione dell’intero paese. Un centinaio d’anni prima i russi ne avevano introdotte alcune specie americane, e i sovietici ne accelerarono la produzione, aumentando il rendimento per acro di circa due terzi. Divennero i maggiori produttori di cotone del mondo. Mosca lo acquistava grezzo e a basso prezzo dall’Asia centrale, e lo trasformava in capi di vestiario.

Sotto Brežnev, che assurse alla presidenza dalla sua base di potere localizzata proprio qui, la corruzione dei funzionari locali crebbe in maniera spropositata. L'abituale falsificazione dei dati statistici, e la distrazione di quantità di prodotto in favore del mercato nero, riversarono montagne di sovvenzioni in grembo alla più alta autorità dell'Uzbekistan, Rashidov. Alcuni suoi scagnozzi dominavano il paese alla maniera dei signori feudali, con le loro proprietà, le loro prigioni e le loro concubine. Nel giro di quindici anni la mafia s'impossessò illegalmente di una cifra equivalente a più di cinque milioni di sterline. Soltanto dopo la morte di Brežnev un satellite spia fotografò per caso alcuni campi vuoti dove avrebbe dovuto esserci il cotone, e i più noti mafiosi furono trascinati davanti al tribunale in un bailamme di esecuzioni, suicidi e carcerazioni.

Nel frattempo, proprio il cotone aveva cominciato a scarseggiare. A causa delle radici troppo profonde e della scarsità d'acqua, le piante avevano drenato il terreno e i fiumi, crescendo sempre più deboli. I defolianti e i pesticidi favorivano la diffusione di malattie fra i raccoglitori: tumori, anemie ed epatiti. Aumentò la mortalità infantile. Solo da poco, gradualmente, la gente aveva cominciato a discutere della necessità di imporre dei limiti e di diversificare i raccolti.

"Rashidov è ancora un eroe per questa gente," disse il russo. "Era riuscito a ingannare Mosca. Con una parte del denaro aveva perfino costruito stadi di calcio. Loro adorano queste cose."

Il nome di "Samarcanda" non evoca una città terrena. È un suono che attanaglia il cuore. Altre capitali dell'Islam – Il Cairo, Damasco, Istanbul – risplendono di una magnificenza mediterranea e accessibile. Ma Samarcanda si colloca proprio ai limiti della geografia. Bizzarramente situata in un territorio completamente circondato da altre terre, fu la sede di un impero così lontano fra steppe e deserti che sfiorò appena l'Europa, pur terrorizzandola. Sprofondata in un oscuro sonno, brillò per secoli nell'immaginario collettivo. Ispirò la fantasia di Goethe e di Händel, di Marlowe e di Keats, tuttavia nella realtà rimase sempre irraggiungibile. Perfino nei famosi versi di Flecker, il diplomatico e poeta che non viaggiò oltre i confini orientali della Siria, i mercanti si mettevano in marcia sulla strada dell'oro come avventurandosi in un pericoloso mistero.

Il mio autobus, transitando su un oceano di campi e di borghi mal collegati, approdò alla fine in un deposito qualunque, ma io notai che a est sorgeva e brillava un'altra città, circondata dal bagliore di montagne innevate. Percorsi sentimentalmente a piedi gli ultimi chilometri. Attraversai sobborghi variopinti e una sfilza di condomini e palazzoni pubblici. Un'erta statua di Lenin sorgeva nella sua giusta collocazione in una piazza scialba, sui tetti della quale penzolavano ancora gli slogan vocianti che nessuno leggeva più: "Le sorti del mondo sono nelle mani del popolo".

Da queste alture periferiche si apriva, sotto di me, una galleggiante risacca di tetti rossi e grigi – relitti di latta e di amianto sospesi sopra una lunga onda di alberi – costellati di cupole turchesi e di minareti. Più avanti, una lunga catena di picchi innevati risplendeva di un fulgore soprannaturale, e sembrava tracciare un antico sistema difensivo.

Scesi giù per strade ingombre di autocarri. Il tratto che stavo percorrendo diventò sempre più sudicio e sgangherato. Nell'aria c'era una nuova atmosfera di asprezza. Un vecchio stava pregando in mezzo ad aiuole di rose dentro a una piazzola spartitraffico, ma non sapeva più qual era la direzione della Mecca. Poi, girando sotto un cavalcavia a un incrocio dove sferragliavano gli autobus, vidi sopra di me un mazzo di cupole e di guglie malandate. Si innalzavano in una mescolanza di colori blu e rossastri, come se all'interno della città moderna esistesse una città morta, intatta e segreta. Era più vasta di tutto ciò che la circondava, pur essendo in quello stato di decadenza. I ruderi delle sue porte d'ingresso e le file delle arcate distrutte stavano sospesi sopra la città inferiore, come se si trovassero in un altro strato atmosferico. Era la moschea di Bibi Khanum, costruita da Tamerlano il Grande.

Girai tutt'attorno al suo perimetro per ritardare intenzionalmente il mio ingresso, passando davanti a grandi negozi male illuminati, lungo viali di platani e di ippocastani. La gente sembrava più rozza, meno spirituale di quella di Bukhara. La città era più estesa, meno uniforme. Le testimonianze del suo passato aleggiavano sopra il suo presente. Mentre Bukhara era stata un ricettacolo d'oscurantismo, Samarcanda continuava a possedere le spettrali strutture di una capitale imperiale.

Intorno alla piazza del mercato, il Registan, si allineavano in una simmetria quasi perfetta tre medrese. Era pressoché deserta. Un tempo era stata il centro del mondo, ora era il centro del nulla. Perfino i visitatori stranieri erano scomparsi. La sua maestosa spiritualità si riversava come una piena sopra il nudo lastricato sul quale mi ero spinto. Su ognuna delle tre facciate, un mastodontico *iwan* produceva un golfo d'ombra, ed era fiancheggiato da mura con vani leggermente rientranti, allineati in file sovrapposte. A una porta corrispondeva un'altra porta, a un minareto un altro minareto, che si riecheggiavano e si confermavano reciprocamente. Dominavano la piazza con una solennità istituzionale, a garanzia del potere del sovrano e dell'immutabilità di Dio. Agli occhi di un occidentale, i minareti, con le loro cime tronche che sorreggevano decorazioni a nido d'ape, riportavano alla memoria solide colonne corinzie che non sostenevano nulla. I terremoti li avevano contorti in forme bizzarramente naturali, plastiche, che avevano ispirato i viaggiatori ottocenteschi a elaborare svariate teorie e a misurarne l'inclinazione con il filo a piombo, senza mai riuscire a convincerli dell'evidenza.

Le decorazioni a piastrelle delle facciate non fanno annegare l'occhio in una tela di ceramica come le coeve moschee della Persia, ma ricoprono i mattoni di un disegno freddo e piuttosto cerebrale. I colori erano quelli consueti: blu intenso, turchese, giallo morbido. Il beige dei mattoni si interseca a essi e li rende più sobri. Soltanto qua e là un fregio in ceramica rifulge nella sua interezza. Sotto l'entrata della medresa del quindicesimo secolo di Ulug Beg, la più antica di queste tre, alcuni pannelli sembravano tappeti splendenti, e al di là dell'*iwan* di Šir Dair, del diciassettesimo secolo, un paio di eretici leoni davano la caccia a bianche cerbiatte in un campo di fiori.

Le porte si spalancavano ancora sopra lucidi pavimenti d'ingresso, ma quando entrai nei cortili l'unico rumore era il canto degli uccelli. Nei portici le celle degli studenti erano sprangate da decenni. Alcune contadine stavano vagando confuse sopra i lastroni di pietra. Mi seguirono distrattamente per un po'. Per gli studenti di religione, i tesori di quei cortili dovevano essere stati le bellissime strisce di calligrammi arabi – sempre di un candido bianco su sfondo blu pervinca – che si stendevano delicate sopra i portici dell'*iwan* o che ondeggiavano sotto le volte. Ma io non sapevo leggerle. Le loro epigrafi kufiche sembravano concentrate in una specie di gara di raffinatezza.

Tuttavia, proprio in questi cortili evapora anche l'illusoria visione suscitata dalla piazza. All'improvviso, mi trovavo dietro le quinte. A quel punto mi accorsi che le magniloquenti facciate erano null'altro che un'opprimente scenografia teatrale. Non avevano profondità. Le parti retrostanti erano decorate soltanto in parte, o per nulla. Il loro compito era esaurito. Queste non erano forme da contemplare a tutto tondo, ma smaccate quinte teatrali che sovrastavano la piazza sottostante con il loro seducente richiamo.

Anche alcuni banali lavori di restauro aumentavano la sensazione di vuoto. I sovietici avevano trovato il Registan in uno stato di completa rovina, e iniziarono a restaurarlo con la stessa diligenza che impiegavano per i loro monumenti zaristi in Occidente. Qui ricostruirono completamente una cupola, là risollevarono un minareto; mentre sopra ciascuna delle facciate distrutte fu steso un nuovo strato di piastrelle e di mattoni. L'interno della moschea centrale è particolarmente ipnotico. Dal centro del soffitto s'irradia, in uno spettacolare *trompe-l'œil*, una pioggia di foglie dorate e di fiori che scende in un cielo blu notte, mentre la volta sopra il *mihrab* dispiega un ventaglio di stalattiti rosso corallo e oro.

Capii quanto era andato perduto soltanto quando entrai nella moschea di Ulug Beg. Era il più affascinante fra i nipoti di Tamerlano, uno scienziato e astronomo che spinse i suoi discepoli verso un sapere laico. Qui, in un cortile più intimo degli altri, la decorazione originale si trovava ancora al suo posto. Conservava una bellezza raffinata e consunta. Il mosaico di piastrelle stava cadendo a pezzi ovunque, con frammenti che si staccavano dal tessuto decorativo, petali che precipitavano, viticci che si spezzavano. Ma per ora rimaneva sospesa in una dolce e decadente opulenza. Era chiaro che aveva bisogno di una inevitabile opera di restauro; ma in quel caso, sarebbe scomparsa per sempre la sua particolare vitalità. Grazie allo stato di invecchiamento, i mattoni e le piastrelle rivelavano la loro appartenenza all'epoca della prima costruzione: alla pietà e al fervore dei loro ideatori, non al dovere dei posteri. Appartenevano al passato. Anche nel caso il restauro fosse fedele all'originale (e in certe parti c'è da dubitarne) le sue finalità sarebbero quelle moderne, e non susciterebbero alcuna emozione.

Mi domandavo che cosa sarebbe successo adesso che era finito il potere sovietico. Le mastodontiche ricostruzioni di questo tipo forse sarebbero cessate, o avrebbero proceduto con maggiore cautela, a pezzi. Mi sedetti per un po' sotto i portici, e meditai con dispiacere su queste cose, mentre gli uccelli strillavano sugli alberi del cortile, mentre silenziosamente, impercettibilmente, le piastrelle si stavano staccando dall'intonaco e cadevano nella polvere.

L'inflazione e l'instabilità politica erano sulle labbra di tutti. Chiunque temeva il futuro. Nelle strade uomini trasandati e donne con vestiti colorati si riunivano in grossi capannelli separati per sesso, gli uomini con gli uomini, abbracciati spalla a spalla e le donne che passeggiavano insieme tenendosi sottobraccio. Parlavano tadžiko e le loro facce tuttora rivelavano tutti i gradi di metamorfosi fra il mondo turanico e quello iraniano; lineamenti morbidi e lineamenti aquilini, labbra piene e labbra sottili.

Negli empori governativi, dove erano immagazzinati sacchetti di fette biscottate, di pasta e bottiglie di conserve di frutta, non si aggirava quasi nessuno. Dappertutto erano sorti mercati liberi. Tuttavia, perfino nel bazar centrale non c'era alcun trambusto, ma soltanto una cauta e lenta circolazione durante la quale s'impiegava anche un'ora per acquistare un po' di carote. Il luogo era stranamente tranquillo. I contadini riempivano i loro banchi in affitto di melograni, di ravanelli, di pile di formaggio tenero. Ma nessuno aveva il becco di un quattrino, e qualsiasi prezzo esposto provocava fischi e arricciamenti di naso. Nel cortile c'era un gigante con una faccia smarrita e un paio di baffi alla Charlie Chaplin. Togliendosi la camicia e lasciando scoperto un grosso ventre dilatato, si distese sacrificalmente sotto un paio di travi mentre un autobus gli passava sopra, poi si rialzò, sempre con la stessa faccia inespressiva e si mise a girare con in mano un barattolino per chiedere l'elemosina.

La sua occupazione era più impegnativa di quella di molti altri. I marciapiedi erano intasati da gruppetti di giovani oziosi. Erano i nuovi disoccupati, e in tutto il paese se ne contavano più di un milione. Indossavano magliette con la scritta "New York" o "Chanel". Se mi portavo dietro lo zaino, lo squadravano come vogliosi maniaci. Pensavano fossi estone. "Non hai portato nulla da vendere?" domandavano. Tentavano di capire chi fossi. "Perché sei qui?" Se mi mettevo a sedere da qualche parte, si poteva stare sicuri che uno di loro si sarebbe appollaiato al mio fianco come un avvoltoio e avrebbe sgomitato sul mio ginocchio o mi avrebbe scrollato una spalla per farmi ogni genere di domande, torturandomi fino a farmi finalmente parlare.

"Da dove vieni?"

Stancamente: "Dall'Inghilterra".

"Come si vive là? Avete da mangiare in abbondanza?"

"Sì." Mi appariva, come se fosse in fondo a un lungo tunnel, una razza ossessionata dalle diete dimagranti e dal colesterolo.

"Quanto guadagni?" Prima scrollata. "Quanto costa la carne?" Seconda scrollata. "Quanto costa una macchina?" Pacca sulla spalla. "Mi puoi procurare un visto per la Gran Bretagna? Quanto costa?... Quanto?..."

Mi venivano in mente con affetto i vecchi nei cortili delle moschee, che si salutavano portandosi compostamente la mano sul cuore, e con un'unica nobile richiesta. Poi mi ricordavo con un certo rimorso che questi giovani, che avevano perduto il loro passato e avevano un futuro precario, con i loro occhi inquieti e i loro discorsi sul denaro, vivevano nel vuoto, e quindi cosa mi sarei dovuto aspettare da loro? Gli inquisitori continuavano a tormentarmi, mentre io dimezzavo o riducevo a un quarto le mie entrate e cercavo di spiegare un mondo di tasse e di ipoteche. Ma nulla li fermava. Le mie ginocchia pungolate si infiammavano per reazione psicosomatica. E così anche il mio umore. E questo tipo di dialogo, per quanto tentassi di sminuire i miei guadagni e di dare risposte qualificate, lasciava sempre trasparire nei duri occhi di questi giovani un barlume di cupidigia.

"Non pensano a lavorare. Non producono. Si limitano a comprare e a vendere le cose." Questa rimostranza abusata fu biascicata dalle labbra di un russo. Stava esaminando l'avviso di un'asta di cani che doveva svolgersi nello stadio di calcio Spartak. "E, ogni minuto che passa, diventano più nazionalisti. Ma come fai ad andartene da qui?" Mi guardò con gli occhi appannati di un alcolizzato cronico, e del chiaccherone importuno. Le sue dita erano ingiallite dalla nicotina. "Ho vissuto qui per tutta la vita. Mio padre fu ucciso durante la guerra nei combattimenti intorno a Smolensk, e questa è mia madre..." Lei stava osservando distrattamente il mercato. "Non ha conosciuto nessun altro posto all'infuori di questo. In Russia non abbiamo un posto dove andare. Lei e io, per noi è troppo tardi... non mi rimane molto." Le punte arancioni delle sue dita scorsero sopra l'avviso. "Noi moriremo qui."

La vecchia si trascinò al nostro fianco, il volto incappucciato da uno scialle ormai a brandelli. "Che cosa stai dicendo? " chiese con voce stridula. "Che cosa sta succedendo?"

"Stiamo parlando dell'asta dei cani." Si allontanò nuovamente. "Guardala. Sta già consumando i suoi ultimi giorni. Ma che facciamo? Ormai siamo senza patria."

Così si comprava un cane.

Osservando la sua faccia grinzosa, mi resi conto di quanto la mia idea dei russi fosse profondamente cambiata. Di colpo tutto quello che loro avevano raggiunto qui – nel campo dell'educazione, dell'assistenza sociale, dell'amministrazione, nonostante la corruzione e i limiti – minacciava di crollare. La vecchia, baldanzosa propaganda – l'invocazione marxista al lavoro e all'unità – sembrava d'improvviso un benevolo luogo comune, un appello per il futuro. Le certezze più familiari erano in ritirata. Le arti russe – la letteratura, la musica, il balletto – che un tempo sembravano essere gli ingannevoli strumenti del colonialismo, ora invece sembravano le retroguardie di una civiltà gentile, che si stava dissolvendo davanti agli occhi.

Perfino l'accondiscendenza sovietica nei confronti delle usanze locali era mutata. Sembrava che, soltanto fino a un attimo prima, i lampioni orientali, le cupole a tulipano sui soffitti dei ristoranti e sui tetti delle stazioni di polizia – perfino le grate finto islamiche negli alberghi per turisti – emanassero una sinistra cortina fumogena dietro alla quale era stato strappato via il cuore di un popolo. Ora invece, queste concessioni al kitsch sembravano integrarsi innocentemente nella vita locale, come se ne fosse stata eliminata la maledizione.

Il ristorante dove mi trovavo era ricoperto soltanto da piastrelle di plastica, con il pavimento cosparso di briciole di pane e di lische di pesce. I mendicanti si aggiravano zoppicando da un tavolo all'altro. I loro vestiti erano a brandelli e gli stivali erano pieni di tagli. Incombevano sopra i tavoli come se non ci fosse seduto nessuno, spiluccavano il pane dei clienti e bevevano il loro tè, mentre gli altri restavano seduti a conversare ignorandoli. Quando mi alzai, uno di loro si trascinò fino al mio posto e svuotò la mia ciotola delle ossa di montone rimaste.

Uscii per andare a visitare le rovine di Bibi Khanum, avvertendo un oscuro rimorso. Nonostante la sua desolazione, la moschea sembrava continuasse ad elevarsi in un'epoca più fortunata della presente (ma era un'illusione). Tamerlano l'aveva costruita come il più grande tempio dell'Islam. Migliaia di artigiani catturati in Persia, in Iraq e in Azerbajdžan avevano faticato per scolpirne i pavimenti di marmo, per smaltare le sue estensioni di piastrelle, per erigere le sue torri colossali e le quattrocento cupole che spumeggiavano sopra i porticati. L'imperatore in seguito fece sventrare questa costruzione. Ritenne che l'entrata costruita in sua assenza fosse troppo piccola, la fece abbattere completamente, fece impiccare gli architetti e diede nuovamente inizio ai lavori. Ma le volte gigantesche e i minareti che aveva previsto, schiacciarono le fondamenta, e le mura iniziarono a incrinarsi già prima che venisse completata. La gente cominciò ad avere paura d'andare a pregare lì dentro. Giganteggiava sulla mia testa come un sogno megalomane, riempiendo il cielo di archi spropositati e di cupole danneggiate. Le crepe scendevano dritte o zigzagando lungo i muri. Le piastrelle si scrostavano come una seconda pelle. Il portone d'ingresso svettava così in alto che la forma ormai svanita del suo arco cominciava ventiquattro metri sopra la mia testa, e andava invisibilmente a completarsi nel cielo aperto. Brecce aperte squarciavano completamente la sala della preghiera dal soffitto fino a terra, e gli archi di supporto perdevano mattoni interi.

Ogni cosa – i minareti roboanti, le porte alte dodici metri, lo spropositato catino per le abluzioni – riduceva il visitatore a un intruso lillipuziano, e popolava la moschea di giganti. Al centro della corte, un leggio in marmo grigio della Mongolia sosteneva un tempo una gigantesca copia del Corano, ma la sua indistruttibilità, e forse il suo isolamento al centro della moschea in rovina, ora lo avevano investito di un potere pagano, ed era diventato il rifugio delle donne sterili, che si rannicchiavano lì sotto come fosse un talismano per la fertilità.

Non appena mi sedetti lì vicino, tre ragazze spensierate, molto cittadine e spavalde con i tacchi alti e le gonne strette, si diressero ridacchiando verso di esso. I loro strilli risuonavano fra le rovine. Poi, separatesi, si misero a quattro zampe e sgusciarono carponi da una parte all'altra del leggio, passando sotto alle sue nove gambe in marmo. All'inizio si presero in giro reciprocamente, in questo posto dove la superstizione si confondeva con il divertimento. Ma una volta fuori dalla visuale delle loro amiche, mentre strisciavano attraverso il labirinto di marmo, nell'aria calò un senso di inquietudine. Di nascosto toccarono la pietra con i palmi delle mani. Una di loro la baciò. Poi uscirono fuori, sistemandosi le calze, e si allontanarono saltellando.

Tania si era seduta vicino a una moschea sotto i pioppi argentati. Aveva ereditato lo sguardo rustico e materno delle contadine russe che abitano nelle regioni povere. I capelli rossi scendevano a boccoli a incorniciare un viso sciatto da patata, con gli occhi e il naso incapsulati nelle grosse guance. S'era messa a conversare casualmente, e incominciai a sorprendermi delle sue parole soltanto quando ci mettemmo a passeggiare insieme sotto gli alberi. Mi indicò la tomba di uno statista naqšbandi, che sorgeva su un tumulo e veniva ancora venerata. Era piuttosto strano che una russa conoscesse una storia di questo genere, e io le diedi un'occhiata meravigliata. "Sono sposata con un musulmano," disse.

Sembrava così legata alla sua terra natia da farmi esclamare: "Ma non è difficile?".

"È sempre difficile." Si fermò e contemplò i calligrammi sulle pietre tombali, come se potessero suggerirle una soluzione. "Gli uomini musulmani sono più patriarcali di noi. Ma io non litigo con il mio. Lui amministra il denaro, io amministro la casa. Ma è un cuoco fantastico!" Scoppiò in una risata rauca e gorgheggiante. "Sì, lo comando un pochino. Mi sono mantenuta un po' indipendente. Ecco perché capisco la mia gatta."

Riprese a passeggiare, ondeggiando pesantemente sui tacchi alti. Il suo corpo sembrava possedere quella forza sonnolenta tipica dei russi. Disse che al momento il suo matrimonio la stava ossessionando, perché suo marito non era felice. Lui non riusciva a liberarsi del suo passato, del ricordo della prima moglie, che era stata un'arpia. "Dopo averla lasciata, è rimasto da solo per cinque anni, infelice e sempre con il bicchiere in mano, e continua a sentirsi condizionato da quella là. Non è capace di negare niente alle sue figlie." La sua faccia fece una smorfia di disgusto. "Quelle figlie sono il motivo principale delle nostre liti." Fece un segno di noncuranza con le dita, che erano piene di anelli sgargianti. "E c'è il gatto. Litighiamo anche per quello. Lui non riesce ad accettare l'idea che gli animali siano come esseri umani, cosa che naturalmente sono." Sospirò seria. "Un musulmano, capisci."

In questa valanga di particolari non riuscivo a ottenere nessuna possibilità di approfondimento.

"So che altre donne russe si sono sposate con uomini tadžiki e uzbeki," proseguì, "ma siamo tutti diversi. Perfino nei pregiudizi. Alcuni parenti di mio marito nutrono sentimenti così violenti che devono fare quasi uno sforzo per incontrarmi. Ma altri sono stati gentili. Non esiste uno schema preciso in quese cose." La sua voce, però, era animata da un tono piuttosto agitato. Capii che c'era sotto qualcosa che non riuscivo a mettere a fuoco. "La vita è difficile per qualunque moglie di un musulmano. Ma certe volte gli uomini sono anche capaci di riconoscere l'intelligenza di una donna russa. Le donne locali spesso sono pigre. Se ne stanno sedute a spettegolare e basta, mentre i loro figli crescono allo stato brado. Sono in grado di cucinare, si capisce, ma spesso non sanno nemmeno cucire. Non c'è da meravigliarsi se i musulmani hanno bisogno di più di una moglie." Ora stava camminando a grandi passi al mio fianco, con una baldanza da colonialista. "Sì, conosco diversi tadžiki che si tengono più di una moglie – celebrano un secondo o un terzo matrimonio in segreto con l'aiuto di un *mullah*. È un duro colpo per tutti."

Avevamo raggiunto un'entrata secondaria della moschea, e il guardiano la riconobbe. Costui disse in maniera tipica: "Gli ospiti e gli uomini retti sono sempre i benvenuti qui", e noi entrammo bisbigliando in un cortile pieno di anziani avvolti nei turbanti blu, che avevano appoggiato i loro bastoni sotto gli alberi e sonnecchiavano o si intrattenevano amichevolmente seduti su vecchie panchine scolorite. Un'atmosfera cameratesca riempiva l'aria, come di vecchie consuetudini che stavano tornando.

"Volevo che tu vedessi queste cose," disse Tania. Con i funzionari della moschea parlava in uno stentato tadžiko. Le domandarono da dove venivamo, e dimostrarono una certa soddisfazione. L'Islam era sempre stato tollerante in Asia centrale, disse lei, con scarsa precisione, ma sapevo cosa intendeva dire. Lei non aveva paura della religione, ma della politica. "Sono i politici che manipolano le situazioni per i loro interessi – è questo che mi terrorizza. I clan. Noi siamo sommersi dalle cricche di questi gruppi familiari allargati." Sapevo che le loro rivalità e i loro sotterfugi salivano fino ai più alti ranghi del governo, e creavano un delicato asse di potere fra Samarcanda, Taškent e la valle di Fergana. L'apparente unità del paese si frantumava in mille pezzi non appena uno si metteva a rifletterci sopra.

"Ma adesso i giovani certe volte parlano come se avessero una nazione," disse lei. "Dicono che sono uzbeki o tadžiki. Non era mai stato così."

"Pensi che ci credano?"

"Non lo so, non lo so." La sua voce sembrava improvvisamente turbata. Ogni volta che si parlava del futuro, scattava in lei una certa angoscia. Forse il vecchio concetto di una famiglia di popoli, con la Russia come guida, era troppo dolorosamente radicato nella sua psiche.

Ritornammo indietro, passando davanti a una medresa, e sbirciammo all'interno. Era la più grande della città, ma sembrava deserta. Le celle degli studenti erano chiuse, e i piccioni si ammassavano indisturbati sotto i portici. Nessun custode si fece vedere per salutarci o mandarci via.

Il motivo lo seppi soltanto qualche giorno dopo. Stando alle voci, un ecclesiastico aveva violentato un allievo. Mentre la notizia si diffondeva sottovoce in tutta la città, i parenti del ragazzino si erano riuniti per fare a pezzi il colpevole. Ma al contrario, dopo una serie di trattative, erano rimasti a guardarlo mentre si impiccava.

Ignorando tutto questo, Tania e io passeggiammo un po' smarriti nella scuola silenziosa. "Verrai a trovarmi presto?" mi domandò. I suoi tacchi alti risuonavano sull'acciottolato. "Sì, vieni da noi."

I sobborghi nordorientali s'infrangono contro un altopiano erboso che si estende ondulato per diversi chilometri. Colonie di scoiattoli di terra stanno di sentinella davanti alle loro tane, mentre un pastore guida il suo gregge di pecore nere su un pascolo simile al prato di un cimitero, lanciando acute grida. Le sponde e le montagnole che si alzano ripide rivelano l'esistenza di una Samarcanda più antica che si sta sbriciolando sotto la terra erbosa. Il suolo sembra fremere sotto i piedi che lo calpestano. Qua e là è solcato da scavi abbandonati. Tutt'intorno risplende un anfiteatro di montagne. In tutti i punti in cui i mattoni sono usciti allo scoperto, l'argilla pressata di cui sono fatti si è riamalgamata alla terra. Le mura sono diventate scarpate naturali, e le brecce un tempo erano porte d'ingresso; e nei tratti in cui un tempo passavano le strade, il terreno è percorso da crepacci e da gole, o smottato intorno a cittadelle informi.

A partire dal sesto secolo avanti Cristo, questa antica Samarcanda, chiamata Maracanda, fu la capitale di un raffinato popolo iraniano, i sogdiani, che commerciarono lungo la valle dello Zeravšan e oltre. Alessandro conquistò la città nel 329 a.C., e qui, in un accesso di rabbia causato dall'alcol, trafisse con una lancia il suo generale favorito, il "Nero" Cleito. Ma i sogdiani sopravvissero alla fragile dinastia dei seguaci di Alessandro. Famosi per il loro grado d'istruzione e l'abilità commerciale, furono loro che con ogni probabilità insegnarono ai cinesi l'arte della lavorazione del vetro. I romani riferivano che le mura della città avevano un perimetro di più di dieci chilometri; resistettero fino alla conquista degli arabi, nel 712. Poi, a poco a poco, si sfaldarono, finché Gengis Khan mise Maracanda a ferro e fuoco, nel 1220, e seppellì il passato sotto uno strato di argilla. In seguito le popolazioni locali ribattezzarono questo luogo con il nome del Gigante Afrasib, un mitico re della Turania: dopo l'insuccesso del suo assalto a Maracanda, raccontavano, l'aveva sepolta sotto la sabbia.

In un museo lì vicino, i sogdiani tornavano incerti alla ribalta. Gli archeologi russi avevano estratto le loro spade corrose dalla sabbia compatta, insieme ai braccialetti, ai bottoni e alle spille d'osso dei vestiti. Sembra venerassero le primitive divinità persiane, durante l'epoca della rinascita buddhista. Erano riemersi altari monolitici e ossari scolpiti, e alcuni preziosi frammenti di affreschi del settimo secolo, nei quali il re dei sogdiani (ammesso che fosse lui) riceve le ambasciate di paesi lontani quanto la Cina della dinastia T'ang.

Costoro avanzano per andare a incontrarlo su uno sfondo blu giacinto, con una processione di dignitari che cavalcano dromedari, cavalli ed elefanti. Procedono gli uni sopra gli altri in una prospettiva aerea, ma l'intonaco che si è scrostato qua e là, lasciando scoperti pezzi grigi, dà l'impressione che stiano marciando in mezzo alle nuvole di un temporale. Il passo pesante delle zampe degli elefanti e l'andatura baldanzosa degli zoccoli dei cavalli emergono con veemenza nonostante lo stato di decadimento dell'affresco, mentre dietro di loro sfila un'inspiegabile processione di aironi bianchi. I cinesi che stanno portando i tributi trasportano calici e bastoni di comando, riuniti in un avvilito grappolo di occhi fanciulleschi e di capelli ingessati, e i loro abiti irrigiditi e adorni di teste di lupo sembra abbiano ipnotizzato il pittore. Nel frattempo il re procede in avanti per andare a rendere omaggio all'immagine del dio del suo popolo. Le vesti meravigliosamente ricamate di perle cucite a losanghe, gli orecchini pendenti, il morbido copricapo ingioiellato e la collana che manipola nervosamente con le dita, conferiscono al suo regno una strana effeminatezza. Tuttavia i nasi sottili e le mani delicate dei suoi sudditi devono aver lasciato più di una traccia nelle contemporanee popolazioni tadžike.

Vagabondai per tutto il pomeriggio fra le rovine dell'indecifrabile città, e a sera ne uscii fuori, vicino a un affluente dello Zeravšan. Appollaiata su un'altura quasi inaccessibile, sovrastata da cinque cupole ricoperte d'erba, c'era una tomba semidimenticata. Un vecchio guardiano, che oziava lì vicino, mi aprì la porta della tomba borbottando confusamente qualcosa, e davanti a me, nell'interno buio, si stagliò un mostruoso tumulo. "Questa è la tomba del profeta Daniele," disse. Era stato Tamerlano, aggiunse, che l'aveva portato qui dalla Mecca.

Come le tombe di altri personaggi semileggendari venerate dai musulmani – le tombe di Noè e di Nimrod nel Libano, il sepolcro di Abele vicino a Damasco – sembrava una costruzione degna di un titano. Le popolazioni locali avevano sempre creduto che Daniele avesse continuato a crescere anche dopo la morte, e avevano allungato la tomba di anno in anno finché ebbe superato i diciotto metri di estensione. Era stata ricordata in segreto durante tutti gli anni della persecuzione russa. I muri erano ancora anneriti dal fumo delle candele.

Dovevo avere un aspetto molto stanco quando ripresi faticosamente la strada per Samarcanda, perché, dopo un po', un ragazzo tadžiko mi offrì un passaggio rivolgendosi in uno splendido russo moscovita. Shavgat stava tornando da una missione di lavoro come autista durata tre settimane, e mi invitò a casa sua per farmi incontrare il suo bambino piccolo e il suo anziano genitore. Era un bel ragazzo, con i tratti raffinati di un iraniano. Gli occhi attenti e candidi brillavano in una testa ovale ammorbidita da capelli nerissimi. Ma la sua casa era intrisa di un maschilismo tipicamente islamico. Era rimasto assente per tre settimane, ma quando la sua giovane moglie venne ad accoglierci alla porta – una ragazza con grandi occhi che non era proprio una bellezza – non la salutò nemmeno, ma si limitò a ordinarle di sbrigarsi a preparare il pranzo. Non li vidi mai scambiarsi una parola intima. Tuttavia lei era sorridente e orgogliosa, perché gli aveva dato un figlio maschio.

Vivevano in un sobborgo tradizionale, e mi accolsero con simpatia. Ora mi ero abituato a questi quartieri, con i cancelli che si aprivano rumorosamente sul cortile di una famiglia in cui il padre e i figli maschi sposati possedevano ciascuno una villetta decorata di stucchi, giardini di rose e orti coltivati in comune. All'interno, i muri e i soffitti erano dipinti con delicati motivi floreali, e le sete rosse degli sposi novelli fiammeggiavano ancora sugli stipiti delle porte. La dote della moglie era ammassata in credenze e armadietti con montagne di trapunte – cinquanta o sessanta almeno – e piramidi di servizi da tè che nessuno usava mai. Due rondelle di pane che penzolavano su una parete – entrambe intaccate da un morso – venivano conservate dalla cena d'addio organizzata in onore del fratello più giovane di Shavgat, che stava facendo il servizio militare in Polonia, e nessuno le avrebbe più toccate fino al giorno del suo ritorno.

La moglie di Shavgat condusse timidamente il loro pargoletto alla mia presenza per ricevere il mio apprezzamento. Un canarino era appollaiato sulla sua spalla come fosse un giocattolo. Il bambino stringeva tra le mani un cagnolino di cartapesta, cosparso di porporina. Con loro c'era anche la cognata di Shavgat, una russa dai capelli stopposi vestita con la gonna tradizionale e i pantaloni larghi di seta. La vestivano in modo da sottometterla. Era incinta e desiderosa di avere un figlio suo. Ma il vestito sgargiante non faceva altro che mettere in crudele risalto la pallida mediocrità del suo volto. Sembrava piuttosto amareggiata. Morivo dalla voglia di farle alcune domande sulla situazione – questioni che mi erano sfuggite con Tania – ma sarebbe stato possibile farle solo nel caso ci fossimo trovati da soli, e ben presto Shavgat iniziò a girare intorno con il bambino fra le braccia.

"Mi assomiglia?" domandò. "Sul serio? Sul serio?" Cercai attentamente nel visetto qualche segno di rassomiglianza, ma rifletteva soltanto – come in un cartone animato stilizzato – gli occhioni e la bocca a cuore della madre. Avrebbe potuto quasi averlo fatto da sola, per partenogenesi. "Dimmi. Mi assomiglia?"

Ma la situazione fu salvata dal padre di Shavgat, un contadino rude, con una faccia scaltra. Afferrò il nipotino – l'ossessione della famiglia – e lo lasciò ferocemente penzolare dalle sue spalle, mentre il bambino gridava e tirava le sopracciglia alla Brežnev del nonno. Il vecchio si acquietò soltanto per biasimare i tempi moderni. "Adesso è tutto terribile. Ai tempi di Rashidov i negozi erano pieni di roba e tutto era a buon prezzo!" Allungò il braccio sul tavolo da pranzo: "Questo sarebbe stato coperto di ogni ben di Dio a quei tempi. Coperto! La carne costava soltanto tre rubli al chilo, e adesso ne costa novanta. E la vodka, tre rubli la bottiglia. Ora costa cento!".

Gli oggetti di lusso in quelle stanze disadorne erano pochi e venivano conservati con tutte le cure. Una gabbia con tanti canarini che svolazzavano e cantavano, una modesta scorta di sigarette Marlboro tenuta in una nicchia; e prima di dormire Shavgat si ungeva le mani con una crema che usava come se fosse un unguento magico. Dormimmo stesi sul pavimento, sotto le trapunte, e lui teneva le mani attentamente piegate sullo stomaco, mentre la moglie se ne andò nella stanza da letto, dopo essersi sciolta i capelli sulla schiena. I canarini si agitarono per un po', poi si rasserenarono, e non si mossero per tutta la notte, come se fossero impagliati.

Nel silenzio domandai di chi fosse la fotografia della donna appesa nel posto d'onore sul muro sopra di noi. Una debole lampadina appesa sopra la porta illuminava un ritratto color seppia appena distinguibile. "È mia madre," disse Shavgat. "Lei e mio padre si sono separati molti anni fa." Abbassò la voce. "Sì, non è una cosa abituale per noi tadžiki. Ma lei è una brava donna." Non disse nient'altro, tranne che lei viveva a Čhimkent – una bella città, dove ogni tanto l'andava a trovare – e che non si era più risposata.

Per duemila anni, l'Asia centrale fu la culla del terrore, nella quale un'implacabile sequela di popolazioni barbariche aspettavano di spingersi reciprocamente nella storia. Qualsiasi cosa potesse smuovere le loro feroci ondate – l'esaurirsi di tratti sempre più vasti dei loro pascoli o i loro momenti di transitoria unità – essi si portarono dietro sempre le stesse spettrali stigmate di popoli nomadi e privi di pietà.

Due millenni e mezzo fa, gli oscuri sciti di Erodoto – selvaggi di razza ariana che avevano come patria i loro cavalli – si agitavano appena oltre i limiti della civiltà, come uno spettrale protoplasma di tutto quello che sarebbe accaduto in seguito. Poi gli unni si riversarono sullo sconvolto Impero Romano in un'orda devastante – uomini fetidi coperti da qualsiasi cosa avessero macellato, perfino le pelli cucite insieme dei topi di campagna – e non si fermarono finché non raggiunsero Orléans e il loro rude re Attila non morì in un inopportuno letto nuziale, dopodiché il loro regno andò in pezzi. Ma gli avari li seguirono – centauri con i capelli lunghi che scossero Costantinopoli e che furono alla fine annientati da Carlo Magno all'alba del nono secolo. Subito dopo, una indebolita Bisanzio lasciò entrare i magiari, dietro ai quali irruppero gli spaventosi pecheng – tutti popoli turanici, che alla fine si volatilizzarono nelle foreste dell'Europa, oppure, convertitisi al Cristianesimo, si stabilirono nella Grande Pianura Ungherese.

Poi, all'inizio del tredicesimo secolo, quando stava maturando l'Europa Cristiana e l'Asia Islamica viveva il suo momento di massima fioritura, la temuta terra delle steppe scatenò con i mongoli il suo ultimo olocausto. Questo non fu un'inondazione disordinata come la dipinse l'immaginazione popolare, ma l'assalto di una disciplinata macchina militare perfezionata dal genio di Gengis Khan. Imprevedibile come una tempesta di sabbia, la sua terribile cavalleria – guerrieri senza collo con baffi spioventi – era in grado di avanzare per più di cento chilometri al giorno, capace di sopportare qualsiasi tipo di avversità. Il loro arrivo, si diceva, era segnalato soltanto dal loro fetore. Nei casi estremi, bevevano il sangue dei loro cavalli incidendo le giugulari e mangiavano la carne dei lupi e degli uomini. Tuttavia erano rivestiti di corazze di ferro o di corpetti di pelle, ed erano capaci di lanciare in pieno galoppo le loro frecce con le punte d'acciaio a una distanza di duecento metri. Astuti strateghi e perfetti ricognitori, ben presto si trascinarono al seguito macchine da guerra per gli assedi e catapulte per lanciare proiettili infuocati, e accanto al loro nucleo etnico di guerrieri mongoli cavalcava una formidabile massa di ausiliari turchi.

Alla morte di Gengis Khan il loro impero si estendeva dalla Polonia al Mar della Cina. Nel giro di pochi anni i suoi figli e i suoi nipoti arrivarono alle porte di Vienna, saccheggiarono la Birmania e la Corea, e tentarono una disastrosa traversata fino in Giappone. Nel frattempo, nella loro patria centroasiatica la *Pax Mongolica* stava inculcando una disciplinata amministrazione, una ripresa dei commerci e una pace basata sul terrore.

Tamerlano, "Colui che fa tremare la terra", fu l'ultimo, e forse il più terrificante di questi predatori del pianeta. Nato nel 1336 a settantacinque chilometri a sud di Samarcanda, era il figlio di un capetto di un clan mongolo ormai stanziale. Prese il nome di "Timur-i-Leng" o "Timur lo Zoppo" dopo che le frecce gli avevano menomato il braccio e la gamba destra, e per il terrorizzato immaginario occidentale passò alla storia con il nome di Tamerlano. Quando aveva da poco compiuto trent'anni, dopo anni di lotte per rinsaldare la frantumata eredità di Gengis Khan, divenne signore di Mavarannah, la "Terra oltre il Fiume", che aveva come capitale Samarcanda, e rivolse il suo freddo sguardo alla conquista del mondo.

Dai resoconti che ci sono rimasti sul suo personaggio, egli si distingue non soltanto come il culmine della sua schiatta di crudelissimi antenati, ma anche come il lontano avo degli imperatori moghul dell'India, amanti delle arti. I suoi occhi sembrava luccicassero senza splendore sopra la corte di servi terrorizzati e di riverenti ambasciatori accreditati, e non trasalivano mai né per la gioia né per la tristezza. Ma la sua intelligenza d'illetterato era nutrita da una passione per le verità pragmatiche. Pianificò scrupolosamente fin nei dettagli le sue campagne, e a differenza di Gengis Khan le condusse personalmente. Ricoprì ogni mossa con il manto dell'approvazione della fede islamica, ma per servire i suoi bisogni venivano invocate sia l'astrologia sia i vaticini, sia lo sciamanesimo sia le preghiere pubbliche. Correva voce che un angelo gli confidasse i pensieri segreti degli uomini. Tuttavia, egli assalì i musulmani con la stessa violenza che riservava ai cristiani e agli indù. Forse confuse se stesso con Dio.

La sua avanzata non fu scossa da nessuno slancio di compassione. Le sue carneficine superarono quelle di tutti i suoi predecessori. Le torri e le piramidi di teschi che si lasciò alle spalle – novantamila nelle rovine della sola Baghdad – erano precisi moniti. Dopo aver scorrazzato in Persia e saccheggiato il Caucaso, spronò l'Orda d'Oro a ritornare a casa passando per Mosca, poi lanciò un precipitoso attacco all'India, sollevando i cavalli con le carrucole sopra i crepacci bloccati dalla neve dell'Hindu Kush, dove ventimila mongoli morirono assiderati. Nella pianura del Gange davanti a Delhi, gli squadroni degli elefanti corazzati del sultano indiano, con le zanne armate di lame avvelenate, fecero momentaneamente rabbrividire le schiere dei mongoli; ma le grandi bestie furono costrette alla ritirata e la città venne rasa al suolo insieme a tutti gli abitanti. Un anno dopo i mongoli stavano rientrando attraverso le montagne, con un seguito di diecimila muli da soma, curvi sotto il peso dell'oro e dei gioielli. Lasciarono dietro di loro una terra che per un secolo non si sarebbe più ripresa, e cinque milioni d'indiani morti.

Allora Tamerlano rivolse nuovamente la sua attenzione a occidente. Caddero Baghdad, Aleppo e Damasco. Nel 1402, nella piana di Ankara, nel momento culminante del suo potere, decimò l'armata del sultano ottomano Bayazid, e inavvertitamente rinviò di altri cinquant'anni la caduta di Costantinopoli.

Negli intermezzi fra questi monotoni atti di devastazione, il conquistatore faceva ritorno all'amata Samarcanda. Sotto la sua direzione una processione di studiosi, teologi, musicisti e artigiani fatti prigionieri arrivavano nella capitale con libri, strumenti e le loro famiglie – in così gran numero che erano costretti ad andare ad abitare nelle grotte e nei frutteti suburbani. Sotto le loro mani la città di fango sbocciò in un tripudio di ceramica. Architetti, pittori e calligrafi dalla Persia; tessitori di sete, armaioli e soffiatori di vetro siriani; gioiellieri e maestri stuccatori e della lavorazione dei metalli dall'India; fabbricanti di armi da fuoco e ingegneri d'artiglieria dall'Asia minore: tutti cooperarono alacremente per innalzare le titaniche moschee e le accademie, gli arsenali, le biblioteche, i bazar con soffitti a volta e fontane, perfino un osservatorio e un serraglio. Gli elefanti catturati trasportavano nella giusta collocazione i marmi di Tabriz e del Caucaso, mentre gli emiri rivali – a volte lo stesso Tamerlano – dirigevano i lavori con l'impazienza da parvenu dei principi-pastori. Sembra che l'intera città fosse concepita come un atto del potere imperiale. Tutt'intorno vennero costruiti villaggi con nomi come Il Cairo, Baghdad, Shiraz o Damasco (sopravvive ancora una spettrale Parigi) per dimostrare l'insignificanza di quei luoghi. Era lo "Specchio del Mondo", e la prima città dell'Asia.

Lo stesso Tamerlano si sottrae alle semplici valutazioni. Si costituì una collezione privata d'arte, di cui amava i manoscritti squisitamente miniati pur non essendo capace di leggerli. Sembra che il suo linguaggio fosse improntato a un decoro puritano. Era un ingegnoso e appassionatissimo giocatore di scacchi, che complicò il gioco raddoppiandone i pezzi – con due giraffe, due ingegneri bellici, un visir e altri – sopra una tavola di centodieci quadrati. Un ardente desiderio di conoscenza lo spingeva a intrattenere impegnativi dibattiti intellettuali con i suoi studiosi e scienziati, che si portava dietro persino durante le campagne militari, e la sua prontezza nel comprendere le cose insieme a una potente memoria gli assicurarono una conoscenza attiva della storia, della medicina, della matematica e dell'astronomia.

Tuttavia in fondo al cuore restava un nomade. Si muoveva dai pascoli estivi a quelli invernali, con tutta la sua corte e la sua orda. Perfino a Samarcanda di solito si accampava con le tende nei dintorni della città, o in uno dei sedici giardini che aveva fatto disseminare tutt'intorno a questa: parchi irrigati dai nomi altisonanti. Ogni giardino era differente. In uno sorgeva un palazzo in porcellana cinese; un altro risplendeva degli affreschi a grandezza naturale che narravano la saga del suo regno, tutti scomparsi da tanto tempo; un altro ancora era così vasto che quando un operaio vi perse dentro il suo cavallo, la bestia continuò indisturbata a pascolare per sei mesi.

In questi luoghi di svago si tenevano le *fêtes champêtres* narrate dall'inviato castigliano Ruy Gonzalez de Clavijo. Egli descrisse come, per il compleanno di sei principi reali (incluso l'undicenne Ulug Beg), ventimila tende avessero ricoperto i campi vicino a Samarcanda per un mese. Il solo padiglione centrale poteva ospitare diecimila invitati. La sua montagna di seta alta dodici metri ricadeva da una cupola ricamata con aquile, ed era sostenuta da cinquecento cavi rossi di sostegno, impennandosi qua e là con torrette coronate di merlature in seta. Nelle tende adibite ai banchetti si svolse un ghiottissimo e innaffiatissimo festeggiamento. All'interno vennero trasportati enormi piatti in pelle, ricolmi di teste di pecora, costate di cavalli e palle di trippa grosse quanto il pugno di un uomo. Dopo una festa di questo genere seguì la cerimonia della presentazione dei regali, e Clavijo scrive con orgoglio che i suoi arazzi spagnoli furono superati soltanto dall'omaggio della delegazione egiziana, consistente in nove struzzi e una giraffa. Le corporazioni cittadine si gettarono in una sontuosa gara d'ingegno. I tessitori di lino costruirono un cavaliere armato di tutto punto in lino puro, "incluse le unghie e le ciglia", mentre i tessitori di cotone eressero un minareto di tela alto trenta metri, sormontato da una cicogna di cotone. I macellai addobbarono gli animali con i vestiti degli uomini; i pellicciai mascherarono gli uomini da bestie feroci.

Ma in mezzo alle tende, come tetro avvertimento, penzolavano dalle forche i cadaveri del sindaco di Samarcanda e degli emiri che avevano causato i pasticci nella costruzione dell'ingresso della moschea di Bibi Khanum, insieme ai cadaveri dei mercanti che avevano aumentato troppo i prezzi delle loro merci.

Alla fine, quando le notti d'autunno si allungavano con l'approssimarsi dell'inverno, Tamerlano ordinò di arrotolare le tende e volse i suoi occhi invecchiati verso la più ricca delle prede rimaste: la Cina. Con un'armata di duecentocinquantamila uomini, marciò verso nord diretto alla valle dello Jaxarte, progettando un attacco alle prime avvisaglie della primavera. Ma l'inverno fu il più freddo a memoria d'uomo. I fiumi gelarono e tormente di neve calarono ululando dalla Siberia. Uomini, cavalli, cammelli, elefanti lottarono in mezzo alle raffiche sempre più forti. "Resi insensibili dal freddo," come scrisse il biografo arabo di Tamerlano, "caddero nasi e orecchie. Morivano assiderati durante le cavalcate... Eppure a Tamerlano non importava che loro morissero, né si rattristò per coloro che erano caduti."

Subito dopo aver raggiunto il campo base, l'imperatore fu colpito da una malattia che lo faceva tremare. Il vino caldo corretto con spezie e droghe non ebbe nessun effetto, così i medici gli imposero sul petto e sulla testa impacchi di ghiaccio, finché non cominciò a tossire sangue. Allora disperarono. "Non conosciamo una cura per la morte," dissero. Sul calar della notte, mentre fuori infuriava un temporale, Tamerlano fece riunire intorno a sé la sua famiglia e i suoi emiri, e designò il suo successore. Quindi, al canto degli *imam* che intonavano gli inni nella stanza accanto, e nel fragore della tempesta, il mostro morì.

Fu sepolto a Samarcanda nel mausoleo che aveva fatto preparare per il figlio prediletto, il più grande, morto per le ferite riportate due anni prima. Il collegio e l'ospizio che un tempo lo racchiudevano erano stati cancellati da un terremoto, ed esso si innalzava solitario fra accoglienti vialetti di gelsi, i cui frutti schioccavano sotto i miei piedi quando mi avvicinai. Il cancello del cortile si ergeva in una fragile solitudine. All'interno le rovine creavano una fantasmagorica geometria. Fra queste c'era una piattaforma in marmo, istoriata di pampini fioriti, che era stata la pietra sulla quale venivano incoronati gli emiri di Bukhara.

Ma un po' più in là, sopra una facciata, alla quale aderivano minareti rotti e qualche piastrella, svettava una cupola a costoni simile alla corolla di un fiore soprannaturale. Il caso l'aveva spogliata di qualsiasi cosa la circondasse, cosicché galleggiava nuda nelle sue forme pure sopra un alto tamburo, sul quale risplendeva un'iscrizione in lettere kufiche alte quanto un essere umano che diceva "Dio è immortale". Ancora più in alto, una cintura di modiglioni rientranti sollevava il tenue ma affascinante rigonfiamento della cupola fino a chiuderla nella sua ellissi. Era una cupola caratteristica dell'Asia centrale, scanalata come un melone. Su ognuno dei suoi costoloni di ceramica, su uno sfondo color acquamarina, scorrevano losanghe a diamante di lapislazzuli blu. L'avevo vista da bambino nei miei libri illustrati, profumata di lontananze desertiche.

Attraversai il cortile e mi ritrovai in un passaggio spoglio. In fondo a questo, su entrambi i lati di una porta bassa, pendeva un fregio danneggiato con iscrizioni kufiche, enorme, che sembrava essere stato portato da qualche altro posto. "Questa è la tomba dell'Illustre e Clemente Monarca, il Magnifico Sultano, il più Potente Guerriero, l'Emiro Timur Kurgan, Conquistatore di tutta la Terra" diceva l'iscrizione originale; ma era scomparsa.

Sbirciai al di là delle porte, all'interno della stanza. Le finestre provviste di graticci lasciavano filtrare i raggi del sole che illuminavano omogeneamente la stanza. Molto in alto sopra la mia testa, su tutto il catino della cupola, si apriva a ventaglio un intarsio di stucchi dorati che si ravvolgeva su se stesso con una delicatezza geometrica. Lasciava ricadere le sue liane dorate sugli enormi parapetti, sulle campate e sui pennacchi, e spandeva un morbido sfavillio luminoso su tutte le cose sottostanti. Sotto la cupola, le pareti erano rivestite di alabastro – in piastrelle esagonali, ancora trasparenti – e perimetrata da un fregio di diaspro dove erano scolpite le gesta e la genealogia imperiale. Ancora più sotto, all'interno della bassa balaustra che si trovava ai miei piedi, i cenotafi della famiglia reale si stendevano fianco a fianco in blocchi rettangolari di marmo e alabastro. E al centro, isolato in mezzo al loro pallore, la tomba di Tamerlano risplendeva con il suo monolite di giada quasi nera. Era di una bellezza sconvolgente: il blocco di giada più grande del mondo. I bordi erano delicatamente istoriati. Una spaccatura verticale rivelava il punto in cui, secondo la credenza, i soldati persiani l'avevano colpita due secoli e mezzo prima.

Mi fermai lì a lungo, commosso e turbato allo stesso tempo. Un uomo entrò e si mise per un po' a pregare, poi se ne andò via. All'esterno risuonavano debolmente i pianti dei bambini. Sotto lo splendore decorato della cupola, la semplicità di queste pietre tombali era austera e piuttosto inquietante: un riconoscimento del fatto che perfino quest'uomo fosse in fondo un piccolo essere come tutti gli altri, e del passare del tempo. Di fianco a lui giaceva il suo gentile figlio Shah Rukh; dietro la sua testa, il suo ministro; in un recesso più basso, il suo sceicco. Il nipote Ulug Beg era ai suoi piedi. Altri erano radunati intorno.

Alla fine il giovane custode, compiaciuto del mio interesse, mi fece strada fuori dalla stanza e mi condusse nel retro del mausoleo. Aprì con le chiavi una minuscola porta scolpita. "Qui c'è la tomba vera," disse.

Scesi una ripida scalinata che portava sotto all'edificio. Nell'oscurità avvertii la bassa volta che sfioravo con la mia testa. In un punto alle mie spalle, l'uomo girò un interruttore, e una lampadina elettrica proiettò un cono di luce all'interno della cripta. Nell'oscurità, ciascun cenotafio della camera superiore si rifletteva in una lapide piatta. Giacevano misteriose, avvolte dalla polvere e dal silenzio. L'aria era secca e puzzava di vecchio. Mi inginocchiai sulla lapide tombale dell'imperatore e la toccai. Il suo corpo raggrinzito era stato deposto lì sotto in una bara d'avorio, avvolto in una tela di lino e imbalsamato con la canfora e il muschio. Non riuscivo a immaginarmelo. L'uomo vivo era troppo ben delineato nella mia mente. Si diceva che per un anno dopo la sepoltura la gente lo udì gridare da sottoterra.

Nella luce fioca, vidi che ogni centimetro quadrato della lastra di marmo fremeva d'iscrizioni in arabo, come se perfino le parole stessero ingaggiando una battaglia da un estremo all'altro della pietra. Esse tracciavano la genealogia della sua stirpe che risalendo a Gengis Khan (una rivendicazione che non aveva mai fatto in vita sua) e alla leggendaria vergine Alangoa, violentata da un raggio di luna, arrivava alla fine ad Adamo.

La pietra era spaccata nettamente in due punti, ma quando gli archeologi sovietici l'aprirono, nel 1941, trovarono uno scheletro intatto di un uomo molto forte, disteso sul fianco destro. Frammenti di muscoli e di pelle aderivano ancora a questi resti umani, e anche ciuffetti di una barba e di un paio di baffi rossicci. Una storia non documentata ammoniva che se la tomba di Tamerlano fosse stata violata, sarebbe scoppiata una catastrofe, e poche ore dopo arrivò la notizia che Hitler aveva invaso la Russia.

Ma le ricerche continuarono, e grazie al cranio dell'imperatore lo scienziato sovietico Gerasimov ricostruì nei minimi dettagli una effigie in bronzo della sua testa, prima di risigillare Tamerlano nella sua tomba. Dalle mani dello scultore saltò fuori una faccia che esprimeva un'autorità molto determinata, priva di compassione, aspra e astuta. Forse qualche pregiudizio slavo lo spinse a sottolineare l'epicanto per intensificare la crudeltà dello sguardo; ma forse non è così. Le labbra carnose sono leggermente toccate da un accenno della truculenza giovanile dell'imperatore, ma è tutto qui. Sulle guance s'intrecciano legamenti filamentosi che formano triangoli tormentati. Antichi muscoli s'intrecciano sulle guance, e un araldico cipiglio delle sopracciglia sembra accennare al saccheggio di una città.

"Era un eroe," disse una voce alle mie spalle. Sobbalzai. Il guardiano era entrato in silenzio e stava guardando il tumulto delle scritte sulla lastra in basso. "Che storia!"

"Forse avrebbe dovuto fare un po' meno," dissi.

"Meno? No. Timur ci ha trasformato in un unico paese." Sembrava svagato, ma era pervaso da una malcelata ansia di proselitismo. "Sì, era crudele, lo so. La gente viene a visitare la sua tomba dall'Iran e dall'Afghanistan e lo odiano. Dicono, 'Costui ha distrutto la nostra terra, ci ha resi schiavi!' E naturalmente è vero. Distrusse Isfahan e Baghdad." Sorrise amabilmente. "Non aveva pietà!"

Dissi: "Ulug Beg potrebbe essere un eroe di maggior valore per la tua nazione". I miei occhi scivolarono amorosamente verso la lapide di quest'ultimo, anch'essa riccamente istoriata.

Il guardiano rise. Il suono rimbombò nel silenzio come un lieve insulto. "Era soltanto un insegnante." Si accovacciò vicino a me sopra le pietre. "Ma Timur era un fuoriclasse internazionale! Se fossi un iraniano lo odierei anch'io!" Ridacchiò un po', con ironia; dopo tutto, era successo tanto tempo fa. "Ma Timur non era un selvaggio. Conosceva la storia di Alessandro il Macedone, e quella del capo degli schiavi Spartaco e..."

"Spartaco?" Questo era il retaggio di un culto sovietico. "Veramente?"

"...e aveva letto il grande poeta persiano Firdusi, che aveva affermato che gli iraniani erano dominatori nati, mentre i turchi erano schiavi nati." Chinò la testa verso la lapide, come se cercasse di leggere quel tremendo necrologio. "I nostri due mondi hanno sempre lottato fra di loro. E quando Timur invase la Persia e giunse sulla tomba di Firdusi, gridò: 'Alzati! Guardami! Un turco nel cuore del tuo impero! Hai detto che eravamo schiavi, ma guarda adesso!'."

Le sue parole risuonarono nell'oscurità. Credo che entrambi ci figurassimo che i morti fossero in ascolto. S'infiammò per il trionfo di un altro. Per lui Tamerlano era l'unificatore e il ricreatore della sua ipotetica madrepatria, del sogno panturco. Disse: "Vedi, un tempo qui c'erano i persiani. Sei stato ad Afrasiab? Hai visto quei dipinti sogdiani, cose persiane? Loro erano i nostri conquistatori".

"Quei dipinti sono straordinari..."

"Così Timur ci ha vendicato. Creò l'impero turco!" La sua voce aveva raggiunto il tono altisonante di un'orazione funebre. Era animato dal disprezzo dei nordici per le popolazioni molli e scure del Sud. "Lui è il nostro eroe."

Dissi: "Ma era un mongolo".

"No, Timur non era un mongolo, era un turco."

Rimasi in silenzio. Adesso tutti rivendicavano Tamerlano. Alcuni uzbeki e tadžiki che avevo incontrato lo avevano inglobato con disinvoltura nelle loro nazioni. Infatti Tamerlano era un mongolo puro del clan di Barlas, contaminato da usanze turche. Ma questo genere di pedanterie non riusciva a frenare il senso di appartenenza o di proprietà rivendicato dal custode.

"Io posso anche essere un uzbeko," disse, "ma sono soprattutto un turco. La maggior parte delle persone adesso si è dimenticata delle proprie tribù, ma io so che mio padre era un Kungrat, e mia madre una Mangit – queste sono tribù turche."

"Sono anche tribù uzbeke."

"Ma uno non può *sentirsi* uzbeko." Stava gettando la neonata nazione uzbeka in un mare turco. "Guarda i nostri antenati! Abbiamo Navoi, abbiamo Mirkhwand, abbiamo..." La sua lista proseguì in una serie di nomi a me ignoti. Infatti le sue popolazioni erano etnicamente troppo complesse per trovare riparo sotto un unico nome. Perfino il suo ombrello turco era pieno di buchi persiani. L'eroe della letteratura uzbeka, Navoi, il poeta timuride del quindicesimo secolo, aveva citato gli uzbeki soltanto per disprezzarli. Eppure il suo nome e la sua immagine erano così onnipresenti nell'Uzbekistan, quanto lo erano quelle di Makhtumkuli in Turkmenistan. Gli uzbeki e i tadžiki stavano improvvisamente annettendosi nei loro giovani stati poeti e scienziati del passato, permeando le loro nazioni dell'aura magica dei grandi uomini. I tadžiki si stavano addirittura appropriando di Sa'di e di 'Omar Khayyam, e di qualsiasi altro persiano. Per obiettare a simili rivendicazioni bisognava addentrarsi in un labirinto etnico fino al punto che il concetto di paese perdeva del tutto di significato.

Il custode si alzò in piedi, continuando a snocciolare una sfilza di nomi, e cominciammo a risalire attraverso il passaggio. "...E noi abbiamo Timur!"

Spense la triste lampadina e richiuse a chiave la porticina dietro di noi. Quando ritornammo nella salubre luce del giorno, si placò un po'. "Beh," disse, "ogni tanto qualcuno sente *veramente* il significato della frase 'Io sono un uzbeko'" – si batté leggermente il petto – "ma è una cosa che non si sente dire troppo spesso."

Girammo tutt'intorno al mausoleo sotto il sole. Avevamo riacquistato un po' di tranquillità e leggerezza. L'indipendenza uzbeka aveva scatenato il suo orgoglio, disse, invece di sentirsi condannato a essere una subspecie slava. "Naturalmente ne sono contento. Tutti quelli che conosco lo sono. Hai trovato qualcuno che non lo è? Ebbene, quelle sono persone senza educazione." Pronunciò la parola senza alcun risentimento. "Certe persone non sono in grado di provare nulla. Non riescono a vedere più in là del proprio naso. Sanno soltanto che adesso le cose non vanno bene. Ma io penso ai miei figli, e al mondo in cui cresceranno. Io voglio che sia il loro mondo."

Ci fermammo all'imboccatura di un comignolo che, attraverso una grata, scendeva nei sotterranei del santuario. Quando lo esaminai, vidi la sagoma di alcuni rettangoli grigi sospesi molto in basso nell'oscurità, e mi resi conto che stavo guardando all'interno della cripta. Era un tubo che serviva per sussurrare le preghiere. Mi raddrizzai e mi spostai, scrollandomi di dosso l'idea che in quei brandelli di cartilagine e di calcio conservati sotto la pietra aleggiasse ancora una sorta di tremendo potere.

L'uomo continuò il suo discorso appassionato: "Chi potrebbe mai rimpiangere il fatto che l'Unione Sovietica vada a pezzi? Ci succhiavano il sangue. Ai vecchi tempi ci davano cinque copechi per un chilo di cotone. Soltanto *cinque copechi*. Con un chilo di cotone una fabbrica russa produceva di solito due camicie e le vendeva a *venti rubli* l'una. Mosca sosteneva che eravamo soci, ma quella che tipo di società era?". Mi afferrò la mano per spiegarmi meglio. "Una società significa amicizia, non è così?" Ora avevamo completato il giro dell'edificio, e la stretta di mano si era trasformata in un saluto d'addio. Mentre tornavo indietro attraverso il cortile, il suo grido ottimistico mi raggiunse fino al cancello. "Goditi il nostro paese! Tutto andrà meglio!"

Sopra di lui la grande cupola formava un tumore solitario sopra il re orco.

7.
VERSO IL PALAZZO BIANCO

Una domenica mattina andai a girovagare nei sobborghi pieni d'ippocastani in fiore sui quali gli uccelli cantavano in un'atmosfera di strana immobilità. Tutt'intorno erano ammassate quelle casette che sembrano ricoprire il vecchio impero sovietico di capanne di legno pietrificato. Avrebbe potuto essere un sobborgo di Novgorod o di Oryol. Ma non c'era anima viva. Davanti a me si innalzava la sfarzosa guglia di una cattedrale di mattoni le cui campane erano rimaste silenziose per settant'anni. In questo periodo immediatamente successivo alla *perestroika* alcune donne che indossavano calzettoni e ciabatte si erano messe a chiedere la carità vicino all'ingresso, e ora dal campanile si stava diffondendo un esitante e arrugginito suono metallico.

All'interno, dove avrebbero potuto trovare posto un migliaio di devoti, un'ottantina di fedeli erano sparpagliati in file disordinate. Erano donne anziane incappucciate in scialli, con pochi bambini e alcuni ragazzi allampanati, che avrebbero potuto appartenere alle campagne della Bielorussia, non a questo posto nel cuore dell'Asia centrale. Ma si baciavano e si abbracciavano aggirandosi lentamente fra le icone, e pian piano si sviluppò un senso di sicurezza familiare. Dopo tutto questa era un pezzo di madrepatria trasferito altrove: il mistico corpo di Cristo, all'interno del quale il massiccio contingente di santi, di padri della chiesa e di angeli assistenti – l'intera gerarchia della santità ortodossa – ascendeva sui muri e sulle colonne con arcate di candele accese. Dispiegavano le bianche ali e le dita benedicenti su tutta la superficie dell'iconostasi. San Basilio il Grande, san Nicola, san Teodoro, san Giorgio sulla sua bianca cavalcatura – i loro occhi slavi, le spade sguainate e i libri circondavano il fedele con il conforto della loro verità senza tempo.

Il mio cuore, però, ebbe un sobbalzo. Quelle persone sembravano assediate. Il loro canto vibrava e gemeva nel vuoto. Alcuni accoliti in viola pallido andavano avanti e indietro come angeli sconsolati, e nel loggione un piccolo coro attaccò un canto stridulo e straziante, i cui versi si elevavano e si dissolvevano come un antico e reiterato lamento angoscioso. Sotto di loro, nel momento in cui avrebbe dovuto risuonare un controcanto, la gente sembrava lasciarsi andare a un profondo sospiro collettivo. Erano sopravvissuti alle raffiche del comunismo solamente per scontrarsi con il nazionalismo e con l'Islam, e ora sembrava che fossero lontani da questo posto quanto lo era l'epoca nella quale i loro santi erano di carne, e Dio era ancora sulla terra.

A quel punto le porte dell'iconostasi si spalancarono e comparve un enorme prelato in paramenti d'oro, che sollevò le braccia in segno di preghiera. Mentre i sacerdoti occidentali implorano Dio con solenne e affettata devozione, in Russia si sfornano questi giganti tuonanti che sembra Lo sostituiscano. Tutta la chiesa risuonò all'unisono in un rimbombo degno di Šaljapin, e la liturgia procedette con una pompositá assordante e casereccia. Mentre l'incenso fumigava dal turibolo, ogni movimento del braccio del prete avrebbe potuto abbattere un albero. Le braci sfrigolavano e il fumo dolciastro si alzava. Un balsamo casalingo discese sui devoti. Tutto aveva un carattere familiare, sentito, giusto. Di tanto in tanto, una delle vecchie sgattaiolava a baciare un santo o a calmare un bambino o a riempire una lampada a olio. Ma poi tornava indietro per farsi più e più volte il segno della croce, mentre sotto le icone favorite fiorivano i cespugli di candele.

Nel frattempo la processioni del Vangelo foderato d'oro e dell'elevazione del Sacramento, amplificate dalla voce del prete, diedero il via a una rinnovata raffica di autobenedizioni, finché il cucchiaio argentato dell'Eucaristia, immerso nel calice coperto da un fazzoletto scarlatto, somministrò il corpo e il sangue di Cristo come una salutare medicina. Perfino io avvertii un senso di remissione. In quest'ora, almeno, tutto sembrava in ordine in mezzo ai fedeli sempre meno numerosi, mentre loro e i preti e i santi mal illuminati si osservavano e si prendevano cura gli uni degli altri diretti verso un futuro ignoto.

Era stata Tania, moglie di un musulmano, a parlarmi della moschea, nella quale lei andava ogni tanto a pregare da sola. Avevo conservato per molti giorni il suo indirizzo in una tasca, ma adesso l'avevo tirato fuori e dopo averlo riletto m'ero avventurato in un dedalo di strade in cui le facciate color pastello mascheravano un variopinto insieme di abitazioni nel retro. Sbirciai al di là dei cancelli di casa sua dentro un cortile in disordine. Persi l'orientamento davanti a quattro casette miserande con tettoie e porte imbottite. Alcuni calzettoni semilavati giacevano strizzati vicino a un rubinetto. La voce di una donna infuriata risuonò da qualche parte. Poi un giovane scarno uscì da una porta e mi girò le spalle, soffiando rabbiosamente il fumo della sua sigaretta verso il cielo. Dietro a una finestra intravidi una donna: una faccia afflosciata con due guance pesantemente imbellettate. I suoi capelli erano ammassati sulla testa in un ciuffo impertinente.

Un attimo dopo Tania si affacciò a una finestra dirimpetto, e mi vide. La bocca si spalancò in un ovale silenzioso, e un secondo dopo il suo corpo robusto si stava facendo largo sulla porta di casa, e le sue dita cariche di anelli mi battevano la guancia. "Ci hai trovato!" Mi spinse dentro. "Ignora quella donna!" Sbatté la porta. "Metà degli uomini che vengono qui sono suoi clienti." Stava in piedi davanti a me nell'angusto ingresso, leggermente tremante. Aveva sostituito le scarpe con i tacchi alti con calzettoni di lana, e così aveva un aspetto più tozzo e più volgare. "Prostitute! Penso che ci siano sempre state donne di questo genere. Persone senza educazione né capacità. Così si mettono a fare quel mestiere."

Viveva in un caldo e caotico nido colorato. Dalle pareti sgorgavano drappeggi scarlatti e scaffali di libri in via di disintegrazione. Ogni superficie era ricolma di argenti scadenti e di cristalli russi, insieme a bambole lituane, vasi di miele moldavo e piatti di legno degli Urali. Tappezzerie arancioni erano separate dalla stufa, sopra il letto risplendevano sciatte sete gialle. Tirò una tenda sulla finestra – "Copriamo quella donna!" – e mi fece sprofondare in una sedia dove prima era seduta a vedere il televisore sistemato al di là di un carrello pieno di biscotti sbocconcellati. Quindi si posizionò di fronte a me, rossa in viso e imbarazzata. Si era vergognata della prostituta. Il suo gatto si inarcò vicino ai miei garretti. "Il sistema precedente alla Rivoluzione era migliore," sospirò, "quando le donne di quel genere vivevano nei bordelli e portavano addosso cartellini gialli e tutti sapevano chi fossero." Continuava a fremere. "Ma ora non esistono leggi contro di loro. Possono fare i loro affari come meglio credono. Così vivono in mezzo alle persone per bene e portano scompiglio."

"Questo succede ovunque," dissi, per calmarla.

"Veramente, veramente?" Fece cadere la mano sul gatto, che sgusciò via. Disse che non voleva andarsene da quella casa.

Era situata in una zona che veniva ancora chiamata il Giardino dei Venti, dal nome di un palazzo fatto costruire da Tamerlano. Aveva trovato nel suo orto frammenti di vecchie porcellane e di vecchi bicchieri, e le piaceva pensare che fossero stati toccati dalle labbra del mostro.

"In ogni caso, dove potrei andare? Non ho radici, come la mia gatta." Rise. "È questo che mi piace di lei. Le dici 'Vieni qui' e lei se ne va, come un essere umano."

In tutto questo menzionò a malapena il marito, l'elusivo musulmano i cui vestiti penzolavano sciattamente in un armadio semiaperto. Mi venne in mente che non fossero sposati. Ma lei si rivolgeva alla gatta come se questa fosse in grado di capire quello che lei diceva, finendo metà delle sue frasi con gli zuccherosi diminutivi del sentimentalismo russo. "Dove potremmo andare, mia Katenka? Chi ci prenderebbe con sé, mia piccola Katia, mia Katuška?... Ti ho già detto di non camminare sul tavolo. Non mi ascolti mai?... Sì, dobbiamo stare qui..."

"Non tornerai in Russia?" Avevo notato le icone sopra il letto. La gatta si era messa a mordere la porta del frigorifero dietro alla tenda.

"Ritornare? Non ci sono mai stata." Precipitò in una corrucciata angoscia. "I miei genitori furono spediti da Mosca nel Tadžikistan per venire a fare gli insegnanti. Non avevano chiesto loro di venirci. Non ebbero scelta. Ma diedero le loro vite per questo." Sembrava in collera. "Si dedicavano con passione al loro lavoro e i loro allievi li amavano. E anch'io, ho insegnato qui per trentatré anni. E all'improvviso è successa questa cosa..."

Si fermò, forse per sfidarmi a domandarle se l'intera sua vita, e quelle dei suoi genitori, fossero state gettate in un abisso. Iniziai: "Così tu senti che...".

"Vuoi veramente sapere che cosa provo?" mi domandò. "Veramente?" Per la rabbia le sue le guance si coprirono di chiazze rosa. "Ebbene, mi sento umiliata. *Umiliata.*" I suoi riccioli ramati si agitarono sulle guance. "E tradita."

Domandai gentilmente: "Dal fallimento del comunismo?".

"No, dal fallimento dell'Unione Sovietica. Avremmo potuto anche demolire il partito, ma dovevamo conservare l'Unione. Perché no? Abbiamo dato così tanto alla gente di qua. Perché adesso non possiamo continuare? Ma adesso loro dicono che Mosca li ha dissanguati, e Mosca dice che l'Asia centrale non ha dato niente in cambio – e nessuna delle due cose è vera. Ma adesso tutti mostrano le loro ferite, urlando 'Guarda il mio occhio malato!' o 'Guarda questa ferita sul mio collo!', o 'Guarda la mia gamba, non riesco a stare in piedi!'" Mimò quelle ferite con veemente tristezza. "È vero che abbiamo preso le loro materie prime. Ma le persone come i miei genitori hanno dato tutto a questa terra – prima era un deserto – e ora dicono che era tutto sbagliato." Il suo corpo tremava come quello di una bambina. "Sì, mi sento avvilita."

La sua era la vecchia, inscalfibile fede nella santità della Russia, nella sua missione civilizzatrice. Era stata lo zoccolo roccioso della sua dignità. Era anche l'aspettativa innata nei colonialisti che i popoli dominati fossero grati per quello che non avevano mai chiesto. Anche la mia nazione aveva commesso lo stesso errore. Dissi crudelmente: "I musulmani hanno un detto, che le erbacce del tuo paese sono migliori del grano di un paese straniero".

Ma Tania aveva smesso di ascoltarmi. Stava vivendo in un atemporale teatrino russo fatto di autocommiserazione e di impotenza. Ora che non la voleva, la gatta le era tornata vicino e lei, travolta dalla disperazione, accarezzava rigidamente e distrattamente il suo pelo. "E così ci hanno lasciato con questo... questo niente, da un giorno all'altro. Nessuno dovrebbe subire una cosa di questo genere. Se vuoi trasferirti in un'altra casa, devi prima costruirla, non è vero? Ma invece ci ritroviamo senza niente né di qua né di là, con il tetto sfondato e la pioggia che scroscia dentro!" La risata le si soffocò in gola. Rigettò le proprie sensazioni e simultaneamente le inghiottì, quasi quasi le assaporò, come un possesso doloroso, alla maniera luttuosa degli slavi. Sembrava desse voce a ciò che la vecchia signora, la madre di Zelim Khan, avrebbe voluto esprimere, se ne fosse stata capace.

"Noi russi non sappiamo a cosa credere adesso," disse. "Così ci ritiriamo nella famiglia – lì è dove va a finire la nostra fede adesso, vicino a casa."

"Forse è meglio," dissi.

Tuttavia mi figurai l'enorme energia religiosa della sua gente che si scatenava come uno sconnesso motore a vapore attravrso tutto il continente, alla caccia di un oggetto, di un qualche amore riconciliante.

Ma come se dovesse illustrare i nuovi affetti domestici, Tania si piegò sotto il letto e tirò fuori un canestro pieno di gattini miagolanti. All'improvviso sembrò esausta. "Guarda. La mia Katia ha avuto i piccoli. Quando sono nati mio marito ha detto 'Affogali', e io ho replicato 'Affogali tu' e glieli ho messi in braccio, e lui non ce l'ha fatta. È un buon uomo." Ne sollevò due, e si mise a coccolarli con una serie di vezzeggiativi. Scomparivano quasi nei suoi pugni paffuti. "Quante volte te lo devo dire che li devi lavare, Katuška, mia Katenka? Guarda le loro pance..."

Li posò nuovamente nel cesto. Non poteva tenerli per troppo tempo, mi disse; ma adesso per lei diventava sempre più difficile liberarsi di qualsiasi cosa, perfino dei gatti. Aveva già perso troppe cose. Aveva amato in particolar modo suo padre: un tranquillo studioso moscovita. La sua casa era stata demolita in seguito a uno dei terremoti, disse, e da allora lui non si era più ripreso, si era semplicemente lasciato consumare, al punto che i medici pensavano avesse un cancro, ed era morto per una trasfusione sbagliata. "È successo più di cinque anni fa, e io piango ancora."

Era stato lui a insegnarle ad amare i libri, e nel caos dei vecchi autori sugli scaffali (Fielding, Aldous Huxley, Dale Carnegie) notai alcune traduzioni russe di lavori un tempo messi al bando, perfino *La fattoria degli animali* pubblicata a Mosca. "Ma io sono stufa di tutte queste cose," disse.

Stufa di che cosa, domandai.

A quel punto la sua amarezza riemerse e le sue parole furono scosse da spasmi di violento rancore. Voleva nuovamente credere nel suo paese. "Fino a qualche anno fa ricevevo sempre la 'Literaturnaya Gazeta' da Mosca," disse. "Ma quando hanno cominciato a pubblicare tutte quelle cose fatte da Stalin, il numero delle persone uccise – mi sentii male, fisicamente. Ben presto non riuscii più a sopportarle, e smisi di leggere quegli articoli. È capitato anche ad alcuni miei amici, penso che un paio di loro ne siano stati letteralmente sopraffatti. Hanno semplicemente lasciato perdere."

"Non sospettavate?"

"No, non era quello. In famiglia lo avevamo sempre saputo. Mio padre odiava Stalin." La sua voce si riempì di una truculenta desolazione. "Ma leggere tutte quelle cose, più e più volte... ce n'erano talmente tante, una quantità infinita. Stalin, Brežnev, e perfino Černobyl." I suoi lineamenti si contorsero per la nausea. "Ho iniziato a leggere libri gialli, fantascienza, qualsiasi cosa..." Dopo un po' si calmò e disse con un vago stupore: "Penso che l'avrei potuto immaginare prima che le cose non stavano così. Sapevo che era vero, ma forse... Non mi ero mai confrontata veramente con queste cose. E quando, giorno dopo giorno, mese dopo mese, i nostri giornali pubblicarono queste cose, dopo tutto quello che avevamo già sofferto, i milioni di morti durante la guerra..."

Si fermò in un tumulto di vergogna e di disgusto. Stava tentando di capire come mai una volta esposte le colpe del proprio paese sembrassero all'improvviso così gigantesche, le stesse che prima erano risapute ma anestetizzate dalla loro parziale segretezza; come la fantasia dell'innocenza nazionale fosse svanita in una notte. In qualche modo aveva immaginato, per anni, la sua nazione in modo sfuocato. Era una donna di passioni durature e tenaci, e questo disonore la colpiva al cuore. Così si era aggrappata a una sorta di furioso sdegno per l'ingratitudine del mondo, e al suo sacrificio e a quello dei suoi genitori. A volte mi pareva che la morte del padre e del suo paese si fossero intrecciate insieme in un unico sentimento di perdita. Disse che lui era stato un cristiano credente e che le aveva lasciato in eredità le icone che stavano appese sopra il suo letto. Gli occhi delle loro figure osservavano ciecamente la stanza in disordine. A quel tempo qualcuno le aveva dato anche una Bibbia. "Mi sarebbe piaciuto conoscere prima quel verso," disse. "'*Non lasciare che nessun uomo sia il tuo maestro, soltanto Dio*'..."

Mi invitò a tornare per il pranzo del Giorno della Vittoria. "Allora conoscerai mio marito," disse, "e noi onoreremo i caduti del nostro paese."

Nella periferia nordorientale della città una traiettoria sprofondata di cupole e di cancelli traccia un percorso funerario che sale fino ai diruti contrafforti di Maracanda. In questa radura segreta, per tutto il quattordicesimo secolo furono inumate le donne e i guerrieri di Tamerlano in sepolcri adorni di piastrelle preziose, che venivano trasportate a dorso di cammello dalla Persia, e quindi incastonate tutt'intorno alla facciata della tomba in un fresco splendore.

Al mattino presto, prima dell'arrivo dei gruppi di turisti, si può camminare indisturbati lungo questo viale, mentre la delicata luce dell'alba si spande su tutte le superfici. All'inizio della salita c'è una moschea riconsacrata di recente, nella quale c'è un *mullah* in attesa; ma più in là, le grida dei rondoni riecheggiavano fra le cupole, mentre la via si snoda in una salita lastricata di pietre esagonali fra la doppia fila di tombe. Le loro cupole non si gonfiano né fioriscono, ma completano con modestia le sepolture, come un guardaroba di cappelli d'epoca. Sul sentiero si protende qualche albero sparuto. Di tanto in tanto, una costruzione scomparsa viene sostituita da un anonimo tumulo.

A metà percorso, la salita curva attraverso un portone sovrastante, e lì si apre una zona di sorvegliato splendore. Le estensioni di mattoni sistemati in un delicato incastro che coprivano le moschee coeve, si contraggono in una navata di pietà e dolore privato. Le pareti e gli alti ingressi sono rivestiti di cascate di pura ceramica. Certe volte le facciate si stringono sopra il sentiero con appena tre metri e mezzo di distanza l'una dall'altra, riecheggiando reciprocamente le luminose intimità delle miniature. Qui sono sepolte due sorelle di Tamerlano, e una delle sue giovani mogli, Tuman, tutte decedute prima di lui. Qua e là una piastrella fracassata sta appiccicata a una tomba, oppure si è conservata l'ombra di un affresco, ma i cenotafi sono semplici cubi e rettangoli, in gran parte privi di iscrizioni. Sono gli ingressi a esprimere la minore o maggiore dignità, e forse anche l'intensità del rimpianto nei confronti del trapassato. Sono piastrellati in verticale da otto o dieci fregi differenti color turchese o blu genziana, puntellati di stelle, di ruote, di fiori: un intero lessico di motivi decorativi. E lì campeggiano con incantevoli dettagli. A volte sono intersecati da alcune iscrizioni bianche. Qua e là si intrufola uno schizzo rosso sangue o verde pallido. Molti pannelli sono lavorati a bassorilievo, in maniera tale da dare l'illusione che siano avvolti da un velo a maglie larghe, sopra il quale i raggi del sole luccicano senza riuscire a penetrarle. Sono il paradiso di un esteta.

Ma i pellegrini si dirigono alla fine del viale, per raggiungere la tomba del leggendario Kussam ibn-Abbas, cugino del Profeta, che, si dice, abbia introdotto l'Islam a Samarcanda e che fu martirizzato in questo luogo nel settimo secolo. "Coloro che vengono uccisi sulla strada di Allah non sono da considerarsi morti; in verità, sono vivi," afferma l'*aya* sulla sua tomba, ed è questa forse l'origine del nome della necropoli, Shakhi-Zinda, "il Santuario del Re Vivente". Fino agli anni venti, prima che Stalin soffocasse la religione, le celle sotterranee erano piene di devoti che digiunavano e rimanevano a contemplare in un silenzio forzato anche per quaranta giorni di fila. Dicevano che il martire si attardasse qui invisibile "nella sua carne vivente", in attesa di scacciare i russi. Al di là del sepolcro, tutte le cime dei bastioni scomparsi sono ancora cosparse di migliaia di tombe sistemate all'interno dell'area pervasa dalla forza sacra di questa tomba.

Nell'anticamera si spalanca una barcollante coppia di porte di noce completamente intagliate. Raggi di luce risplendenti di pulviscolo stavano sospesi nel buio. Intravista attraverso la grata, la tomba di porcellana risulta delicata e minuta. Si snoda in quattro file ingioiellate sopra il pavimento nudo.

"Furono gli adoratori del fuoco a ucciderlo. Persiani, sai. Gli tagliarono la testa." L'uomo corpulento con la faccia paffuta che dispensava qui le preghiere si colpì il collo con un colpo di karatè. "Ma poi che cos'è successo? Il santo non è morto, no. Ha raccolto la sua testa e si è buttato in un pozzo con la testa sotto il braccio!" Mimò il gesto di sistemarsi la testa sotto il braccio, come un fantasma Tudor. "Ed è rimasto lì, nel Giardino del Paradiso, in attesa di ritornare."

File di donne provenienti dai villaggi delle campagne stavano accucciate lungo i muri di fianco a noi, intonando inni piagnucolosi, e standosene con le sciarpe gettate sulle facce, con le gambe ripiegate sotto il corpo e senza scarpe. Ogni tanto volgevano verso l'alto le mani rugose, mentre certi uomini anziani le dirigevano nelle loro preghiere quasi cantate. Sopraggiunse una frotta di ragazzine di città che, tutte compite, si andarono a sedere dalla parte opposta. Erano ingioiellate di perline che salivano dai loro vestiti molto accollati, e avevano i capelli tirati all'indietro e fissati da fermagli madreperlacei all'ultima moda. Tacquero quasi di colpo, per mettersi ad ascoltare quelle parole ben poco familiari. Sembrava che fossero intente a succhiare un nutrimento dal proprio passato, per apprendere da quegli antichi contadini quale fosse la loro vera identità, o quale avrebbe potuto essere.

Di tanto in tanto l'uomo grassoccio usciva per andare a pregare insieme ad altri pellegrini nella sua cella – una tomba riadattata – nella quale lo sentivo cantare con una voce lamentosa e musicale prima di tornare a sedersi al sole. L'intero santuario stava ora risuscitando, disse. La moschea, chiusa dai tempi di Chruščëv, era nuovamente aperta, e i pellegrini stavano tornando.

"E cosa ne è del santo?" domandai. "Ci sono stati dei miracoli?"

Non poteva rispondere per gli altri, disse. "Ma personalmente... Una volta soffrivo di pressione alta. Per qualche ragione mi affliggeva gli occhi, e anche le reni. Pensavo che non mi rimanesse molto da vivere, e i medici non erano in grado di fare niente. Così sono venuto qui per togliere la polvere intorno alla tomba del santo." Fissò le porte in noce con occhi calmi. "E ora sto nuovamente bene."

Poi venne a sedersi vicino a noi un uomo più giovane. Sotto un cappello da studente di medresa vidi un volto bianco con un'espressione di fanatismo. Volle sapere che cosa ci eravamo detti. Il ciccione ammutolì. La nostra conversazione riprese sotto lo sguardo infuocato e arido dello studente, e quindi cessò di nuovo.

Costui disse freddamente che a Samarcanda era stata da poco riaperta una medresa, e che lui stava là. Naturalmente me lo ricordavo, così come mi ricordavo dello stupro e del suicidio del *mullah*, ma non dissi nulla. "Gli studenti che otterranno i voti più alti," continuò, "andranno per qualche mese a completare gli studi in Arabia Saudita o in Iran o in Pakistan."

Tentai speranzoso: "Il vostro Islam non si differenzia un po' dal loro?".

Intrecciò gli indici per formare un nodo che indicava un'unione indissolubile.

"Noi siamo tutti una cosa sola. Il Corano è uno. La nostra fede è una sola."

Rimasi lì seduto a lungo, piuttosto allarmato, prima che se ne andasse, irritato dalle mie domande. L'uomo corpulento rimase seduto in silenzio di fianco a me, rilassato dalla luce del sole. Ora che i russi se ne sono andati, domandai, al Re Vivente quale nemico resta da scacciare? Non potrebbe riposarsi?

"Non lo so. Devi chiedere a qualcun altro questo genere di cose. Ma il santo scaccia i dispiaceri. È per questa ragione che la gente viene qui." Una vecchia stava baciando davanti a noi gli stipiti della porta. "E alla fine egli ritornerà."

"Tu ci credi?"

"Sì, ci credo. Lui ritornerà alla fine della luce." Fu rapito da un fatalismo millenarista. "Forse, se vivremo abbastanza a lungo, lo vedremo."

Ritornai indietro lungo la via funebre, meditando sull'identità dei suoi morti. (Chi era, per esempio, la nipote di Tamerlano che giaceva sotto una cupola pateticamente decorata di lacrime di ceramica?) Quando passai di fronte alla tomba dell'astronomo Kazyrade, amico e maestro di Ulug Beg, i miei pensieri tornarono all'eresia e alla scienza, e furono inondati dal confuso scorrere degli avvenimenti storici.

Durante tutto il quindicesimo secolo l'intera Asia centrale fu scossa dalle dispute e invasa dallo sfarzo dei principi timuridi successori di Tamerlano, con la loro poesia e le miniature (e le debolezze per il vino e gli stupefacenti). L'edonismo e la scienza prosperavano liberamente. Il figlio di Tamerlano, Shah Rukh – un principe potente – regnò da Herat in Afghanistan, dove anni addietro avevo visto il collegio di sua moglie che stava andando in rovina, mentre il loro figlio Ulug Beg governò Samarcanda prima come viceré e poi come sultano. Un secolo più tardi, un pro-pro-pronipote dell'imperatore, Babur, governò qui per un breve e felice periodo, prima di essere costretto a fuggire verso sud a causa dell'invasione degli uzbeki, e lasciò dietro di sé un'autobiografia di incantevole umanità. Costui, anni dopo, divenne il fondatore dell'impero moghul dell'India, e trasferì nei delta prosperi di risaie di quel paese il vigore e l'epicureismo dell'Asia centrale, le cui cupole a bulbo sarebbero fiorite nel Taj Mahal. Qui rimase lo spirito schizofrenico di Tamerlano (o così mi figuravo) fra i giocatori imperiali di scacchi e i raffinati giardini moghul, e continuava anche a manifestarsi negli atti di improvvisa quanto interiore crudeltà, quella terribile separazione fra le passioni estetiche e la compassione che avrebbe travagliato tutti i suoi successori.

Nel frattempo, a Samarcanda, l'impero del defunto conquistatore si stava disintegrando. L'economia era troppo debole per riuscire a sostenerlo. I laboratori della città continuavano a produrre vesti e a lavorare metalli preziosi, e la carta migliore del mondo – un'arte che i cinesi avevano insegnato in questo posto sette secoli prima – ma la Via della Seta stava morendo. Le più ampie conquiste di Tamerlano, alle quali non impose in seguito alcun governo, si erano ora rivelate come scorrerie megalomani di un intelligente predatore.

Ulug Beg, suo nipote, regnò con una diversa gloria. Nell'osservatorio di trenta metri che fece costruire su una collina fuori da Samarcanda, affrescato con le rappresentazioni delle sfere celesti, una cerchia di astronomi e di matematici che si dava un gran daffare per gli azimut e le planisfere, tracciò la precessione degli equinozi e determinò l'eclittica. Qui egli scoprì duecento stelle sconosciute, e ricalcolò l'anno stellare con pochi secondi di differenza da quello calcolato dai moderni sistemi elettronici. Ma i pietisti, naturalmente, lo odiavano, e nel 1449 venne ucciso dai reazionari guidati proprio da suo figlio. Il suo osservatorio fu maledetto come "cimitero dei quaranta spiriti demoniaci", e fu raso al suolo.

Nel 1908 un maestro di scuola russo, Vladimir Vyatkin, dopo aver fatto alcuni calcoli sul luogo in cui doveva sorgere l'osservatorio, eseguì degli scavi e andò a colpire un arco di quella che sembrava una primitiva scala mobile. Ora, protetti da una moderna cupola, i parapetti gemelli in marmo scendono in picchiata uno accanto all'altro attraverso un incavo nel terreno. Meticolosamente uniti e calibrati, sono la sezione di un titanico quadrante di cinquantacinque metri di ampiezza, sui cui binari scorreva l'astrolabio grazie al quale Ulug Beg sfidò Dio e identificò le sfere celesti.

Quell'anno le celebrazioni del Giorno della Vittoria si svolgevano in silenzio. Per la prima volta, non c'era la parata. Lungo il viale della Rimembranza le bandiere rosse erano ancora mescolate a quelle con i colori nazionali, e veterani russi e tadžiki procedevano faticosamente in gruppi separati, con i petti sfavillanti di medaglie, diretti al tempio che proteggeva la fiamma eterna. Ma su di loro gravava un'atmosfera di lugubre afflizione. I poliziotti malamente allineati non avevano nulla da sorvegliare. Su entrambi i lati, carri armati della seconda guerra mondiale e cannoni antiaerei giacevano sui loro basamenti simili a relitti preistorici, e una musica marziale gorgogliava dagli altoparlanti. All'interno del cubo di pietra rossa che costituiva il tempio, lillà, peonie, garofani e iris erano stati sistemati tutt'intorno al sacro fuoco. "Nessuno deve dimenticare," ruggivano gli slogan. Ma giovani tadžiki e uzbeki stavano passeggiando con le loro famiglie come se fosse un normale giorno di festa e occhieggiavano incuriositi i parenti scarmigliati dei caduti che tutto d'un tratto avevano assunto un aspetto ridondante, come se – in quest'infero dalla memoria lunga – la guerra finalmente si stesse allontanando.

"Io ero a Potsdam e a Berlino," mi confidò un uomo. I risvolti della sua giacca erano carichi di medaglie. "Guarda." Chinò la testa verso di me. Sotto un pulviscolo di capelli, lo scheletro era segnato da una cavità rosseggiante di vene. Non avrei mai creduto che un uomo potesse sopravvivere con una ferita simile. "Me la sono beccata una settimana prima della fine della guerra!"

"Mi meraviglio che tu sia ancora vivo!"

"Vivo? Ho marciato nella parata tutti gli anni."

"Non l'ho vista."

"Beh, non c'era. Adesso c'è solo questo." Accennò col mento in direzione dei silenziosi veterani che sfilavano a fatica vicino ai fiori. Aveva un aspetto combattivo. "È a causa di quel Gorbacëv e di tutto quello che ha fatto..." Mi scrutò con gli occhi velati. "Tu sei stato in guerra?"

"No." Mi domandai fra me quanti anni dimostrassi. "Ma mio padre ha combattuto in Nord Africa e in Italia."

"Nord Africa... Italia..." Pronunciò queste parole come per soppesarle. Dopo il loro terribile sacrificio, i russi spesso dimenticano di non essere stati gli unici a combattere contro la Germania. Ma all'improvviso mi strinse il braccio in segno di universale fratellanza, e mi baciò sulle guance, tanto da suscitare in me un senso d'orgoglio per quello che aveva fatto mio padre e di farmi desiderare che anche lui fosse lì.

"L'anno prossimo, ti avverto," disse, come per confortarmi, "ci sarà nuovamente la parata." Aprì le sue braccia come un pescatore che si stesse vantando della sua pesca. "Una parata *enorme*!"

Mi allontanai verso i giardini della Rimembranza. Anche lì c'erano veterani tadžiki e uzbeki a passeggio, e una vecchia carica di decorazioni che stava posando per una fotografia. Nel ricordo, la guerra aveva riunito tutti – i nativi insieme con i russi – in un punto in cui il tempo aveva sospeso il concetto di razza. Mi inoltrai in radure fiancheggiate dai busti degli Eroi dell'Unione Sovietica.

"Guardali," disse uno degli uzbeki. "Gli eroi sono ancora lì, ma l'Unione Sovietica è scomparsa!" Un delta di rughe radiose scorreva dalla sua bocca e dai suoi occhi, ma non era una persona felice. Aveva la faccia raggrinzita di una scimmia. "In qualità di anziano, e di veterano della Grande Guerra Patriottica, ti dico che è una brutta cosa. Assolutamente una brutta cosa."

"Non vuoi l'indipendenza?"

"No! Tutto è peggiorato. E continuerà a peggiorare sempre di più."

Lo guardai, ancora leggermente sorpreso dalla sua mancanza di fede nazionalista. Una coppia di poliziotti passò vicino con passo dinoccolato e con i cappelli pettinati all'indietro.

"Solo i giovani sono felici," disse con disgusto, "perché non sono più obbligati a lavorare. Guarda quei poliziotti! Fanno solo scena e poi raccattano le mazzette." Piegò il braccio per parodiare un saluto. "Nessuno lavora più."

Questo, lo sapevo, era qualche cosa di più del perenne lamento dei vecchi contro i giovani, il lamento per i valori non ereditati. Fra le due generazioni si estendeva un mare di esperienze divergenti. Il mondo gli stava scivolando via dalle mani. "E tu aspetta," disse, mentre giravamo su noi stessi per tornare verso la fiamma eterna. "Fra un minuto arriveranno i teppisti per rubare i fiori."

Mi attardai fino a mezzogiorno, mentre le folle si disperdevano lentamente. La musica carica di pathos trasmessa dagli altoparlanti pulsava e vagava sopra le nostre teste, come se i morti si fossero nuovamente messi in marcia e stessero accusandoci. Poi mi ricordai che avevo promesso a Tania di pranzare da lei il Giorno della Vittoria, e mi incamminai verso casa sua lungo certe strade ormai quasi deserte.

Due giovani dalla carnagione olivastra erano appollaiati nel cortile vicino all'ingresso, in attesa del loro turno con la prostituta, mentre un vicino inveiva contro di loro dalla finestra. Sembravano imbarazzati, ma non si mossero. Quando bussai, un uomo di mezz'età aprì la porta della casa di Tania, e dalla fotografia sopra il letto riconobbi Petya, suo marito. Era magro e azzimato, con i capelli neri e i denti d'oro. Sembrava quasi una figura di un dipinto. Nonostante avesse un nome russo, ogni traccia di sangue slavo era stata inglobata nei suoi lineamenti scuri di tadžiko. Sembrava più giovane e più delicato di Tania.

All'interno del loro nido d'amore, la bevuta era già cominciata. Raggruppati intorno a un tavolo ingombro di formaggio, di sottaceti, di brandy e di vino, con di fronte un gigantesco televisore, guardammo uno dei film di guerra preferiti dai russi, *I Guerrieri*, trasmesso da Mosca. "Oggi noi ricordiamo i nostri grandi caduti," disse Tania – il brandy aveva già trasformato la sua voce in uno strillo starnazzante – "tutti i milioni di nostri morti uccisi nella Grande Guerra Patriottica." Alzammo i bicchieri. Il suo sguardo ruotò verso i miei occhi. "Questo è stato il momento della nostra massima sofferenza, e oggi noi ricordiamo tutto questo... anche uno zio di Petya è stato ucciso lì." Aggiunse formalmente: "È durata dal 1941 al 1945".

"La nostra è cominciata nel 1939," dissi.

Ma non ascoltavano. Una pattuglia russa stava muovendo all'attacco con le baionette in canna sotto un orizzonte minaccioso, e i loro occhi infiammati dal brandy s'erano inumiditi dall'emozione. "Se ne sono andati così tanti... e perché? Per quale scopo? Sono contenta che adesso non ci possano vedere. Mi vergogno..."

Queste sdolcinate celebrazioni furono interrotte soltanto una volta. Arrivò un po' agitato il genero di Petya, un ragazzo disoccupato che sperava di iniziare qualche tipo di business, ma non aveva idea quale, e si mise a sedere vicino alla porta. Sembrava perseguitato. "È un buono a nulla," disse Tania, come se lui non fosse presente. "Tutti questi ragazzi, vogliono solo fare business. Non vogliono faticare. Ha perso il suo ultimo lavoro perché sua moglie aveva una relazione con un altro e lui lasciava continuamente il posto di lavoro per andarla a spiare."

Il giovane si alzò e se ne andò. Né Tania né Petya sembravano esserne accorti. Dall'altra parte del tavolo i tedeschi stavano avanzando verso di noi attraverso una foresta di cavalli di Frisia e di filo spinato. "E pensare che i nostri soldati si sono immolati per un mondo migliore!" Tania scolò un altro bicchiere di brandy. "E adesso? E adesso?" Gli occhi si illanguidirono guardando Petya. "Ci avevano detto che avremmo raggiunto il comunismo perfetto entro il 1980, e che cosa abbiamo avuto? Ora dobbiamo ricostruire la nostra casa dal nulla. Sulle vecchie fondamenta? O su nuove? E come?"

"Come? Come?" riecheggiò Petya, stappando il vino.

Lei disse amaramente: "Ora ho capito che dobbiamo fare tutto da soli. Non ti puoi fidare di nessuno. La gente bada solo agli affari suoi. E anch'io, adesso". Abbassò completamente il volume del televisore. "'*Non lasciare che nessun uomo sia il tuo maestro, soltanto Dio...*'"

Petya caracollò dalla cucina economica con alcuni piatti di *dolamde* e di polpette che aveva cucinato. Era già ubriaco. Il viso si era rilassato in un ghigno negligente, e le palpebre erano abbassate sugli occhi come saracinesche. Mi piaceva la sua cucina? domandò. La sua cucina mi doveva piacere. Aveva cucinato apposta per me. Sul collo gli cascavano dei riccioli neri che scendevano da una sottile ciocca di capelli. E non mi piaceva anche la sua Tania, la sua Tanulia? Dove sarebbe lui senza di lei? Lui non aveva un'altra patria. Il vino gorgogliò nei nostri bicchieri.

"Ho cinque tipi di sangue nelle mie vene!" La sua testa cozzò contro la mia. "Tu sei inglese – è così, no? – così tu provi un sentimento di patria. Ma io, non sono del tutto tadžiko, o russo, o uzbeko. Non sono niente. A cosa appartengo?" Era l'impaurito lamento russo di autoflagellazione. "Prima ero un uomo sovietico, ma ora cosa sono?"

Nessuno rispose. Entrambi avvertivano che quel tradimento aveva rovinato le loro vite. L'Unione Sovietica era stata il loro paese, nel quale potevano sentirsi protetti e identificarsi, arruolandosi in un futuro impero sovranazionale. Ma era scomparsa da un giorno all'altro. Alla fine si era dimostrata meno potente del labirinto di nazioni apparentemente fragili che aveva cercato di assorbire. E si era dissolta con stupefacente velocità, come un genietto uscito da una bottiglia rotta, senza lasciare loro nemmeno un po' di tempo.

Dissi: "Forse potete costruite una nazione vostra".

"Questo è facile per voi dell'Occidente," mugugnò. "Ma per

noi qui le cose funzionano in un po' di maniera diversa. La gente ha bisogno di aiuti, di un clan, di una rete di relazioni. Ma io che cos'ho?... Ti piace la mia cucina? Ho cucinato apposta per te!" Mi gettò le braccia al collo, chiedendomi un po' di baci. Mi sentii miseramente anglosassone mentre sfioravo le sue guance ispide e lodavo la sua cucina, tentando di opporre resistenza alla serie di brindisi che si stavano moltiplicando intorno a me. Alla vittoria, al futuro, al passato, ai caduti in guerra (qui non si fanno mai tintinnare le coppe), all'amicizia – un bicchiere dopo l'altro, l'alcol scompariva nelle nostre gole mollemente spalancate. Questa festosa sarabanda fu interrotta da un momento di silenzio solenne in memoria dei caduti, e quindi ripartimmo di nuovo.

Ormai Tania e Petya si stavano lasciando andare a ricorrenti ondate di autocommiserazione. I loro sguardi si intrecciarono in reciproca adorazione da un lato all'altro del tavolo. Il vino tremava e si inclinava nei bicchieri che tenevano in mano. Lei si allungò più e più volte per coccolarlo, e viceversa, incollando le loro labbra sui rispettivi colli o sui nasi o sulle bocche, con gli stomaci e i petti che cozzavano contro le bottiglie di brandy e i vasi delle confetture. I vezzeggiativi sentimentali si sprecavano. Lei era la sua Taniška, la sua cara Tanuša, la sua piccola Tanulia. E lui non era il suo Petenka, il suo eterno Petruška, il suo fedele Petyulka? Sì, sì! Si lodavano, si rimproveravano e poi si perdonavano reciprocamente, in un'euforica antifona che era allo stesso tempo squallida, toccante e assurda.

In quanto a me, avrei potuto anche essere un extraterrestre. Non sapevano e non domandavano assolutamente niente su di me. Avevo dato loro semplicemente un'occasione per festeggiare. Mi irritai e rimproverai me stesso mentre loro si inabissavano nel loro oblio. "Vieni! Vieni!" canticchiava Tania con voce bassa. "Ubriacati e poi ti stenderai con Petya sul letto. Puoi dormire con noi questo pomeriggio, e poi stasera berremo di nuovo."

"No..." cominciavo a odiarmi.

Ma come il mio sguardo si allontanava dalla faccia di Tania e incontrava quella di Petya, mi domandavo perché dovessero essere così arroganti e avvertivo che gli ultimi sprazzi della mia compassione stavano sfumando. Chi erano questi russi che si arrogavano il diritto di insegnare agli uzbeki come vivere? Annebbiato dall'alcol, pensai: forse un decennio di fondamentalismo islamico, con la sua lotta contro le sdolcinate autoindulgenze, farà del bene a tutti. Iniziavo a simpatizzare con la prostituta del cortile esterno, che poco prima aveva strillato a un cliente russo che il suo presuntuoso popolo le aveva insegnato soltanto a bere e a fornicare.

Alla fine Petya soccombette all'indietro sul letto, e si mise disteso come un bambino con l'avambraccio reclinato sulla faccia, e cominciò a russare. Sembrava magro e in qualche modo distrutto. Di tanto in tanto un braccio o una gamba sbattevano sul pavimento. Sullo schermo del televisore la fanteria russa si stava ammassando per la vittoria, senza che nessuno ci badasse.

"È partito," disse Tania. Lei invece non sembrava né più né meno ubriaca di quando ero arrivato. "Ma si riprenderà fra un paio d'ore. Ha sempre fatto così."

"Da quanto tempo siete sposati?"

La sua voce si spense in un tono monocorde. "In realtà, non siamo sposati."

In qualche modo l'avevo capito. "Non può ottenere il divorzio?"

"Sua moglie non vuole. Crede che sia una brutta cosa per lo status sociale delle figlie. È un avvoltoio. Li conoscevo già prima quando erano sposati, e lei non ha mai parlato bene di Petya, lo chiamava soltanto 'quell'alcolizzato'." Diede un'occhiata a Petya. Il suo russare si era ridotto a un remoto brontolio. "Lui continua a essere ossessionato da lei. Qualcuno dice che lei è attraente, ma io penso che non lo sia. Forse sono soltanto gelosa perché io non sono bella, ma giudica tu." Tirò fuori una cartella da uno scaffale e ne estrasse un fascio di fotografie: Petya vestito da pilota, Petya in occasione del suo prematuro pensionamento, quando gli avevano regalato un orologio da tavolo dorato. ("È lì vicino al letto. Si è fermato.") E la moglie di Petya: una slava bionda con l'ossatura larga, non bella. "Che ne pensi?"

"Non bella, no." Ma capii perché la donna si fosse allontanata insieme alle figlie dall'ex pilota ubriacone. "Forse ha qualche ambizione per le figlie."

Ma Tania disse: "Anch'io avrei potuto avere un bambino".

Domandai un po' ubriaco: "Non hai figli?".

Rimise le fotografie sullo scaffale. Poi, quando si voltò e mi guardò, vidi che la sua faccia era trasfigurata da una sorta di dolcezza affranta e tormentata. "L'anno scorso ho concepito un bambino... In qualche modo era così grottesco, alla mia età... Ho cinquant'anni... e non sono sposata." I suoi occhi si abbassarono. Aggiunse con fosca monotonia: "Ho abortito".

Poi si sedette e singhiozzò in un bizzarro insieme di sollievo e di disperazione. Le toccai il braccio, ma lei non se ne accorse. Mi domandai quante altre vite qui finirebbero per perdersi nel caos non appena le si conoscesse meglio. Petya si stava stiracchiando sul letto, e poi si sedette emettendo un piccolo gemito.

"Petuška?" La sua voce aveva riacquistato la sua gelatinosa sollecitudine. Era Petya, non l'alcol, che la ubriacava.

Lui si appoggiò di fianco a me. Immaginavo che stesse vagliando un ruolo da interpretare. Disse confusamente: "Berremo di nuovo e tu starai qui stanotte. E domani...".

"Domani vado a Šakhrisabz," dissi, tagliando corto. Era una città a sud, dove Tamerlano aveva costruito il suo palazzo di campagna.

"Resta con noi!" s'intromise Tania. Si era reintegrata nel proprio ego volubile e dominatore. "Tu non vuoi andare a Šakhrisabz domani! Oppure vacci per due ore – non c'è niente da vedere là! – e poi ritorna. Ti aspetteremo."

Petya schioccò un bacio sulla mano inanellata di lei. "Sì, faremo l'amore insieme e ti aspetteremo."

Nessuna delle due idee era attraente. "Io voglio rimanere là," dissi.

"Tu non vuoi rimanere là!" tuonò Tania. "Tu vuoi stare qua! Torna domani. O non andartene per niente. Berremo..."

Petya si accoccolò nuovamente sul letto, ma lei continuò senza sosta, senza assolutamente prendere in considerazione un qualsiasi mio reale desiderio. Faceva domande e mi blandiva e insisteva in un melodramma senza senso di pura esternazione. Nella mia mente la sua cecità nei miei confronti si confuse con la sua cecità nei confronti del suo ingrato paese d'adozione, della sua vita sprecata. Sembrava che dal momento che non conferiva alcuna autonomia a nessuno di quelli a cui lei dava qualcosa, fosse condannata a essere ferita. Che qualcuno, che lei aveva abbracciato, si separasse da lei, le risultava insopportabile.

Un'ora più tardi dissi arrivederci mentre le richieste di ritornare continuavano a risuonarmi nelle orecchie.

Una larga strada correva da Samarcanda verso sud per un'ottantina di chilometri fino a Šakhrisabz, su una propaggine del Pamir che si allungava come un dito. Al di là di alcune alture si innalzava un fantasmagorico sipario di montagne la cui mantovana si sperdeva in mezzo alle nuvole. Quando il taxi sovraffollato iniziò la salita, intorno a noi si elevarono irregolari dirupi velati dalla nebbia. Tutto impallidì, finché dietro al parabrezza danneggiato al punto da sembrare una ragnatela, si diffuse soltanto un morbido lattice dalle sfumature acquerello. Di tanto in tanto la strada si rimetteva in un tracciato sopraelevato e dissestato che non aveva subito modifiche dai giorni in cui i carri armati sovietici si erano mossi verso l'Afghanistan nel 1979. Tutt'intorno i pendii delle montagne scendevano a strapiombo in una serie di dirupi dall'aspetto franante, composti di una roccia friabile. A un certo punto raggiungemmo il passo e iniziammo a scendere in mezzo alla foschia. Una volpe dal mantello fulvo ci osservò dalle rocce ricoperte di muschio. Tutto il resto era immobile. Una mezz'ora più tardi arrivammo a Šakhrisabz.

Era una città fresca e armoniosa. Da entrambi i lati, le montagne dalla consistenza di porcellana la cingevano all'interno della valle lussureggiante, e tenevano il cielo sospeso in alto sopra una fascia di neve impalpabile. Le case da tè lungo la strada principale erano simpaticamente affollate di uomini anziani, e i parchi erano ammorbiditi dalle fronde dei salici. Tamerlano era nato a pochi chilometri a sud, e il luogo era lambito da uno splendore postumo di un patronato imperiale. Nei secoli successivi, la città aveva goduto di uno statuto semiautonomo all'interno dell'emirato di Bukhara, e si era sviluppata con maggiore grazia. Qui la schiavitù non fu mai permessa. Perfino per le esecuzioni capitali, come raccontò un viaggiatore, si usava tagliare misericordiosamente la gola ai criminali prima di impiccarli.

Era ancora disseminata di rovine. La tomba di uno dei figli di Ulug Beg risplendeva contro lo sfondo delle montagne, e una moschea congregazionale del quindicesimo secolo sopravviveva con una certa dignità pur essendo sventrata. Nessuno mi venne incontro per farmi da guida né per fermarmi quando mi avventurai lentamente in mezzo ai papaveri e al prezzemolo selvatico per raggiungere il mausoleo in rovina di Jehangir, il primo e prediletto figlio di Tamerlano. Le porte scolpite si aprivano su uno spazio di fetida e malsana desolazione, nel quale c'era soltanto un telo sospeso a mezz'aria per proteggere la tomba dagli escrementi dei piccioni e dai mattoni che precipitavano da una cupola in via di disgregazione.

Ma la gloria di Šakhrisabz, che vanificava tutto il resto, splendeva derelitta sopra i suoi stessi parchi. Il Palazzo Bianco di Tamerlano sorgeva in questo punto della via carovaniera che portava a Khorasan e in India, e aveva lasciato dietro a sé un portale così immenso che nient'altro – nemmeno il Bibi Khanum – lo poteva eguagliare. Gli edifici di questo genere erano un'espressione del potere politico. Il terrore e il senso di grandezza che il loro aspetto ispirava erano evidenti, perché ben pochi avevano mai messo piede all'interno, e i loro ingressi, simili ad avvertimenti intimidatori o a cartelloni pubblicitari, erano più giganteschi, più portentosi di tutto ciò che si trovava all'interno del palazzo.

Ma quando mi avvicinai, vidi che occupava uno spazio di dimensioni megalomani molto particolari. Apparteneva a quella schiera di stupefacenti rovine colossali – Karnak, Angkor, Baalbec – che avrebbero potuto essere state costruite da una specie diversa da quella umana. L'arco centrale era crollato da molto tempo, ma in entrambi i lati una torre cilindrica si fondeva con un complesso a nove piani composto da sostegni e da camere, cosicché ogni montante si elevava in una cittadella autonoma di quarantadue metri fino a un margine di mattoni nudi. La patina di piastrelle si intensificava a mano a mano che si penetrava al suo interno, bordata da strisce color blu pavone, e fittamente istoriata d'iscrizioni bianche. A causa della secolare esposizione agli agenti atmosferici, le piastrelle rimanevano precariamente sospese in venature blu cobalto e, sulla parte più elevata, d'oro – una fantastica delicatezza di segni calligrafici e di fiori.

Nel posto non c'era anima viva, tranne una ragazza trasognata che sedeva su un muretto rovinato. Iniziò a conversare con la spontaneità che hanno le donne della sua razza quando non si sentono osservate. Tamerlano era certamente un uzbeko, disse, e da ciò intuii a quale razza lei appartenesse. Camminava con naturalezza al mio fianco. All'interno del portale il terreno era solo parzialmente pavimentato. Su entrambi i lati i piloni di sostegno erano scanalati fino in cima da fenditure e scavati da voragini, ed era come se stessimo camminando in un canyon. Qui il passato era compresso in un canale in piena, e davanti a noi avvertii il passo claudicante del mostro che calpestava le pietre bordate d'erba, e lo scalpiccio di Shah Rukh che lo seguiva, e quello di Ulug Beg e di suo figlio, il patricida.

La ragazza parlava con quel candore infantile che forse soltanto la presenza di uno straniero riesce a suscitare. Aveva la bocca a bocciolo di rosa e gli occhi a mandorla tanto amati dalle miniature timuridi, ma la carne tutt'intorno si stava già afflosciando, e a ventinove anni la sua vita era già piena di tristezza. Il padre era morto giovane per un infarto, e anche suo fratello era morto, a venticinque anni. “Mia madre continua a piangere per la strada.” La ragazza era la più giovane di questa famiglia decimata, e si sentiva in debito nei confronti degli altri parenti, come se avesse in qualche modo fallito. “Fui ammessa all'università per studiare il tedesco senza dover pagare la retta, perché eravamo poveri. Le mie quattro sorelle si sono tutte sposate, e mi hanno aiutato a sopravvivere mentre io studiavo, dal momento che il mio stipendio era troppo misero.” Sorrise con tristezza. La sua bocca era già piena di denti d'oro. “Avevo soltanto due vestiti, ma bastavano.”

Oltrepassate le porte, eravamo entrati in uno spazio vuoto popolato da fantasmi: poche fondamenta in mattoni, alcuni gradini sfondati e qualche albero sparuto. Era qui che fu condotto l'inviato castigliano per un giro del labirinto di saloni di ricevimento, di gallerie e di camere del consiglio ricoperte da ceramiche blu e oro, e qui, pieno di ammirazione, vide in fase di costruzione le sale da banchetto in cui Tamerlano avrebbe festeggiato con le sue principesse.

“All'università la mancanza di denaro non era un problema,” continuò la ragazza. “A quel tempo tutto era eccitante. Portavo i capelli sciolti fino a qui.” Fece scorrere le dita sin sul petto. Ora aveva una permanente. “Il problema è amare qualche cosa e poi scoprire che nessuno la vuole. E nessuno ha troppo bisogno del tedesco.”

Così, alla fin fine, l'università era stata uno straordinario ingresso nel nulla, come il palazzo in cui stavamo camminando. Fissò disperatamente per terra. “Ho bisogno di lavorare, mio marito guadagna talmente poco. È un semplice gioielliere di oggetti di cristallo. Viviamo in due stanze.” Non c'era alcun bisogno di sottolineare l'infelicità di quel matrimonio. “Non so cosa fare. Credo che dovrei iniziare un qualche genere di attività commerciale, ma non abbiamo soldi.”

“Adesso dovrebbe essere più facile iniziare un'attività commerciale,” dissi, ma le mie parole suonavano deprimenti perfino alle mie orecchie. Mi pareva che la sua disperazione mi avesse contagiato.

Scosse la testa. “Qui non siamo in Occidente,” rispose. “Questo non sarà mai l'Occidente.”

Aveva visto gli sceneggiati americani alla televisione, e ora l'Occidente le sembrava altrettanto attraente, quanto un tempo – durante la censura moscovita – le era sembrato sordido. Mi guardò con uno sguardo pieno di una vaga, ottusa speranza e mi domandò: “Quanto costano i voli per la Gran Bretagna?”.

Modificai il prezzo, ma ella scosse la testa con rassegnazione. Sembrava parlassi di un'altra galassia. "Quanto costano gli appartamenti?" indagò. "Quanto costa un frigorifero?" Ma ora non mi stava più domandando queste cose perché aveva delle aspirazione, ma con la languida costernazione di qualcuno che sta indagando sulle attrattive di un paradiso che non era quello della sua religione. Dietro a noi il palazzo distrutto era scomparso dalla visuale, mentre davanti si stavano nuovamente avvicinando le strade di Šakhrisabz.

Un fremito d'eccitazione pagana avvolgeva il "Profeta Velato di Khorasan". Forse avevo letto qualcosa su di lui nel *Lalla Rookh* di Moore, ma più verosimilmente nelle versioni scolastiche delle storie di avventure o dei fumetti. Adesso non lo ricordo più. Ma l'impossibile storia romanzesca, con la sua aureola di mistero messianico, mi era rimasta misteriosamente impressa, cosicché quando scoprii che questo fantastico personaggio era morto nelle montagne che circondavano Šakhrisabz, avvertii un tremore di curiosità infantile.

Muqanna, "Il Velato", risulta anche storicamente una figura enigmatica, ma da un insieme di antichi resoconti – tutti ostili – emerge come un mago dotato di un grande potere di seduzione, che nel 776 sollevò una vera e propria rivolta contro i conquistatori arabi dell'Asia centrale. Si racconta che durante la notte fosse in grado di attrarre la luna da un pozzo profondo e che si copriva la faccia con una maschera d'oro, o con un velo verde, per non abbagliare gli uomini con l'intensa luminosità dell'espressione del suo volto. Inizialmente era un umile tessitore di Merv, che si proclamò come l'incarnazione finale di Dio, l'ultima e la più sacra nella linea che passava da Adamo fino a Noè, Abramo, Mosè, Gesù e Maometto. Sembra che abbia predicato una mescolanza di mazdeismo persiano e di islamismo, e che abbia promosso un comunismo primitivo, che contemplava perfino la messa in comune delle donne.

I detrattori arabi attribuivano il suo potere all'inganno. Sistemato in un profondo pozzo, rifrangeva i raggi del sole con un grande recipiente di mercurio, dicevano, e si copriva la faccia perché era orribilmente deforme. Aveva un occhio solo, era calvo, e nano; era anche balbuziente. Le attribuzioni e le contro-attribuzioni non facevano altro che aggiungere fascino al suo alone mistico. Tuttavia i suoi seguaci vestiti di bianco infuriarono in tutta la Transoxiana, sovvertendo l'intera regione anticamente denominata Sogdiana e l'oasi di Bukhara. I turchi pagani si raccoglievano intorno a lui, insieme a un miasma di dissidenti politici e religiosi. Minacciarono di impadronirsi dell'intero territorio. Egli stesso attraversò l'Amu Darja verso nord per spingersi nel cuore della regione infiammata dal credo da lui stesso generato, e riuscì a tenere in scacco per anni gli eserciti arabi da un castello favoloso situato nelle montagne vicino a Šakhrisabz. All'interno della cinta più esterna delle sue mura si estendevano frutteti, un fiume e campi coltivati, mentre egli viveva da solo con il suo harem e con il suo unico schiavo sulla cima di un'alta collina, in un solido torrione; un centro di scandalo che incuteva timore.

Ma alla fine, nel 786, una grossa armata araba circondò le mura. Trentamila dei suoi uomini lo tradirono, e aprirono le porte esterne. Asserragliato nelle alture della sua cittadella, quando si rese conto che la sua posizione era senza speranza, accese un forno fino a portarlo al calore bianco e incenerì tutti i suoi averi, persino gli animali. Poi ordinò che chiunque fosse alla ricerca del paradiso lo seguisse e si gettò nella fornace insieme alla famiglia, all'harem e ai seguaci rimasti con lui. Quando gli insorti entrarono nel castello non trovarono assolutamente nulla, e subito si diffuse la diceria che fosse scomparso in paradiso e che un giorno sarebbe tornato.

Ero ossessionato dall'idea di rintracciare il luogo in cui era situato questo castello. Nell'albergo vuoto in cui stavo, tenuto sveglio dal tremulo gracidio delle rane impegnate nei loro accoppiamenti nello stagno esterno, per metà della notte esaminai attentamente le mie carte geografiche in grande scala della regione, alla ricerca di un indizio. Ma gli storici arabi situavano il castello soltanto approssimativamente, nei pressi di Šakhrisabz, sulle alture di Sam, o di Siyam, che con ogni probabilità era semplicemente un nome generico per definire le odierne montagne settentrionali dell'Hisar. La punta della mia penna oscillò inutilmente fra una serie di villaggetti. "Zamas" diede vita a una momentanea speranza, annullata dall'accento sulla sua seconda sillaba. Taškurgan – l'onnipresente parola turca che significa "torre di pietra" – destò una debole promessa. Altrimenti, il nulla.

Per due giorni costrinsi gli autisti a lanciare i loro taxi derelitti lungo le piste e i passi delle vicine catene montuose. Le piogge della tarda primavera si infiltravano e picchiettavano attraverso i crepacci. Le colline pedemontane si innalzavano simulando torrioni e barbacani, che al nostro approssimarsi si disintegravano con l'irritante monotonia dei miraggi. Nei villaggetti uzbeki fatti di fango e paglia, sotto i tetti rosseggianti di papaveri selvatici, gli anziani locali scuotevano le loro teste grinzose incappucciate dai cappelli di pelo perché non sapevano assolutamente niente del castello scomparso. Uno dei viaggi terminò su un passo di montagna oltre il quale l'autista si rifiutò di procedere perché c'erano i lupi. Un altro finì quando un camioncino slittò sul sentiero in cui erano franate alcune pietre e venne a cozzare contro di noi. Dopo alcune ostinate prese di posizione, i due autisti si placarono e si misero a discutere per un'ora con poche e misurate ostentazioni d'orgoglio. Quindi tornammo faticosamente indietro.

Al terzo giorno, trovai un autista rude e irascibile, così sciancato che era avviluppato al suo taxi come un centauro ai propri zoccoli. Ci muovemmo verso est, lungo un fiume appena nato, diretti al villaggio di Siyon (il nome prometteva bene) fra terrazzamenti cosparsi di meli. Davanti a noi nuvole di tempesta caracollavano ai piedi delle montagne, lasciando libere le cime a galleggiare nella solitudine. Le colline erano tutte senza creste; a volte le loro sommità si livellavano e si distendevano come altopiani, come se fossero state appiattite per sistemarci dei muri.

All'improvviso, passato Siyon, uno sperone di montagna si stagliò davanti a noi all'interno della valle. Si ergeva come una cittadella naturale. Ai suoi piedi, dove io immaginavo dovessero trovarsi i bastioni esterni, le pendici erano cosparse di macerie franate. Sopra, le loro scarpate si alzavano a strapiombo per circa venticinque metri, geometricamente scanalate come se fossero blocchi smussati, prima di andare a livellarsi sulla cima in una serie di arbusti arruffati. Era impossibile distinguere le pietre lavorate, se mai ce ne fossero state, da quelle naturali. Ma l'aspetto era proprio quello di una grande fortezza. Era ipnotizzante. Grigie nubi in assetto da battaglia stavano infuriando di concerto nel fondovalle, e si erano decorativamente ravvolte lungo i costoni superiori. Questo luogo era misterioso e minaccioso, forse inabitabile, non ne sapevo nulla.

Liquidai l'autista. Era soltanto mezzogiorno, e calcolai una salita di tre ore. Marciai nel bassopiano intermedio sospinto da un'avventata euforia. Fiori di color zaffiro e crema spuntavano ritti fra l'erba che stavo calpestando, insieme agli steli dei tulipani selvatici andati in semenza. Attraversai due gole piene di pietre nere, simili a fiumi inceneriti, e mi arrampicai sul crepaccio di una terza.

Un serpente di oltre un metro sbucò sotto i miei piedi e sfrecciò via fra i tulipani in un barbarico bagliore bronzeo. Davanti a me s'innalzò un castello (se tale era davvero) ancora più formidabile. Mi sforzai d'identificarne le pietre squadrate, ma non ci riuscii. Nel silenzio, un'aquila si alzò e volteggiò intorno con le ali tese.

Si erano tramandate molte versioni della fine di Muqanna. Si disse che prima che gli eserciti arabi si avvicinassero, cinquantamila dei suoi sottoposti si radunarono sotto il castello e lo implorarono di scoprire il suo volto davanti a loro. Egli tergiversò, ammonendoli che il bagliore del suo viso avrebbe potuto ucciderli, ma essi insistettero pietosamente, così lui ordinò che tornassero all'alba. Subito prima dell'alba ordinò alle trecento persone che facevano parte del suo harem di allinearsi sui parapetti dei bastioni, mentre i suoi seguaci attendevano sotto. Non appena il sole sorse, e il suo schiavo ingiunse alla folla di guardare la faccia del profeta, le odalische puntarono i loro specchi verso i raggi del sole in modo da rifletterli in un'accecante conflagrazione di luce. I suoi seguaci si coprirono le facce terrorizzati. Quindi, raccontarono i cronisti, si gettarono con rinnovato zelo nella lotta in favore della causa di Muqanna, vantandosi di aver visto Dio.

Questo dramma si ripeteva con facilità sulle sommità degli strapiombi di fronte a me. Avanzando a fatica su un sentiero per le capre in mezzo a un pulviscolo di polline di cardi selvatici, lasciai qualsiasi dubbio alle mie spalle. I miei occhi arrossati nuotavano insieme al passato. Raggiunsi la sella che univa delicatamente il grande sperone alle catene di montagne retrostanti, e mi lasciai cadere esausto sulle rocce. Grondavo sudore. Tutt'intorno a me farfalle color ruggine si muovevano a scatti e uccelli neri cantavano fra i dirupi. Non avevo idea di cosa avrei trovato.

Alcuni storici scrissero che il corpo di Muqanna fu recuperato dalla fornace, e che la sua testa fu mozzata e spedita al califfo ad Aleppo. Ma la storia più terribile fu raccontata molto tempo dopo da una donna rugosa che sosteneva di essere l'ultima sopravvissuta del suo harem. Quando gli assedianti si avvicinarono, disse, il profeta diede una festa in onore delle sue donne e ordinò loro di svuotare i loro calici. Ma lei intuì che il vino era stato avvelenato e, senza farsi vedere, versò la bevanda dentro la scollatura del suo vestito. Quando le sue compagne morirono, lei si limitò a fingere di essere morta. Per un attimo, disse, Muqanna sorvegliò il carnaio, quindi lo vide andare dal suo schiavo e tagliargli la testa. Alla fine si tolse le vesti, e si gettò nella fornace. "Mi accostai a quel forno," ella disse, "e non vidi alcuna traccia del suo corpo. Nel castello non era rimasto vivo più nessuno."

Ora, incespicando in mezzo ai fiori color indaco che ricoprivano la cima, volendo avrei potuto immaginarmi in quel posto un'intera città. La roccia porosa era stata frantumata e levigata in sculture lucenti per la millenaria esposizione alla pioggia. L'attraversai in preda a un folle dubbio. Era impossibile avere la sicurezza che le pietre che stavano in bilico le une sulle altre fossero state disposte così dagli uomini o sbriciolate dal vento, o che le scanalature fossero state prodotte dall'acqua piuttosto che dallo scalpello.

Mi mossi a fatica da una terrazza naturale all'altra. Certe volte gli affioramenti scavati dalle tempeste sembrava fossero stati intagliati per fare da piloni di sostegno o da travi. Querce nane confondevano ogni sagoma, insieme agli albicocchi selvatici ricoperti di bruchi. A un certo punto arrivai su un altopiano tagliato e squadrato come un pavimento di parquet. Ma era una composizione naturale delle pietre. Soltanto in un posto un muretto di sassi era stato innalzato con troppa regolarità per essere casuale, e vi trovai tracce di argilla dissolta: forse il covo di un bandito.

Alla fine mi sedetti confuso sul bordo di un precipizio. Sotto di me la valle si apriva in una visione degna di qualsiasi divinità reincarnata. Il minaccioso temporale era scomparso, e il fiume scorreva in mezzo alle brume come una collana d'argento, da cui salivano i richiami dei pastori. Tutt'intorno, i pendii erano sommersi da bianchi boccioli odorosi e da baccelli viola di cespugli che non conoscevo; rinunciai a domandarmi se fossi seduto sopra il castello in rovina e mi misi ad ascoltare il fiume, lasciando perdere la storia.

8.

TAŠKENT

Un familiare buio sovietico avvolgeva la stazione ferroviaria di Samarcanda. I corridoi risuonavano al passaggio degli operai, e l'aria puzzava di gasolio e del vapore che fuoriuscivano dalle prese sotto i binari. Tutto era in ricostruzione, con un frastuono di vecchie gru e camion, ma non era stato completato ancora nulla. Le schiene di un gruppo di operaie erano chine lungo i binari morti sopra mucchi di catrame, e c'erano un paio di Golia a petto nudo che scavavano dei buchi sulla strada ferrata: con i loro muscoli sarebbero potuti uscir fuori da un manifesto del realismo socialista. Tutto l'insieme – i passeggeri dalle facce grigie, le locomotive ornate con la falce e martello, i ponti d'acciaio provvisti di riflettori – suggeriva una scenografia da film stalinista. L'unica cosa che mancava per completarla era una giovane vagabonda dai capelli lunghi e lisci con una vecchia valigia malconcia, che comparve un attimo dopo, bella con l'aria stanca, la gonna macchiata di fango e la testa avvolta in un fazzoletto rosso. Non ho mai scoperto cosa facesse in Uzbekistan, benché si fosse fermata un momento vicino a me per riposare. Suo padre era un ceco, disse, ma lei era nata sul Baltico, per cui adesso per lei non c'era un posto dove stare. "I cechi non ci riprenderanno," disse, e girovagò sul binario, trascinando la sua unica valigia, e inciampando di tanto in tanto a causa della stanchezza che la pervadeva.

Il mio treno si muoveva verso nord in direzione di Taškent, sotto un cielo screziato. Attraverso il guazzabuglio delle città disordinate e dei villaggi di fango, ci stavamo inoltrando per chilometri e chilometri in una terra chiara e arata per le coltivazioni di cotone, nella quale i contadini sarchiavano il suolo con le zappe, o girava qualche trattore solitario. Il mio vagone era zeppo di grassi commercianti uzbeki con mogli soavi e ingioiellate. Nel sedile di fronte, la giovane vagabonda russa se ne stava rannicchiata a leggere sotto una coperta, e parlava di sé con una voce fiacca e musicale. Nonostante lavorasse come impiegata in un paese del Basso Volga, disse di aver studiato per fare l'attrice, e una teatralità istintiva marcava le sue inflessioni vocali e le faceva inclinare la testa quando diceva: "È un mestiere così duro!", oppure "Non mi sono mai sposata". Parlava come se per lei fosse ormai sfumata qualsiasi occasione per sposarsi, quantunque avesse solo trent'anni, e non avesse alcun motivo di recitare la tristezza che si condensava nel tono della sua voce. Adesso stava leggendo Čechov, perché doveva esibirsi nel teatro popolare della sua città natale, dove recitava un gruppo di attori dilettanti. Così, per alcune ore alla settimana, diventava un'altra persona. Il mese successivo, diceva, avrebbero rappresentato il racconto *La fidanzata*.

Ne avevo un ricordo confuso, e m'immaginavo che lei avrebbe interpretato il ruolo dell'eroina.

"Ma no," rise, appena, "io recito nella parte della donna anziana."

Davanti a noi, alcune colline marroni si fecero sempre più scoscese, stringendosi intorno alla ferrovia, e poco dopo attraversammo rombando le Porte di Tamerlano, che si innalzavano su entrambi i lati in strapiombi d'ardesia, suddivise in cubi e piramidi di rinforzo. Le tribù turche e mongole erano scese per secoli dalle steppe attraverso questa breccia nella parte più bassa del Pamir, per penetrare nella valle dello Zeravšan; i *khan* uzbeki vi avevano guerreggiato da un estremo all'altro, lasciando le loro sanguinose iscrizioni sulle rocce, e Tamerlano ne aveva marcato i fianchi scoscesi con la testimonianza del suo passaggio forzato durato solo cinque giorni, e con il divieto per chiunque di seguire il tracciato senza il suo permesso. In mezzo a chiazze di graffiti contemporanei, queste antiche testimonianze erano rimaste nitide, evidenti e a portata di mano mentre compivamo il nostro passaggio; pochi attimi dopo ci ritrovammo in mezzo a pascoli sovrastati da un cielo burrascoso.

Provavo una certa soggezione nei confronti di Taškent. L'anno prima mi ero fermato brevemente qui durante un viaggio aereo, e mi era sembrata una città senz'anima. Ma adesso, dopo aver trascorso tanto tempo nel sud depresso, mi sentivo circondato dalla vivacità e dalla grandiosità di una vera capitale. Era una metropoli di oltre due milioni di abitanti, il gigante industriale dell'Asia centrale. Le sue strade erano ampie e ordinate. I suoi istituti e i suoi ministeri erano sobriamente rintanati dietro ai loro cancelli. Doppie file di castagni e di *chenar* incanalavano i viali fra due file di grandi e semplici edifici; gli abitanti avevano perso l'aspetto di contadini inurbati e sembravano quasi dei cittadini veri e propri. Circa il quaranta per cento erano russi. Si notavano pochissime tracce di abiti tradizionali. Le segretarie uzbeke con le mani ben curate sembravano altrettanto evolute dei funzionari ex sovietici con i quali si mescolavano.

Tuttavia, mi misi alla vana ricerca delle vestigia della città zarista. I russi avevano invaso Taškent nel 1865, non per ordine di San Pietroburgo ma per l'audacia di alcuni generali locali. Nel giro di pochi anni essa divenne la capitale del Turkestan russo, e lì, a fianco della città originaria, si sviluppò un tipico, ma gradevole acquartieramento in cui scorrevano canali d'acqua e crescevano grandi alberi. Il suo primo governatore generale, il vanitoso e gelido Kaufmann, governò come un piccolo imperatore. Il suo esercito e l'amministrazione erano pieni di bancarottieri esiliati e di avventurieri. Lontano da casa, la classe dirigente locale divenne introversa e licenziosa, mentre accanto a essa la comunità uzbeka rimaneva quasi ignorata, come se un giorno dovesse scomparire.

Gli edifici amministrativi senza pretese dell'epoca, intonacati di un giallo pallido o di bianco, erano stati spazzati via dai viali trionfalistici e dai palazzi in cemento armato del bolscevismo, oppure distrutti dai terremoti . Dopo quello del 1966, che sventrò quasi mezza città, furono convocati velocemente alcuni ingegneri dalle altre repubbliche sovietiche, i quali resuscitarono interi sobborghi che ancora portano i nomi delle loro città di provenienza: il distretto di "Kiev" o di "Riga" oppure di "Aškhabad". Subito dopo sorsero i tronfi monumenti e i palazzotti degli anni di Rašidov, e l'instabile sottosuolo fu traforato dai ventisei chilometri di una grandiosa metropolitana. Le stazioni scintillano ancora di marmi dalle venature rosa e di soffitti dai quali pendono triple file di lampadari; in esse uzbecki e russi assieme hanno edificato il socialismo in bassorilievi intimidatori: eroi di un'era già tramontata.

Mentre vagabondavo per la città, l'enormità dei suoi spazi – il vortice dei viali a sei corsie lambiti da tram e filobus, gli spazi che si aprivano in parchi e vedute sotto l'occhio vigile delle statue – mi opprimeva e mi inquietava. Il cuore della città sembrava obnubilato da moniti didascalici e da monumenti commemorativi. Qui le persone erano ridotte a ombre. Solo i balconi disposti in serie svelavano qualche diversità umana: una fila di panni stesi, un vaso di violette, un gatto. Sotto una superficiale diversità di stili, i condomini che li contenevano campeggiavano con la stessa brutalità prefabbricata – spesso con migliaia di appartamenti per blocco – che invade tutta la vecchia Unione Sovietica da Minsk a Vladivostok.

Ma, improvvisamente, nessuno imparava più i dogmi. I tetti un tempo schiamazzanti di slogan di propaganda comunista adesso si ricongiungevano alla linea dell'orizzonte con ponteggi vuoti, oppure erano stati riempiti dai segnali stradali per i pedoni. Sul fastigio del ministero delle Costruzioni, la stella rossa era precipitata dalla sua cornice sul tetto sottostante. Fuori dalle fabbriche e dagli uffici, le bacheche, nelle quali venivano prima esposti i severi ritratti dei lavoratori modello locali, erano vuote. L'intera città era esitante, come se fosse in attesa di qualcosa di nuovo a cui pensare.

Stanco dopo aver camminato per ore, cedetti alla tentazione di prendere un taxi e osservai le strade che scorrevano al di là del parabrezza fracassato e di un cruscotto dove non funzionava nemmeno una lancetta. L'autista gridava per sovrastare il fracasso del motore: "I russi se ne andranno presto, che liberazione! Qui, prima, eravamo ricchi. Avevamo meloni, noci, di tutto. Poi sono arrivati i russi e da allora abbiamo avuto soltanto questi maledetti alberi". Indicò i bei viali. "Quando tutto questo sarà di nuovo degli uzbeki, li taglieremo e coltiveremo quelli giusti che ti danno qualcosa: arance, olive." Procedemmo cigolando dal Palazzo dell'Amicizia al monumento alle vittime del terremoto. "A me va bene. Funziona così, come autista riesco a guadagnare duecento rubli al giorno. Ma nelle fabbriche ne guadagnano solo duemila al mese. È uno schifo." Girammo rumorosamente intorno alla ciotola capovolta che costituiva l'edificio del circo di stato. "Ma gli operai delle fabbriche si portano a casa altre cose, sai. Di nascosto."

Passammo davanti a una statua del poeta nazionale turcomanno, Ališer Navoi, che con una mano si tocca la barba e nell'altra tiene un libro aperto, in un parco vicino al museo a lui dedicato. I russi l'avevano propagandato come un anticlericale (censurando la sua religiosità islamica) e l'autista snocciolò una stridula scarica di suoi versi. Poi attaccò con le consuete lamentele. "Lo sai, qui la carne costava due rubli al chilo, e adesso ne costa *cento*. E lo zucchero..."

Passeggiai nel parco Karl Marx e mi diressi verso l'anonima

piazza un tempo dedicata a Lenin. Un busto di Marx, ravvolto da un uragano di barba e capelli, guardava torvamente verso la strada che stavo percorrendo provvisto di un paio di folte sopracciglia da guerriero mongolo. Qualcuno aveva deposto un garofano rosso ai suoi piedi. Più in là, la strada era fiancheggiata da venditori di *shashlik* e di riso pilaf, che non facevano grandi affari, e da ristoranti vuoti che a Mosca sarebbero stati presi d'assalto.

Attraversai il canale rigonfio d'acqua che una volta divideva la città zarista da quella originaria, e mi addentrai nello spazio vuoto che un tempo era stata la piazza più vasta dell'Unione Sovietica. Scendeva una pioggerellina leggera. Più che una piazza era una pianura informe punteggiata da monumenti che sembravano minuscoli, da ministeri e da giardini, e tagliata a metà dalle strade. Una coppia di sposi che girava intorno alla Tomba del Milite Ignoto, sul lato opposto, era quasi invisibile. Soltanto il vero e proprio dio, la più grande statua in bronzo di Lenin esistente al mondo, che svettava minacciosa su un piedistallo alto quindici metri dietro a un reggimento di gorgoglianti fontane, cercava di dominare quelle sterminate vastità. Ma i suoi gesti erano privi di significato. Gli occhi socchiusi, ora lo sapevano tutti, guardavano fissi verso il nulla. Il rotolo di pergamena, che stringeva nella mano, conteneva un terribile errore. L'asfalto lì davanti era segnato dalle marce dei soldati disposti su ventitré file per le parate del Primo Maggio, ma il palco alla base era transennato ed esibiva un cartello che diceva "Chiuso per lavori". "Fra poco se lo porteranno via," aveva detto l'autista. "Ma nessuno sa con cosa sostituirlo."

Un uomo giaceva in mezzo a umidi cespugli di rose, con la pioggia che gli cadeva sul viso. Mi domandai se fosse malato, ma non appena mi chinai su di lui, mormorò soltanto "Compagno..." e richiuse gli occhi, ubriaco.

Mi sistemai su una panchina sotto gli alberi, mentre la pioggia si faceva più fitta intorno alla grande statua. Nella piazza vuota, tutte le certezze erano svanite. Era più vuota che mai. Alcune donne saltellavano fra le pozze riparandosi sotto ombrelli colorati, e un poliziotto leggeva un giornale inzuppato. Tirai su il colletto della camicia per proteggermi, mentre la pioggia iniziava a cadermi inesorabilmente addosso con intensità attraverso gli alberi.

Un mese dopo, la statua di Lenin non c'era più.

Era diventata una città di disoccupati, di tensioni e di porte chiuse. In albergo i tubi di scarico dell'acqua si otturavano e l'elettricità era soggetta a frequenti interruzioni; la luce dell'alba irrompeva attraverso tende sottili come ostie, e i mobili verniciati di nero cadevano a pezzi, con i cassetti che si rovesciavano a terra appena li tiravi. In un locale notturno dall'altra parte della strada, certi giovani uzbeki dall'aria losca bevevano insieme alle loro ragazze innocentemente truccate, mentre un cabaret di odalische mezze velate si contorceva al ritmo di una sgangherata musica pop. In questo monumento alla loro perduta civiltà, completo di prostitute e buttafuori, i clienti sprofondavano in una imitazione dell'Occidente: rumoroso, stravagante e proibito.

Gli ospiti dell'albergo erano soprattutto uomini d'affari. Un agente del servizio estero israeliano stava compiendo un giro di ricognizione allo scopo di aprire un'ambasciata, ma tutto apparteneva alle cooperative, diceva, e nessuno vendeva niente. Due delegazioni cinesi tentavano di sviluppare qualche commercio (ma la cucina uzbeka li faceva stare male). Un mormone americano aveva aperto una fabbrica di prodotti alimentari, diceva, e il Kgb, che prima lo perseguitava, adesso lo tormentava per farsi vendere un po' di cose.

Qualcuno mi aveva dato l'indirizzo di Jassur, un *apparatchik* (funzionario di partito) che finanziava iniziative d'affari. Ma quando giunsi al suo istituto, lo trovai semiabbandonato. La centralinista dormiva profondamente, con i capelli colorati di henné sciolti sulle ginocchia. La superai con passo felpato. Due segretarie dai capelli tinti di biondo erano occupate in pettegolezzi al tavolo della direzione, e Jassur sedeva in mezzo a loro. Quando entrai si ritirarono su un divano, mentre lui si sistemò pomposamente dietro la scrivania.

I suoi capelli, pettinati all'indietro, lasciavano libera una fronte liscia e un viso unto piuttosto infantile. Il deserto della sua scrivania era interrotto da una bottiglia di champagne e da tre fogli di carta. Su un tavolo alle sue spalle, gli strumenti di lavoro – una macchina per scrivere elettrica, un elaboratore di dati, un fax – stavano inattivi accanto a tre telefoni. Una chitarra giaceva in un angolo. Sulla parete era appesa una carta geografica degli Stati Uniti.

"Mi hanno conferito questo incarico la settimana scorsa. Qui sono il direttore." Nel suo viso ovale di un colore ambrato, gli occhi e i baffi sottili formavano un codice inintelligibile di macchie e linee nere. Quando chiesi alcune informazioni sul suo lavoro, sotto sbocciarono due labbra carnose simili a un anemone, che intrapresero un soliloquio in un inglese scorrevole e formale, che sembrava rivolto alla platea di un convegno.

"Distribuisco denaro a diverse società per lo sviluppo di vari progetti. Sono stato in molti paesi stranieri, e me ne intendo. Ho avviato una società mista con una delle nostre imprese per l'estrazione dell'oro insieme all'Arabia Saudita e alla Siria. Sono stato due settimane in Israele e ho modificato molto il mio punto di vista sulla questione araba. Ho fatto per due anni l'accademia militare a Mosca, in stretto contatto con cose..." Lo ascoltai senza proferire verbo. Le labbra d'anemone sembravano muoversi da sole, indipendentemente dal viso, come quelle di un oracolo. "Sono stato negli Stati Uniti, e parlo lo spagnolo quasi alla perfezione, meglio del russo o dell'uzbeko. L'uzbeko" – lo liquidò con una smorfia – "è soltanto una lingua per la famiglia. Sono stato all'università di Harvard per un mese. E sono specializzato in una cosa in particolare: la visione sovietica del mondo occidentale. Mi dicono che è interessante..."

Ero contento, dissi, di trovare una persona ottimista riguardo all'economia. Ma scrutai con desolazione l'ufficio tutt'intorno, e quindi nuovamente la faccia da pesce rosso. Le sue labbra ripresero a muoversi.

"Ottimismo? Beh... Sto tentando di stabilire dei contatti col Sudafrica per acquistare attrezzature per le miniere d'oro. Le loro sono le migliori del mondo. Ma qui il nostro governo non mi dà una mano per questo affare. Credo abbiano paura di stabilire contatti col Sudafrica. Ma io ritengo sia un grande paese, un ottimo paese dove lavorare." Con la stessa voce ispirata disse: "Spero di andare ad abitarci".

"*Per sempre?*"

"Sì." Quindi dopo tutto il suo strombazzare di status e di possibilità, se ne stava andando. "Il Sudafrica ha un grande futuro."

Dissi che pensavo che il futuro di quel paese fosse più incerto di quello dell'Uzbekistan.

"Lei crede?" Mi guardò come se avessi detto un'assurdità. Per un momento rimase in silenzio. Fissai la sua faccia da bambino cresciuto, pieno di sé e deluso allo stesso tempo. Poi la sua voce divenne petulante, come se avesse scoperto per la prima volta questa tonalità. "Ma io non voglio continuare a dipendere da altra gente. Tutti qui dipendono da qualcun altro, e nessuno fa niente. Io voglio soltanto dipendere da *me stesso.*" Indicò narcisisticamente la sua fronte. "*Me stesso!*"

Questo era precisamente ciò che un occidentale avrebbe voluto sentire. Ma era strano quanto suonasse futile. "E il suo lavoro qui?" Gesticolavo scioccamente per indicare l'ufficio tutt'intorno.

"È senza speranza. Il mio lavoro è quello di distribuire soldi. Ma non ho nulla da distribuire." Sembrava un Cupido arrabbiato. Aprì la mano per segnalare un deficit disperato. "Voglio ottenere una promozione da qualche parte. Adesso stiamo aprendo una serie di ambasciate in giro per il mondo, e io voglio essere mandato in una di queste. Ma bisogna conoscere qualcuno." La sua voce prese un'aria ingenua. "I figli delle persone che contano, ottengono queste cariche. Forse la mia società mista per azioni" – assaporava le parole "per azioni" come se conferissero poteri talismanici – "forse questo mi darà l'opportunità di viaggiare." Ma questa società si stava riducendo a un'idea sulla carta, o forse a una fantasia. "Voglio lavorare in un'università americana, dove poter utilizzare il mio spagnolo... laggiù usano molto lo spagnolo, nell'amministrazione."

La sua immaginazione adesso vagava senza freno. Viveva in una nuvola fatta di sogni. Non riusciva a vedere come il provincialismo uzbeko che tanto disprezzava fosse anche il suo. "Voglio vendere le mie competenze militari al Sudafrica. Quello è il paese. Anche i tedeschi dell'Est lo stanno facendo, vendere le loro conoscenze lì, lo so. Adesso uno può fare quello che vuole. È tutto aperto." Ma ogniqualvolta le sue segretarie smettevano di chiacchierare e piombavano nel silenzio sul divano di fronte, la sua voce calava a un tono d'intimità, e adesso stava quasi sussurrando: "Ma non riesco a mettermi in contatto col Sudafrica...".

Il mondo cominciava un po' a sconcertarlo.

"A questo punto io tenterei altrove," dissi.

"L'anno scorso ho fatto domanda per una borsa di studio dell'Unesco. Avevo sentito dire che c'erano pochi candidati. Ho fatto una bozza del mio progetto riguardo alla concezione sovietica dell'Occidente, e l'ho elaborato da solo con questa" – indicò la macchina divina. "Ma è stato molti mesi fa, e non ho ancora ottenuto una risposta. Non capisco." Frugò in un cassetto. "In Inghilterra c'era un tale che avrebbe dovuto aiutarmi... si chiama Stewart Davis. Lei lo conosce?" Mi porse un biglietto da visita sgualcito. "Non ho più avuto sue notizie. Le informazioni qui non arrivano. Se voglio telefonare a qualcuno in Inghilterra, devo aspettare tre giorni."

Eppure quell'uomo, ricordai a me stesso, era il capo di un'istituzione governativa.

"Lei mi deve scusare." All'improvviso si alzò in piedi. "Devo vedere mia moglie in ospedale. Mi ha appena dato un figlio, ma non ha latte. Questo è il problema con le donne moderne." Ripeté il gesto che indicava una disperata mancanza. "Ci possiamo incontrare domani nel suo albergo? Ho in progetto una pubblicazione della quale desidererei discutere..."

Accettai, anche se nutrivo un cattivo presentimento, e mi domandavo quali favori mi avrebbe chiesto. Ma non c'era da preoccuparsi. Il giorno dopo lo aspettai all'ora concordata, e per altre tre ore, ma non si presentò.

Per molto tempo, quando sono alle prese con la sfida e l'estraneità di un paese nuovo, mi sembra di non sentire la mancanza del mio mondo. Poi s'insinua un qualche ricordo – un pensiero fortuito, la rassomiglianza di un volto – che accende una fugace ma opprimente nostalgia di casa, una sorta di non confessata stanchezza, e cerco di ritornare per un momento alle mie abitudini smarrite. Così, dopo settimane che ascoltavo soltanto musica folkloristica turca e canzoni pop, mi recai nostalgicamente al teatro di stato dove i russi in passato avevano installato l'opera e il balletto in qualità di ambasciatori del loro impero.

Era un edificio pesante e ibrido, costruito mezzo secolo prima dall'architetto che aveva progettato il quartier generale del Kgb di Mosca e la tomba di Lenin sulla Piazza Rossa. La sua facciata priva di fascino era rimasta incompleta per la mancanza di fondi, e invece di elevarsi fino a un frontespizio di statue vittoriose, si spegneva in una fila di umili torrette. Tuttavia, lo smalto delle decorazioni islamiche raggelava tutte le facciate, e proseguiva all'interno dell'auditorio e nelle sale in una serie di stucchi bianchi e pastello di fascino invernale. Nel salone superiore, i busti dei poeti turchi si mescolavano freddamente a quelli di Čajkovskij, Borodin e Musorgskij, e i lampadari in gesso a forma di piatti traforati a graticcio screziavano i soffitti in una rete di frammentata luce islamica.

Questa patina di cultura locale, che usualmente era riservata alle moschee, era stata astutamente inserita nello schema comunista delle cose. La secolarizzazione le aveva permesso di estendere la sua superficiale impronta a tutte le opere e ai balletti moderni di propaganda, ma in compenso le aveva fatto perdere la sua spiritualità. Così mi misi a girare per i saloni con una sensazione di colpevole soddisfazione. Avevano la delicatezza dei fiocchi di neve. Ero quasi solo. Alcune matrone russe passeggiavano con le figlie, ma apparivano sperdute e sciatte. I loro tacchi a spillo risuonavano sui pavimenti di legno. E quando il sipario si alzò sulla scena di

Esmeralda, con un vecchio balletto animato da zingari ladri di bambini, da un'eroina sconvolta e da un prete omicida, a malapena un quarto dell'auditorio era occupato.

In ogni caso, le abitudini erano dure a morire. I ballerini venivano ancora annunciati dagli altoparlanti con i loro magniloquenti titoli sovietici – "Artista del Popolo dell'Unione Sovietica... Onorato Artista dell'Unione Sovietica..." – e il balletto si sviluppò in uno spudorato melodramma accompagnato da una musica pseudo čajkovskijana. Verso il finale, un mendicante zoppo trionfava sul dispotismo religioso gettando il prete lascivo dagli spalti merlati, e dalla sala si levò un debole applauso.

Mentre uscivamo intruppati nel vestibolo, notai che, naturalmente, gli spettatori erano in maggioranza russi. Parlavano in tono sommesso e spintonavano. Forse questo teatro, col suo nostalgico e fugace cerimoniale, era per loro l'unico sacrario rimasto. Ma erano talmente pochi in quegli spazi desolati, che sembravano schierati per una battaglia. Le decorazioni islamiche che li circondavano sembrava ostentassero la loro nuova libertà. In quel luogo dove un tempo apparivano corrotte, perfino sinistre, ora erano assurte alla legittimità.

Anche Ludmilla aveva visto *Esmeralda*, e l'aveva trovato bellissimo. All'età di trent'anni viveva con la madre in un minuscolo appartamento vicino al centro della città, e la sua vita si consumava nei libri e nella musica. Ci avevano presentato alcuni amici russi, ma l'avrei potuta benissimo incontrare nelle pagine della letteratura del diciannovesimo secolo. Soffriva di un'allergia sconosciuta, che spesso le provocava svenimenti, e mi strinse la mano debolmente. Aveva sangue polacco, ucraino, tartaro e perfino uzbeko, diceva, ma sembrava completamente russa. Parlava di libri, contorcendo le dita sul grembo. Aveva assimilato in superficie il fascino slavo, che le era penetrato dentro, come un acido corrosivo, fino al punto che il tono cadenzato, caratteristico di quella lingua, sembrava essere diventato la sua stessa voce. Una cascata di capelli biondo rame dondolava sulle sue spalle e scendeva da un nodo tenuto da un nastro color malva sulla cima della testa; al centro di questa cascata risplendeva un viso bianco ed emaciato, con occhi intelligenti e labbra delicate e indagatrici. Tuttavia lei scuoteva e scrollava le spalle con un sussulto a ogni cosa che diceva, come se fosse per forza una sciocchezza o una rivelazione.

"No, non ho mai studiato letteratura. È solo... una passione." Il tono della sua voce manifestava allo stesso tempo entusiasmo e rifiuto per una cosa del genere. "Mio padre credeva che le uniche professioni utili fossero la medicina e l'ingegneria. Non mi interessava nessuna delle due, ma quando avevo diciassette anni sono andata a Leningrado a studiare scienza delle costruzioni. In realtà, ho sempre amato le materie umanistiche ma, naturalmente, nessuno ha mai domandato *a me* cosa volessi." Rise bellamente, senza amarezza. "Ho solo fatto quello che diceva mio padre."

"Non lo rimpiangi?"

"No... no. Poi sono andata a Kiev e ho studiato per insegnare tecnologia informatica. È un lavoro sicuro." Disse malinconicamente: "È il futuro".

"Era sempre tuo padre a volerlo?"

"Sì." Inclinò la testa con un'espressione che non era proprio sua. "Ma è morto sette anni fa."

Le sue passioni ruotavano intorno a rari concerti di Vivaldi e Mozart, e scorrevano nell'intimità della sua lettura. Nutriva un amore aberrante per Dostoevskij mentre era indifferente nei confronti di Tolstoj – era un pochino imbarazzata nel dire questo – e aveva letto i classici europei nelle vecchie traduzioni dei russi emigrati a Parigi: "Scrivevano in una lingua più limpida". Tempo addietro, aveva divorato Pasternak e Solženicyn nelle versioni *samizdat*, e aveva sviluppato una fissazione per la fantascienza e la fantasia.

"Ma è strano," disse. "Sembra che nessuno legga più. Una volta Taškent era piena di gente colta. Ma adesso non più. Forse la vita è diventata troppo dura, non lo so." Da giovane, forse, aveva coltivato l'illusione di un mondo governato da uomini colti, e ciò le aveva lasciato in eredità questa euforia malinconica. E quando diceva "No, non mi sono mai sposata", si esprimeva allo stesso modo della vagabonda sul treno da Samarcanda, come se a trent'anni fosse ormai sfumata qualsiasi possibilità. "I miei genitori erano molto severi. Non era facile incontrare degli uomini."

Eppure asseriva queste cose con serenità, senza acrimonia. Mentre il velo di dolcezza stilizzata si attenuava per la facilità della conversazione, credetti di distinguere in lei quella natura scrupolosa, piuttosto singolare e intelligente che certi uomini potrebbero temere. Il viso era gentile ma non generoso, gli occhi erano vigili e si offrivano soltanto a certe condizioni: la sua era una faccia discreta e un po' triste.

Giocherellava col colletto del suo vestito. Diceva che per lei erano preziose cinque amiche: donne che l'avevano curata amorosamente durante la sua incontrollabile malattia. "Ma molte altre se ne sono andate, e vivono in Israele o persino in Spagna. Avevo molte amiche ebree, e adesso sono andate via. Erano le più interessanti, qui. La mia migliore amica è partita un anno fa per Tel Aviv, e io ho pianto per mesi..."

In questo circolo cameratesco al femminile, pensai, l'intrusione di uomini poteva essere volgarmente disgregante. Domandai: "Te ne andrai anche tu?".

"No, io sono felice qui," disse, "anche se sta diventando più difficile. Se sei onesto, in questo posto rimani povero. Per la gente per bene è sempre più difficile sopravvivere. Devi far parte di una mafia. Ma credo che il futuro non sarà troppo roseo dappertutto." Allontanò questa preoccupazione con un movimento rapido delle mani. "Credo che l'intera Rivoluzione sia stata un errore. Avremmo potuto migliorare gradualmente, in maniera costante, senza quel caos. E adesso non abbiamo nessuna speranza, povera Russia. Siamo diventati un esempio per il mondo di quello che non si deve fare, di come non essere!" Sorrise con sofisticata ironia. A quel punto, la missione spirituale della Russia aveva raggiunto il suo tragico opposto: il suo fallimento aveva insegnato al mondo soltanto una verità negativa. "E pensa al sangue..."

Ma, seduto accanto a lei, mi era difficile realizzare che la Rivoluzione fosse realmente già avvenuta e che fosse fallita, perché lei sembrava appartenere a un mondo anteriore. Con quel vestito scolorito e fuori moda e con quella fragilità da eremita, era una creatura che apparteneva alle case di campagna di Čechov. I suoi antenati ucraini, diceva, erano arrivati qui insieme a un cugino eccentrico dello zar Nicola II, il cui palazzo ancora abbelliva il centro della città. Avrebbe dovuto starsene adagiata in una di quelle stanze lì. Continuava a toccarsi la fronte con il polso. Forse la convalescenza era la sua condizione naturale, pensai. Parlando con lei, avevo l'impressione che la Rivoluzione stesse ancora incombendo all'orizzonte, che Lenin fosse nuovamente in attesa in Svizzera, e che lo zar fosse ancora sul trono.

L'avanzata dei sobborghi e dei viali aveva intaccato il vecchio quartiere musulmano, mettendolo sotto assedio. L'insalubre groviglio di mura d'argilla e di contorte strade asfaltate, gli ingressi stretti come gallerie, i cortili segreti e i tetti dove crescevano i tulipani di primavera, erano sempre stati una maledizione per i despoti totalitari, ed erano spesso stati minacciati di demolizione. Per loro era un luogo troppo nascosto, troppo vario e bizzarro. Ma il terremoto del 1966, che devastò la città moderna, aveva lasciato misteriosamente intatta questa conigliera di sovversivi. Le travi e i muri avevano appena tremato per un po', perso un paio di strati di polvere, e poi si erano ristabilizzati.

Esplorai il quartiere in modo casuale. Le sue moschee decrepite ricominciavano a vivere, anche se in tono dimesso. Nei cimiteri dove i salici stormivano e le colombe tubavano, le lapidi erano contrassegnate dalle fotografie di persone severe e aitanti, che esibivano medaglie sovietiche ma giacevano sepolte sotto la mezzaluna islamica.

Deviai verso il cortile della medresa dell'Imam Bukhari, il più importante centro del paese per gli studi islamici. Era un luogo illeggiadrito da alberi di mele e di cachi. Fino a tre anni prima, poteva ospitare soltanto ventidue studenti. Adesso contava trecento giovani che dedicavano le loro giornate al Corano e alle Tradizioni, allo studio della lingua araba e della legge islamica, insieme a un po' di matematica e di inglese. Sbirciai attraverso le porte delle aule. Sulle lavagne c'erano scarabocchi di esercizi di grammatica araba. Nel laboratorio linguistico i registratori erano tutti rotti, e i banchi erano ingombri di nastri strappati. Un po' di papaveri spuntavano in mezzo al cemento di un campo di pallavolo abbandonato.

Tuttavia, una sensazione di studi tranquilli, immersi in vecchie certezze, dominava sui ritmi di una vita negata per settant'anni, e invece di sentirmi in apprensione, ero pieno di una fugace nostalgia per questa religiosità semismarrita nel giardino profumato, per gli studenti timidi che stringendo i libri conversavano piacevolmente insieme a me sotto i portici, per la loro fede in un Padre che tutto sovrintende. Non vi era neanche un briciolo della rabbia intollerante in cui mi era capitato di imbattermi una volta nella Teheran prerivoluzionaria.

Verso sera i maschi se ne andarono, e nel cortile irruppero cinquecento studentesse con i capelli e le spalle imbiancati da veli sottili. Era la fine del trimestre scolastico. Una ragazza – una bella adolescente con il velo che le scivolava sui riccioli – rivolgeva una preghiera di ringraziamento a Dio e ai suoi insegnanti, mentre il padre in piedi vicino a me piangeva con orgoglio.

Nella residenza del Gran Muftì, le gallerie risuonavano dei mormorii di segretarie avvolte nei soggoli e di delegazioni. Una folla di varie centinaia di uomini e di donne si accalcava nel salone centrale per la notifica del loro pellegrinaggio alla Mecca. Finalmente ci sarebbero andati a migliaia, mentre fino a pochi anni prima ciò era consentito a malapena a un solo pellegrino.

Presentai al Muftì una richiesta che temevo venisse rifiutata. Sapevo che nella biblioteca si trovava quello che veniva considerato il più antico Corano del mondo. Era appartenuto al califfo Othman, il terzo successore di Maometto. Fu assassinato a Medina nel 655, e il libro gli era caduto dalle mani macchiato di sangue, aperto sull'*aya*: "*E se essi credono proprio come tu credi, allora essi procedono nel modo giusto. Ma se essi si allontanano, allora essi sono nello scisma, e Allah sarà la tua protezione contro di loro*". Subito dopo i seguaci del quarto califfo Alì, cugino e genero del Profeta, furono sanguinosamente sopraffatti e a loro succedettero i discendenti di Othman, e da allora in seno all'Islam cominciò il profondo dissenso fra sunniti e sciiti.

Aspettai titubante nel cortile della biblioteca, dove alcuni bambini scuotevano gli alberi di gelso. Dopo tre ore comparve il bibliotecario, annunciato dallo scalpiccio dei suoi piedi che schiacciavano i frutti acerbi, un uomo di mezz'età con una barba a forma di paletta. "Ha una macchina fotografica?" domandò. "Ha un registratore?"

Si rilassò non appena scossi la testa. Mi condusse dentro una sala di lettura dal fascino barocco, nella quale una serie di colonne dorate sosteneva una piccola galleria con i tavoli disposti a mezzaluna, collegata con una scala a chiocciola. I soffitti dipinti risplendevano delicatamente al chiarore di un lucernaio a forma di lanterna, e dentro le vetrine lungo i muri sfavillavano manoscritti coranici di minuta bellezza. Li ammirai attentamente. Il bibliotecario seguiva i miei movimenti con uno sguardo fisso. Sotto la sua veste udii il tintinnio rivelatore di una chiave. Utilizzai spudoratamente le mie approssimative conoscenze riguardo al Corano del califfo, e tradussi l'*aya* macchiata di sangue in un russo incerto. Egli disse aspramente: "Lei conosce queste cose?". Ma appariva compiaciuto, quasi di buon umore. Poi disse soltanto: "Venga".

Aprì una porta d'acciaio incassata nel muro, ed entrammo in una stanza minuscola. Dietro di noi si trascinava un vecchio *mullah* che veniva da Urgenč, con il quale avevo simpatizzato in cortile. Il bibliotecario si scostò. Nel muro di fronte a noi stava appesa una cassaforte di rame massiccio, protetta da un vetro spesso. "Il nostro libro più sacro."

Ed eccolo lì. Non assomigliava a nessun Corano che avessi visto in precedenza. Non aveva miniature, assolutamente nessun abbellimento, ma era robusto e pratico, e possedeva la bellezza delle cose primitive. Le singole pagine, spessi fogli di pelle di daino, si stratificavano compatte le une sulle altre. Su ognuna il testo scorreva in lungo e in largo, come una flotta di galere dirette in battaglia. Le pennellate erano ampie e forti. Appartenevano al rigore della storia, non ai ricami della fede.

"Alì se lo portò a Kufa," disse il bibliotecario, "e quando Tamerlano conquistò l'Iraq, lo riportò qui. È macchiato di sangue, ma non posso mostrarglielo."

Lo osservammo a lungo attraverso il vetro, e nel frattempo mi immaginavo le sue pagine scivolare dalle dita dell'ottantaduenne califfo che stava stramazzando a terra, e lo scisma che si estendeva a ventaglio in mezzo mondo. Più di un secolo fa, un viaggiatore affermò di averlo visto appoggiato sopra un leggio dentro la tomba di Tamerlano, dalla quale si levavano notte e giorno le salmodie dei *mullah*. Ma all'epoca in cui i russi conquistarono Samarcanda, in città non c'era più nessuno capace di decifrarlo. Si dice che gli *imam* della moschea dove veniva custodito lo avessero venduto ai russi per centoventicinque rubli; rimase nella Biblioteca Pubblica Imperiale di San Pietroburgo finché i bolscevichi non lo restituirono.

Nella luce fioca della minuscola stanza lo osservammo intensamente, ognuno immerso nelle proprie riflessioni: il bibliotecario dalla veste bianca, io e il *mullah* con il capo coperto dal suo sudicio turbante blu, che cominciò a pregare con una certa esitazione.

Incontrai Bachtiar in una sala da tè vicino a via Navoi. Voleva fare un po' d'esercizio d'inglese con me. Sotto una maglietta con la scritta "Commandoes", il petto e le spalle erano gonfi come quelli di un culturista, e gli avambracci si ripiegavano in impacciati strati di muscoli. Era un uzbeko puro. Aveva in testa un berretto da baseball sistemato obliquamente all'indietro, sotto al quale spuntava una faccia schietta da ragazzo, ancora cosparsa di brufoli da adolescente, che affrontava il mondo con uno sguardo di aggressività sorprendente.

Passava il tempo per le strade e in palestra. Diceva che aveva modellato il suo fisico facendo pugilato. Era diventato la sua vita. "Ma credo che si perda la memoria. Il mio più caro amico era un campione, ma adesso si dimentica tutto, le ha prese troppe volte." Stringeva minacciosamente i pugni contro le mascelle. "Ma se sei un pugile, per la strada ti senti meglio, cammini in un altro modo."

Lo faceva anche lui. Usciti dalla sala da tè, si mise a camminare al mio fianco a gambe larghe, con il passo minaccioso dei pugili professionisti. Era un chiaro atto di sfida. Sosteneva che il servizio militare gli avesse insegnato ad avere fiducia in se stesso, a starsene da solo. "Non mi fido di nessuno. Di sicuro non dei miei genitori. Forse dei miei tre amici più cari. Ma, alla fin fine, di nessuno." Parlava del periodo di leva sull'onda dei ricordi nervosi e inquieti, con una voce più forte del tono normale. Aveva una cantilena aspra e disarmonica, che sembrava irrigidita in un unico atteggiamento, simile a quello della sua faccia.

"Il servizio militare avrebbe dovuto unificarci – russi, baltici, uzbeki. Ma i russi erano dei bastardi. Pensavano che, siccome io ero un uzbeko, dovevo essere una specie di selvaggio, sai, uno venuto dal deserto. Eravamo nel Brandeburgo, in un inverno gelido. Gli ufficiali ti punivano spargendo acqua fredda sul pavimento e dandoti uno straccio per asciugarlo. Ci mettevi delle ore, e intanto le mani si congelavano. E dopo si litigava. I russi contro gli ucraini, gli uzbeki contro i russi." Il suo tono rivelava un feroce risentimento covato a lungo, che era ancora animato dalla rabbia e dalla sorpresa. "Poi un giorno un ucraino mi aggredì perché non gli avevo prestato il mio lucido per gli stivali. Un altro tipo mi teneva per le braccia mentre lui mi riempiva di pugni. Quando arrivò un ufficiale e li fermò, picchiai l'ucraino così forte da rompergli il naso e da farlo cadere a terra sotto un carrello della mensa, riverso in un pozza di sangue. Pensai che fosse morto. E allora l'ufficiale tirò fuori la pistola e si mise a sparare tutt'intorno alla mia testa. Ero così terrorizzato che rimasi lì in piedi, a fissarlo, raggelato. Per un anno, dopo quel fatto, ho continuato a balbettare..."

Ci fermammo sotto gli alberi di un parco, e lì puntò il suo strano e vitreo sguardo sfuocato proprio sopra i miei occhi. Cominciavo a capire. Domandai: "Che cosa hai fatto dopo il congedo?".

"Ho messo insieme una banda di teppisti da strada insieme ai miei tre amici – un uzbeko, un coreano e un tadžiko. Di solito andavamo all'ippodromo dove i contrabbandieri vendono la loro roba sulle bancarelle – giubbotti di pelle, occhiali scuri, mercanzie che vengono dall'Europa. Prendevo in mano una cosa come se avessi avuto l'intenzione di acquistarla, poi la passavo all'amico che stava dietro di me, che lo passava a un altro, che spariva con l'oggetto. Il venditore urlava 'Dov'è finita la mia merce?' e magari mi acchiappava. Allora io lo picchiavo..." La sua voce, normalmente dura e senza tonalità, tutto d'un tratto vacillò. Disse: "Spero che tu non pensi male di me per questo. Credo che sia più onesto che accettare bustarelle, come fanno gli avvocati, come fanno tutti gli altri".

Non seppi cosa rispondere. Era tormentato da un'oscuro senso di ribellione, che io non riuscivo a mettere a fuoco. Il caos dei suoi valori sembrava causato dal fatto di essere stato oltraggiato da tutte le realtà che aveva conosciuto. Il padre non era un piccolo gangster, ma un alto funzionario. "Non ci parliamo." Nella ricerca di una forma di autostima, era pieno di bizzarri atteggiamenti cavallereschi e di tabù. Nella successiva sala da tè dove mettemmo piede, respinse seccato tutti i miei tentativi di pagare, e si rifiutò di cambiare i miei dollari.

Infastidito dal mio silenzio, mi domandò nuovamente: "Beh, mi disprezzi?".

Era una specie di bambino ferito, smanioso di fare una buona impressione. Dissi: "No". Ma non ero in grado di giudicarlo. Qui la mafia, saldandosi ai legami di clan e di famiglia, si era radicata in un labirinto più complesso che nelle altre regioni della vecchia Unione Sovietica. I russi che avevano tentato di penetrarvi erano stati o tenuti fuori o arruolati. Gli affari illeciti che durante gli anni settanta avevano prosperato come funghi, la coltivazione privata dell'oppio, il traffico di stupefacenti e il racket della prostituzione, avevano alimentato un mondo sommerso di malavitosi esperti in estorsioni e in sfruttamento, con legioni di bande di predatori a confronto delle quali quella di Bachtiar era una sciocchezza. Queste organizzazioni mafiose si estendevano a raggiera dalle alte sfere del governo fino ad arrivare al negoziante più povero o al poliziotto e, dal momento che prosperavano a danno di Mosca, avevano acquisito un alone di sedicente patriottismo, che le rendeva ben accette da tutte le classi sociali. Fra il 1984 e il 1987 quasi tutti i più alti ranghi del ministero uzbeko per gli Affari Interni furono arrestati ed epurati. Ma non cambiò nulla.

Domandai: "Hai mai fatto qualcos'altro?".

"Adesso mio padre mi fa studiare l'inglese, in un istituto." Alcuni brani di canzoni pop occidentali cominciarono a brillare nella sua conversazione, presi dai Pink Floyd, dagli Who e da tutta una serie di altri ancora. "Pensi che abbia talento? '*Sweet Impressions... You mean a lot to me*'..." Quelle canzoni contenevano ai suoi occhi un magico ideale: l'America. "La nostra banda si è sciolta quattro mesi fa. La polizia ha catturato uno di noi e lo ha bastonato fino a fargli perdere conoscenza. Sono tutti dei bastardi. Usano manganelli di gomma con l'acciaio dentro. Rischi di venir fuori dal commissariato sciancato per la vita, e nessuno può farci niente. '*Maybe it's the end of the road*'... La polizia trova soltanto gente che testimonia contro di te. È facile. Esci tremando in tutto il corpo..."

Eravamo di nuovo fra gli alberi. Bachtiar si dondolava oziosamente sulla punta di un piede, provando dei calci di karatè. "La polizia una volta mi ha picchiato. Cercavano di incolparmi di un furto che non avevo commesso." Sferrò un colpo in aria. "Ma ho reagito e ho spaccato la testa di uno di loro contro un muro. Se gli facevano un certificato all'ospedale, sarei finito in prigione. Ma la faccenda non è arrivata in tribunale. È arrivata soltanto ai miei genitori."

"Che cosa hanno fatto?"

"Non lo so." Soffocò a poco a poco una delle canzoni pop che aveva sulle labbra. Smise di fare gli esercizi di karatè. Si accostò con pesantezza vicino a me, improvvisamente sgonfiato. "Non l'ho mai chiesto a mio padre. Non voglio saperlo. Non voglio sentire che ha pagato dei soldi per farmi uscire."

Attraversammo un ponte su un canale furiosamente pieno e scrutammo l'acqua color cannella. Disse: "Voglio abbandonare questo tipo di lavoro".

"Non l'hai già fatto?"

"No. Qui le sale da tè sono tutte nelle mani di due organizzazioni mafiose, che si spartiscono le loro protezioni. Ogni tanto lavoro come guardia del corpo per uno dei capi della mafia. Non c'è molto da fare. Devi soltanto fare il duro." Si voltò verso di me quasi volesse domandarmi di nuovo "Mi disprezzi?", ma vide la mia espressione e girò gli occhi da un'altra parte.

Questo incarico, pensai, era più disgustoso dell'altro, perché questi boss sono capaci di fare qualsiasi cosa. Erano dei piccoli re. Negli anni di Rašidov, il famigerato Akhmadžan Adylov, che affermava di essere un discendente di Tamerlano, aveva governato parte della valle di Fergana come uno stato autonomo. Soltanto dopo l'arresto, nel 1984, emersero i particolari sui suoi lavoratori-schiavi e sulle sue concubine, sulle tenute popolate di leoni e pavoni, e sulla sua prigione sotterranea con una camera per la tortura, nella quale i prigionieri venivano spruzzati d'acqua gelida a temperature sotto lo zero finché non morivano. I suoi sudditi subivano tutte queste cose senza fiatare, proprio come facevano più di un secolo prima sotto i loro *khan*. Lo stesso Rašidov, capo del partito uzbeko, un bleso sibarita che Brežnev aveva ricoperto di onorificenze, era stato giudicato un modello nazionale e seppellito in pompa magna nella piazza Lenin di Taškent. All'epoca di Gorbacëv la sua salma fu rimossa con una certa discrezione. Ma adesso, con una sinistra dimostrazione dei principi del suo paese, il presidente uzbeko aveva riabilitato questo padrino con tutti gli onori e l'aveva proclamato eroe.

Bachtiar guardava fisso dentro le acque fangose, cantando *Sweet Impressions*. "Credo che il mio capo sia anche coinvolto nel racket della prostituzione," disse. "L'altro giorno ho visto alcuni magnaccia che avevano portato due puttane per gli imprenditori pakistani con cui avevo a che fare. Non ho capito cosa stesse succedendo. Li ho solo sentiti dire, 'Avete visto la merce. Cosa ne dite?'"

Allora, quel credulone di Bachtiar si era mosso ciondolando per andare a vedere le merci che avevano portato, e nel retro della macchina aveva visto due ragazze. "Erano piuttosto carine, ma sono rimasto inebetito. Era la prima volta che vedevo quel genere di commercio." Nella voce si percepiva un dolore acuto e cocente. Prefigurai uno dei suoi assurdi atti cavallereschi. "Le ragazze aprirono le camicette per mostrare che non avevano malattie alla pelle. Mi sono sentito male. Ho detto ai pakistani che se ne approfittavano, i nostri affari sarebbero stati annullati, e allora le hanno lasciate andare."

Aveva l'aria sconcertata. "Sto per abbandonare questo lavoro di guardia del corpo," disse. "Vedi, non ho mai picchiato un uomo selvaggiamente. Ho visto come sono conciati dopo – coperti di sangue e tremanti, dappertutto. Non credo che sarei capace di fare una cosa simile a nessuno..."

Il mio sguardo si spostò lentamente sull'ingombrante impalcatura di bicipiti e di deltoidi che era diventata il suo certificato di autoaffermazione. Aveva costruito i muscoli insieme al suo orgoglio; ma era pura spacconeria. Non aveva il coraggio. Sembrava che non sapesse se applaudire se stesso oppure disprezzarsi. Continuò a fissare l'acqua. Quindi posò il suo sguardo assente e stupefatto su di me – lo stesso sguardo con cui, forse, aveva squadrato l'ufficiale che aveva creduto stesse per togliergli la vita nel Brandeburgo – e disse soltanto: "Penso di essere una persona piuttosto patetica, davvero...".

Nessuno è proprio come uno se lo ricorda. Oman sembrava più giovane, più esuberante e meno prevedibile di quanto lo fosse quando l'avevo incontrato l'anno precedente e c'eravamo accordati per viaggiare insieme. Era solido e robusto, come un giocattolo morbido, con braccia e gambe corte, e un viso rugoso. Me l'ero immaginato più vecchio di me, forse a causa dei capelli screziati di grigio, e fu una grande sorpresa scoprire che aveva dieci anni meno di me. Era cresciuto nella miseria del dopoguerra, diceva, in un'unica stanza nella magione di un conte russo scomparso da tempo, che era stata assegnata a lui e alla sua famiglia. Da ragazzo aveva lavorato in una fabbrica che produceva carrozzerie per automobili, poi era diventato caporeparto in un deposito di camion, e adesso, nel fermento dell'iniziativa privata, faceva il trasportatore di merci con due furgoncini di sua proprietà. Sapevo che questa biografia aveva dei buchi inspiegabili, ma non ero in grado di intuire quale fosse la loro importanza, e le faccende di famiglia erano coperte da silenzi che lui non si peritava di riempire.

Viveva all'estrema periferia, nella quale gli uzbeki avevano costruito dei sobborghi costituiti da case tradizionali intorno ai condomini russi. Le ampie stanze semivuote e contornate da verande si affacciavano, secondo una sistemazione pensata soprattutto per l'estate, su un cortile adorno di alberi d'albicocco e di ciliegio, e protette dalla frescura di viti rampicanti. L'arredamento interno rivelava una contaminazione di culture. Sulle pareti e sui soffitti erano dipinte leggere sagome di colonne e di fiori, e nelle vetrinette sbilenche erano accumulate le trapunte e le porcellane portate in dote tanto tempo prima. Sui plinti erano appese solamente delle coperte; dai medaglioni scolpiti sui soffitti scendevano minuscoli lampadari, e il soggiorno era dominato da un videoregistratore e da un televisore a colori.

Oman spalancò davanti a me tutte queste cose con l'orgoglio di un magnate, e con gli occhi lustri per la gioia di ospitarmi; poi si lasciò andare a uno scoppiettante ottimismo, dicendo in un ottimo russo: "Questo è mio figlio! Quella è mia moglie! Quelli sono i miei cani!".

Costoro, tuttavia, risposero a stento. La moglie, Gulchera – una donna grassa e silenziosa che non mangiava mai con noi – spinse avanti un figlio di dieci anni piuttosto bruttino, perché venisse a stringermi la mano. Il ragazzo sembrava il demone disincantato di Oman. Ebbi la lugubre sensazione che fosse più vecchio di suo padre. Camminava già con l'andatura di un turco adulto, e sotto i tristi occhi la bocca si afflosciava in una smorfia di annoiato disdegno. Il figlio più grande di Oman era un giovane arrabbiato di vent'anni, che viveva con la moglie in un gruppo di stanze sul lato opposto del cortile. Del figlio mediano non si parlò mai.

Ma al momento, Oman era esultante. Su una tavola ingombra di allegri piatti di agnello, di ciliegie e di piramidi di noci e caramelle, stendemmo alla meglio le mie carte geografiche a larga scala e, con le dita macchiate di sugo di carne, tracciammo il nostro prossimo itinerario di viaggio verso il nord-est dell'Uzbekistan. Rinfrancati dalla vodka, balzammo sulle colline di Tienshan fino a Kokand. "Nessun problema!" Le guance di Oman pulsavano per la soddisfazione, come quelle di un criceto. "Ora possiamo andare ovunque!"

Ben presto una striscia traditrice di sugo di carne serpeggiò fra i paesi della valle di Fergana e lungo le sorgenti del Syr Darja. Non avevo i visti per nessuno di quei posti, ma Oman non diede importanza al fatto. Io ero suo ospite. Viaggiando su strade semisconosciute a bordo della sua solida berlina Lada, saremmo passati inosservati alle autorità. La polizia dei posti di blocco, disse, non si curava dei passeggeri. Prendevano soltanto le bustarelle. Poi, le nostre dita unte saltarono attraverso il confine con il Kirgizstan e si diressero verso il Pamir. Superati i monti di Alai, ci muovemmo verso sud-ovest lungo il corso di un remoto affluente dell'Amu Darja, e ci avvicinammo al confine col Tadžikistan. Ma qui Oman trasecolò. Nel Tadžikistan c'era la guerra civile. Nella capitale, Dušanbe, la folla era in rivolta.

"Non possiamo entrare," disse.

Ma sulla cartina, la strada attraverso il Pamir nordoccidentale disegnava una seducente traiettoria alla quale era impossibile resistere. "Proviamo e vediamo."

"Dobbiamo portare una terza persona," disse seriamente. "Una guardia. In tre formeremo una squadra adatta."

"Non voglio una squadra adatta."

Ma il suo dito tozzo rimase fermo sul confine. Disse con un sorriso incerto: "Ho letto che presto sorgerà un mostro, un nuovo Tamerlano. È nelle profezie di Nostradamus. Sapevi che Nostradamus aveva previsto la caduta della Russia zarista e la caduta dell'Unione Sovietica? Sbagliandosi soltanto di un mese!".

La magia e la chiaroveggenza avevano attecchito in tutta l'Unione Sovietica, ma pensavo che Oman fosse uno scettico. Allora disse: "Nostradamus ha profetizzato tre grandi tiranni – Napoleone, Hitler e un terzo – un uomo con un enorme turbante. E deve arrivare quest'anno!"

Aggrottai le sopracciglia, incredulo. "Andremo comunque in Tadžikistan," dissi.

I suoi occhi inteneriti dalla vodka ondeggiavano sulla carta geografica nella vana ricerca di una distrazione. Poi mormorò poco convinto: "Il capo sei tu", e il suo dito si spinse lentamente oltre la frontiera e seguì il mio lungo la selvaggia strada per Dušanbe, proseguì zigzagando verso sud fino al confine afghano, e quindi tracciò una lunga curva verso casa.

Quando Gulchera entrò con delle scodelle di fragole, si era già rimesso a fare chiasso. "Ci proveremo! Vediamo!" Sferrò un colpo in aria con beffarda spavalderia. "Mia moglie non si metterà in lutto per me..."

Sulla faccia di Gulchera comparve un sorriso, simile a una fenditura nel cemento. "È una scimmia," disse lei. "È nato nell'anno cinese della scimmia, e nell'anno musulmano del leone. Che tipo di animale può essere?"

Risi. "Mi sembra un ritratto azzeccato." In realtà, quella bestia indefinibile era più vicina a Oman di quanto io potessi immaginare.

Riponemmo con cura la carta geografica in mezzo ai piatti cosparsi di avanzi, e ci ingozzammo di fragole. Davanti ai nostri occhi luccicava attraverso le semplificazioni della geografia la prospettiva di un viaggio sibaritico di un mese. Lo smeraldo delle vallate che s'intersecano l'una nell'altra, e i pallidi contorni delle montagne, da cui filtrano i fiumi glaciali e si innalzano i grandi picchi, mi colmavano di un desiderio intenso. Qui si trovavano alcune delle vette più alte del mondo. Era una regione quasi incontaminata. La Cina, l'Afghanistan, il Kashmir roteavano intorno a questo palcoscenico. Anche Oman ne era stato contagiato, e si ricordò del suo servizio militare nei primi anni settanta, al di qua del confine afghano che era ancora tranquillo. Suggellammo il nostro piano con un'abbuffata di ciliegie e di liquori dolci. Decidemmo che sarebbe stata una semplice passeggiata.

Dopo un po' entrò la nuora di Oman che si mise a svolazzargli intorno, per aggiustargli il tovagliolo e per versare il caffè. "È una brava ragazza," disse, "ma mio figlio è un inguaribile playboy. Le dico sempre di essere dura con lui, di prenderlo per le orecchie e di strattonarlo."

Ma dall'aspetto, la ragazza non sembrava in grado di essere dura con nessuno. Sul viso ovale gli occhi erano come mandorle morbide. Era stata educata alle buone maniere, diceva lui, era la figlia del suo migliore amico. Mise su la videocassetta del suo matrimonio che si era svolto quattro mesi prima, e lei la guardava abbozzando un triste sorriso. Sullo schermo, dopo la rituale offerta di un mazzo di fiori su tre o quattro monumenti ai caduti in guerra, e un banchetto in un tetro salone, seguirono le immagini di un matrimonio musulmano, avvenuto due giorni più tardi e di un'orgia a base di riso pilaf ingurgitato nel cortile di casa loro. Finita la videocassetta, lei si dileguò.

A quel punto, però, Oman aveva gettato l'ancora in un mare di vodka. Brindammo alla pace in ogni angolo della terra, al nostro viaggio imminente, alla concordia uzbeko-britannica. Disse: "Taškent è stata appena gemellata con Birmingham! Oh, Colin, la differenza è più grande di quanto credono!". I suoi occhi scuri si velarono di lacrime. "Non so cosa succederà in questo paese, ma temo che siamo sull'orlo dell'abisso. La situazione è la stessa della Germania degli anni venti, prima dell'avvento del nazismo. Ho paura che entro dicembre torni il comunismo, oppure il fascismo."

"Oppure l'Islam?"

"Quella gente prega soltanto Dio, e questo non mi fa paura. Dio si aspetta l'onestà e una condotta giusta. È quest'altra gente..." Tracannò un altro bicchiere. "Un bel giorno potrebbe scoppiare la guerra civile. Allora, il mio vicino che vuole il comunismo sparerà a me che non lo voglio, e così via..."

La sua forza d'animo si stava esaurendo. Sembrava di nuovo più vecchio, pervaso da un senso di cupa autorità. Nella malinconia della voce vibrava anche una certa latente amarezza. Questi attacchi di pessimismo, seguiti spesso da una calma fulminea, mi sarebbero presto divenuti familiari, ma quella sera lo osservai con sorpresa quando si levò in piedi e augurò la buonanotte.

Restai sveglio a lungo nel silenzio della camera per gli ospiti e del quartiere esterno. C'era una calma che sembrava innaturale. Le luci della strada disegnavano sulle tende le ombre delle foglie, e ogni tanto uno dei cani con il pelo ispido di Oman si svegliava guaendo sulla veranda. Finalmente, in questa luce filtrata, sprofondai in un sonno confuso, dopo essere stato ipnotizzato dallo scaffale di libri europei di Oman e dagli arcani nomi scritti in cirillico degli autori che stavano appoggiati sopra di me: Gek London... Aleksandr Diuma... Artur Heyli... Gems Hedli Scheis...

Durante i quattro giorni successivi, fummo bloccati da un'esplosione di feste in giro per la città in occasione dei compleanni di alcuni amici di Oman. Nel ricordo si confondono in un'unica sarabanda di gozzoviglie e baldorie, che si scatena nelle stanzucce ingombre degli appartamenti condominiali e nei cortili policromi delle case di periferia. I tavoli cigolano persino sotto il peso eccessivo delle portate secondarie: i biscotti ricoperti di cioccolato avvolti nelle loro confezioni di carta, i vassoi pieni di uva passa, di noci e di albicocche, le pile di dolciumi zuccherosi.

Poi la gente balla. Le loro braccia ripiegate in alto sembrano liberare i corpi ondeggianti, in un'esaltazione di potenza erotica. Ma gli uomini sono già piuttosto ubriachi, e iniziano a filarsela in altre stanze. Sono le mogli che vogliono la musica. Robuste donne uzbeke e tartare, si tolgono con un calcio le scarpe e battono il pavimento con i piedi dalle unghie vistosamente laccate. Sotto i capelli ricci, i lineamenti pienotti guizzano e rimbalzano come carnose fisarmoniche, e i loro occhi luccicano in pozze di mascara. L'atmosfera è allo stesso tempo onirica ed esuberante, permeata di sentimentalismo russo e di eccitante sensualità.

Raramente è presente un russo; ma i tartari musulmani, la cui lingua si avvicina all'uzbeko, sono spesso indistinguibili dagli slavi, e gettano un ponte provvisorio fra le due culture. "Al tempo delle invasioni, i tartari si erano presi le donne russe," disse Oman, "e questi sono i risultati!"

Gli uomini, nel frattempo, si sono radunati intorno alle bottiglie di vodka, e lì i vecchi compagni brindano all'affetto che li lega con prove di resistenza a chi beve di più, tipiche dei clan. Forse sono stati a scuola insieme, oppure soci in affari, e in certi casi i legami familiari sono stati rinsaldati da un matrimonio. Si stringono per i polsi con le vene rigonfie – "Fratelli di sangue!" – e dispensano consigli, dimostrazioni di fedeltà e di saggezza. "Il mio vero amico!" Niente, per il momento, è più importante, più irresistibilmente reale di questa fedeltà maschile. La vodka gorgoglia e gli occhi luccicano per il rifornimento di fiducia nei confronti del mondo, prima che vengano offuscati dall'alcol e che le frasi si stemperino nella banalità. A quel punto il cerchio dell'amore si estende fino a includere tutti i presenti. Dopo pochi attimi, si dichiara inesistente qualsiasi barriera, qualsiasi differenza e si afferma che soltanto l'emozione ha valore, come se in ogni parte del mondo gli ubriaconi benevoli fossero sempre condannati a scivolare nello stesso linguaggio. Le più volatili intuizioni vengono sostenute con una passione degna di una nuova scoperta, finché qualsiasi dichiarazione suscita un abbrutito ma appassionato *Eureka*! Tutt'intorno, le teste annuiscono con competenza, come per confermare un'importante verità; un solerte celebrante si preoccupa di riempire i bicchieri degli altri; e il successivo brindisi cerca a tentoni la sua strada nella confusione di allusioni e di cordialità. "Noi siamo tanti agricoltori, ma lavoriamo la stessa terra..."

Alla fine anche lo straniero si alza barcollante in piedi e borbotta la sua gratitudine e il suo amore, mentre intorno a lui s'accende una vampata di benevolenza. Ma fuori, la città si è fatta silenziosa e le stelle brillano, e alla fine gli ospiti si accomiatano in un vocio di tenerezze, lasciandosi dietro soltanto alcuni guastafeste, soprattutto uomini anziani, troppo ubriachi oppure troppo importanti per farli sloggiare. Per un po', un'ebbra litania continua sotto la luce delle stelle: "Che differenza fa... nero, bianco, asiatico, americano?... La gente è solo gente... Quel che conta è il cuore... Non c'è differenza davanti a Dio... Siamo tutti un'unica cosa... Dio è Uno..."

Ma anche in queste feste ci sono uomini arcigni e donne timide che se ne stanno seduti inosservati in disparte e che sono i primi a sgattaiolare via. Sotto il profluvio di chiacchiere ribollono rivalità sociali e dinastiche. Forse era questa la ragione per cui la moglie di Oman evitava le riunioni di questo genere, e lui ogni tanto sembrava isolato. Una volta una padrona di casa si voltò verso di lui e sibilò: "Di' a Gulchera che questa è l'ultima volta che l'invito a una festa se continua a non venire!".

Le persone che ballavano e mangiavano accanto a me potevano anche essere stati avvocati o proprietari di ristoranti, falegnami o uomini d'affari che chiacchieravano democraticamente fra di loro. Ora vivono nei miei ricordi in un frastornato isolamento, vivido, tenero e affettuoso. Una volta mi ritrovai a fissare un viso turco di rara bellezza. Sugli zigomi la pelle bronzea era tesa e delicata, illuminata da un paio d'occhi color nocciola. Era un'economista che faceva parte di un'organizzazione governativa sfasciatasi per mancanza di fondi, ed era sposata a un camionista grasso e taciturno pieno di peli che spuntavano come cespugli fra i bottoni della camicia.

Sul lato opposto, un'allegra donna tartara, con un vestito di un bianco da zucchero filato, aveva lasciato il marito ubriacone dopo dieci anni di guerra coniugale. "Gli ho detto che non volevo alimenti. In ogni caso non era in grado di conservarsi nessun lavoro. Volevo solo che se ne andasse. Così se n'è andato." Allevava i due figli avuti da lui, facendo l'ascensorista con turni di undici ore.

In un'altra occasione, mentre ballavo in mezzo alla robusta legione dei miei coetanei, la nuora di Oman, quella sposata da quattro mesi, mi si parò di fronte, ostentando la sua giovane bellezza. Danzò davanti ai miei occhi storditi dalle bevande, come una novella Salomè. Era impossibile trovare un legame fra lei e le donne che mi transitavano rumorosamente intorno, o con la matrona che un giorno sarebbe diventata. La musica rimbombava e guaiva. Le braccia di lei ondeggiavano sopra la testa con ritmica violenza e il ventre si contorceva nudo fra la gonna pruriginosamente modesta e una corta giacchetta. Un attimo dopo era scomparsa.

In un altro posto, un vecchio mi attaccò bottone, sciorinando una malinconica predica. Feste come questa, disse, puntando un dito verso il nostro tavolo colmo di pietanze, sarebbero ben presto finite. Le cose stavano deteriorandosi da quarant'anni, e avrebbero continuato a peggiorare. Un paio di buffe sopracciglia gli davano un'aria di comica perplessità. Si ricordava di un paradiso, disse, in cui vigeva la legge di Stalin, e non si conoscevano crimini. "Allora c'era giustizia. Uno non sfuggiva al carcere grazie alle sue conoscenze. I commercianti del bazar bastava che coprissero le loro mercanzie con un telo e la mattina dopo le ritrovavano tutte come le avevano lasciate!" Nelle sue parole si nascondeva una perversa verità. "I canali erano così puliti che se ne poteva bere l'acqua. L'aria odorava di buono. Quasi tutti avevano una o due stanze, da mangiare a sufficienza, e dei vestiti. La gente non era ricca, ma era onesta. Gli autobus erano sufficienti come mezzo di trasporto, con in più qualche cavallo. E io possedevo una bicicletta di prima qualità – le sue mani si alzarono in segno di gioia – *made in Birmingham*!"

Poi si soffermò sul mistero della creazione e del suo irreversibile declino, su come Dio avesse creato un uomo e una donna e avesse dato loro gli alberi da frutto – "e c'era anche qualche mucca" – e tutto era cresciuto da questa radiosa semplicità. I suoi occhi cominciarono a riempirsi di lacrime. Dispose alcune noci sul tavolo per illustrare la triplice rotazione dei raccolti, e mimò il risveglio della terra all'arrivo della primavera, e il suo letargo invernale. Ma dopo arrivò troppa gente, disse – puntò nuovamente il dito verso gli ospiti ingordi che affollavano il nostro tavolo – e comparvero i capi e i re. Le sopracciglia si libravano all'insù in un'aria triste. “E adesso la gente crede che alla fine di questa vita finirà semplicemente sotto terra. E allora, per quale motivo dovrebbero essere onesti? Perché non arraffare quello che possono? A nessuno importa più nulla.” Lasciò cadere dalla mano un pizzico d’uva passa. “Perché dopo diventeranno polvere...”

9.

VERSO LA VALLE

L'alba non era ancora spuntata quando uscimmo dagli estremi sobborghi di Taškent diretti verso est. I fari oscillavano sulla strada vuota. Eravamo entusiasti d'iniziare il viaggio: Oman canticchiava tra sé, schivando le buche, mentre io stavo seduto completamente sveglio, di buon umore e senza nessuna preoccupazione.

Dopo un po', mi accorsi dei coni e dei triangoli delle montagne che si stagliavano nell'oscurità sull'orizzonte verso sud, come se un velo ancora più scuro avesse ricoperto il buio della notte. Si staccavano a una a una tridimensionalmente, e dopo pochi minuti il cielo s'era illuminato e le stelle svanivano.

Ma Oman disse: "Davanti a noi è ancora buio".

In un primo momento m'immaginai fossero le nuvole di un temporale. Ma dopo, quando il sole spuntò nel cielo simile a una debole lampadina, mi accorsi che il paesaggio davanti a noi si estendeva da un'estremità all'altra schiacciato da un plumbeo tetto di fumo. Comparvero desolati palazzoni, piloni e campi di girasoli appassiti, e subito dopo ci ritrovammo nella città mineraria di Angren, i cui giacimenti di carbone erano stati aperti nel 1942 per alimentare l'industria bellica sovietica.

Da allora non era probabilmente cambiato nulla. Di fronte a noi si era spalancato un orrido paesaggio primordiale. Era analogo a quello delle miniere di carbone britanniche degli anni trenta, oppure alle distese di carbone all'aria aperta della Pennsylvania durante la Depressione. Sotto quel cielo con una luce spietatamente filtrata, l'intera pianura era cosparsa di dinosauri industriali: centrali elettriche a carbone e fabbriche simili a costruzioni di meccano, strangolate dagli scivoli, dalle tubature, e dalle ciminiere che vomitavano fumi giallastri. Le finestre erano rotte o senza vetri.

Certe fabbriche pur restando in piedi erano morte, con le turbine e le passerelle lasciate lì a marcire. Alcuni murales di Lenin si staccavano a pezzi dalle pareti. Altre fabbriche sembravano già in uno stato di completa decadenza, pur essendo state costruite da poco. In mezzo a queste si snodavano per chilometri le condutture d'acqua rivestite da un'argentea patina isolante, scrostata in più punti, e si inarcavano sopra la strada a formare archi abbandonati, mentre sul lato est della città si spalancava l'anfiteatro che la dominava, cinto di pietra rosa. Scendemmo dalla macchina e guardammo verso il basso, centinaia di metri più sotto. Il suolo sprofondava in una gradinata nera. Non sembrava tanto una miniera a cielo aperto quanto un canyon, al centro del quale si elevava su una rugosa spianata la bocca di scarico. Dal basso, salivano distanti il suono e il mugolio di treni e autocarri, mentre la città fremeva e fumava sul bordo degli scavi, e le prime vette del Tienshan, le "Montagne del Paradiso" cinesi, brillavano nel cielo inquinato.

In questa terra deserta rimaneva una sparuta colonia di tedeschi, deportati dal Volga nel 1941 da Stalin. In mezzo a sobborghi di villette, un uomo anziano, che sonnecchiava nel suo cortile sotto un cappello stile Homburg, era ancora capace di parlare un tedesco incerto nonostante i suoi antenati avessero vissuto in Russia per più di duecento anni. Si erano stabiliti nella regione del Basso Volga, quando Caterina la Grande aveva fatto venire i suoi connazionali come agricoltori, e il vecchio tedesco si ricordava del modesto stato di prosperità di cui aveva goduto fin dall'infanzia. Aveva la faccia stoica di un uomo sopraffatto dall'eccezionale negatività degli eventi della vita. Le mani da lavoratore riposavano sulle ginocchia, e le grosse spalle erano un po' incurvate. Parlava un russo greve.

Tutto era andato bene fino alla guerra, disse. "Ma il 28 agosto del 1941 fu il giorno più nero della nostra vita. Stalin ci deportò tutti nel giro di tre giorni. La mia famiglia fu deportata nel Kazakhstan del nord, dove lavorammo nelle costruzioni per l'esercito. La gente ci odiava, perché sapevano chi eravamo. Un anno dopo mio padre morì, distrutto, e io fui spedito in una fabbrica d'armi negli Urali. Non rivedemmo mai più il Volga. Dopo la guerra sposai una tedesca e lavorai come agronomo per il resto della mia vita attiva. Poi venimmo qui, dove ci sono i miei figli e mia figlia. Era dura per noi laggiù, da soli, in Kazakhstan. Siamo vecchi." Raddrizzò la schiena contro la sedia come per opporre resistenza a tutto questo. "Ma senz'altro qui la gente non capisce in che modo siamo arrivati. Alcuni pensano che siamo ex prigionieri di guerra..."

"Ancora adesso?"

"Ancora adesso." Si levò a fatica in piedi e ritornò con una scatola di legno. "Ma lei può constatare come io abbia servito degnamente l'Unione Sovietica." Aprì il coperchio e mostrò una fila di medaglie per meriti di lavoro, e se ne attaccò una sul risvolto della giacca. "Vede?"

Quindi perfino lui, che ancora adesso, dopo otto generazioni, avvertiva il dolore della scissione dell'identità dell'immigrato, si era rifugiato sotto l'impersonale attributo di "sovietico". Domandai con una certa esitazione: "Da qui sono ritornati in molti in Germania?".

Sembrò vagamente turbato. "Sì, in molti."

"Che cosa scrivono da là?"

"Dicono che sono tristi. Nei negozi c'è tutto, ma loro sono tristi." Alcune parole di tedesco si erano confuse al suo russo. "Ho dei parenti che sono andati ad Amburgo, ed è molto dura. Dopo tutto, sono nati qui. Parlano a stento il tedesco. Ma all'inizio è sempre difficile. È così dappertutto." Mi guardò come se mi avesse letto nel pensiero. "No, io non ci andrò. Chi mi vuole laggiù? Nessuno ha bisogno di me. Resterò qui con la mia vecchia. O forse ritorneremo sul Volga..."

"Pensa che questo sia possibile?" Sapevo che proprio adesso i politici avevano deciso la rinascita in loco della regione autonoma tedesca, e la stessa Germania esercitava pressioni politiche in questo senso, nel tentativo di deviare un'ondata di immigrati dalle proprie frontiere.

"Penso che potrebbe accadere," disse. "E se lì viene creata una repubblica, ci andranno in molti." Sorrise per la prima volta. "Anch'io. Non voglio perdere il senso di appartenenza alla mia nazione."

Dissi: "Non lo può perdere adesso!". Ma dubitavo che questa Repubblica del Volga sarebbe stata ricreata, e infatti, poche settimane dopo, Mosca si oppose. Forse il timore radicato nei confronti della Germania, o interessi acquisiti nella vecchia repubblica, si erano dimostrati troppo forti.

"Gli uzbeki sono stati buoni con noi," disse l'anziano. "Ma non è la stessa cosa che essere nella propria terra." Ripose le medaglie nella scatola. Con quelle loro stelle comuniste e l'effigie di Lenin, avevano già l'aria di pezzi da museo. "E voglio parlare di nuovo la lingua della mia gente."

Poche ore dopo, la nostra Lada zigzagava in mezzo alle colline. In basso il fiume Cirčik formava un'orrida gola in mezzo alle rocce, mentre la strada in alto si snodava in una spirale verso valichi spogli. L'erosione aveva ridotto i pendii in polvere, cosparsi qua e là di arbusti e squarciati da burroni scoscesi e sassosi. Era questo l'estremo impulso di un massiccio montuoso che dai confini della Mongolia si stendeva verso ovest per più di mille miglia.

Adesso, su un pallido velo d'erba, le alture erano rosseggianti di tulipani. Una volta passammo alla cieca sui resti di una frana che si era rovesciata giù due giorni prima dopo alcune piccole scosse di terremoto. Poi salimmo i tornanti fin dove spuntavano guglie simili a pugni neri, e, in alto, le creste dei monti come balaustre di neve. La strada era battuta da nuvole e da scrosci di pioggia. Un attimo dopo avevamo superato il valico e scendevamo in una vallata nel fondo della quale un ruscello serpeggiava in mezzo a una fila di villaggi. Aceri, albicocchi e pioppi argentei si susseguivano in una lunga striscia gialla, cremisi e verde, mentre davanti a noi si svelavano alcune scenette isolate come se fossero state srotolate da una pergamena cinese: un cavallo che pascolava sotto una passerella, una casa in rovina, un'anziana sopra un materasso scarlatto che sgranocchiava un po' di pane. Girovagando nei piccoli villaggi di fango e di legno di pioppo, trovammo agricoltori e minatori dei giacimenti d'argento, un mescolanza di uzbeki e tadžiki, che ci diedero da mangiare frutta e pane appena sfornato.

Lungo la strada, a intervalli, a qualche posto di blocco la polizia ci segnalava con la bandierina di fermarci; Oman si trascinava per andare a esibire i documenti e spesso ritornava alleggerito di qualche piccola inevitabile tangente: qualche sigaretta o una banconota da dieci rubli. "Queste cose non sono mai esistite! Mai! E allora, perché? Perché?" Poi la sua rabbia esplodeva sempre più amara e colpiva il volante con le sue grosse braccia. "Il novantacinque per cento della nostra gente è povera – come fa un contadino a vivere con venti dollari al mese? – e il cinque per cento è ricco e corrotto. Non c'è da meravigliarsi se la gente comincia a invocare il ritorno di uno Stalin! La mafia siciliana è un asilo nido in confronto alla nostra!"

Un'ora dopo attraversammo il Syr Darja, l'antico fiume Jaxartes. Secondo la leggenda, un tempo la sua vallata era talmente popolosa che un gatto poteva andarsene a zonzo da un muro all'altro, e un usignolo poteva svolazzare di ramo in ramo nei suoi frutteti, lungo tutto il percorso da Kašgar fino al Mar Caspio. Adesso un ponte di barche lungo circa trecento metri gemeva e sferragliava sotto di noi. Più in basso il fiume scorreva impetuoso verso ovest traboccante di limo, risucchiato dalle piantagioni di cotone, prima di piegare verso nord per attraversare il deserto di Kizil Kum e scomparire nel lago d'Aral.

Verso sera ci ritrovammo a curiosare in giro per Kokand. Adesso la città vecchia sembrava giovane, indefinibile in un reticolato di strade russe, ma il passato era una macchia nera che ai miei occhi contaminava anche i suoi abitanti più innocenti. Un tempo era chiamata Khoh-kand, "città dei maiali", a causa dei cinghiali che infestavano le paludi, ma in seguito il nome acquisì altre connotazioni. All'inizio del diciannovesimo secolo, il suo khanato, insieme a quelli di Bukhara e Khiva, si era notevolmente esteso nel cuore dell'Asia centrale, a partire dalla ricca valle di Fergana fino ad arrivare alle steppe oltre Taškent. I suoi cittadini erano noti per la codardia e per la crudeltà. I *khan* che li dominavano erano assassini e depravati. Perfino i loro sudditi li detestavano. I territori erano caparbiamente fertili – si esportava lana, seta, frutta, pellame e oppio – ma, all'interno degli spalti merlati lunghi dodici chilometri, la città si ridusse alla fine a un piccolo arsenale in mezzo a campi e cimiteri, con acque infette che causarono il cretinismo del gozzo fra gli abitanti. I russi assorbirono il khanato nel 1876, dopo avervi spedito un esercito di cinquantamila uomini, con la scusa di sei morti ammazzati, e l'abolirono definitivamente.

Tuttavia, nel 1918 la città fu travolta da un avvenimento di tragica particolarità. Durante il caos della Rivoluzione, qui si radunò un congresso musulmano, con l'intenzione di formare un governo rivale al Soviet bolscevico di Taškent. Fu un segno straordinario di unità della coscienza nazionale nell'Asia centrale, e il primo e ultimo tentativo per raggiungere pacificamente un'unione democratica. Affermando di parlare in nome delle masse, Kokand si appellò invano a Lenin. I bolscevichi di Taškent attaccarono la città male armata, assassinarono quattordicimila cittadini, si abbandonarono a un'orgia di stupri, e bruciarono o fecero saltare in aria tutte le case e le moschee. Allora un impeto di rabbia e di consapevolezza si scatenò tra i musulmani e, trascorsa una settimana, l'intera regione era in fiamme. Fu in quell'occasione che sorse il movimento di guerriglia *basmachi*, che disturbò le forze dell'Armata Rossa, continuando a lottare per altri cinque anni, e che fece naufragare la fede musulmana nel comunismo.

Era molto difficile dimenticare tutto questo, mentre passeggiavamo fra le case di mattoni e stucco delle strade russe ed entravamo nei vicoli musulmani retrostanti, apparentemente inerti sotto il pallido sole. Qua e là c'era una moschea che stava riaprendo, e il bagliore delle sete indossate dalle donne creava un fosco bagliore nei vicoli. Oman trovò una libreria semivuota e acquistò una traduzione russa de *Il Castello*, qui finalmente disponibile settant'anni dopo la morte di Kafka. Amava Dostoevskij, disse, e aveva sentito dire che anche Kafka era un pittore di mondi interiori.

Trovò un albergo dove ci fermammo per tre notti. Era il migliore della città, ma davvero spartano, rumoroso e infestato da contrabbandieri. Dividemmo una fetida stanza, e i ratti ci fecero visita. Oman li prese appena in considerazione, e lo stesso fece per le lenzuola macchiate e i venefici sistemi idrici e sanitari. Tuttavia, si concedeva alcune puntigliose vanità. Ogni mattina si cospargeva il robusto collo di acqua di colonia e faceva frequenti visite al barbiere per il piacere di farsi radere; la sua valigia malridotta, inoltre, era zeppa di camicie impeccabilmente pulite. Talvolta si specchiava a lungo, come se stesse dando la caccia a qualcuno che era scomparso, con gli occhi quasi sporgenti separati da un doppio incavo di carne nodosa.

Ma ogni sera, quando ritornavo dalle mie esplorazioni in città, trovavo una bottiglia di vodka per terra vicino al suo letto, un cumulo di mozziconi di sigaretta e *Il Castello* ancora intonso. Poi si alzava in piedi, e sfogava una terribile rabbia. "Ho appena comprato un po' di garza. Quattro rubli! Due anni fa, sarebbe costata meno di dieci copechi! Ecco cosa ti fa la mafia!" La sua voce salì di un'ottava. "Ecco perché questo paese sta andando in rovina! Se cominci un'attività, ti stanno alle costole come un branco di lupi. Tutto quello che compri è vecchio o rotto. Dovrà finire un giorno o l'altro. Un giorno la gente si solleverà, come hanno fatto in Tadžikistan!" A quel punto afferrava una camicia o un rasoio o un pacchetto di sigarette e strillava: "Sai quanto costava questa cosa soltanto un anno fa? Sì, soltanto... e adesso...".

Mi resi sempre più conto di quanto poco lo conoscevo, e arrivai al punto di temere queste sue scenate. All'improvviso tutti i suoi lineamenti si contraevano in un'amareggiata smorfia difensiva, come se il cranio avesse inghiottito il naso corto e il mento smussato. Avrebbe potuto essere il viso di un pugile, non fosse stato per quella morbidezza compatta e carnale e per gli occhi color nocciola, che tingevano i suoi lineamenti di una gentilezza rovinata.

Alla fine andava a letto con un paio di mutandoni cremisi e si stravaccava sopra le lenzuola nella buia umidità; ma, durante la notte, il suo modo di russare cambiava registro, a volte con un andamento ritmico e con una respirazione profonda e completa, altre volte producendo un leggero gargarismo simile al rantolo di un agonizzante, finché gli accordi che emetteva non venivano alterati da un rutto o da un colpo di tosse. La mattina seguente, però, accuratamente rasato e fasciato da una camicia nuova, bianca e attillata, partiva alla ricerca di qualche buon affare nei dintorni del bazar più vicino, elegante, pieno di vitalità e profumato d'acqua di colonia.

Il palazzo reale, costruito nel 1860 dall'odioso Khudayar Khan, si estendeva con una lunga facciata su giardini incolti pieni d'erbacce e di roseti. Le arcate nude e i muri risplendevano di un guazzabuglio di piastrelle sgargianti, ma la roccaforte rettangolare non esisteva più, perché era stata fatta saltare in aria dagli assedianti russi davanti agli occhi stupiti degli abitanti della città. Una pesante scalinata saliva ancora fino al portone d'ingresso, quasi fosse un sentiero funesto e maledetto, penetrando poi fra due torrette. All'interno c'erano centotredici stanze, ultimate soltanto tre anni prima che i russi le saccheggiassero, e che i sopravvissuti si dessero alla fuga fra i porticati dei cortili vuoti, dove adesso camminavo da solo. L'intero palazzo versava in uno stato di grottesco sfacelo che gli si addiceva in modo crudele. Un museo di storia naturale privo di visitatori stava andando in rovina in un'infilata di stanze, con gli animali imbalsamati ricoperti di polvere sotto soffitti fittamente decorati. Il cortile interno, un tempo adorno di verande, di scalinate e di padiglioni, era diventato un lago di macerie, mentre il giardinetto dei giochi per bambini si stava disfacendo all'interno del parco. Alcuni scolari sguazzavano nudi nelle stravaganti fontane, e un aereo dell'Aeroflot fuori uso era calato in mezzo alle betulle per il suo estremo riposo. Qualche coppia di fidanzati era seduta sotto i salici piangenti, e distogliendo in contemporanea lo sguardo gli uni dagli altri con una certa goffaggine, le ragazze arrossivano civettuole nei loro rustici abiti di seta, i ragazzi restavano in silenzio, con le mani colpevolmente intrecciate sulla panchina.

L'ultimo *khan* aveva suddiviso il suo harem fra gli amici, nel momento in cui i russi avanzavano da ogni lato, e dopo era fuggito alla Mecca. Ma, in un cimitero vicino alla Moschea del Venerdì, erano sepolti alcuni dei suoi antenati – io e Oman li scoprimmo un pomeriggio in una distesa di morti, fitta e nascosta da alberi. Le loro tombe erano nude e semiabbandonate dentro un alto recinto guarnito di torrette, insieme a quelle dei loro figli morti prematuri e a quella di un santo. Il cortile era ricoperto di rami e lì i fedeli, con pia devozione, spazzavano via la sporcizia del pavimento. Due pellegrini, raccolti in preghiera, si rotolarono ripetutamente nella polvere davanti alla tomba del santo, e poi, come robot telecomandati, andarono a rendere omaggio alle tombe reali.

In tutto lo spazio che circondava il mausoleo, fra pietre tombali e lapidi funerarie, un gregge di uomini un po' meno santi – vecchi ciechi, avvizziti nelle loro barbe rade – smerciavano medicinali magici. Erano i discendenti spirituali dei dervisci che avevano sempre infestato l'Islam – la santità e la ciarlataneria in questo caso sono sempre state inseparabili, perfino in uno stesso cuore. I clienti sedevano di fronte a loro nella polvere, mentre gli anziani, avvolti in cappelli e turbanti cenciosi, alitavano, sputavano e soffiavano sulle loro facce, mormorando incantesimi. C'erano anche alcune massaggiatrici che facevano sdraiare i fedeli di passaggio sulle panchine o sulle pietre completamente vestiti e, farfugliando incantesimi, in fretta e furia, in cinque minuti, li schiaffeggiavano sulle braccia e sulle gambe, tiravano le articolazioni delle dita e frizionavano le teste.

All'entrata del mausoleo mi imbattei in quattro patriarchi ciechi, accucciati intorno a una giovane coppietta. Prima alitarono su di lei, poi su di lui, ripetutamente, con un fuoco incrociato di sputacchi e di fischi. Il marito longilineo si allungò fieramente in avanti. La giovane moglie, con le labbra serrate in una smorfia di disgusto e amarezza, tenne lo sguardo lontano da lui. Stretto al petto, sotto la giacca, cullava un pollo, un amuleto per la fertilità. I vecchi si dondolarono e continuarono i loro incantesimi per un tempo apparentemente infinito, con gli occhi abbassati che lasciavano trasparire soltanto due fessure bianche, mentre con sbuffi e sputi trascinavano la coppia fuori dal loro male oscuro, guidati dal tremolio nervoso delle anche dell'uomo e dal sommesso chiocciare che proveniva dal soprabito della donna. Lei girava lo sguardo intorno a sé con un misto di vergogna e di speranza. Certe volte sembrava scossa dal terrore. Stava pregando per una nuova vita, ma era circondata dalla morte; e questi saggi ciechi sembravano appartenere a quella medesima dimensione, con la loro seconda vista imperscrutabilmente rintanata dietro alle orbite oculari.

Su una panchina vicina, un ragazzino malaticcio era sottoposto a una serie di benedizioni fra le braccia della madre. Le sue due sorelle sghignazzavano senza freno, ma il fanciullo ricambiava terrorizzato lo sguardo del suo benefattore, e la sua faccia sembrava raggelata e inebetita, tant'è che pensai a come si sarebbe ricordato dopo un po' di anni, se fosse sopravvissuto, di questa terrificante benedizione, e di quello strano vecchio che al posto degli occhi aveva due fessure vuote, e del mausoleo che dominava lo sfondo. Alla fine la donna si alzò e diede al vecchio due rubli. Costui li strusciò fra le dita e le borbottò qualcosa. L'inflazione aveva colpito anche i santoni. Così la donna gli diede altri cinque rubli, poi si allontanò lentamente in mezzo alle tombe, coccolando il bimbo malato.

Oman aveva un amico in città, un attore di nome Jura, famoso in quei luoghi. Era un maestro di *askiya*, il teatrale scambio di insulti a cui si poteva ancora assistere nelle case da tè. Il suo viso era una maschera di carne lucida, con lineamenti che disegnavano soltanto riflessioni abbozzate sotto alle quali sprizzava un cronico umorismo, e che gli facevano spalancare una bocca piena di favolosi denti d'oro. Aveva trascorso quarant'anni sulle assi del palcoscenico, o nelle case da tè a scambiare battute salaci che abbondavano di allusioni sessuali, circondato dall'ilarità sdentata di un pubblico composto di vecchi.

La sua casa era generosa come lui, costruita attorno a un maestoso cortile attraversato da vigne di quattordici varietà diverse. La divideva con quattro figli sposati, e aveva quindici nipoti sparsi tutt'intorno a Kokand. Perfino la sua andatura era studiata per amplificare i gesti – una sorta di brioso dondolamento a mo' di papera. Indossava un vestito grigio-blu più largo della sua taglia, sgualcito come quello di certi cinesi, ma, quando ci accomodammo per pranzare, la giacca si tese fino quasi a esplodere, e le sue braccia si gonfiarono come colonne.

Ci abbuffammo nella sgargiante sala da pranzo, seduti sotto un arazzo in cui erano raffigurate alcune fanciulle che danzavano sopra una barca a remi. Le portate si susseguivano le une alle altre in ghiotta successione, e venivano tutte servite in assoluto silenzio da una di quelle nuore che sembrano sempre pateticamente sottomesse: una ragazza magra, timorosa, vestita con sete fiammeggianti. Andava avanti e indietro senza posa ed era difficile che alzasse gli occhi.

Jura s'esprimeva in un soliloquio monocorde. Certe volte nel suo viso riuscivo a individuare solamente il taglio ovale e crudele della steppa mongola; poi un fremito della sua carne elastica annunciava una barzelletta, oppure apriva la bocca per pronunciare una battuta fulminante e divertente. "Ce l'abbiamo nel sangue," diceva. "L'umorismo. Sono figlio unico – una cosa insolita da noi – e mio padre mi ha insegnato l'*askiya* fin da ragazzo. Mio nonno e mio bisnonno erano giullari alla corte dei *khan*. E i loro antenati prima di loro. Tutti giullari. Non credo sia un lavoro sicuro." Immaginai, per un momento, una serie di gobbe mongole e di sempliciotti con in testa il berretto con i campanelli. Ma continuò: "Questi giullari erano soprattutto persone argute e cantastorie. A volte ce n'erano molti. Mio padre mi raccontava che ai tempi del bisnonno ce n'erano quaranta e che lui era il più anziano".

"Quaranta..." Oman ogni tanto ripeteva le sue parole con sognante adulazione. "Era difficile far divertire il *khan*."

"L'ultimo era una specie di lupo, sai, un selvaggio," continuò Jura. "Una sera disse ai quaranta giullari che se non lo facevano ridere li avrebbe fatti uccidere. Questo era il suo modo di scherzare, credo, ma forse no. Poi si sedette davanti a loro, con uno sguardo truce." Storse la bocca e contrasse le spalle in un'espressione rozzamente ostile. "E uno alla volta fallirono tutti e trentanove, finché venne il turno di mio bisnonno. Il *khan* disse, 'Fammi ridere'. Ma mio nonno gli gridò semplicemente, 'Tu, figlio di puttana, perché non hai già riso? Che cosa c'è che non va in te?' E il *khan* si buttò all'indietro stupito e iniziò a sghignazzare!"

Questa chicca della storia di famiglia riuscì a farlo sorridere, ma soltanto per un istante. Disse: "Però questa tradizione d'umorismo morirà con me. I miei figli non recitano. E il pubblico è meno numeroso, ora, molto meno numeroso. La gente sta a casa a vedere la televisione".

Disse che nel teatro cittadino si rappresentavano anche i classici – Schiller, Sofocle, Shakespeare. Aveva appena recitato la parte di Iago nell'*Otello*, e doveva essere stata una rappresentazione da brivido, poiché l'espressione neutra del suo viso sembrava capace di immedesimarsi in qualsiasi altra natura, e mi domandai vagamente quante altre personalità si potessero nascondere sotto di essa.

Lui e Oman continuarono a mangiare per un bel po' anche dopo che io avevo dato forfait. Li guardavo con ammirazione. Nelle loro gole scomparivano grossi bocconi di patate e di grasso di pecora con schioccare di labbra e rutti carnascialeschi. Immergevano i cucchiai nella montagnola di riso pilaf, staccando prelibati pezzi di montone o grosse quantità di riso profumato. I dolci e l'uva passa sparirono a gran velocità: la vodka scompariva appena arrivava. "Ho del vino! Delle nostre vigne!" Jura mostrò il suo sorriso degno di un film di fantascienza. "Assaggeremo quello più vecchio!"

La gentile schiava di casa lo portò in una caraffa, e lo bevemmo. Era aceto puro. Oman, che lo aveva ingollato in un sorso solo come fosse vodka, fu strozzato da ansimanti colpi di tosse. Perfino Jura sembrava essersi arrabbiato, così lo fece portare via. Ma si rianimarono all'arrivo del granturco zuccherato e delle albicocche secche, e l'aceto fu esorcizzato da una rinnovata mescita di vodka. Soltanto un'ora più tardi Jura si distese sui cuscini, e si mise a fare la punta a uno stuzzicadenti con un temperino, dilettandoci con la descrizione delle città a cui eravamo diretti.

Gli abitanti di Margilan, diceva, erano delicati e ossequiosi – battè dolcemente la mano sul cuore per mimare un falso invito. "Vi inviteranno a casa loro e poi vi faranno uscire dalla porta di servizio!" Poi mosse le mani e batté i pugni sul tavolo per illustrare la forza rude degli abitanti di Andižan. E per quel che riguarda gli abitanti di Namangan, disse... beh, gli uomini dormivano insieme. E la gente di Kokand? "Noi siamo gli umoristi! Questa è la nostra reazione alla vita. Ridiamo! I margilani sorridono, gli andižani s'infuriano, ma..." – il suo viso si corrugò – "noi ridiamo!"

Eravamo destinati a essere ossessionati da queste scenette istantanee per tutta la successiva settimana di viaggio, ogniqualvolta le persone nelle varie città rifacevano, come per telepatia, i gesti che Jura aveva mimato con sconvolgente precisione. Quando ci salutammo, annunciò con improvvisa grazia: "Quello che sta parlando non è un uomo di Margilan, ma la mia porta è sempre aperta per voi tutte le volte che ritornerete..."

Mentre attraversavamo il cortile, la nuora ci fece un timido cenno di saluto. Meditai sul suo personaggio – come spesso facevo riguardo a donne di questo tipo che vivevano in famiglie estranee e numerose, comandate a bacchetta dalle suocere. Ma ora non aveva più quel suo sguardo timoroso. Stava sulla soglia della casa del marito a cullare un bimbo piccolo, e mentre noi passavamo, lo alzò in alto per farcelo vedere quale emblema del suo onore, e stava sorridendo.

Il giorno seguente cominciammo a spingerci verso est lungo un corridoio alluvionale che costituiva la valle di Fergana. In mezzo alle montagne si era scavato un ulceroso *cul de sac* che si diramava su tre lati: una terra più racchiusa e mutevole di tutte le altre che avevamo lasciato alle spalle. Era l'estremo limite orientale dell'Uzbekistan. I gelidi affluenti del Syr Darja scendevano a precipizio da nord e da sud per alimentarlo, sbarrati da dighe e regolati da canali e, tutt'intorno, le acque venivano risucchiate nei campi di cotone coperti dal verde.

Attraverso le enormi piantagioni e lungo tutte le strade, i filari dei gelsi erano stati potati per raccogliere l'alimento per i bachi da seta, e ora i loro tronchi nudi e contorti sfilavano in mezzo ai campi simili a fantasmi. Qua e là, nei punti in cui i filari s'intersecavano ai cavi della corrente elettrica, c'era sopra ciascun pilone una cicogna sgraziata che si piegava su un nido traballante con due instabili pulcini che tenevano becchi ansiosamente aperti.

Circa cinquecento anni fa, l'imperatore Babur, che era nato qui, scrisse che nella sua terra i prati erano cosparsi di fiori e che c'era una tale abbondanza di frutti che i meloni venivano regalati ai margini delle strade. Da giovane era andato a caccia di asini selvatici sulle colline, e liberando i suoi falchi aveva catturato fagiani così grossi da poter sfamare quattro uomini con il brodo di un unico esemplare. Ma a un certo punto fu cacciato da queste terre della sua giovinezza e non vi fece più ritorno, e quel paradiso perduto lo ossessionò per molto tempo anche dopo aver fondato l'impero moghul in India. Fino al secolo scorso, prima che i russi imponessero la coltivazione del cotone, i viaggiatori descrissero la bellezza indolente dei frutteti traboccanti, e il fascino delle case da tè appollaiate sulle rive dei gelidi fiumi.

Mentre la mia mappa mentale del territorio era costellata di memorie storiche e di formidabili montagne, Oman stava viaggiando in un'altra regione. La sua era punteggiata di bazar e di ristoranti. Faceva rallentare la Lada per occhieggiare attentamente qualsiasi mercato sul bordo della strada, e quindi si dirigeva a mercanteggiare sul prezzo di un paio di calzini o di un nastro di seta, che avrebbe poi rivenduto a Taškent. Questi piccoli acquisti lo riappacificavano con se stesso. Canticchiava tra sé in maniera decisamente stonata. A ogni dosso potevamo ammirare una pianura nebbiosa piena di frutteti e di villaggi intonacati di bianco, disseminati di pioppi, mentre a sud, in lontananza, le montagne del Pamir innalzavano le loro vette innevate contro il cielo azzurro.

Fergana, il cuore industriale dell'intera vallata, era stata fondata dai russi soltanto un secolo prima. Era un centro di manifatture tessili e di raffinerie, ma aveva un aspetto ormai vecchio. Viali completamente ricoperti dal fogliame dei platani attraversavano il centro della città, screziando con la loro ombra le facciate degli edifici intonacati con un seducente blu pavone. Così la povertà dei negozi e degli uffici era attenuata da questo schermo che filtrava la luce solare. Uzbeki e russi continuavano a mescolarsi, e file di scolari dai capelli biondi e neri formavano nelle strade ibridi flussi di passanti. Ma quando cercai di trovare la strada sulla mia carta geografica di due anni prima (nel frattempo Oman era scomparso nei bazar) scoprii che metà dei nomi delle strade erano cambiati. Via Karl Marx si era trasformata in via Fergana, via Comunista in via Samarcanda, via Kirov in via Costituzione, via Puškin in via Navoi.

Mi sedetti nel viale centrale. Accanto a me un uomo di ottant'anni con il morbo di Parkinson tremava leggermente, senza sosta. Stava cercando di tirare fuori dalla tasca delle tavolette di liquirizia, ma non ci riusciva, e si rivolse a me con un fremito di disperazione. Due foglie d'acero si erano posate comodamente sulle sue spalle. Aveva lavorato per tutta la vita nei campi di cotone, disse, ma non sapeva se era stato contaminato dalle sostanze chimiche che venivano sparse sulle coltivazioni. Viveva con una pensione di mille e cento rubli al mese. Mi domandai come riuscisse a sopravvivere. Soltanto la carne costava costava più di cento rubli al chilo. Ma disse che non mangiava carne da molti anni. "Vivo di uova e di pane. I pensionati fanno così."

"E che cosa fa tutto il giorno?"

"Quando il tempo è bello, mi siedo qui e guardo tutte le cose che stanno cambiando."

Non vedeva la città ingentilita dal sole, così com'era dipinta dalla mia immaginazione. Ne vedeva i lati minacciosi. Non riusciva a capirla. Nel 1989 i giovani della regione si erano scatenati con violenza contro la minoranza dei turchi meskheti a cui lui apparteneva, quelli che Stalin aveva fatto trasferire dal Mar Nero dove non erano mai più tornati. Ne avevano uccisi quasi duecento. L'intera valle, infatuata da un Islam più radicato che nella parte occidentale del paese, era più infuriata e meno prevedibile.

"Ma non fu colpa del nazionalismo o dell'Islam," mi disse Oman più tardi, "benché i meskheti siano sciiti, ma della mafia turca!" Come al solito, per lui qualsiasi male affondava le proprie radici nella mafia. “La gente comune ne aveva avuto abbastanza. Dissero loro: ‘Andatevene!’” Tagliò l’aria con gesti trionfali. “Fuori!”

Tuttavia, le ragioni di queste rivolte erano ancora avvolte nel mistero; un’imponderabile confusione causata dal disagio economico e dal fanatismo razziale. Nel 1990, circa trecento persone vennero uccise nella città kirgiza di Oš, durante gli scontri per gli alloggi fra la popolazione locale e quella uzbeka; e negli ultimissimi anni metà delle grandi città era stata scossa da diverse crisi.

Ogni volta che succedevano queste cose, tutta l’Asia centrale tremava. Le frontiere dei suoi stati erano ancora grosso modo quelle tracciate da Stalin nell’ottobre del 1924, nel tentativo di rispettare le varie realtà etniche. In certi casi divagavano nervosamente cercando di unire le sorgenti montane alle pianure da queste alimentate. I risultati furono bizzarri. Il Turkmenistan e l’Uzbekistan si spartirono curiosamente l’oasi di Khorezem, mentre il Tadžikistan fu circondato da un corno di pianure che arrivava quasi fino a Kokand. Il Kirgizstan (che fu costituito nel 1926) tranciò a metà la valle di Fergana, come una forcella separata; e anche adesso – continuavo a immaginarmi l’Uzbekistan come un cane accucciato – stavamo viaggiando lungo l’assurdo muso di questa creatura, con la mascella e il naso che s’infilavano dentro il Kirgizstan.

Tuttavia, nonostante questi aggrovigliamenti, le popolazioni delle singole nazioni rimanevano caoticamente mescolate. Gli uzbeki straripavano al di là del confine kazakho, ed erano numerosi in tutti gli altri stati, inglobando anche un quarto della popolazione del Tadžikistan. Ma i Tadžiki costituivano lo zoccolo duro della uzbeka Samarcanda e di Bukhara, mentre la piccola nazione di Karakalpak, etnicamente vicina ai kazakhi, era sistemata molto scomodamente sotto la pancia del cane. I russi, naturalmente, s’infiltrarono in tutte le nazioni, specialmente nel Kazakhstan, fianco a fianco dei tartari, degli ucraini, dei tedeschi, dei coreani, dei cinesi, degli uiguri, degli arabi, e di un mucchio d’altri.

Era questo fermento latente che autorizzava il governo ultraconservatore di Taškent a contenere la democrazia entro certi limiti. E la confusione non finiva qui. I turcomanni e i tadžiki avevano circondato il Caspio fino ai confini settentrionali dell’Iran; in Afghanistan si contavano tre milioni di tadžiki e oltre un milione e mezzo di uzbeki, inebriati dal sogno di formare stati unificati; e in Cina resti di kazakhi e di altre popolazioni formavano ancora comunità di poca importanza nelle belle e macabre montagne dello Sinkiang.

Anche adesso davanti a noi si stagliava una di queste strane frontiere mentre procedevamo di sera diretti verso sud, fuori dalla valle di Fergana. La minuscola enclave uzbeka di Shachimadan giaceva isolata in una fessura del Pamir, proprio all'interno del Kirgizstan, e sulla mia carta geografica risultava circondata da un rigido confine internazionale. Incredibilmente, al nostro passaggio, il verde della vallata terminava con tale precisione come se anch'esso fosse segnato sulla carta geografica. Ci dirigemmo verso il Pamir, passando in mezzo a colline deserte lungo le rive di un fiume turbolento. Le nuvole scendevano mescolate alla pioggia. Il mondo aveva perso i colori. La strada attraversava per trenta chilometri il Kirgizstan, ma gli unici segni di vita erano costituiti da alcuni pastori abbrutiti, scuri sotto i loro cappelli a punta, e le montagne non mostravano altro che fondamenta rugose, avvolte dalla nebbia, che parevano artigli di grandi uccelli nascosti dalle nuvole.

Poi nei pressi di Shachimadan sbucammo di nuovo in un tratto debolmente soleggiato, e in breve ci ritrovammo a oziare sotto i salici presso una casa da tè, vicino al fiume. Oman ordinò un *lagman*, una zuppa che gli piaceva molto, piena di spaghetti e di preoccupanti macchie di grasso di montone. Non era mai stato a Shachimadan prima d'ora, ma disse che ne aveva sentito parlare da anni. Tutti la conoscevano. I russi l'avevano ribattezzata Khamzabad, e fu dedicata a un santo comunista, Khamza Niyazi, poeta e drammaturgo devoto – come diceva la propaganda – agli ideali della Rivoluzione. Mosca lo aveva canonizzato come il fondatore della letteratura uzbeka moderna, ma si diceva che fosse stato assassinato qui nel 1929 dai *mullah* reazionari e sepolto con ogni onore nel cuore della città.

"Quel Khamza, però..." Oman succhiava rumorosamente la sua zuppa dalla scodella, con tono dimesso. "Mio zio era suo compagno di scuola, e tutti sapevano come gli piacesse correre dietro alle ragazze. Un playboy." Agitò le mani avanti e indietro, per illustrare una processione di donne bramose. "La storia può raccontare quel che vuole, ma la gente si ricorda di altre cose. Aveva talento, d'accordo. Ho letto un po' della sua roba, e ho ascoltato le sue opere teatrali. Ma non aveva *così tanto* talento." Non era abbastanza qualificato per occupare il pantheon di Oman insieme a Dostoevskij e a Jack London. "Mediocre, direi. I suoi personaggi sono nero su bianco, come i sovietici volevano che fossero." Continuò con durezza: "Ma in cuor suo la gente sa che la realtà non è così, che la vita è diversa. Quando è vera, la riconoscono. In ognuno di noi ci sono molte persone".

Questi pensieri non scaturivano da lui come luoghi comuni imparati a memoria, ma con l'urgenza delle scoperte personali, con una sorta di calda pietà. "Noi siamo sia bianchi sia neri, non è vero?" Infilò i pollici nei taschini doppi della sua camicia, come per mettersi in mostra. "Ci sono due Oman."

"Molti Oman," dissi. Ne avevo già visti sei o sette: il mercante incallito, l'ubriaco amareggiato, il filosofo delle case da tè, l'amico caustico, il sentimentale, l'edonista.

"Ognuno di noi è troppe persone." Trangugiò gli ultimi spaghetti, come se quest'atto avesse il potere di unificare le sue varie identità. All'improvviso domandò: "Sei ateo?".

Questa parola irrita sempre. "Di Dio non capisco..."

Disse: "Nemmeno io. E come possiamo sapere?".

"Ma tu sei musulmano."

"Naturalmente!" La sua cultura, disse, era quella musulmana, e in questa sua identità pregava Dio. Ma c'era un altro Oman che era cinico, e non riusciva a vedere Dio.

Parlammo, con improvviso abbandono, dei limiti della conoscenza, e capii che a un certo punto della sua vita questa cosa l'aveva fatto soffrire. Poi, trasformammo grandiosi luoghi comuni in confidenze. Se avessimo bevuto, ci sarebbe stata una spiegazione. Ma c'erano solo gli avanzi della zuppa *lagman*, alcune tazze di tè verde, e il bisbiglio del fiume. Rimuginammo sentimentalmente sui limiti dei cinque sensi, e sulla possibile esistenza di centinaia o di migliaia di altri. Tentammo astruse suddivisioni del Tempo secondo diversi stereotipi. Forse non era affatto lineare, ma circolare, o si poteva aprire in qualsiasi punto come un libro, e così via. Ma il mistero, concordammo, rimaneva che noi, in quel momento, eravamo lì in quel posto, con le eternità della morte e del tempo precedente la nascita che stavano davanti e dietro a noi, e che eravamo impegnati in una conversazione sotto i salici, bevendo tè verde (che si stava raffreddando) e masticando alcune frittelle di carne piuttosto sospette.

Oman aveva una teoria secondo la quale i nostri pensieri e sentimenti migliori ci sopravvivono, e salgono in paradiso. "Il paradiso è una banca," annunciò. "Ciò che non si mette lì si perde e scompare." Vide il mio sguardo dubbioso. "Bene, quando moriremo, sapremo... o forse non sapremo." Sospirò. "E dall'inferno musulmano guarderò in alto e dirò 'Colin, aiutami', e forse tu nel paradiso cristiano dirai qualcosa a Dio, e lui dirà 'Vieni su, Oman'..."

Questa improbabile previsione ci riempì di un lugubre affetto, e ci sorridemmo reciprocamente al di là dell'abisso di fede e di razza che ci separava. Ci versammo il tè freddo, e brindammo a un qualche futuro. Alcuni pipistrelli transitarono nella luce fioca.

"Ma forse non siamo immortali," divagò Oman, "e noi continueremo soltanto nei nostri figli." Si arrestò. "Ma tu non ne hai."

"No," dissi.

"E i miei sono inutili." La luminosità del suo viso era improvvisamente scomparsa. Era come se qualcuno avesse girato un interruttore. "Dico al più grande, se non hai un mestiere dovrai fare un duro lavoro manuale, e lui semplicemente ride. Gli dico che lo butterò fuori di casa, ma non mi crede."

E che ne è di quel misterioso secondo figlio, domandai. Dov'era finito?

Non ebbi il tempo di pentirmi della domanda, anche se ci fu un istante di silenzio. Il viso di Oman aveva assunto una sua tipica espressione difensiva. "Era di un'altra moglie. Vive con lei. Ci siamo separati anni fa."

"Hai avuto due mogli allo stesso tempo?"

Fissò il suo tè con uno sguardo inespressivo. "Sì, da noi capita. Ero ricco. Ne mantenevo due. La legge musulmana lo consente. I miei matrimoni sono stati celebrati e benedetti da un *mullah*. È abbastanza frequente." Ma parlava con un larvato senso di rammarico. "A Taškent le nostre moschee non sono mai state realmente chiuse. Hanno continuato a lavorare in segreto. I *mullah* provvedevano anche alle sepolture. Qui i comunisti hanno flirtato con l'Islam." Fece un gesto osceno. "Dopo tutto, molti dei nostri funzionari sono rimasti musulmani in fondo al cuore." Con una sorta di ripensamento disse: "Non ho sposato nessuna delle due donne per amore. Mi sono sposato perché lo avevano fatto i miei amici. Avevo già ventisei anni quando presi Sochibar, e i miei genitori si dimostrarono favorevoli alla cosa, e io volevo dei figli". La sua voce era stanca. "Ma non per amore."

Era quasi notte. Le luci di Shachimadan scintillavano lungo il fiume davanti a noi. Oman disse: "Penso che la nostra legge arriverà a permettere ufficialmente la poligamia. Già adesso si chiude un occhio. Le nostre donne non sopporterebbero di portare il velo, ma la legge matrimoniale offrirebbe loro la possibilità di scegliere fra diverse proposte".

Chiesi se eventualmente avebbero avuto l'opportunità di scegliere anche più di un marito.

Ma Oman non sorrise. La prese come una larvata critica. Per qualche ragione disse soltanto: "Il mondo è una sozzura".

Dopo l'imbrunire, un guardiano ci portò in un campeggio per vacanze vuoto, dove, in prossimità del torrente gorgogliante e sotto i fianchi incombenti della montagna, c'erano alcune capanne umide, e alcune lampade che oscillavano fra l'erba. Nella notte improvvisamente fredda, seduti all'aperto in una veranda diroccata, ci spartimmo un evangelico picnic di pane e pesce. Il guardiano era un giovane allegro e scanzonato. La gente veniva lì sul finire dell'estate, diceva, portandosi la vodka e i *shashlik* e le amanti russe, per sfuggire al caldo dei bassopiani, e nessuno pensava più a Khamza, il mediocre drammaturgo.

"La gente sale ancora sulla montagna dov'è sepolto, certo, ma quella tomba presto la demoliranno." Fece un gesto con la mano come per spazzarla via. "Una volta ho visto un film, che descriveva come era stato lapidato dai *mullah*. Ma è un'invenzione dei comunisti. Non fu assolutamente lapidato." La sua sigaretta ardeva nel buio. "Ci sono molti vecchi nella città che ricordano bene quei tempi, e dicono che due uomini si avvicinarono a Khamza per la strada e gli conficcarono un coltello in corpo. Erano i fratelli di una ragazza che lui aveva violentato, penso..."

Fece una risata crudele. Per un momento guardammo in basso, da dove saliva il rumore del fiume, mentre lui e Oman si dividevano una sigaretta. Una sottile luna si alzò, e diffuse nel campo un pallore mortale. La radura era cosparsa di rottami di forni e tazze di gabinetti, tavoli e sgabelli in decomposizione, e di lampade sballonzolanti. Sopra il torrente riuscivo a scorgere una fila di chioschi di legno, che sembravano parodiare i palazzi sull'acqua dei moghul.

"Adesso per i pellegrini ci sono due tombe," disse il guardiano. "Ci sono sempre state, ma una delle due era segreta. Stalin l'aveva fatta radere al suolo. Dicono che sia la tomba di Alì, il cugino del profeta Maometto, e ora la stanno ricostruendo."

Chiesi: "Pensi che sia vero?".

"Oh, sì." Scoppiò in una risata cinica. "Per il momento è vero."

Un'alba chiara levigava tutte le forme che la notte aveva oscurato. La montagna sopra di noi scendeva giù fino al fiume come una piramide tagliata da un rasoio. Le nevi sembravano a portata di mano. Al centro della città due torrenti che fuoriuscivano luccicanti dall'alto, confluivano alla base della collina dove si trovava la tomba di Khamza. Tutt'intorno fremeva una frivola atmosfera da carnevale. Lungo le rive i bazar si erano moltiplicati, e i fotografi avevano allestito certi bizzarri teloni che riproducevano il versante della collina, contro i quali potevano scattare le fotografie utilizzando anche un pavone vivo. Quando Oman intravide i mercati, rifacendo il verso a se stesso gridò: "Affari, affari!" e si mise a ridere contento, come ritornando a essere quello che era stato anni prima. Poi scomparve per andare a fare qualche affare, mentre io affrontai da solo la salita.

Simile a una cicatrice, una monumentale rampa di scalini tagliava la collina dalla base alla cima, che si elevava in mezzo a un parco scolorito con lampioni e fontane coperte dalle erbacce. Salivo vagando incerto. Sotto di me, una nuda fila di montagne riempiva la valle, e sulle sponde del fiume si raggruppavano case color nocciola. La scalinata verso la quiete. Molto al di sotto, in un parco di divertimenti per bambini, una ruota panoramica girava contro lo sfondo delle cime innevate.

Proprio sopra di me, in cima alla scala, sorgeva un monumento sovietico in ricordo della vittoria sui *basmachi* nel 1921: un grappolo minaccioso di fucili e pugni alzati. Era stato innalzato qui con cinica insolenza proprio nel cuore della regione conquistata, per costringere gli sconfitti a riconoscere la propria disfatta. Ed era stato collocato lì, con crudele spavalderia, per cancellare il ricordo della tomba di Alì, che Stalin aveva fatto demolire a pochi metri di distanza.

Ma era chiaro che non poteva demolire un mito. La tomba fu ricostruita di nascosto già durante il periodo delle persecuzioni, poi nuovamente distrutta dagli ufficiali comunisti, ricostruita clandestinamente una seconda volta, di nuovo distrutta, e così via. Ora un gruppo di muratori stava completando i lavori di ricostruzione con un tetto a cupola, sotto il quale, coperto da teli, rimaneva in attesa il grande sepolcro intonacato; dall'altra parte del crinale della collina vi era una moltitudine di vecchi appollaiati sui divani di alcune case da tè, intenti a biascicare benedizioni, e a pregare.

Uno di questi, che era lo storico del paese, stese per me una coperta imbottita e mi fece cenno di accomodarmi accanto a lui. Era un tipo benevolo nonostante dimostrasse una certa autorità nel mormorare una breve preghiera. Le sue dita erano inanellate da rosari d'avorio. Poi mi raccontò la biografia di Alì, di come il Profeta lo avesse favorito concedendogli la mano di sua figlia, e di come divenne il quarto califfo dell'Islam. Ma poi il vecchio si discostò dalla storia reale. Non menzionò assolutamente il fatto che Alì fu ucciso a Kufa da un eretico, o come il potente clan degli Ommayadi si fosse assicurato il califfato, uccidendo il figlio più piccolo di Alì; ignorò il tragico scisma che scaturì da tutta questa vicenda, e non proferì parola su come i sunniti avessero aderito alla linea dei califfi Ommayadi e dei loro successori per quasi tredici secoli, mentre gli sciiti si aggrapparono all'eredità del martirizzato Alì conservando fino ai nostri giorni il ricordo di quegli avvenimenti come un oltraggio bruciante e incancellabile.

Invece il vecchio si dilungò nel racconto di una storia più simpatica. Qualcuno ci aveva portato un po' di pane e un tè torbido. Mi guardava con l'espressione di un insegnante preoccupato, accertandosi continuamente che lo stessi ad ascoltare. Girai gli occhi verso il suo viso, attraversato da una corta barba bianca e con al centro un naso sul quale i capillari sembrava formassero un reticolo di vene rosse. Ma i suoi occhi scintillavano incredibilmente giovani nei suoi lineamenti da uomo della steppa. Quando parlava di Alì, non esibiva quella dura intransigenza che avevo riscontrato anni prima in Iran e in Iraq, ma con una risata riverente e con sorrisi ammiccanti cercava una segreta intesa. Alì era stato veramente ucciso a Kufa, disse, ma non di proposito. Oltre ai suoi due figli legittimi, ne aveva adottato un terzo, un piccolo orfano. Fece un cenno in aria con i palmi delle mani per indicare l'altezza di un bambino di tre anni. "Dio aveva già detto ad Alì che lui sarebbe morto mentre leggeva le sacre scritture, così, quando desiderò d'andare in paradiso, pagò questo suo ragazzo perché lo uccidesse nella moschea."

Il vecchio storico era raggiante per la bellezza semplice di tutta questa storia, secondo la quale nessuno era colpevole.

Chiesi: "Come mai è sepolto qui?".

"Ebbene, quell'orfano fece un pasticcio." Scosse la testa sconsolato. "Alì giacque in fin di vita per quattro giorni, e nel frattempo sette portatori di bare scesero a Kufa, tutti con l'intenzione di portare il corpo in parti diverse dell'impero. A ognuno di loro era stato detto di scavare una fossa e di pregare, e che il mattino seguente uno di loro sarebbe stato il favorito. E al mattino il corpo di Alì era in ognuna delle tombe!" La bocca del vecchio si spalancò mentre raccontava di questa moltiplicazione del corpo di Alì.

"Così ogni portatore di bara lo trasportò in un luogo diverso, e lui è sepolto in tutti questi posti."

Raccontava queste cose serenamente, accettando con semplicità il miracolo, basando la sua sicurezza sull'autorità di libri che ricordava solo in parte. Così Alì, disse, venne sepolto qui, e anche a Gedda, e in Afghanistan, e a Kufa, e ad Alma Ata, e a Najaf e... non riusciva a ricordarsi l'ultimo posto.

Poi, come cambiando argomento, disse: "Ma io so confidenzialmente che il corpo vero sta qui. Nel 1918, quando la tomba venne profanata, ci fu un abitante del villaggio che presenziò alla scena – ho ascoltato personalmente questa storia dal figlio di quell'uomo. Egli vide la tibia di Alì che spuntava dai detriti, ed era lunga il doppio dell'altezza di un uomo!"

I suoi occhi brillavano ingenuamente in mezzo alla sua capigliatura arruffata. Ora era pervaso da una sorta di gentile irrefutabilità. Risposi al suo sorriso. Mi domandai quale fosse la provenienza delle sue strane conoscenze e chi fosse mai quest'uomo. Sapevo che le tombe di questi santi calamitavano il mondo sommerso dei sufi. I comunisti li temevano. Il sufismo presupponeva una visione del mondo per loro inattaccabile: una migrazione interiore nel proprio spirito. A suo modo, era un credo profondamente sovversivo. E i vecchi sparpagliati sul fianco della collina potevano esserne dei rappresentanti tipici: riservati, benevoli, introversi.

Chiesi: "Questo è ancora un luogo di sufi?".

Fuori dalle città, il termine usualmente evocava un grande smarrimento. La bocca dello storico, però, tremò con il suo arco di denti disordinati. "Sì, lo è sempre stato. Qui ci sono ancora i naqšbandi." Notò il mio vivo interesse. "Se lei diventasse musulmano, le insegnerei come pregano e che cosa fanno, e come diciamo il nostro rosario." Il suo discorso era scivolato pacificamente nella verità. La sua mano agitava le perle del suo rosario.

"Così è un segreto..."

"Non è esattamente un segreto, ma non se ne parla." Disse umilmente: "Solo se lei diventasse musulmano, potrei dirle qualcosa in proposito. Ma..." – scoppiò all'improvviso in una risata – "prima, dovrebbe essere circonciso!".

Ridemmo insieme sgangheratamente. Aveva uno sguardo misterioso, come m'aspettavo da un naqšbandi: eternamente innocente, illuminato da quei suoi occhi inquieti. Rimanemmo seduti lì per un po', mentre nubi tempestose si trascinavano sulle montagne, e il cielo azzurro si copriva. Poi mi alzai e lo ringraziai. Disse:

“Ora questo luogo è santo. Ecco perché la chiamano di nuovo Shachimadan, ‘Re degli uomini’. Non esiste più nessuna Khamzabad. Khamza, chi era? Non lo conosco”.

Mi avvicinai lentamente alla tomba del poeta: un tempio costruito con lo stesso granito rosso del Mausoleo di Lenin nella Piazza Rossa, ma ricoperto da stucchi islamici e perforato da archi arabeggianti. Le panchine devozionali disposte tutt’attorno erano vuote. I denti di leone sbucavano numerosi tra uno scalino e l’altro. Inciso nella pietra tombale, uno dei versi di Khamza faceva capire che il verdetto di Oman era esatto (“Non così bravo come Jack London”). Nelle vicinanze c’era uno di quei musei sovietici vecchio stile che sono costituiti da collezioni di fotografie e da materiali di propaganda. Le circostanze della sua morte rimanevano poco chiare, ma erano collocate sulla soglia delle “forze maligne dell’oscurantismo”.

“Solo tre o quattro persone lo videro morire,” mi disse un uomo che incontrai quella sera nel campeggio, “e mio padre era uno di quelli. Accadde dopo che Khamza ebbe annunciato che la tomba di Alì doveva essere demolita. Poi i *mullah* e una folla di gente si riunirono per protestare, e cominciò a serpeggiare una grande rabbia. Ma non fu assolutamente lapidato. Scappò in un viale e urtò un mendicante cieco, un gigante, che lo soffocò con le sue mani. Mio padre lo vide con i suoi occhi. Ma oramai soltanto una ventina di uomini conosce questa storia di prima mano, perché i comunisti uccisero centonovanta persone per vendicare questa unica morte, e il villaggio fu distrutto. Questa è la verità.”

Oltrepassata la tomba di Alì, cominciai a scendere dalla collina sotto una coltre di nubi minacciose, nel punto in cui gli operai stavano ancora posando i mattoni. In realtà non si sa chi sia sepolto qui: forse un qualche antico santone, o un capo tribù preislamico. Lo stesso Alì era con ogni probabilità sepolto ad An Najaf in Iraq, dove si suppone che il califfo Harun al-Rashid abbia riscoperto la sua tomba nel 791.

Quando raggiunsi il fondovalle, i tre monumenti raggruppati sulla vetta erano indistinguibili nella loro contrastante stranezza. Mi figurai che non sarebbero rimasti insieme ancora per molto tempo. L’antica divinità stava ritornando, e tutte le opere che i russi avevano edificato nella speranza di schiacciarla, o di annullarne il potere, presto sarebbero state spazzate via. Probabilmente il mausoleo ai caduti in guerra sarebbe stato il primo a scomparire, seguito dal museo e dalla tomba del poeta lussurioso, lasciando sulla cima della tomba soltanto il luogo in cui il robusto e piuttosto ingenuo Alì di quella storia che mi era stata raccontata sarebbe stato trasformato in un santo.

Ai piedi della collina i fotografi stavano ancora attirando i viandanti per farli posare davanti ai loro teloni, mentre i pavoni urlavano a fianco. Ogni sfondo rappresentava una visione fiabesca della collina. Sulla parte superiore, dietro a cupole fluttuanti spuntavano montagne finte, mentre gli scalini scendevano a precipizio verso il basso in un Eden composto da una giungla di enormi tulipani e da un fiume azzurro. La collina vera, intanto, si ergeva di fronte in bella vista: un caos di cemento e di fontane morte. Ma nessuno si faceva fotografare davanti a questa. La gente si metteva in posa, invece, davanti ai sogni fastosi. E forse non aveva alcuna importanza, pensai, mentre la prima pioggia cominciava a cadere. Perché i monumenti della collina erano, a modo loro, talmente onirici che qualsiasi quadro poteva riprodurli, e il fatto che non fossero quelli veri non li alterava assolutamente. Erano piuttosto ricordi della manipolazione delle menti e della corruzione della storia.

Era una collina di menzogne.

Il giorno seguente il fiume ci accompagnò nella pianura di Fergana, e già nel pomeriggio stavamo procedendo tra case stuccate di blu fin quando raggiungemmo Margilan, la città della seta, i cui abitanti erano stati crudelissimamente sbeffeggiati da Jura. Mi resi conto che qui esisteva un Islam più profondo. Ma le mie poche conoscenze sulla città si rivelarono obsolete. Dov'era l'antica fortezza, domandai? Un uomo ci disse che le sue rovine erano sepolte sotto la piazza centrale. E dov'era la famosa statua di Nurkhon, la prima donna uzbeka che si era strappata di dosso il velo (e che per questo era stata uccisa dai suoi fratelli nel 1929)?

"Oh, Nurkhon," disse lo stesso uomo: come per incanto ripeté la melliflua parodia di Jura. "È stata abbattuta alcune settimane fa."

"Perché?"

"Perché così tutto sarà più bello." Agitò la mano per accarezzarsi il costato all'altezza del cuore. "Vede, i tempi sono cambiati. Eravamo abituati a non avere niente. Adesso abbiamo la nostra libertà."

"Così buttate giù le statue delle donne?" Mi stava crescendo dentro un affetto pigmalionesco per la povera Nurkhon. "Pensavo che la gente di Margilan fosse più dolce..."

"Ah, lo siamo." Alcuni melliflui sorrisi soffusero il suo sguardo. "Siamo gente più dolce di altri. Siamo più sensibili. Noi crediamo più fermamente nell'Islam. Ci auguriamo il bene di tutti." La sua voce scivolava zuccherosa. "Non facciamo distinzioni di razza. Accogliamo tutti."

"Allora perché..."

"Perché abbiamo bisogno di ordine," cantò melodiosamente. Il suo sorriso sembrava stampato sulle labbra. "Credo che Stalin andasse bene, nonostante tutto quello che si dice di lui. Mio padre combatté in guerra per lui e gli scattò perfino una fotografia. Ora qui abbiamo bisogno di una persona crudele." Continuò nello stesso fastidioso tono cortese: "La crudeltà fa bene alle persone".

Dissi: "Le vostre moschee verrebbero di nuovo chiuse".

"Non abbiamo bisogno delle moschee. Io ho appreso il mio Islam da mio padre, e dai vecchi nelle case da tè quand'ero bambino. A quel tempo era una cosa viva, e tutti ascoltavamo."

"Ma..." esitai. Era come maneggiare acqua, o le scivolose sete locali.

"Qui la famiglia è tutto," sorrise affettatamente. "Ognuna è una piccola dinastia, tutti mercanti." Le sue dita toccarono di nuovo il cuore. "Dicono che noi siamo capaci di vendere qualsiasi cosa."

Vicino a Namangan viveva un'enorme famiglia di mercanti e di insegnanti, alla quale ero stato presentato da un'amica turca in Inghilterra, nel sobborgo rurale di una città famosa per il suo artigianato in ferro. Oman e io arrivammo senza preavviso e ci trovammo a occhieggiare in un giardino labirintico, intasato da alberi di fichi e di cachi e attraversato da un ruscelletto sul quale fiorivano le rose. In qualche punto nel cuore di questo recinto aveva vissuto un antico progenitore, i cui figli, nipoti, nipotini e le loro famiglie abitavano nelle case lì attorno in una complicata ramificazione di parentele che non riuscii mai a districare.

Un cortese insegnante d'inglese di nome Hakim, il più giovane di questa nidiata di figli, ci fece entrare nell'ingresso della sua abitazione, dove era affaccendata una rosea moglie e i bambini vedendoci sgranarono i loro begli occhi dalle ciglia nere. Hakim parlava un inglese libresco. La mia amicizia con Fatima – una lontana cugina che non aveva incontrato che pochissime volte – e il mio ingresso nella sua casa lo misero in uno stato di agitato stupore. Di tanto in tanto il suo viso si perdeva in un'espressione piuttosto sensuale con gli occhi attenti e le labbra tremanti, e sospirava: "Incredibile!".

Per tutto il giorno e fino a tarda notte Oman e io sedemmo in una di quelle grandi stanze con le pareti e i soffitti dipinti a colori pastello che ormai ci erano familiari, mentre una processione di parenti, affluiti alla notizia del nostro arrivo, si raggruppava in casa per dividere il nostro pilaf e il tè. Uomini seri, dal viso franco, si disposero intorno a noi per una cerimoniosa richiesta di informazioni, molto dignitosi con le loro giacche scure e le papaline. Certe volte facevano venire in mente una riunione di contadini timidi, con le loro grosse mani che rimanevano aperte sulle ginocchia o che si intrufolavano con discrezione nel pilaf. I loro occhi scintillanti esaminavano passivamente ogni cosa. Per rispetto della forma mi avevano chiesto di Fatima, che cominciò a diventare una sorta di mistica presenza. Molti di loro l'avevano soltanto sentita nominare, ma si rattristarono non poco quando raccontai che si era separata dal marito, che aveva avuto problemi con l'automobile e con l'appartamento, e si rinfrancarono quando sentirono che stava facendo carriera come giornalista. Qualche volta, pressato dall'insistenza delle loro domande, mi capitava di reinventare il suo personaggio per farli contenti. Raccontai che Fatima si era entusiasmata all'idea di ritornare in Uzbekistan, ma non sapevo quando ciò sarebbe potuto accadere. Mi interessai a suo nome dei bambini e dei diplomi scolastici. Risposero con sereno orgoglio. Dissi che sì, lei stava bene, e non li aveva dimenticati – e i loro visi scoprirono file di denti argentati.

Per una mezz'oretta mi trasferii furtivamente nel giardino sotto i cachi, dove mi trovò una bella nipote di Hakim, e ci sedemmo su una di quelle panche turche simili a troni. Nelle fronde sopra di noi una quaglia domestica cantava chiusa in gabbia. La ragazza aveva diciassette anni, e fisicamente era una donna adulta, ma il suo viso sembrava inesperto, come quello di un bambino. Stava studiando per entrare all'università, disse, e voleva specializzarsi in inglese, ma era troppo timida per riuscire a parlarlo con me.

Che cosa avrebbe fatto con quest'inglese, chiesi.

"Vorrei fare l'interprete," rispose, sorridendomi, "per il Kgb." Sbatteva le gambe in modo infantile. I vivaci pantaloni di seta *Atlas* lasciavano scoperti i sottili polpacci non depilati. "Penso che sia un lavoro interessante." Il Kgb era solo un lavoro, un'istituzione che c'era sempre stata, come l'esercito o la locale fattoria collettiva. "Ma penso che non assumano molte donne, preferiscono gli uomini."

"Che altro potresti fare?" chiesi con impazienza. "Che cosa ti piace?" Era come parlare con una bambina di dieci anni.

"Mi piace il tennis."

“*Il tennis?*”

“Sì. Sai, quello da tavolo. E mi piacerebbe viaggiare. Amo viaggiare.” Ma non si era mai avventurata più in là di Bukhara, e quando chiese dove ero stato, il suo sguardo si posò su di me con un'espressione di dolce meraviglia. “È quello che voglio fare: viaggiare. Non voglio sposarmi prima di avere venticinque anni. A venticinque anni è tardi, ma non me ne starò seduta a casa per tutta la vita.”

“Non una brava moglie musulmana!” Stavo cominciando a credere nel suo futuro.

Arricciò il naso. “Non vado alla moschea. È un posto solo per gli uomini. Non mi piace quel tipo di cose.”

“Non porteresti il velo?”

“*No!*” Rispose con un verso soffocato, violento. “Penso sia disgustoso.”

All'imbrunire, gli uomini uscirono dalle case affacciate sul cortile e si riunirono tutti insieme nella stanza d'ingresso della nostra casa. Mentre Oman e io occupavamo il posto d'onore di fronte alla porta, essi si sedettero in cerchio davanti a noi con le gambe incrociate, come nelle assemblee degli anziani delle tribù, e poi fu servito un banchetto di tutto rispetto. Nessuna donna era presente, ma con noi mangiarono perfino i ragazzini, e di tanto in tanto Hakim faceva dondolare una culla di legno nella quale giaceva il figlio più piccolo, avvolto in fasce scarlatte. Un improvvisato catetere attaccato al pene del bambino scendeva in un vasino sistemato sotto la culla che si stava riempiendo di urina. Era immobile come una mummia, e urlava.

Gli uomini, nel frattempo, si toccarono il viso in un gesto autoassolutorio, e poi attaccarono a bere. Più insidiosa di qualsiasi tipo di propaganda, pensai, la vodka si era insinuata nella loro cultura e minava la loro fede. Brindarono alla maniera russa, vuotando il contenuto delle tazze tutto d'un fiato – con brindisi alla pace, a Fatima, al loro arrivo, un giorno o l'altro, a Londra (tentai invano di immaginarmelo), e alla mia salute – prima di immergere il pane *lepeshka* nelle ciotole colme di montone unto, o di afferrare manciate di fragole.

Poi la conversazione si fece più seria. Si parlò dei problemi nella vicina Namangan, dove le donne erano state costrette a mettersi il velo, e vigilanti autonominatisi avevano cominciato ad applicare la legge islamica e messo alla berlina alcuni piccoli criminali. Dissero che recentemente la polizia era intervenuta e aveva arrestato cinquanta di questi fanatici, e che questa era stata una buona cosa.

"Erano solo poche centinaia," disse un giovane. "Molti di loro erano persone senza lavoro, penso, poveracci. Ragazzi." Lui stesso sembrava soltanto un ragazzo.

"Volevano creare una loro cricca di potere," disse un mercante, "una loro organizzazione mafiosa."

"Proprio mafiosi!" urlò Oman. Il termine lo elettrizzava sempre. "Non li vogliamo! Quello di cui abbiamo bisogno sono gli affari. La libertà di fare affari!" Avevo temuto una cosa del genere. La vodka l'aveva reso di colpo loquace. Due o tre brindisi, e aveva già cominciato a gesticolare con le braccia e a sparare una serie di teorie e banalità. "Non è così che va inteso l'Islam!" schiamazzò. "Dov'è scritto nel Corano che le donne devono indossare il velo? Non c'è scritto, no!" Iniziò a menare colpi in aria. "Non sono le apparenze che contano, ma il cuore!"

Gli altri iniziarono a mostrare segni di imbarazzo mentre il tono della sua voce cresceva e i suoi occhi nuotavano in un bagliore febbrile, come se fosse sul punto di piangere. Tutti erano d'accordo con lui – annuivano con nobiltà tutti insieme – ma Oman si stava catapultando come una valanga nella passionalità più sfrenata che essi silenziosamente rinnegavano. Toccavano i cucchiai e i gusci spezzati delle noccioline, e guardavano vagamente lontano. Si ripresero solo quando Oman si calmò. Poi, con la loro tradizionale semplicità, respinsero il fondamentalismo e il "modello iraniano". Loro seguivano il "modello turco", dissero. Avrebbero avuto un loro modello islamico, sobrio e ospitale.

"La nostra gente non è come gli iraniani," disse qualcuno. "Noi pensiamo in un altro modo."

Li disprezzavano tacitamente. Tutta quella emotività, sottintesero, era poco virile. Si risistemarono sui cuscini.

"Creeremo per tempo un nostro sistema," affermò risoluto un gigante. Una barba corta gli scendeva dal mento simile a un bavaglino cencioso. "Ma al momento, vede, non abbiamo la sensazione di essere una nazione. La storia è la chiave di tutto, e i sovietici ci hanno privato della nostra. Nella scuola secondaria, dove insegno, i libri di testo dedicavano solo due righe a Timur, il conquistatore del mondo. *Due righe*! E lo descrivevano come una persona corrotta." Si esprimeva con aspra ironia. Strinse i pugni e disse: "Ma ora i nostri libri vengono riscritti dagli storici uzbeki, che hanno finalmente accesso agli archivi!".

Mi chiedevo quanto questi ultimi fossero più veritieri. Il passato sembrava sottoposto a istantanei cambiamenti. Era impossibile indovinare come l'avrebbero riscritto. Inoltre mi chiedevo cosa avesse potuto provare uno come lui a insegnare una determinata verità fino a un certo giorno, per poi capovolgerla il giorno successivo. Gli domandai come si era presentato davanti ai suoi studenti dopo la *perestroika*.

Era una domanda crudele, ma lui continuò a sorridere nel suo modo gioviale. "Ho semplicemente spiegato loro che anch'io ignoravo questi fatti! Che non li sapevo nemmeno! Ma che ora era possibile conoscere la verità, e così avremmo ricominciato da capo. La vicenda che per prima ci aprì gli occhi, lei lo sa, fu l'invasione dell'Afghanistan. Dicono che quasi metà dell'esercito sovietico provenisse dall'Asia centrale, e io ci credo. Ai musulmani fu imposto di combattere contro i fratelli musulmani, uzbeki contro uzbeki, tadžiki..."

Domandai se li avessero inviati in base a un errato concetto di propaganda, o per semplice ignoranza.

"Ignoranza," si intromise un esile mercante. I suoi occhi guizzavano a destra e a sinistra, come se si sentisse escluso da una trattativa d'affari. "I russi non hanno mai imparato niente. Da nessuno."

"Non lo so," disse l'insegnante di storia. "Ho paura di non saperlo. Ma continuavano a spedirci là anche molto tempo dopo l'inizio del conflitto. Ci dava una sensazione di terribile amarezza. Mio fratello era uno di quelli. Molti disertarono, e ora sono rimasti a vivere là. E alla fine la gente cominciò a rifiutarsi di combattere."

"Rifiutarsi?" chiesi. "Qui in Asia centrale?"

Per la prima volta il suo viso assunse un'aria abbattuta, e il suo sorriso si spense. Con un tono frastornato di vergogna disse: "No. È triste, ma qui non ce n'erano. Gli obiettori di coscienza erano tutti russi. Fecero delle dimostrazioni a Mosca. Ma noi... noi facevamo solo ciò che ci veniva ordinato."

Poi pensai alla paradossale situazione di queste persone: la loro mescolanza di forza rustica e di fatalistica acquiescenza. Perfino nel secolo scorso i viaggiatori avevano notato come si sottomettessero supinamente a qualsiasi potere dominante. Quando appoggiai la mano sul bordo della culla ormai ferma, mi ritrovai con stupore a meditare su quella condizione di impotenza in cui da bambini venivano avvoltolati per mesi, e uno stuolo di dogmi freudiani mi affollarono il cervello, e poi si allontanarono...

"Abbiamo un lungo cammino da fare," disse semplicemente l'insegnante. "Non ci siamo mossi come hanno fatto i russi. Qui non abbiamo nemmeno un accenno di democrazia. Solo un'imitazione. Ne parlano sempre, naturalmente, ma non fanno niente."

"Adesso almeno avete governanti del vostro popolo," dissi: in questo modo era stato eliminato un elemento di repressione.

Annuirono. "Sì... sì..."

Oman si era messo a far dondolare la culla. "Questa è la nostra democrazia!" gridò. "È solo un neonato!"

Il bambino ricominciò a strillare; ma suo padre lo liberò e lo mise in piedi, mentre tutti guardavano e applaudivano. Sembrava un piccolo Ercole. Lo accarezzarono, lo palparono, lo vezzeggiarono, lo rimproverarono e lo baciarono. Poi Oman lo afferrò e lo dondolò in su e in giù sopra la testa, come se fosse stato un trofeo. "Questo è il futuro dell'Uzbekistan!" gridò. Le lacrime gli brillavano negli occhi. Era pericolosamente ubriaco. "Ecco qui la nostra nazione! Guardate come sarà bello!"

Stava recitando per la folla, lo sapevo, cercava d'ingraziarsela. Tuttavia, in quello stesso momento, si stava astutamente abbassando al livello di questi insegnanti e uomini d'affari di provincia, e presto iniziò a predicare contro certa gente di Taškent che si riteneva superiore agli altri uzbeki. Era assurdo, dichiarò. Perché dovevano pensare in questo modo? Lui non era assolutamente d'accordo. Ma questo suo rifiuto si accompagnava a una serenità innescata dall'alcol, che apparteneva a un'altra civiltà. Mentre metteva in mostra il bambino sulle spalle, gli altri lo guardavano con un misto di deferenza e di disagio. Attirava la loro attenzione ma un po' li metteva in soggezione. E non riusciva a conquistare la loro fiducia.

E poi Hakim si alzò e liberò il bambino dalle mani estranee e insicure di Oman. In qualche modo, sembrava, si era spinto troppo oltre.

Le nostre voci precipitarono in un triste silenzio. Hakim fasciò il bambino e lo ripose nella culla, e poi mi toccò il braccio con un certo imbarazzo e rivolgendosi nel suo bizzarro inglese cambiò discorso: "Non riesco a far sapere se la mia lingua inglese è buona o no. Mi chiedo se lei, nel suo ufficio, mi può dare un attestato con un timbro".

"Un attestato?"

"Sì, un attestato. Se ho un attestato, lo posso mostrare alle autorità."

Oman si stava muovendo accanto a me, ubriaco, miserabile.

"Non abbiamo attestati di quel genere," dissi. "Io sono solo uno scrittore che lavora in privato..."

"Ma se lei, con la sua posizione, scrivesse che io sono bravo in inglese, e che lei è un famoso scrittore inglese, anche senza l'attestato, forse mi potrebbe aiutare."

Così promisi di mandargli una lettera di raccomandazione dall'Inghilterra (e spudoratamente, quando tornai, la scrissi) e lui si rilassò di nuovo e riprese a far dondolare la culla dell'ululante neonato.

Subito dopo tutti si alzarono rispettosi. Sulla soglia, minuscolo e fragile, avvolto in un cappotto polveroso, completamente attorcigliato da tre sciarpe, indugiava il patriarca della famiglia, ancora saldo sulle gambe. Aveva novantaquattro anni. Sotto l'intreccio del suo turbante, sfavillavano un paio di occhi chiari, simili a quelli di un folletto, molto incavati, e una barba color cenere sporgeva vivacemente in avanti. Mentre si sedeva vicino a me, un semicerchio di visi onesti e deferenti si voltò all'unisono per ascoltarlo. La mia presenza gli diede l'occasione per raccontare la sua storia, che il suo parentado doveva aver sentito centinaia di volte, ma nessuno disse nulla o si mosse.

Nel lontano passato aveva fatto il mercante sulla Via della Seta, disse, portando oro dalla valle di Fergana alla lontana Cina nordoccidentale, e ritornando con otto cammelli carichi di seta attraverso il Pamir. Aveva percorso piste che i cinesi avevano battezzato "grande mal di testa" o "piccolo mal di testa", ma durante il suo ultimo viaggio, al peggiorare delle relazioni tra Urss e Sinkiang all'inizio degli anni trenta, il ponte sul confine venne fatto precipitare nel fiume Ili e lui era rimasto bloccato sulla riva opposta.

"Ma il governatore cinese era un uomo d'onore," disse: la sua voce argentina apparteneva a un'epoca e a luogo molto remoti. "Scambiò il nostro oro con la lana e ci traghettò sull'altra sponda. Ma quella fu la fine dei miei viaggi. Non potevo tornare indietro. Così diventai macellaio ad Alma Ata, e là mi sposai."

Mentre gli uomini si sforzavano di cogliere ogni inflessione della sua tremula voce, pensai a come fosse stata priva di qualsiasi speranza la missione del comunismo in queste contrade – il suo tentativo di sopprimere il passato e di accelerare l'avvento del nuovo. Il passato, infatti, si trovava seduto in mezzo a noi, oggetto di innato rispetto, con la sua sciarpa tripla e il suo cappotto logoro e carico di anni. Il vero paese di questa gente era sempre stata la loro genealogia, di cui si servivano per ricordare il loro cammino generazionale fino a ricongiungersi con il mito (si rifacevano addirittura ad Adamo), e la dignità risiedeva ancora nell'anzianità. La salute e la longevità del vecchio erano motivo di meraviglia per il clan e di orgoglio per i suoi discendenti, e poiché la sua storia perdeva d'importanza quando arrivava ai mattatoi e alla vita domestica ad Alma Ata, e i suoi eredi s'erano rimessi a conversare, attaccò discorso con me per chiedermi un po' di informazioni sulla salute.

"Non sono mai stato malato..." Sedeva dritto impettito, con le agili gambe ripiegate sotto il corpo. "Bevevo una bottiglia di vodka a ogni pasto... e i miei pasti sono sempre stati gli stessi: un chilo di castrato, un chilo di riso, e mezzo chilo di grasso di pecora. Ho vissuto di questo. Ricordati. Te lo consiglio. L'anno scorso ho avuto un piccolo problema con il ginocchio sinistro, non so perché... È l'unica cosa di cui abbia mai sofferto."

La sua digestione era perfetta, disse, ma non aveva denti. Un nipote gli tagliuzzava pezzetti di cocomero, mentre un altro rompeva e frantumava qualche nocciolina. Scrutai il suo viso per cercarvi un qualche indizio di cedimento della sua robustezza, ma mi ritrovai a fissare un volto misteriosamente senza età: chiaro e quasi privo di lineamenti, a eccezione degli occhi da folletto. Il suo setto nasale affondava irrintracciabile fra le guance, lasciando trasparire soltanto un chiarore isolato sulle narici rosacee a forma di conchiglia. Era sopravvissuto a quasi tutti i suoi sette figli, e la figlia più giovane, che aveva avuto a sessantaquattro anni, lo andava ancora a trovare.

"Ma tutto era migliore," cominciò, "al tempo di... di... quell'uomo, Nicola..."

"Nicola II?"

"Lo zar Nicola, sì... Quelli erano anni belli. Nessuno ti infastidiva. C'erano solo cammelli e cavalli, una grande quantità di cavalli, sì, e la pace... E poi venne l'Unione Sovietica e ogni cosa fu collettivizzata e riorganizzata." Scosse la testa. Il suo collo tremava insieme alle rughe, come quello di una lucertola. "E fu un grosso problema... per niente..."

Verso mezzanotte si alzò – "Vado a far visita ai miei nipoti! Ritornerò!" – e nel tempo che noi impiegammo per riassestarci rispettosamente in piedi, se n'era andato con passo svelto.

Un'ora più tardi se ne andò l'ultimo ospite, Hakim stese le trapunte sul pavimento, e Oman vi si arrotolò sopra, e la sua voce diventò sentimentale e lacrimosa: "Mi dispiace, Colin. Non ero io che stavo parlando, era la vodka". Poi si mise a russare rumorosamente, spaventosamente, per ore, cambiando di volume ogni volta che si rigirava, mentre Hakim, di là, emetteva un lamento più leggero, nasale. Alla fine, al mattino molto presto, il patriarca ritornò e si distese come una statua su un catafalco, respirando affannosamente, con le dita intrecciate sopra lo stomaco, e con la barba puntata verso il soffitto. Il loro trio di fiati si intonò e riempì la stanza.

In un'epoca che nessuno in città riusciva a ricordare, un vecchio santone girovago era stato capace di scoprire l'acqua che sgorgava dal sottosuolo ed era stato sepolto nel punto in cui i gelidi ruscelletti scendevano giù dalla collina. Ora acacie e alberi di *chenar* immergevano le sue terrazze in una luce diafana, e i divani delle case da tè erano sparpagliati tra piscine ornamentali; gli uomini bevevano in modo compito – perché questo è un luogo santo – e le donne giocavano con i loro figli attorno alla tomba.

Una compagnia di giovani parenti di Hakim mi portò là al mattino. Alcune notti prima la locale statua di Lenin era stata tolta ("scompaiono sempre di notte", disse qualcuno); ma la tomba del santo era in restauro. Tutt'intorno a noi, mentre ci accomodavamo davanti alla nostra enorme colazione, gli habitué della casa da tè erano impegnati in un'intensa conversazione, e avevano appeso le loro gabbie con le quaglie addomesticate sui rami sopra le loro teste. A volte, diceva Hakim, scagliavano gli uccelli gli uni contro gli altri in una lotta di nervi senza spargimento di sangue, e facevano scommesse. Ma ora le uccelliere, ciascuna coperta da un cappuccio nero, penzolavano in silenzio tra le foglie, mentre le quaglie se ne stavano sotto imbronciate.

Rilassati dalla prima luce del sole, e svincolati dall'educato riserbo degli anziani, i giovani mi mitragliavano di domande. L'ovest risplendeva come un irraggiungibile El Dorado ma i loro occhi neri si erano fissati su di me essendo l'unico esemplare proveniente da quel mondo. Tornato in Inghilterra, possedevo una casa, un'automobile? Quanto costava sposarsi? Ma i prezzi di una Honda o di un appartamento si perdevano nell'insensatezza. Là l'inflazione aveva già portato alle stelle il costo della vita, ma la disparità tra dollaro e rublo in ribasso guastava ogni paragone. Soltanto il costo di un biglietto aereo per l'Occidente per loro equivaleva a più di un anno di stipendio.

Ma c'era una cosa che li sconcertava profondamente. Perché non ero sposato? Più tardi mi confessarono che tutti smaniavano dalla voglia di chiedermelo, e ora la domanda era uscita dalle labbra di un ragazzo con un viso franco che aveva ascoltato tutto in silenzio. Perfino Hakim mi guardava stupito. "Ti perdi tutte le dolcezze della vita!" gridò, e tutti gli altri mi guardarono ammutoliti, esprimendo il loro assenso, mentre le ombre scendevano sul nostro pasto lasciato a metà, e dentro alle gabbie coperte le quaglie si agitavano, come se attendessero una risposta.

"In cosa risiede questa dolcezza?" chiesi. La domanda conteneva in sé una sua socratica peculiarità. "Nella donna o nei bambini?"

Hakim rispose subito: "Nei bambini, naturalmente, nei ragazzi".

Ma in Occidente, dissi loro, era più frequente che fosse la donna a ispirare il desiderio di sposarsi. Non ero in grado di far loro comprendere un mondo in cui i pregi di una persona potevano cambiare il corso di una vita, o in cui l'amore aveva la possibilità di sottrarsi al preordinato programma di unione e di procreazione.

Il giovane inesperto ribatté: "Solo la donna?". Si stava incupendo.

"Sì."

Ripresero a masticare il loro cibo, perplessi. Qualsiasi segreto desiderio li potesse far soffrire (e avevo incontrato diverse persone che avevano sedotto la moglie di un altro), le loro vite dure erano regolate da una dose eccessiva di praticità spicciola e di responsabilità di clan per permettersi il lusso di capire lo stile di vita di un'altra persona. Dopo tutto, una donna era solo una donna. Ma un figlio era un erede, sangue del tuo sangue, che avrebbe conservato e riprodotto il tuo sangue e la tua memoria, e assicurato la tua continuità nella catena delle cose. Io, per quel che potevano vedere, mi trovavo in un vicolo cieco, ero una bizzarra eccezione.

Si misero a cercare altre spiegazioni adatte al mio caso. Ritenevano che i motivi per cui uno viaggiava erano le donne e i commerci. Che aspetto avevano le donne arabe, chiedevano, e quelle francesi? Era vero che le donne giapponesi erano fatte in modo diverso *lì sotto*? Avevo mai avuto una cinese?

Mi resi conto che io per loro ero rimasto un incomprensibile paradosso; tuttavia, a loro avviso io abitavo in un mondo talmente ricco e libero che forse il segreto della mia solitudine stava proprio in qualcuna di queste cose.

La dolcezza della vita. Mi vidi riflesso nei loro occhi, e fui colto da una malinconia passeggera. Quando ci salutammo, mi regalarono un po' di ciliegie, e un coltellino. Le loro domande avevano rappresentato una sfida innocente, e per alcune di esse non avevo risposta.

Per alcuni giorni Oman e io gironzolammo a est attraverso un territorio dove i campi di cotone erano interrotti da coltivazioni di erba medica, grano e risaie. A Namangan non vedemmo traccia di veli al momento, e ci dirigemmo verso la vecchia capitale Andižan dove cinquecento anni prima era nato Babur. Egli scrisse che perfino la gente era bella, e i suoi prati, addolciti dalle violette e dai tulipani, lo tormentavano nel suo lontano esilio. Ma ora, coma Jura aveva suggerito, Andižan era più rude e meno bucolica, una città d'industrie petrolifere e di manifatture cotoniere con strade sobrie intonacate di giallo. Così, alla fine, scivolammo al di là del confine kirgizo nella città di Oš, e ci preparammo a muoverci verso sud nel Pamir.

In queste città il personale degli alberghi rimaneva sconcertato dall'arrivo di uno straniero. Alcuni ci accettavano, ma quadruplicavano i prezzi. Altri telefonavano alla polizia per chiedere cosa fare, ma nemmeno la polizia lo sapeva. Le regole erano svanite. Poi Oman, che si stava irritando, irrompeva nella stazione di polizia e a ogni esitazione dell'impiegato gridava: "La Cortina di Ferro non è ancora caduta?" oppure "Credevo che Stalin fosse morto!" e gli impiegati sembravano sconvolti e accettavano, o rifiutavano rabbiosamente. Alla fine ci adattavamo a una stanza malandata che puzzava di urina, dove cercavo di scrivere degli appunti sotto la luce di una debole lampadina e Oman fumava e leggeva Arthur Hailey. (Aveva abbandonato Kafka, che, disse, lo aveva troppo scombussolato.) Quando poi ritornavo da una passeggiata notturna, lo trovavo sopraffatto dalla noia e dal sonno, il suo corpo informe riverso tra le lenzuola come fosse stato quello di un altro.

Ma ora eravamo a poco più di cento chilometri dal confine cinese, che era separato solo da una dorsale di montagne sulla quale convergevano il Tienshan e il Pamir. La gente della valle di Fergana aveva imparato dalla cultura cinese a lavorare i metalli preziosi, a produrre la carta e a scavare i pozzi, mentre i metodi di coltivazione dei vigneti e del trifoglio erano arrivati dalla via opposta, assieme all'allevamento di cavalli diversi da quelli tarchiati e lottatori della steppa. Oltre duemila anni fa all'orecchio dell'imperatore cinese Wu Ti giunse notizia di questi cavalli della valle di Fergana e li volle avere per la sua cavalleria all'ultima moda. Si diceva che sudassero sangue e che fossero di discendenza divina. Nel 104 a.C. un'invasione cinese disseminò con i propri morti il percorso fra i deserti e le montagne in una marcia d'addestramento di quattromila e cinquecento chilometri; ma il tributo dei cavalli fu assicurato – belle creature, con nervi guizzanti, simili ai moderni cavalli arabi.

Ma a Oš non notammo nulla di cinese. Le frontiere erano rimaste chiuse per sessant'anni ed erano state riaperte soltanto lontano, a nord-est. Dai sobborghi si elevavano i primi costoni delle montagne intermedie. La leggenda attribuiva la fondazione della città a Salomone, e nel dodicesimo secolo era diventata un luogo santo. I suoi abitanti erano devoti e un po' furbastri. Quando i viaggiatori riposavano nei suoi prati, i monelli locali aprivano le chiuse del fiume e li bagnavano. Ora il terremoto, la decadenza e i restauratori sovietici s'erano dati da fare per castrarla.

Qui feci una passeggiata mattutina dopo una velenosa cena a base di zuppa di noodle, e lasciai Oman nel suo letto a lamentarsi. In ogni caso la città lo spaventava, perché diciotto mesi prima le rivolte dei kirgizi contro gli uzbeki avevano lasciato sul terreno trecento morti. Le dicerie uzbeke avevano calcolato il numero dei morti a oltre mille, e lui aveva visto un video amatoriale sui massacri, che lo facevano ancora impallidire. Sapevo che gli autori di questi orrori probabilmente stavano camminando attorno a me nelle strade, e la prevalenza dei kirgizi – una razza di nomadi dediti alla pastorizia – animava la città di un'atmosfera libera ma piuttosto brutale. Erano più tarchiati degli uzbeki, più rudi, più secolari. I cappelli bianchi di feltro, decorati di fiocchi e con le tese rivolte verso l'alto, davano loro un aspetto da commedianti folli. Sotto ai loro copricapi uno s'immaginerebbe di vedere la carnagione chiara di un principe russo delle favole. Invece, apparivano un arido paio di zigomi mongoli schiacciati e uno sguardo distratto e innocente. "Sono solo pastori," aveva detto Oman, e li faceva allontanare con nervosi gesti delle mani.

Ma la città sembrava pervasa da un'illusoria atmosfera di pace. Non vidi alcuna traccia del terremoto che si era scatenato due settimane prima con epicentro proprio da quelle parti (e aveva fatto tintinnare le stoviglie a Taškent). Le crepe sulle pareti del nostro albergo erano lì da anni.

Nei sobborghi occidentali un roccioso costone di montagna, detto il Trono di Salomone, aveva probabilmente contribuito alla nascita della città. Da qui, secondo i pellegrini, il re guardava la città che aveva fondato, e sulla sua cima fu seppellito. Naturalmente, la tomba di Salomone divenne un rifugio dei sufi e per decenni i russi cercarono di fermare i pellegrinaggi segreti che giungevano fin là. Gli ufficiali protestavano contro "il movimento settario e clandestino" e il "clero musulmano reazionario" con un'ansia paranoica, e nel 1987 tentarono di neutralizzare il luogo incoraggiando gruppi di turisti a venire qui dall'Europa orientale.

Ora lo sperone era visibilmente sospeso sopra di me, infiocchettato da arboscelli ed erbe. Ai suoi piedi un basamento di pietra enunciava ancora i dettami di Lenin. Nessuno si era preoccupato di rimuoverlo. Su un tabellone municipale, in cima al quale c'era scritto "Le persone migliori di Oš", le assi vuote stavano cascando di lato. Folle di visitatori locali stavano arrancando sul sentiero con un'allegria da luna park: ragazzi turbolenti, e scolare con grembiuli bianchi, simili a oziose cameriere.

Le seguii faticosamente. Gli scalini di cemento salivano di sbieco a serpentina sull'orlo della montagna. Cespugli e alberi erano chiazzati da stendardi rivelatori. Ma ogni fanatismo – musulmano o comunista – sembrava passato. Era scomparso sotto lo scalpiccio dei piedi dei villeggianti sudati che giungevano durante il fine settimana con macchine fotografiche da quattro soldi portate a tracolla. Gruppi di donne robuste si erano tolte i loro tacchi alti per camminare meglio a piedi nudi sugli scalini, e sembravano indossare le loro sete non per una dichiarazione di nazionalismo ma per una moda attraente. In cima, i sufi, abbandonata ormai la loro condizione di sovversivi, rimanevano quello che probabilmente erano sempre stati: un gruppo di anziani alla ricerca della pace.

Un vento leggero sfiorò la vetta. La tomba di Salomone era una cappella ricostruita, rivolta verso La Mecca. Un vecchio dispensava benedizioni, assistito dal figlio in tuta da ginnastica Adidas. Alcuni dicono che Salomone sia stato uccciso qui, e che i suoi cani neri siano ancora in agguato nelle crepe fra le rocce, dove avevano leccato il suo sangue e mangiato il suo corpo. Nel secolo scorso gli invalidi per curarsi vi infilavano dentro la testa. Ma ora la tomba era nascosta alla vista dai volgari sorrisi delle rubiconde famiglie kirgize allineate per farsi fotografare, e dai visi delle donne cosparsi di sudore e di rossetto. Sotto di noi l'Oš curvava in mezzo agli alberi in una compressa mezzaluna, mentre un po' più in là si alzavano le montagne nude del Pamir, con le cime colorate dalle nubi che si infiltravano nel cielo, e poi sparivano.

Ardevo dal desiderio di viaggiare fra quelle montagne, ma Oman si stava perdendo d'animo. Quando scesi dalla tomba, mi disse che la strada che avevo scelto verso il Tadžikistan era bloccata dalla neve. Aveva parlato con dei camionisti. Aveva sentito parlare di passi alti oltre tremila metri, disse. Non voleva assolutamente avvicinarsi al Tadžikistan. La nazione era sconvolta dalla guerra civile. Nel nostro hotel, incappò in un notiziario televisivo piuttosto vago che riferiva di sparatorie per le strade della capitale. Quando mi mostrai ostinato, cominciò ad assumere uno sguardo avvilito e a camminare in circolo con un'aria infantile, scossa. Ma trascorse il pomeriggio a sistemare il pane, l'acqua minerale e le fragole appassite. Combinò alcuni affari. E ben presto la sua esuberanza e il suo leggero fatalismo che adoravo, resuscitarono, e gridò: "Allora ci andremo! Proviamoci! Lo sapremo quando saremo là!".

Nel frattempo, le mie escursioni a Oš si conclusero nella galleria di un ex cinema. Avevo notato dei ragazzotti che balzavano furtivamente oltre una porta con l'insegna "Cosmo Video Hall", e li avevo seguiti lungo una fetida scala. In cima pagai cinque rubli ed entrai in una stanza provvista di tende. Circa cinquanta uomini erano seduti su sedie di plastica e, immersi in una rapita immobilità, guardavano lascivamente un televisore issato sulla parete di fronte. Quando entrai, lo schermo lampeggiava e poi comparve *Blondie*, prodotto da "Svetlana" e girato da "Mr Ed". Era un film pornografico pieno di fantasie sessuali stereotipate – orge di gruppo, sesso orale e subacqueo – tra quattro infaticabili stalloni e un'infornata di bionde ossigenate. La versione originale in americano stretto era stata fiaccamente doppiata in russo, e il suo contorno di auto sportive, yacht e piscine private suggeriva un sintetico paradiso in qualche posto dell'ozioso Occidente. Nell'oscurità gli uomini spalancavano la bocca, completamente privi di espressione. Le loro mani si perdevano sotto la cerniera dei pantaloni. L'abisso tra la loro realtà e la dissolutezza delle immagini sullo schermo era così disperatamente grande che gli spettatori sembrava stessero guardando un film di fantascienza. Si accalcavano davanti a quelle immagini come cospiratori impotenti. Come doveva sembrargli, mi chiesi, la loro vita quando ritornavano ai loro semplici sobborghi, ai corpi scuri e trascurati delle loro donne?

Un'ora più tardi sgattaiolarono fuori, proteggendosi gli occhi dai raggi del sole o dal mondo, dove il Trono di Salomone era piantato contro il cielo. Chiesi a un giovane che cosa ne pensasse, e lui disse che il film era ok, ma per cinque rubli era caro. Questo sogno volgare e spersonalizzato sembrava essersi già attenuato sul suo viso, e lui se ne stava tornando ad altre occupazioni e alla chiarificante luce del sole.

Il giorno prima di entrare nel Pamir, Oman e io ci dirigemmo attraverso poveri villaggetti kirgizi fino alla città di Uzgen. Nei posti di blocco lungo la strada, gli ufficiali dall'aspetto brutale fermavano qualsiasi cosa passasse, ma mi guardarono con un senso di ospitale sorpresa, e ci lasciarono proseguire senza perquisirci.

Uzgen si stringeva sotto un passo del Tienshan in una verde vallata; e qui, oltre a un umido campo di papaveri e di trifoglio, tutto ciò che era rimasto dell'antica capitale di Mavarannahr stava andando in rovina sotto il sole. Tre mausolei e un minareto, innalzati con la fiduciosa semplicità dei mattoni ornati, contrassegnavano il sito di una città il cui impero si era esteso su tutta l'Asia centrale. Per un secolo e mezzo, dall'anno della vittoria sui samanidi, nel 999, fino al tempo in cui scomparvero schiacciati dagli invasori mongoli, gli oscuri karakhanidi governarono in questo posto con ineguagliabile splendore, agli antipodi del mondo. Non sapevo esattamente chi fossero: gente turca, avevo letto, la cui unione federale era permanentemente instabile. Tuttavia i loro domini si estendevano su un territorio più grande di quello dell'India.

Mi aprii un varco nell'erba verso i mausolei. Sembrava fossero stati prima restaurati e poi abbandonati. I loro portali erano scavati in una singola facciata: alte strutture di mattoni decorativi a fianco dei quali erano incassate le colonne. All'interno, gli ingressi delle camere erano ricoperti di cornici di terracotta decorate a foglie e di colonnine, dalle quali il colore era scomparso da tempo. Le colonne, i fregi, i capitelli a forma di vaso – erano tutti rivestiti dalla stessa patina perforata dei bassorilievi: secca, delicata, squisita.

Un'entrata, in particolare, non era stata quasi restaurata, e in quella desolazione risplendeva di un intrico a nido d'ape. Sotto, un'intera galleria di foglie scolpite in forme geometriche colava e strisciava, e un sensuale contorcimento di calligrammi ricopriva metà del portone. Ma gli archi conducevano nel vuoto sia da un lato che dall'altro. I loro morti erano scomparsi. Fuori, dal piano sopraelevato delle rovine sopra la valle, m'immaginai la capitale collocata in modo schizofrenico fra coltivazioni e deserto. Perché i karakhanidi furono la prima delle dinastie turche dell'Asia centrale – esitanti precursori delle successive ondate – e perfino adesso il luogo dove si erano stabiliti sembrava selvatico e indeterminato, stretto sopra la sua collina accanto alle tombe dei loro re nomadi.

10.
L'ALTO PAMIR

Le prime colline si chiudevano tutt'intorno a noi sotto un cielo nuvoloso. Uomini a cavallo inondavano la strada con greggi di pecore sporche di fango rappreso, e capre, che scendevano a dissetarsi in un lontano affluente del Syr Darja che serpeggiava vicino a noi. Stavamo entrando in una regione in parte ancora pagana, popolata da nomadi stagionali. Per un paio di volte, lungo la strada passammo davanti a tombe sulle quali erano conficcati stendardi fatti di code di cavallo e corna di montone, e qua e là la yurta di un pastore si rannicchiava come un sudicio igloo sui pendii punteggiati dal bestiame.

Poi la valle si restringeva. Le stalle di argilla dei villaggi invernali ora apparivano abbandonate. Il fiume fendeva la terra come un torrente limaccioso, e piene improvvise nel loro corso vorticoso attraverso le gole avevano strappato grossi pezzi di asfalto e li avevano fatti precipitare nel fondovalle. Grosse nubi scure di temporale roteavano in ogni crepaccio e si elevavano sui picchi, come se stessero evaporando. Il caldo della pianura era scomparso. Di fronte a noi colate di neve scendevano lentamente dai fianchi della montagna e la terra si oscurava fino a trasformarsi in scisti fuligginosi, nei punti in cui il vento aveva frastagliato le cime in spuntoni anneriti. Oman si lasciò sfuggire lugubri versi di malaugurio. Le nevi si erano ritirate tardi, quest'anno, aveva sentito dire, o non si erano ritirate affatto.

Poi la strada salì fino a un livello di bianche cime che disperdevano intorno nere strisce di nubi a migliaia di metri sopra di noi. I corvi si libravano nella valle come cenere spinta dal vento. Il fiume divenne verde. In tutti i tratti in cui la strada aveva aperto un varco nel terreno, veniva in luce uno spoglio terriccio rosso scuro, che certe volte colava come sangue sulla linea delle nevi. Sotto di noi intravidi spuntoni rossi e bianchi che svettavano in aria attraverso le nubi. Poi la strada si trasformò in una pista di terra battuta e per un'ora nessun veicolo ci superò. I posti di polizia erano tutti deserti. Mentre noi salivamo a spirale attorno alla zona delle nevi, le nubi calarono sul nostro cammino ed entrammo in un vuoto monocromo. Una luce violenta e accecante si rifrangeva dai nevai. La strada procedeva come una linea bianca staccata da tutto il resto. Una volta passammo accanto a un gruppo di pastori – uomini dalla faccia scura con barbe mongole dalle doppie punte – e i fari di un camion solitario spuntarono fuori dalla cappa nebbiosa. Poi sbucammo dalle nubi in un altopiano lunare senza sole, ombra o colore. Le colline e le montagne tondeggianti apparivano svuotate e prive di consistenza, come se la terra fosse malata, e calavano davanti a noi senza interruzione verso un cielo bianco.

La catena dell'Alai – il bastione settentrionale del Pamir – si trovava ora alle nostre spalle, e di lì a poco cominciammo a scendere verso un'ampia vallata. Qui, a più di tremila metri, le sorgenti del Kizylsu, il Fiume Rosso, si riunivano per scorrere verso ovest per più di seicento chilometri, fino a ingrossarsi in una violenta fiumana che si riversava nell'Amu Darja, ai bordi dell'Afghanistan. Ma nella valle silenziosa il fiume era soltanto un garbuglio di torrenti poco profondi. Branchi di cavalli sauri pascolavano sulle sponde. Quando ci dirigemmo verso ovest la corrente principale del fiume, rosseggiante di limo, era accompagnata da quelle di affluenti verde-ghiaccio, che scorrevano fianco a fianco. L'erba risuonava del cinguettio di invisibili uccelli. I loro gorgheggi – e il tenue fruscio dei ruscelletti – rendevano il silenzio ancora più profondo.

Tuttavia avevamo attraversato un confine impreciso. L'aria era completamente ferma, e il cielo intero era diventato di un blu intenso, quasi artificiale. I picchi innevati, verso ovest rispetto a noi, si trovavano nel Tadžikistan; quelli a est scintillavano dalla Cina. Di fronte a noi, le montagne del Transalai – il cuore del Pamir – una palizzata di ghiaccio che oscurava la valle per un centinaio di chilometri, risplendevano nel cielo come se fossero formate di una materia più rarefatta.

Ci fermammo presso i torrenti ghiaiosi, e ci mettemmo a guardare. Lungo tutto l'orizzonte le montagne formavano una gelida massa di guglie e di picchi che salivano fino a settemila metri. Sette secoli fa, Marco Polo ricordava che lì non sopravvivevano neppure gli uccelli. Gli altipiani sono disseminati di laghi ghiacciati e sono immersi in un freddo così intenso che le loro pietre si frantumano e la terra fa sbocciare le piante soltanto per alcune settimane d'estate. L'impatto del subcontinente indiano, che preme sul ventre molle dell'Asia, comprime tuttora il Pamir al ritmo di cinque centimetri e mezzo all'anno; ma le catene a sud-est si stanno innalzando ancora più velocemente e nei millenni i monsoni sono gradualmente scomparsi. Hanno ridotto la terra a un deserto mummificato. Nei ghiacciai perenni delle sue alte valli persino la neve è soltanto pulviscolo e il vento non si scatena in bufere ma soffia perennemente, fastidioso e tagliente, nell'aria rarefatta. Nonostante questo freddo terrificante, in questa regione si sono evoluti alcuni dei più grossi mammiferi della terra: lo yak tibetano, la pecora di Marco Polo e l'*Ursus Torquatus*, l'orso più grande del mondo. Perfino ora, a maggio inoltrato, il ghiaccio ornava le rive dei fiumi e quando il vento spirava da occidente, era tagliente come una falce.

Spartimmo il nostro pane con un giovane pastore, che cavalcava un puledro pezzato, e che si fermò a riposarsi rimanendo in sella. Le nevi dell'inverno erano rimaste nelle valli, disse. Qualche volta la coltre nevosa arrivava oltre l'altezza delle sue spalle – alzò eloquentemente la mano all'altezza del collo – allora la sua gente radunava le mandrie e le nutriva con le proprie scorte. Questa valle era chiamata paradiso, tuttavia avevo letto che vi era il più alto tasso di mortalità perinatale del mondo. Volse lo sguardo alla strada su cui stavamo procedendo. Due giorni prima, disse, era stata distrutta da un torrente di fango rosso...

Guidammo per un'ora verso ovest lungo lo spettrale fondo roccioso della valle, a tavoletta su una pista sassosa. A un certo punto passammo davanti a un tabellone scolorito su cui si poteva ancora leggere: "Gloria ai difensori delle frontiere sovietiche!". Sotto di esso si stendeva un cimitero con stendardi di code di cavallo. E guardando sempre a sud, le montagne procedevano gradualmente in un irreale contrappunto di scarpate e piramidi, dove le ombre delle nubi diffondevano una vaga malinconia su cui volteggiavano i falchi.

A meno di quarantacinque chilometri dal confine del Tadžikistan, arrivammo al villaggio di Darvat Kurgan, e trovammo un deposito di camion dove trangugiammo un pasto a base di noodle e zuppa fredda. Era da qui che nel 1871 l'esploratore russo Fedchenko aveva vagheggiato il paesaggio del Transalai, e aveva regalato il suo orologio al comandante della guarnigione Kokandi come tangente perché lo lasciasse procedere oltre. Ma subito l'orologio si fermò – il comandante, come avrebbe fatto un bambino, lo aveva caricato troppo e l'aveva rotto – e il permesso venne revocato. Solo più tardi Fedchenko ritornò a scoprire il ghiacciaio – quasi il più grande del mondo – che si stendeva al di là della valle per quasi ottanta chilometri sull'altro versante del massiccio. Ora il forte Kokandi era stato trasformato in un magazzino e stava andando in rovina, insieme alle sue torri mezzo diroccate e alle feritoie intasate dal fango.

Cinque chilometri più avanti, nel desolato villaggio di Chak, la nostra pista si dissolse tra vicoli fangosi. Sembravano abbandonati. Alcuni cammelli battriani a pelo raso sostavano in mezzo alle casupole, e non si scomposero al nostro passaggio. Proseguimmo sull'orlo di un crepaccio e trovammo l'unico sentiero che portava fuori dal villaggio. Di fronte a noi stava sospeso un ponte di legno i cui piloni si alzavano dal fiume sottili come bastoncini. Mi sentii mancare. Era l'unica strada per l'ovest. All'inizio pensai che l'avremmo percorso lentamente, per vedere se reggeva. Ma improvvisamente Oman gridò: "Proviamo!" e lanciò la macchina sul ponte a tutta velocità.

Scricchiolò per un secondo con un rumore di biscotti secchi. Poi ci fummo sopra e ci arrampicammo sulla riva scoscesa.

Gridai: "Non ti sei spaventato?".

"Sì!" mi gridò di rimando.

Ora le montagne ci circondavano. I loro fianchi schiacciavano la pista tra precipizi e spuntoni vertiginosi. Il fiume era sceso in verticale nei meandri della terra soffice, scavando vene purpuree, e poco dopo serpeggiava in un rivolo color sangue a trecento metri sotto di noi. Il nostro cammino era costellato da buche e da pietre e di tanto in tanto ci imbattevamo in nuvole di polvere rossastra che si appiccicavano ai capelli e sugli occhi.

Oman si sistemò al volante con una strana, cupa allegria. Mi ero fatto un'idea sbagliata sul suo conto. Non erano state la fatica o la sfida a incupirlo, ma il vuoto della vita di tutti i giorni. Ma ora si era sgravato dalla crisi e questo gli faceva rasentare l'imprudenza. Soltanto un pericoloso desiderio di fumare tradiva il suo nervosismo e, una volta, quando intravide il sentiero che costeggiava il precipizio, si fece il segno della croce. Non si fermò davanti a nessuna nuova ondata di fango gelato o di pietre, ma continuò semplicemente a guidare la sua Lada che aveva dodici anni puntandola a briglia sciolta contro questi ostacoli.

Eravamo entrati in una vasta distesa desolata. Sotto di noi il fiume invisibile si gettava in un corridoio di baratri e di abissi largo una dozzina di metri circa, mentre noi costeggiavamo il margine in alto. I nevai facevano colare scisti e ghiaccio sciolto attraverso il nostro sentiero, trasformandolo in una pista da pattinaggio di un color seppia. Erano questi scivoli di fango che spaventavano più di tutto il resto. Prodotti irregolarmente dai ghiacciai instabili o dalle piogge, scendevano formando silenziose colate che certe volte trascinavano via paesi interi, lasciandosi dietro soltanto il vuoto. Alcuni giorni prima, senza che noi lo sapessimo, un piccolo villaggio tadžiko di un centinaio di anime era semplicemente scomparso alla vista sotto una valanga di terra liquida.

Continuammo a procedere faticosamente per tutto il pomeriggio. Solo una volta i pendii color rosso bruno che ci circondavano si spalancarono violentemente su una galleria di montagne bianche, luccicanti e vergini, vetta dopo vetta, e di una bellezza desolata nel riverbero di luce che si diffondeva verso il basso sulle distese che stavamo attraversando alla cieca. Alla fine una frana trasformò il nostro sentiero in una palude. Oman tentò più volte di attraversarla con la macchina, ma ci impantanammo fino all'asse in un oceano di fango rosso. Ci arrampicammo fuori dalla macchina e ammassammo un po' di sassi attorno alle ruote, ma non si mosse nulla. Stavamo affondando un po' alla volta. Mi figuravo già di dover passare la notte in questo posto, con le portiere chiuse per difenderci dai lupi, in attesa di un qualche aiuto. Ma dopo un'ora arrivò dalla direzione opposta un camion pieno di pastori kirgizi, con coperte e masserizie ammassate tutt'intorno – uomini selvaggi con zigomi spellati, che ci trascinarono fuori servendosi di una fune.

Proseguimmo in mezzo a rocce precipitate e alla neve, e in un modo o nell'altro non ci bloccammo più per un bel tratto, ma serpeggiammo e ci affrettammo, senza avvistare né uomini né veicoli, mentre la luce andava scemando. Al tramonto, giungemmo a un torrente infossato in un prato alpino, dove pascolavano alcuni capi di bestiame, e ci lavammo, esausti. Oman sistemò la macchina con cautela nel guado e la lavò accuratamente. Nella luce morente un'aquila volteggiò sopra di noi. Non c'era altro suono a parte il gorgogliare lontano del fiume nel suo canyon.

In qualche punto eravamo entrati, senza essere visti, nel Tadžikistan. Il confine non era contrassegnato da nessuna postazione militare o della polizia. "Pensano che da questo lato non esista nessun passaggio," disse Oman con un impeto d'orgoglio.

Ma in quella regione c'era la guerra civile. Era la più povera e la meno urbanizzata delle repubbliche della vecchia Unione Sovietica. Aveva il più alto tasso di natalità, ma la sua popolazione raggiungeva a malapena i cinque milioni. Isolati nell'Asia centrale, i suoi abitanti non erano di origine e di lingua turca ma iraniana, e alcuni facevano causa comune con i loro compagni *mujahidin* tadžiki al di là del confine afghano. Ora, nella capitale, un'assurda alleanza fra musulmani e liberal-democratici fronteggiava il governo formato da ex comunisti. Il loro scisma era surriscaldato dall'esistenza di gruppi rivali e dalla dicotomia tra il nord industrializzato e il sud impoverito; nel giro di un anno la guerra avrebbe provocato circa 20.000 morti e avrebbe messo in moto un torrente di rifugiati.

Ma quella sera, al tramonto, nulla turbava le montagne che circondavano il nostro cielo. Mentre procedevamo lentamente verso ovest incontro alla notte, i pendii che prima si avvicinavano, ora si allontanavano, e noi scendemmo in un'ampia vallata. La mia carta geografica rivelò l'esistenza di alcuni paesi sulla riva nord del fiume, e sotto la luce della prima stella attraversammo un ponte su un affluente in mezzo a frutteti di meli e di ciliegi. Mentre Oman stava negoziando il prezzo di una stanza in una squallida locanda, attorno a noi si moltiplicarono i visi incuriositi. Almeno in questa regione prevaleva una pace incerta. Ma nessuno credeva che noi fossimo venuti dall'est. Fino a maggio il sentiero era impraticabile persino per i cavalli, dicevano, ma un camion pesante riusciva a passare. Sembrava si stessero chiedendo chi fossimo in realtà, e da dove fossimo veramente arrivati noi due: un uzbeko e un inglese.

Seduti nella nostra stanza, mentre per festeggiare aprivamo una scatoletta di tonno, fummo raggiunti da un tadžiko e da un uzbeko, i proprietari di un autobus che trasportava la gente per i paesi alle feste di matrimonio. Sherali era un tadžiko tipico. I suoi fieri lineamenti iraniani erano sommersi da una barba nera e setosa e provvisti di occhi dardeggianti. Tuttavia spesso aveva un'indefinibile espressione perplessa, e le sue maniere cortesi sembravano prese a prestito da qualcun altro. Il suo partner uzbeko era un nanerottolo che si chiamava Sadik e che per stringerci le mani ci offrì un braccio storto, come se avesse preso un colpo.

Nella notte gelida, ci stringemmo attorno a un tavolo e ci scambiammo informazioni sulle strade e sulla guerra, ci dividemmo un po' di cibo e conversammo confusamente di filosofia. Sherali disse che lì gli abitanti del villaggio erano ancora tranquilli. Ciò che bisognava temere, piuttosto, erano le montagne. “La gente non le capisce. Le montagne possono essere molto sensibili, terribili. Può capitare che un uomo vada a caccia e spari un colpo, e questo provoca un sommovimento dell'intera vallata, oppure che la gente si chiami a voce alta e persino l'eco di queste voci può essere pericoloso, e provocare la loro morte.”

“Abbiamo visto quelle valanghe.” Oman si era gonfiato come una rana gigante. “Ne abbiamo oltrepassate sei o sette.”

“L'anno scorso,” continuò Sherali, “nelle montagne in cui eravate, sono scomparsi quarantadue scalatori. Sono stati sorpresi da una valanga di fango che li ha sepolti. Uno solo, che era lontano dagli altri, è tornato a raccontarcelo.”

Nel frattempo, il minuscolo Sadik aveva passato la sua sigaretta accesa agli altri che se la scambiavano tra le dita penzolanti, in modo tale che ciascuno di loro riusciva a dare una boccata prima di passarla al vicino. Ogni tanto fissava il mio viso con i suoi occhi un po' sporgenti da lucertola, poi richiamava la mia attenzione con una domanda. Ma la voce gli usciva dalla gola come un rantolo sussurrato, quasi che ogni cosa dicesse fosse un segreto o qualcosa di terribile. All'inizio avevo pensato che fosse un po' scemo. “Chi sono i calciatori più famosi del tuo paese?” Il mio cervello si svuotò. Ero lontano dall'Inghilterra da troppo tempo. Sicuramente, alcuni mesi prima, sarei stato capace di nominarne molti.

Sherali continuò con una specie di tristezza affranta: “Quelle montagne hanno ucciso molte più persone di quanto abbia fatto qualunque guerra...”.

Ma lo sguardo da dinosauro di Sadik rimase fisso su di me. Forse dubitava che fossi veramente inglese. Disse risentito: L'Inghilterra è il paese dove è nato il calcio...”.

Allora, in un sussulto di memoria, dissi: “Gazza!”.

Non ne aveva mai sentito parlare. “Dev'essere giovane,” disse, e continuò a farmi domande. “Una volta, ho incontrato un inglese che mi ha regalato un cappotto. Che vestiti hai?” Aprì i risvolti della mia giacca e accarezzò il mio maglione.

Ma Sherali si intromise: “Guardate! siamo appena tornati da una festa!”. Frugò nella sua borsa e tirò fuori un fagotto avvolto nella carta di giornale. “Abbiamo riaccompagnato al loro villaggio due soldati che avevano finito il loro servizio militare in Siberia. I loro familiari hanno ucciso una pecora e ce ne hanno dato un pezzo!” Scartò esultante il fagotto e ne uscì una testa cotta, con tanto di pelle. "Non ho mai incontrato un inglese prima d'ora! Festeggiamo!" Sul cranio c'era un taglio laterale che aveva tranciato la mandibola e messo in mostra l'interno del cranio insieme alla mascella superiore. La fece dondolare davanti a me. "Deliziosa!"

Osservai la testa con un certo disagio. Gli occhi erano chiusi da ciglia scure semistaccate. Le orecchie sporgevano delicatamente, come quelle di un cervo.

Sadik disse: "Quest'inglese mi ha regalato un vestito... E tu cosa mi regalerai?".

Ma Sherali in un battibaleno aveva strappato via la pelle della pecora. Il cranio giallo occhieggiava il soffitto. "Mangia!"

Mi ascoltai biascicare un po' di scuse codarde. "Nel mio paese non siamo abituati a questo cibo..."

"Non mangiate carne di pecora?"

"Non come questa..."

Mi sentii un ipocrita. Questi uomini accettavano golosamente il cibo che stavano mangiando, mentre la mia sensibilità era diventata troppo sofisticata. Ma non ci badarono. Sherali aprì un'altra borsa e tirò fuori per me un'umida porzione di *haloumi* che aveva un sapore piuttosto amaro per il mio gusto. Poi rovesciarono il cranio della pecora e vi conficcarono dentro le dita, nelle guance e nel cervello. La carne era grigia e soffice. Si succhiarono le mani soddisfatti. Perfino Oman, dopo aver inutilmente offerto in giro il nostro tonno, si era adattato e si stava riempiendo la bocca con minuscoli bocconi. Sadik tentò di cavarle gli occhi con il suo temperino ma spezzò la lama. Sherali sollevò un occhio facendo leva con una forchetta e lo buttò allegramente nella bocca del suo compagno. Udii i denti di Sadik che schiacciavano il bulbo oculare.

"Sono meravigliosi!"

"L'ho sentito dire."

Nel giro di cinque minuti la testa era stata completamente scarnificata: un *memento mori*. Sembrava irreparabilmente ridotta a un fossile. Il suo spirito sembrava fosse trasmigrato in Sherali e in Sadik. Facevano scorrere ghiottamente le loro lingue sulle labbra, e sogghignavano ammiccando l'un l'altro, come se si fossero spartiti la stessa donna. La loro collaborazione d'affari era radicata in un'amicizia che risaliva all'infanzia, non ancora turbata dalla guerra. Gli uzbeki costituivano ancora un quarto della popolazione del Tadžikistan. Per mantenere lo status quo erano state chiamate le truppe uzbeke.

"Io e Sadik non avevamo mai affrontato niente di simile prima d'ora," disse Sherali. "Alcune persone ora si offendono per la nostra amicizia. Sono i nazionalisti. Ma noi continueremo insieme." Tuttavia cominciavano a sentirsi minacciati. Il loro impegno cosciente nel mantenere salda la loro amicizia poteva essere il primo segnale di disgregazione. "Chi avrebbe mai pensato che l'Unione Sovietica sarebbe caduta in quel modo?" La guerra accentuò lo sguardo perplesso di Sherali. "È crollata per merito di un unico uomo..."

La durezza penetrante dei suoi lineamenti mi impediva di considerarlo più intelligente di Sadik, con quelle guance a frittella e gli occhi smorti. Ma ora Sadik disse: "No, quell'impero era maturo per cadere. Il suo stesso sistema lo ha portato a questo. Era marcio". Poi si rivolse a me con quel suo sussurro rauco. "Che cosa mi vuoi dare? Vedi, il mio coltello è rotto. Hai un coltello?"

"Ne ho uno di Fergana."

"Andrà bene anche quello. Qualsiasi cosa da parte tua..." Il suo sguardo rimaneva sempre uguale. Disse: "Che cosa pensi, dimmi, chi fa maggior consumo di droga, l'Inghilterra o il Tadžikistan?" Fece finta di iniettarsi il braccio con una siringa.

"Non lo so." Ma mi chiedevo che cosa ci fosse nella sua sigaretta.

"Te lo dico io, l'Inghilterra..."

Replicai aspramente: "Ma il Tadžikistan la produce e la esporta".

Cominciavo a odiarlo. Mi girai verso gli altri, mentre i suoi occhi continuavano a bersagliarmi la nuca. Cominciò: "Chi fotte di più?...".

Ma Sherali si stava lamentando della crisi sempre più profonda del suo paese. Non la capiva. Si basava semplicemente su un pacifico pragmatismo. "Sono un uomo che lavora. Voglio soltanto nutrire la mia famiglia, e continuare la mia vita."

Oman annuì. "Lenin ha detto almeno una cosa giusta: 'I politici sono tutte puttane!'" La vodka era finita e i suoi occhi cominciavano a lacrimare. "Penso soltanto questo. Qui ci siamo tutti – uzbeki, tadžiki, inglesi – e siamo tutti amici! Perché non può essere sempre così? Perché non può?..." Poi la bottiglia fatale passò tra noi, e i brindisi cominciarono i loro giri insieme a una sfilza di massime magniloquenti. Così, nella stretta stanza sotto le montagne purificatrici, cascammo nel lamento ricorrente dei viaggiatori che scoprono di essersi liberati dei vincoli della razza, della classe sociale, del contesto e che sono momentaneamente entrati in una regione del cuore libera da tutte le diversità.

Ma il mattino seguente scoprii che il mio coltello era sparito.

Per trecento chilometri, quanti ne percorremmo per raggiungere la capitale Dušanbe, il fiume bisecava la valle nella quale torrenti purpurei e ghiacciati scorrevano l'uno al fianco dell'altro. Nulla sembrava naturale. Sopra le montagne stavano sospese soffici nubi, come appese per una scenografia teatrale. I picchi innevati risaltavano sopra le colline verdi, e gli squarci color cremisi del letto del fiume ci attiravano in una terra variamente colorata – bianco, smeraldo e rosso sintetico – come se la bandiera nazionale (che ha un'analoga composizione cromatica) si fosse disciolta sopra il paesaggio. La nostra pista continuava a disintegrarsi in smottamenti del terrapieno nei punti in cui era passata una valanga che aveva corroso le scarpate morbide come stucco o le aveva ristrette fino a diventare una scheggia sotto le colline. Ma, a poco a poco, la neve si ritirò, finché soltanto la catena del Pervogo risplendette bianca verso sud, in lontananza.

Nei loro villaggi di argilla e arbusti, i tadžiki passeggiavano in abiti variopinti dotati di una grazia provocante. Stanziatisi in Asia centrale molto prima delle altre popolazioni, erano stati spinti dalle invasioni araba e turca verso le montagne nella valle dello Zeravšan, almeno tredici secoli fa. Si erano imparentati con i mongoli, ma i tratti iraniani prevalevano, e da un villaggio all'altro le facce cambiavano. Alcune erano pure e delicate. Mostravano i lineamenti allungati caratteristici degli europei e nasi grossi. Qualche volta i loro capelli si arricciavano rossastri o biondi sopra le fronti alte, nei loro visi risplendevano occhi blu o verdi. Tutto il colore che sembrava essere scomparso nelle città kirgize, ricompariva da questa parte delle montagne. Perfino gli uomini anziani rifulgevano con le loro coperte intessute d'oro e le papaline multicolori: erano patriarchi biblici con barbe fluenti, che ancora agili si accucciavano sulle anche, lungo il ciglio della strada. I bambini sbandieravano camicie e vestiti ricamati, e le donne belle e sottili camminavano avvolte in abiti dai colori vivacissimi, con gli scialli annodati attorno alla fronte come i pirati.

Nel giro di pochi mesi, durante la guerra tra i musulmani e il vecchio regime comunista, questa valle appartata sarebbe stata invasa da clan rivali che da Kuljab si sarebbero spinti verso sud, percorsa dai carri armati russi, e dai villaggi i profughi si sarebbero riversati a migliaia sulla strada che porta verso l'Afghanistan. Ma per il momento digradava verso ovest in una silenziosa apprensione. Il fiume sotto di noi disegnava lenti geroglifici nel suo letto piatto. A volte da una sponda all'altra misurava circa ottocento metri, mentre un centinaio di affluenti gli serpeggiavano incontro, scavando i fianchi delle colline come fossero delle torte. Poi la fiumara si strinse in un torrente, che andò a gettarsi nelle rapide, e quindi abbandonò completamente la nostra strada, per proseguire verso sud, mentre noi seguimmo il corso di un fiume più calmo, in direzione di Dušanbe. Il panorama circostante si addolcì. I pendii meno scoscesi erano picchiettati di veccie e rose rupestri. Il loro profumo si diffondeva sulla strada. I frutteti erano pieni di frosoni gialli e di saettanti ghiandaie blu e verdi, mentre un'aquila dalle zampe piumate volteggiava sopra il nostro sentiero.

Raggiungemmo faticosamente i sobborghi di Dušanbe, molto preoccupati perché due dischi dei freni si erano rotti. All'ingresso vigilanti e poliziotti armati ci fecero segno di fermarci, e ci perquisirono. Auto armate sostavano nei viali adiacenti. Più avanti la città era stranamente calma. Nelle strade circolava a malapena un'auto. Le file dei platani ricoprivano e oscuravano tutti i viali, nei quali giravano nervosamente qualche tram e qualche taxi. Per paura del terremoto, la città era stata costruita con edifici bassi, e lungo i viali si allineavano uffici e appartamenti di case con facciate su tre piani, ricoperte di un intonaco sbiadito beige e azzurro. Qua e là qualche concessione al gusto orientale aveva favorito la costruzione di archi a sesto acuto o di balconi filigranati. Ma c'era un'atmosfera antica, tipicamente russa, di una vita che marcisce sotto le apparenze. I rosai municipali sembravano fiorire autonomamente senza bisogno di cure, e i marciapiedi sembravano troppo ampi per i pedoni. In questo ambiente parzialmente musulmano, gli uomini camminavano separati dalle donne, che sfoggiavano ancora un loro splendore indigeno. Le persone, che in maggioranza avevano un'aria preoccupata, si affrettavano per strada da sole. Nessuno parlava mai a voce alta. Quando gli uomini si incontravano, l'eloquente linguaggio delle strette di mano fra musulmani – a partire dal doppio abbraccio fino ad arrivare al tocco frettoloso, secondo tutta la graduatoria semantica che denota amicizia o diffidenza – veniva ostentato per le strade cariche di tensione. La corona di montagne che li circondava li immergeva in un bagno d'aria fredda e trasformava tutti i viali sfavillanti in vicoli ciechi.

Questa era la città fantasma che i russi stavano abbandonando. Prima del 1917 era un piccolo villaggio, ma con l'arrivo della ferrovia nel 1929 i bolscevichi se ne erano appropriati e fino a poco tempo fa solo la metà della sua popolazione era tadžika. Come in tutta l'Asia centrale, gli operai delle fabbriche e la maggior parte dei suoi specialisti erano russi. Ma ogni mese migliaia di loro facevano ritorno a casa, e adesso, durante una tregua armata nella lotta tra governo e opposizione, la città era paralizzata. La sua pace apparente era semplicemente dovuta all'immobilismo dell'attesa oppure al torpore dell'abbandono. Lungo le strade, nelle facciate serenamente allineate dei condomini e dei negozi le finestre erano sprangate con assi o bloccate, i balconi stavano cedendo e dalle crepe sbucavano le erbacce. Nelle edicole semiabbandonate, le familiari icone occidentali – i poster degli eroi del karatè e del body building, dei Pink Floyd, gli opuscoli di Solženicyn che costavano tre rubli – sembravano sciocchi e superflui.

Camminai lungo la vecchia prospettiva Lenin (ribattezzata prospettiva Rudaki, dal nome del poeta nazionale tadžiko) che curvava ad angolo nel centro della città. Era soffocata da alberi di *chenar* disposti su otto file, ma priva di traffico. Il mese prima, in piazza dell'Indipendenza un'enorme dimostrazione di musulmani e liberali aveva minacciato di assalire il Soviet Supremo riunito in sessione. Dopo quattro giorni di proteste i manifestanti, che sventolavano le bandiere verdi islamiche, avevano costretto alle dimissioni l'intero Presidium. Due giorni più tardi, lì accanto, in piazza della Libertà, una contro-dimostrazione si era assiepata attorno all'ufficio del Presidente, intonando slogan in favore dei comunisti. Gli edifici rosa e bianchi del governo splendevano ancora davanti ai nostri occhi in un'atmosfera surreale, con la bandiera nazionale che sventolava; ma di fronte, del colosso di Lenin innalzato nel 1960 era rimasto soltanto un piedistallo di marmo sbreccato.

Entro pochi mesi il vecchio regime si sarebbe riaffermato; ma si era già rivestito dei colori tadžiki ed esibiva un'adesione puramente formale a un Islam pacifico. Le certezze delle dottrine comuniste erano svanite. La città invece stava sprofondando nell'abisso del nazionalismo e delle lotte tribali. Vagabondai per le sue strade con disinformata apprensione, e di tanto in tanto, nei luoghi dove ancora rimanevano un monumento o uno slogan marxista, mi facevo prendere da una sciocca malinconia. Nella confusione del momento, queste statue che immortalavano il lavoro e lo studio sembravano invocare un'epoca più illuminata, e l'araldica del comunismo – gli slogan che proiettavano l'uomo in paradiso – sembravano permeati da una sorta di sapere perduto e perfino da una dolcezza morale.

Nelle vetrine della Biblioteca Firdusi, i busti di Puškin, Tolstoj e Gor'kij si mescolavano con quelli degli scrittori classici persiani e tadžiki. Pochi anni prima, l'inclusione di eroi indigeni nella cultura russa avrebbe suscitato il sospetto di insidioso colonialismo. Ma ora sembravano innocentemente ecumenici, ed evocavano ideali distrutti. Così, dimenticai per un momento la corruzione e la crudeltà biblica del vecchio impero, che aveva offerto a questo popolo il calice avvelenato di un'identità scissa, e capii quelli che volevano restaurare l'Unione Sovietica.

Il giorno dopo, andai a zonzo nella biblioteca tra le cataste abbandonate di libri, nelle quali i titoli permessi dalla vecchia censura si mescolavano con quelli di giovani poeti. *Sulla difesa della patria socialista* e *I bolscevichi possono mantenere il potere dello stato?* di Lenin erano nascosti vicino a *L'arcobaleno* di D. H. Lawrence. Solo l'ipocrita trattato di Lenin *I diritti delle nazioni all'autodeterminazione* suonava ironico.

"Tutto questo presto verrà bruciato," disse un'insegnante russa che esaminava uno schedario accanto a me. "Questa gente è già matura per bruciare i libri." Era decisa e amareggiata, con i capelli tagliati corti. Lavorava in una piccola cittadina sulle colline, un'enclave di miniere e di fabbriche che in passato erano piene di russi. "Non c'è da sperare nulla dai tadžiki," continuò. "Sono soltanto affaristi e imbroglioni. Tutti commercianti. I nostri tecnocrati russi sono in maggioranza già partiti, e gli altri li stanno seguendo – gli operai delle fabbriche e gli insegnanti. Tutti."

"Non ha amici tadžiki?"

"Ne ho, ma questo nazionalismo sta aumentando giorno dopo giorno. Lo si può avvertire ovunque."

"E la sua scuola?"

"Le nostre classi sono diminuite da trenta a quindici, e si stanno tutte amalgamando. Ognuno sta progettando di andarsene. Anch'io me ne ritornerò in Ucraina, in autunno. Là la gente lavora bene." Il suo viso, forse eccessivamente roseo, rabbrividì scosso dal ricordo. "In Ucraina si sta bene."

Nel mio albergo gli unici altri stranieri erano mercanti afghani e studenti. Oman diceva che trafficavano in oppio ed eroina, che sarebbe transitata attraverso i porti del Baltico verso l'Occidente. Fuori, sull'asfalto, un gruppo di giovani stava vendendo del brandy distillato clandestinamente e dello champagne francese (dicevano loro), e fraternizzava con un gruppetto di soldati malandati. Ogni tanto i ragazzi entravano e uscivano dall'atrio in uno stato d'agitazione carico di segreti e di sospetti. I loro occhi scrutavano le porte in attesa dei clienti, mentre le strette di mano e gli abbracci si moltiplicavano in un crescendo: che fossero amici o rivali venivano tutti tirati da parte per certe improvvise confidenze, di cui Oman carpiva qualche brandello: "... settanta rubli... forse ci arrivo... novanta... come un favore..." Poi gli agitati crocchi e le coppie si rimescolavano, e il loro complottare ricominciava da capo. "Il mio amico... domani... *dollari*?..."

La vista della terrazza dell'albergo intristì Oman. Vent'anni prima, aveva terminato il suo servizio militare a Dušanbe, quando l'edificio stava per essere ultimato, e un suo amico era stato ucciso da una tegola, caduta dal tetto.

Durante le nostre passeggiate per le strade, lui si allontanava per andare a vedere le case da tè e le caserme che facevano parte del suo passato ma, quando ritornava, era sempre un po' malinconico. Non era rimasto più nessuno di sua conoscenza e gli amici che ricordava erano per la maggior parte personaggi tragici. Uno si era sparato, un altro era rimasto ucciso dal carro armato che guidava e che si era rovesciato in un burrone. Poi c'era la donna polacca che lui aveva amato: una creatura incantevole, disse, ma sposata. Ogni notte, scappava dalla caserma per farle visita, mentre il marito era assente, e ritornava prima dell'alba. Persino adesso il ricordo di lei lo rendeva sentimentale. "Ricordo ancora dove abitava. Forse è ancora là. Era così bella, per me era come un sogno. Avevo appena ventidue anni." Le sue dita prima stringevano e poi lasciavano andare quel corpo rievocato. "Lei adesso però avrebbe cinquantatré anni, e le nostre donne non si tengono bene come le vostre. Penso che non ci andrò. Meglio conservare il ricordo così com'è." Ma aveva uno sguardo triste.

Di sera riusciva a recuperare qualche pezzo di carne in certi negozi semichiusi, e preparava certi coriacei spiedini che arrostiva nel cortile dell'albergo, dove faceva bollire anche il tè. Ma altre volte, quando tornavo, lo trovavo riverso in uno stato di abbrutita tristezza in mezzo a giornali vecchi e a mozziconi di sigaretta, ubriaco. Allora aprivamo le nostre scatolette di scorta di pesce e calamari, e io lo rassicuravo che saremmo partiti presto, perché cominciava ad annoiarsi.

Una volta calata l'oscurità, quando il traffico defluiva dalle strade, la città era silenziosa e un cielo fiorito di stelle risplendeva attraverso la nostra finestra. Poi, da qualche sobborgo distante sentivamo scariche di armi automatiche, che Oman identificò come kalashnikov, mentre centinaia di cani svegliati dal rumore ululavano da un viale all'altro, come in un triste contrappunto. Al mattino arrivò la notizia che alcuni uomini erano stati uccisi durante uno scontro, casuale in quella città piena di civili armati.

Queste notti inquiete stimolavano Oman a imbarcarsi in discorsi sconnessi, sotto l'effetto della vodka, riguardo alla mafia, alla sua tormentata famiglia, o ai misteri di Dio. In passato aveva patito lutti e sofferto molto. Il nonno materno era un personaggio facoltoso, raccontava, proprietario di un ristorante e di una piccola fabbrica, che venne ucciso durante gli anni di Stalin semplicemente perché era quel che era. A quel tempo, la madre di Oman aveva solo sette anni. Suo padre era stato ferito durante la guerra russo-finnica, e fu congedato come invalido a Novosibirsk, dove i due si incontrarono e si sposarono. Oman fu l'unico figlio. Suo padre non guarì mai del tutto, e morì quando lui aveva dieci anni. Dopo la sua morte, Oman cominciò ad adorarlo. Fu il padre, il cui ricordo era confuso, che aveva costruito la casa della loro famiglia proprio sopra quello che sarebbe stato l'epicentro del terremoto di Taškent del 1966: una casa tradizionale in legno e mattoni che aveva resistito alle scosse, mentre tutt'intorno gli edifici sovietici crollavano. "Erano stati costruiti con un cemento armato molto rigido," disse. "Così sparirono nel giro di una notte."

In una di queste notti folli, durante le quali gli spari dei mitragliatori ci tenevano svegli fino a tardi, fui nuovamente travagliato dalla questione dell'identità nazionale e gli chiesi se era orgoglioso di essere un uzbeko. Nessun lettone o georgiano avrebbe risposto in maniera così tiepida: "È una cosa difficile da sentire con intensità". Aveva uno sguardo leggermente perplesso. "Sì, penso di esserne orgoglioso... ma sono orgoglioso anche di essere musulmano."

Tuttavia sapevo che non era un credente. Piuttosto si sentiva parte della *umma*, di quella più ampia famiglia di cui fanno parte tutti i popoli musulmani: un'identità generosa, ma vaga. Fissando il suo viso calmo, ma enigmatico come un crittogramma, mi resi conto che l'inesistenza di una appartenenza nazionale a lui non sembrava una mancanza, come sembrava a me che ero completamente immerso, senza rendermene conto, in me stesso. La sua vera nazione era la sua vasta famiglia. Era quest'entità che lo circondava, e gli dava il conforto di appartenere a qualcosa, una specie di utero fatto della stessa carne di cui era fatta la sua stirpe.

"Posso rintracciare i miei antenati fino a duecento anni fa," disse. "Un tempo era una cosa molto comune per la nostra gente, ma ora tende a scomparire. Così insegno la stessa cosa a mio figlio più giovane. Poi la sua vecchia, ostinata ferita gli oscurò la voce. "Non voglio essere dimenticato dopo la mia morte."

Dissi severamente: "È così importante? Un nome?". Mi stavo chiedendo che significato avesse realmente: la fugace sopravvivenza di qualche sillaba nella memoria collettiva.

Ma lui questa cosa non la capiva. "Voglio essere onorato," disse. "Voglio riavere il mio posto."

"Riavere il tuo posto?"

"Sì, riavere il mio posto." Sotto la sua voce, ribolliva un misto di rabbia e di autocommiserazione. "In questa vita sono stato trattato male."

Dissi: "In che senso?", e subito mi pentii di averglielo chiesto. Sedeva al nostro tavolo con l'espressione di un bambino imbronciato. La vodka gli nuotava in bocca e surriscaldava i suoi occhi, mi aspettavo una delle sue generiche tirate.

Invece guardò in basso, verso le mani appoggiate sul tavolo, e disse: "Nove anni fa sono stato condannato a sette anni di galera. Per una cosa che non avevo mai fatto". Mi fissò per vedere la mia reazione. Non so che cosa vide. Ma, al di là dello shock, mi stavo rendendo conto che una serie di cose, rimaste sempre inspiegate, stavano cominciando a sistemarsi nelle loro caselle. E adesso dalla sua bocca scaturirono frasi confuse, che sembrava fossero da tanto tempo in attesa di uscire: la sua terribile rabbia interiore e la sua tristezza. La faccia gli si irrigidì ripensando a quei ricordi inconsolabili. "A quel tempo ero direttore di un grande sindacato, e qualcuno voleva soffiarmi il posto. Così mise in piedi un'accusa contro di me, dicendo che io mi ero accordato per intascare una bustarella. Non c'era nulla da fare. Era un lavoro della mafia." La sua voce si alzava in un ritmico crescendo, come se si stesse gettando nelle spire della follia. "Così fui incarcerato sulla base di una finta prova" – si afferrò la nuca – "e un anno e mezzo più tardi quell'uomo ebbe un infarto, e subito dopo fu incarcerato per una qualche ragione. Dove sia adesso, solo Dio sa."

Chiesi delicatamente: "Com'era la prigione?".

Sorprendentemente, si calmò. Il suo viso era percorso da convulsioni. "Non riesco neppure a parlarne." E questo suo silenzio fu più eloquente di qualsiasi altra cosa avesse potuto dire. Cominciò a camminare in lungo e in largo attraverso la stanza come se fosse stata una cella, mentre la sua camicia sgualcita e i suoi pantaloni davano l'idea che fosse un carcerato. "Avevo già quarant'anni. Ma quando mi presero rimasi semplicemente sconvolto. Mi ricordo di essere rimasto in piedi in quel posto, completamente stordito per tre minuti. Continuavo a ripetere, '*Non c'è il sole, non c'è il sole*'." Guardò in alto. Poi le sue parole uscirono come sonori colpi di martello. "Le celle erano larghe due metri per cinque... con sei galeotti in ognuna... contro ogni parete c'erano tre lettini. E qualche volta ne ficcavano dentro altri sei... quelli dormivano sul pavimento. Eravamo come bestie."

Colpì la parete della stanza con i pugni. I suoi occhi si erano riempiti di lacrime. "Poi, dopo un anno e mezzo fui spedito in un campo di lavoro non lontano da Taškent, e in qualche modo era anche peggio della prigione. Lavoravamo nei campi tutto il giorno, e tu sai che certe volte, in quella regione, la temperatura sale a quaranta gradi, e noi lavoravamo sotto quel sole, tanto che il collo e le orecchie si gonfiavano due volte tanto..."

Mentre continuava il racconto, mi resi conto che per molto tempo avevo covato interiormente una serie di domande inespresse, perché all'improvviso il suo personaggio mi apparve chiaro. Adesso la sua aria di individuo ferito, fiducioso soltanto in se stesso, tutto il suo rancore e la sua solitudine, apparivano naturali. Era uno dei pochi funzionari užbeki che non aveva mai accettato una bustarella, pensai, dal momento che credevo nell'innocenza di Oman... La rabbia che si stava scatenando dalla sua persona, era troppo intensa per essere messa in mostra ad arte.

"Scrissi lettere a chiunque, in continuazione," disse, "anche a Gorbacëv e a Lukyanov. E alla fine il procuratore di stato arrivò da Mosca per rivedere il mio caso, e mi chiese perché mi sentivo così offeso e scrivevo tutte quelle lettere. Gli dissi che ero adirato perché non stavo guadagnando nulla e stavo, in questo modo, privando il governo di una tassa sul reddito" – questa battuta gli distese momentaneamente la fronte – "e mi chiese di raccontargli quello che era successo, e io glielo raccontai – così come ora lo sto raccontando a te – e grazie a lui, dopo tre anni, uscii da quel posto e pensai: così, dopo tutto, c'è un Dio, e mi sta osservando."

Si buttò di nuovo sulla sedia, la sua rabbia era scemata. "Sai che quando uscii il poliziotto che mi aveva arrestato venne a chiedermi scusa e mi disse: 'Che cosa potevo fare?', nonostante sapesse che ero innocente." Incrociò le braccia sul petto in segno di ironica penitenza. "'Mi dispiace,' disse, come se mi avesse ammaccato l'auto, 'Mi dispiace *così* tanto!'"

Cullò la bottiglia della vodka sul petto, poi alzò un braccio paffuto con cui si coprì la testa, esprimendo tutta la disperazione che non aveva mai dimenticato. "Dopo questi fatti non ho voluto vedere nessuno – né i miei amici, né i compagni di lavoro, nessuno. Ho cominciato a lavorare in ferrovia come meccanico – sono bravo – aggiusto i frigoriferi sui treni." Il volume della sua voce aumentò di nuovo, momentaneamente risentita, patetica. "Per tre anni ho fatto solo quello!"

Cominciai: "Adesso hai iniziato di nuovo...".

Ma non mi stava ascoltando. "Qualcuno dovrebbe scrivere la mia storia. Perché non la scrivi? Io non potrei scriverla." La vodka tremò nel suo bicchiere. "Ho una catasta di carte e documenti. Diventerebbe un best-seller! Come *Una giornata di Ivan Denisovich* di Solženicyn!" Il liquore stava avendo la meglio. "Sapevi che una persona su trenta del nostro popolo finisce in prigione? E io credo che metà di loro siano uomini onesti, ricattati."

Dissi: "Ma ora hai una bella casa, e un buon lavoro. E tuo figlio si è sposato con un buon partito...".

"Sì, ma..." Fece un gesto disperato. "Non posso godermeli. Non posso essere felice là. Non nel fondo del mio cuore."

Mi resi conto che qualche parte vitale della sua persona era stata definitivamente spezzata. Nonostante tutti i viaggi con i suoi furgoni e gli affari lucrosi, quella ferita non si sarebbe rimarginata. Sembrava eccitato e stremato. Non sapevo cosa dire. Con il mio braccio, che gli cingeva le spalle, avvicinai la sua testa mezzo singhiozzante alla mia, mentre i cani cominciarono ad abbaiare in tutta la città dopo una nuova raffica di spari.

Negli anni trenta, un devoto cittadino di Dušanbe mise a disposizione la sua casa per i musulmani che volevano riunirsi segretamente in preghiera e attorno alla sua modesta abitazione venne costruita la moschea centrale della regione e la residenza del suo leader spirituale, il Qazi. Ora la fazione del Qazi, alleata con il Partito della rinascita islamica (che sarebbe stato bandito nel giro di breve tempo), stava assaporando una precaria situazione di potere. Ma nessuna delegazione ostruiva le porte o mi impediva di entrare nei cortili, dove alcuni muratori stavano tagliando al tornio dalle lastre di marmo. I centosessanta alunni della medresa erano appena partiti per le vacanze estive, e tutt'intorno si respirava un'aria di abbandono.

Ma era rimasto uno studente. Non poteva pagarsi il biglietto del treno per tornare a casa, diceva, e stava aspettando l'autobus che era più economico. "Mio padre è solo un meccanico. Non ha i soldi per pagarmelo."

Così sedemmo assieme sotto i portici piuttosto pacifici. Era per metà tadžiko e per metà uzbeko, e mi sembrava che sul suo viso schietto questi due mondi stessero veramente combattendo, e che periodicamente la sua vigorosa componente turca venisse sabotata dalla volubile componente iraniana. In realtà era immaturo e sincero. "Vede, dobbiamo vivere soltanto con il suo stipendio," continuava. "Trecento rubli al mese. Non è molto. Sono i nostri fratelli iraniani che lo pagano. Il nostro governo non dà niente per le cose religiose. Ci odiano."

Intravidi uno scintillio di rabbia, che fu subito spento dal suo entusiasmo. "Ma ora tutto sta cambiando! Ha sentito della nostra dimostrazione? La gente viene da ogni contrada! Dalle fabbriche e dalle fattorie collettive e statali – vecchi, giovani. Quando la polizia ha bloccato le strade, hanno proseguito a piedi. Ed erano quasi morti per la fame. Alcuni non ricevevano la paga da sei mesi, e nei negozi non c'era niente: né zucchero, né carne, né pane. Niente."

Ma era raggiante per la certezza del futuro trionfo. La sua era una delle migliaia di facce che un mese prima si erano ammassate nella piazza dell'Indipendenza, e lui aveva visto e sentito il loro potere. "Questo governo è ancora guidato da vecchi comunisti," disse, "e quel sistema era atroce. Nessuno poteva parlare o professare la fede che voleva. Ora la nostra legge ci dà libertà di pensiero, ma la legge islamica sarà migliore."

"Perché? "chiesi. "Anche quella assicurerà libertà di pensiero?"

Iniziò: "Sì..." Ma sembrava intimamente insoddisfatto, come se la legge islamica dovesse unire per magia tutte le cose e purificarle. "Ci arriveremo. Forse fra cinque anni, forse dieci. Ma ci arriveremo, come è successo in Iran."

Questa certezza raggelante si sprigionava dalla sua persona in modo gentile. Secondo lui, dopo tutto ciò di cui era stato testimone, sembrava che stesse montando un'ondata irresistibile. Solo cinque anni fa, in tutto il paese non erano aperte più di venti moschee.

Ora ce n'erano duemilacinquecento. Disse: "Penso che gli iraniani siano i musulmani migliori".

"Ma sono sciiti," dissi, per seminare un po' di zizzania. I tadžiki erano quasi tutti sunniti.

"Ci possono essere alcuni sciiti,", rispose donchisciottescamente, "ma per lo più sono musulmani."

Lo fissai sorpreso. La propaganda iraniana doveva avere eliminato ogni possibile motivo di attrito. Sembrava manipolabile all'infinito. Domandai: "Pensi che qui ci sarà una rivoluzione come quella avvenuta in Iran?".

"Prego Iddio di no. Credo che avverrà in maniera graduale." Le sue dita setacciarono l'aria, come per dare il benvenuto alla brezza: "Alcune delle nostre donne sono impaurite, ma l'ayatollah Khomeini ha detto che le donne possono lavorare – e perché no? – cinque o sei ore al mattino, e che poi devono badare alla casa. Ma guarda che cosa sono costrette a sopportare adesso! Sgobbano dal l'alba al tramonto nelle fattorie collettive e alla fine del mese sono pagate una miseria! Per quanto riguarda il velo, deve coprire soltanto la testa". Fece una smorfia e mi sorrise per ricevere la mia approvazione. Tutte queste cose gli sembravano decenti, perfino liberali. Solo che la sua idea di libertà non corrispondeva alla mia e io, ingrato, aggrottavo le sopracciglia. Ormai questa ricetta per serve incappucciate mi era familiare.

Dissi: "Forse le donne dovrebbero decidere da sole quello che devono fare le donne".

"Ma così si vestono in Iran," continuò precipitosamente. "Si coprono la testa e le donne sono molto attraenti, vestite in quel modo."

"Le hai viste?"

Mi rivolse uno sguardo incredulo. "Naturalmente no! Le ho viste alla televisione." Sorrise per la semplicità di tutto questo. "Forse un giorno andrò a studiare in Iran, o in Arabia Saudita," – parlando di queste possibilità, si animò di un timore reverenziale – "in Arabia Saudita danno agli studenti cento dollari al mese! Non riuscirei a guadagnare quella cifra in tutta una vita! Là hanno la legge islamica e i miliardari più ricchi del mondo!" I suoi occhi scintillavano. "Quello è il posto giusto!"

Nel suo viso la componente turca s'era momentaneamente riappacificata con quella iraniana, entrambe ipnotizzate dalla prospettiva di simili guadagni. "Ma alcuni di noi andranno in Pakistan, dopo aver fatto qui quattro anni di studio," continuò.

"Là ci sono i collegi migliori, perché insegnano l'inglese. Il prossimo anno studieremo l'inglese anche in questa medresa..."

"Perché?"

"È la lingua del mondo. È quella che si deve conoscere. Ma l'Arabia Saudita sarebbe la cosa migliore!"

In qualche nicchia della sua immaginazione risplendeva un paradiso di giustizia islamica e di grandi ricchezze. Grazie a esso il suo tradizionale orgoglio si riaffermava, pur promettendogli anche i dollari.

Ma la legge islamica non era piuttosto severa riguardo alla smania di arricchirsi? – domandai. Condannava l'usura, limitava la proprietà privata e amputava le mani dei ladri.

"Amputazione?" Mi guardò sconvolto. "La nostra legge non lo permetterebbe! No, no, non è assolutamente così! Soltanto nel caso tu rubassi una cosa *grossa*. Un'automobile per esempio. Ma se rubi una cosa piccola, o se rubi per la prima volta, ti tagliano via solo la punta del dito." Alzò la mano aperta. "Solo un pezzo piccolo, molto *piccolo.*" Rise con disprezzo in una maniera incantevole. "E la seconda volta che rubi ti taglierebbero via ancora soltanto *questo*, e poi *questo* e *questo...*" Mimò il taglio di alcune fette di dita. I pezzi immaginari caddero silenziosamente sul pavimento del portico, finché della sua mano non rimase che un moncherino. Ora mi stava sorridendo. Tutto gli sembrava perfettamente logico, perfino bello. "Solo allora la mano scomparirebbe!"

Lui non era una persona veramente crudele, lo sapevo. Semplicemente apparteneva a un mondo più rude: il figlio di un povero meccanico.

"Non sei d'accordo?" Era stupefatto. "Perché no?" Il suo viso aveva un'espressione infantilmente interrogativa. "Ma funziona!"

In mezzo ai truffatori e ai contrabbandieri che circolavano nel mio albergo, c'era un professore del dipartimento di fisica di Dušanbe. Integrava il suo stipendio da fame facendo defluire gli ospiti dell'albergo verso alloggi privati. Mentre Oman contrattava al banco della reception, questa delicata figura era emersa dall'ombra dell'atrio per offrirmi una lista di stanze private che, però, erano tutte troppo lontane dal centro. Con un segno di deferenza non aveva insistito sulla qualità di questi alloggi, e si era ritirato nell'ombra.

Ma, quattro giorni più tardi, incontrai di nuovo Talib mentre camminava vicino all'università. Il suo viso ardente, ingentilito da una chioma ben tagliata, aveva mutato occasionalmente l'espressione che non era più diffidente, ma sicura di sé, e mi invitò a casa sua. Viveva in uno di quei blocchi di appartamenti con i gradini rotti e le porte chiuse con un lucchetto, che sono pressappoco identici da Minsk al Pacifico. Ma, all'interno, il suo appartamento era abbellito da alcove e da piccoli lampadari. La moglie stava in cucina a preparare la cena per il figlio di otto anni, e la figlia, appollaiata in salotto, stava battendo su una macchina per scrivere dai caratteri cirillici.

Era il tipo perfetto di quelle ragazze flessuose che chiacchieravano a gruppi lungo i viali, tenendosi per mano e sfoggiando sete *Atlas*. Aveva il viso sottile e gli occhi attenti della sua tribù e correva scalza in giro per l'appartamento con i suoi piedi lunghi e gli alluci prensili, ridacchiando e civettando un po'. Fuori, nelle strade, queste pastorelle urbane, che parlano la loro misteriosa lingua tadžika, sembravano circonfuse da un'aura enigmatica. Ma, in casa, Sayora dava piuttosto l'idea di una teenager vagamente internazionale, ora imbronciata, ora appassionata e ora improvvisamente indipendente. Stava leggendo d'economia, per diventare contabile.

"Forse si sposerà e per lei sarà difficile," disse Talib. "È sempre difficile per le donne che lavorano. Ma non credo che l'Islam cambierà le cose per lei. Qui costruiremo il nostro Islam. Te le immagini le nostre donne con il velo?"

Sayora alzò scherzosamente la mano all'altezza del naso. Le sopracciglia nere convergevano al centro in quella maniera che i tadžiki ammirano. Adoperava la sua bellezza come uno strumento. Sua madre, una donna corpulenta che ci girava intorno servendoci dolci e noccioline, mi mise a mio agio con alcune domande familiari, alle quali rispondeva da sé. "Sta comodo?... No, non sta comodo, ecco qui un altro cuscino... Mangerà con noi? Sì, naturalmente, tra un attimo sarà pronto il pilaf..."

"Le cose miglioreranno in questo paese," disse Talib, contagiato dall'agitazione domestica della moglie. "Non lo penso soltanto, lo so. Ho perfino tenuto una lezione ai miei studenti in proposito. Dipende da voi, dissi, siete giovani, è il vostro mondo. Io sono vecchio, ho detto loro (ma aveva la mia età), non posso fare molto." Sollevò un pugno fragile. "E nessuno ha avuto niente da replicare."

Questa fiducia nel futuro era vivace e piena d'ardore, come

lui, radicata più nei suoi desideri che nella ragione. Ardeva di slanci patriottici. Pensai che appartenesse a quella fragile alleanza fra democratici e musulmani che si opponeva al vecchio governo. "Ero un membro del Partito," disse. "All'università era obbligatorio. Ma quasi nessuno di noi ci credeva, tranne alcuni, e il loro mondo crollò da un giorno all'altro. Abbiamo avuto settant'anni di comunismo per mitigare il nostro Islam, che adesso forse si sta civilizzando. Io sono un musulmano come qualunque altro, ma arriva il momento in cui senti: questo è troppo!" Stese i palmi delle mani in un gesto di ripulsa. "L'Islam può essere gentile, sai."

Poi il figlioletto fece irruzione nella stanza sparando con un fucile spaziale. Era grasso e agitato. Ci ammazzò tutti due volte. Talib, che gli stava insegnando le poesie di Rudaki, lo disarmò e lo interrogò sui versi di apertura di un *rubaiyat*. Il bambino premette le nocche delle dita sulla fronte, mettendosi in posa per svolgere il suo compito. Poi si mise sull'attenti e cantò:

Esistono molte distese deserte
dove un tempo c'erano giardini felici;
ed esisteva un giardino felice
dove un tempo c'era un triste deserto...

Talib si girò verso di me. "Senti come sono belle queste parole! Ed era un migliaio di anni fa!"

La sua libreria era piena di poeti tadžiki, e lui annetteva tutta la cultura persiana a quella della sua nazione, da Hafiz a 'Omar Khayyam (che era stato un formidabile matematico). "E noi conoscevamo il comunismo molto prima della venuta dei bolscevichi! Ascolta questo..." I suoi occhi si illanguidirono mentre recitava la poesia di Abdulrachman Jami che raccontava come Alessandro il Grande fosse rimasto sbalordito nel trovare una città della Sogdiana in cui ognuno era uguale, e tutte le case e i giardini erano in comune, e la povertà era sconosciuta.

Chiesi : "E che cosa fece?".

"Pensò che dovessero avere uno zar," disse Talib, "e li distrusse." Ma questo finale non lo disturbava. Ciò che importava era la superiorità della cultura tadžika. Più di duemila anni fa la sua gente aveva conosciuto e assimilato il comunismo. Che cosa mai potevano insegnare i russi a loro?

"Ma ve l'hanno già insegnato," dissi. "Perfino nella vostra università."

"Naturalmente." Talib mutò tattica per evitare questo ingrato argomento. "Ma è giusto che ora se ne stiano andando. Fin quando sono rimasti qui, noi potevamo sederci e guardarli lavorare: nell'amministrazione, nelle fabbriche, dappertutto... Ma ora saremo costretti a imparare da soli, e questo è giusto. Stiamo perdendo la nostra balia e saremo costretti a crescere."

Parlava animato da una calda compassione e da un ottimismo assolutamente celato. Forse, pensai, stavo ascoltando i lamenti del parto che avrebbe fatto nascere la sua nazione. Per lui, lo capii lentamente, era una missione profondamente radicata nel suo animo: il ritorno del suo popolo al proprio cuore e alla propria lingua. Aveva già pubblicato sei studi di chimica in tadžiko per gli studenti della scuola secondaria e dell'università. Erano i primi del genere. E ora, mi confidava, aveva completato un dizionario dei termini di fisica, traducendo ogni concetto dal russo al tadžiko. Gli ci erano voluti quattordici anni.

"Ma nessuno lo pubblicherà. I miei editori me l'hanno promesso, ma adesso non hanno la carta." Raccolse le cartelle per mostrarmele. Era straordinariamente lungo. Riconobbi la cautela con cui le sue dita sfogliavano e accarezzavano la carta. "Non sono i soldi che mi interessano. Era una cosa che dovevo fare."

"Naturalmente." Questo suo disinteresse per il denaro mi commosse, suscitando in me una viva simpatia. Era la prima volta che qui mi capitava di sentire qualcuno dire che disprezzava i soldi. "Qualcuno deve pubblicarlo."

"Lo faranno, a suo tempo," disse. Ma tenne le cartelle in grembo come un orfano. Qualche volta, diceva, era risalito ad antichi manoscritti tadžiki alla ricerca di sinonimi che la lingua moderna non possedeva; altre volte era stato costretto a inventarli lui stesso, lottando per mettere insieme radici e suffissi tadžiki già esistenti. L'invenzione di un singolo neologismo poteva richiedere una settimana.

Quattordici anni! E alla fine questa impresa degna di Casaubon traballava ai bordi del cono di luce. "Nessuno è interessato a cose come queste ora," disse, "sono interessati solo a fare dimostrazioni e a spararsi gli uni contro gli altri." Soppesò distrattamente le varie sezioni del libro sui palmi delle mani, come per stabilirne il valore o il significato, oppure quali fossero in qualche modo le sue possibilità di sopravvivenza.

I suoi dubbi si sarebbero rivelati giusti. Nel giro di pochi mesi, gli insorti filogovernativi si sarebbero scagliati con furia dal sud contro la città, uccidendo i simpatizzanti musulmani, e non scoprii mai cosa accadde a Talib, o alla sua gentile famiglia o a quel libro così scrupoloso che aveva lo scopo di persuadere la gente a essere civile.

Il giorno seguente nella nostra stanza d'albergo, un antico telefono nero tornò in vita, e Oman iniziò a civettare con una donna sconosciuta che parlava dall'altro capo del filo. Aveva fatto il numero sbagliato (diceva), ma lui non la lasciava andare. Scherzava, la adulava e la stuzzicava, la lusingava un po', e la irretiva. Lei era un'insegnante, vero? Che strano! Anche lui aveva pensato d'insegnare... Era un accento di Taškent quello che lui sentiva? Sì, lo era! Forse poteva incontrarla fra una mezz'ora, d'accordo? Sì! La sua auto era la Lada verde parcheggiata fuori dal teatro Lakhuti sulla prospettiva Rudaki. Non vedeva l'ora... Meraviglioso!

Riattaccò con un promettente "Ooh!". Chi era? Non ne aveva idea. "Di solito ci sono delle prostitute che telefonano da fuori," disse, "ma lei sembrava sincera... con una bella voce." Si dimenava in una camicia pulita. "Penso che voglia solo un uomo!"

Scrutò nello specchio il riflesso di Oman, si accarezzò i capelli per alcuni minuti, e trascorse molto tempo nel bagno rotto. Poi emerse per cospargersi il collo e il petto con la sua Acqua di Colonia Mosca-Parigi, e si diresse verso la porta. "Ci vediamo stasera!" gridò, e aggiunse dal corridoio: "Sembrava giovane!".

Raggiunsi puritanamente la chiesa ortodossa di San Nicola, sfiorato da una passeggera sensazione di solitudine. Per un attimo rivestii quella voce allettante con il corpo di una sirena, ma subito dopo la dimenticai. Sotto la cupola vegetale della chiesa e la croce sfolgorante, le donne dei giardini erano tutte anziane, e avevano rivolto le loro cure a Dio. Trascinando i piedi sulle terrazze, indossando stivali di gomma o ciabatte consunte, sorseggiando l'acqua raccolta in un pozzo sacro, implorando, pregando, aspettando – una di loro era completamente pazza – sembrava stessero morendo lentamente ma contente.

Ma, all'interno della chiesa, si stava celebrando un battesimo di massa. Circa duecento russi si accalcavano nella cappella laterale mentre un prete garrulo e sbrigativo ungeva i loro figli e i neonati – sulla fronte, sugli occhi, sui polsi, sul petto, sulle mani e sui piedi – con una fiala d'olio e un pennellino sottile. Pareva esausto e aveva perso ogni sollennità. Ma faceva il segno della croce sui bambini più grandi come se toccasse dei capolavori. Poi un gruppo di bambini venne liberato dalla biancheria intima e uno alla volta vennero immersi nell'acqua del fonte battesimale, che egli raccoglieva e versava sopra le loro teste, farfugliando dei nomi e una tripla benedizione.

Con uno o due neonati, questa cerimonia si svolse in uno sbalordito silenzio. Poi scoppiò un terribile, contagioso pianto. Si diffuse da bambino a bambino come un incendio di inarrestabile terrore. Anche il più coraggioso cedette. Non appena ogni bambino veniva restituito gemente e libero dal peccato alle braccia dei genitori, veniva subito avvolto da scialli e baci, ma continuava a urlare senza ritegno. Ciucci e biberon vennero tirati fuori di corsa per soccorrerli, ma inutilmente. Parole amorevoli e gorgoglii cadevano sopra orecchie assordate dalle grida. Urinavano penosamente sul pavimento o lungo le braccia delle madri.

Nel frattempo, alcuni adulti, al momento di accogliere la cristianità dopo gli anni della persecuzione, chinavano la testa sulla fonte. Poi, non appena il chiasso diminuì, il prete marciò tra i bambini e tagliò una ciocca di capelli bagnati da ogni testa piagnucolante con un paio di forbici da cucina. Passava ogni ricciolo all'anziana donna che lo seguiva, la quale lo incorporava a una pasta, mentre io stavo guardando con lo stupore di un intruso musulmano.

Immaginai che questi russi schierati stessero vivendo un'esperienza di rinascita della fede. Ma quando lo chiesi a un altro prete, mentre quella sera camminavamo nei giardini coperti dalla vegetazione, mi disse di no. "La nostra congregazione contava duemila o più membri. Non c'era quasi posto per loro. Ma ora sono meno di cinquecento, e i battesimi, come hai visto, sono stati solo cinquanta, oggi, mentre di solito ce n'erano il doppio."

Procedeva a grandi passi al mio fianco in una tonaca dorata e stivali chiodati. Ma sotto il copricapo color porpora il viso era solcato da profonde rughe, e la barba color pepe stava diventando bianca. "La nostra gente è tornata a casa – aerei e treni pieni." Spinse il braccio verso il sole che stava tramontando, e io avvertii in quel gesto una nostalgia, la voglia di uscire da questa terra sempre più estranea per rifugiarsi in una Russia un tempo Santa. "Ho servito qui per vent'anni, non ho mai visto così pochi credenti."

Ma ora che l'altra religione, il comunismo, era morta da un giorno all'altro, la gente non stava rinnovando la propria identità in quest'altra religione?

No, disse bruscamente, stanno diminuendo. "Solo dopo le agitazioni all'inizio di quest'anno alcuni si sono spaventati, e per questo motivo sono venuti a farsi battezzare. La paura è un grande battista."

Superato il negozio della chiesa, fornito di opuscoli e di icone, egli proruppe: "Ma ora la gente può leggere testi sulla propria fede! Alla fine, dopo così tanto tempo! Guarda!". Indicò la vetrina. A lui sembrava ancora un lusso. "Le leggi di Dio!"

All'inizio mi aveva fatto tornare alla mente quei preti del Mediterraneo orientale che odoravano di incenso, aglio e di leggera corruzione. Ma ora cominciava a piacermi. Chiesi: "E il futuro?".

Il suo passo non vacillò. "Vivo giorno per giorno. Non ci penso." Oltrepassammo il recinto al cui interno erano stati sepolti i preti che lo avevano preceduto, ricordati con i fiori. "Fintanto che ci sarà anche una sola donna anziana nella mia congregazione, la chiesa rimarrà aperta, e io sarò qui a servirla."

Quattro o cinque *babuške* erano sedute al caldo sotto il sole nel cortile quando me ne andai. Ma quando raggiunsi l'albergo, era il crepuscolo, e la Lada di Oman era beatamente parcheggiata nel cortile dietro. Mi venne in mente la voce da sirena della maestra, e avvertii un'impaziente fitta d'invidia. Oman si stava godendo la vita!

Ma aprendo la portiera scoprii una schiena incurvata dalla delusione. "Non si è fatta vedere," disse. "Credo che stesse solo scherzando." Vide il mio viso e scoppiò in una triste risata. "Sì, stavo correndo dietro a lei come un adolescente infatuato."

Lo smacco alla sua dignità continuava però a farlo soffrire. Perché non era venuta? – si chiedeva. Non ne aveva mai avuto l'intenzione? Forse qualcosa l'aveva trattenuta. O si era persa d'animo? "Non ho mai avuto difficoltà a trovare ragazze a Taškent. No, non prostitute. Alcune sono sposate. Ci incontriamo in una dacia, solo per una breve vacanza – magari mezza giornata, una giornata intera..." Il suo labbro inferiore si sporse come quello di un bambino. "Perché non è venuta?"

Naturalmente non ero in grado di rispondere. Ma non gli venne in mente un'altra spiegazione, e neppure io vi accennai: che la giovane maestrina avesse dato un'occhiata al robusto e azzimato

Oman, che era lì ad aspettarla, e che lo avesse superato senza fargli alcun cenno.

Una mattina mi svegliai presto dopo una notte turbata da spari e dal russare di Oman e, nella lama di luce che penetrava dalla finestra insieme al richiamo alla preghiera, mi resi improvvisamente conto che avremmo dovuto già essere in marcia. In quel momento ero sopraffatto da un'inquieta spossatezza e dalla sensazione di essere in trappola. I passi a nord erano bloccati dall'ultima neve, e questo ci costringeva a deviare verso la frontiera afghana prima di tornare a Taškent, e Oman voleva andarsene: l'inattività risvegliava i suoi demoni.

Non appena ci rimettemmo in viaggio, la sua esuberanza ritornò. Diede un pugno in aria e dichiarò che la Lada era pronta per affrontare qualsiasi cosa. I freni a disco erano stati riparati e il fango rosso era stato lavato via da ogni fessura. Dove saremmo andati ora?

"Alla tomba di Enver Pasha," dissi, "ma non so dove sia."

"Neanch'io. Ma la troveremo!"

Così iniziammo una tortuosa ricerca, sulle tracce di una vecchia storia di settant'anni prima. Enver Pasha si era fatto strada da umili origini (suo padre era un operaio delle ferrovie, sua madre donna di fatica) ed era diventato uno dei principali artefici della rivoluzione dei Giovani Turchi nel 1908 e capo del triumvirato che governò la Turchia durante la prima guerra mondiale. Orgoglioso, affascinante, spietato, era un genio dell'intrigo e un generale eccentricamente ambizioso. Nessuno poteva prevedere le sue mosse. Repubblicano dichiarato, sposò una principessa ottomana. Si diceva che fosse il migliore spadaccino dell'impero. Ma già nel 1918 era fuggito dalla sua patria, con una condanna a morte sulle spalle. Lenin lo accolse a Mosca come utile strumento per la rivoluzione e lo inviò in Asia centrale dove i guerriglieri *basmachi* stavano tenendo in scacco i bolscevichi da tre anni. Sembra che Lenin sperasse che la reputazione del carismatico leader turco avrebbe attirato i ribelli nel gregge comunista.

Ma Enver sognava qualcosa di diverso: una *jihad* che avrebbe sollevato e saldato le popolazioni turche dell'Asia in un impero pan-turanico da Costantinopoli alla Mongolia. Quando raggiunse Bukhara evitò la città, proseguì per raggiungere i *basmachi*, e proclamò una vera e propria guerra santa contro i russi. Messaggeri a cavallo raggiungevano tutti i capi della guerriglia per incitarli all'unità. Si procurò il sostegno dell'emiro di Bukhara in esilio, armi e soldati dal re dell'Afghanistan, Amanullah. Migliaia di reclute si arruolarono. La sorpresa delle prime vittorie e la presa di Dušanbe gli concessero un effimero momento di gloria. Si proclamò Comandante Supremo di tutti gli Eserciti dell'Islam e parente (da parte della moglie) del califfo, l'inviato del Profeta sulla terra.

Ma a quel punto la macchina da guerra bolscevica, temprata dalle battaglie, avanzò verso est contro di lui. I *basmachi*, male armati e disuniti, non riuscirono a fermarla. Una alla volta le loro roccheforti vennero distrutte e i ribelli dispersi, mentre il piccolo esercito di Enver riparava sulle colline del Pamir. La sua situazione era senza speranza. Avrebbe potuto fuggire in aereo in Afghanistan, ma il volo non gli era congeniale. Dieci giorni prima della fine scrisse una lettera d'addio alla moglie, dicendole che i suoi uomini erano inesorabilmente braccati e non potevano adattarsi a una guerra difensiva. Con essa spedì anche un rametto dell'olmo sul quale aveva scolpito il nome della moglie.

Il 4 agosto 1922, mentre i bolscevichi avanzavano da ogni lato, egli celebrò il Bairam nel villaggio di Abiderya, assieme a uno sparuto gruppo di fedelissimi. Subito dopo, mentre i suoi avamposti aprivano il fuoco contro il nemico che stava avanzando, egli saltò in sella, estrasse la sciabola e attaccò frontalmente le mitragliatrici dell'Armata Rossa, seguito da venticinque compagni. Annegarono in una pioggia di proiettili.

I russi non sapevano chi avevano ucciso. Uno dei cadaveri, che mostrava i segni di sette proiettili, ma ancora elegante con una giacca turca e un paio di stivali da campo tedeschi, aveva addosso documenti e un piccolo Corano. Li mandarono a Taškent per l'identificazione, e lasciarono i corpi lì dove erano caduti. Due giorni dopo un *mullah* di passaggio riconobbe il corpo di Enver Pasha. La notizia si diffuse. Gli abitanti del villaggio di Abiderya uscirono in massa per riprendersi il corpo, e migliaia di persone in lutto apparvero come per magia dalle colline. Venne seppellito in una tomba senza nome sotto un noce vicino al fiume. Aveva solo quarant'anni. Persino ora, si dice, in occasione dell'anniversario della sua morte, i discendenti dei suoi compagni d'armi vengono da luoghi lontani, come la Turchia, per rendere omaggio alla sua tomba.

Ma questa versione della storia non è del tutto certa. Tre anni dopo la sua morte un commerciante austriaco di tappeti, Gustav

Krist, dichiarava di aver parlato con il comandante della forza d'attacco russa, il quale gli aveva detto che Enver e il suo aiutante erano scappati verso una sorgente vicina, dove agenti russi li avevano assassinati. Esaminando le mie carte geografiche, non trovai alcuna traccia dei vecchi nomi. Nessun Satalmis, dove Enver scrisse la sua ultima lettera. Nessun Abiderya, dove era stato sepolto.

Per due giorni Oman e io viaggiammo attraverso colline spoglie. A Kurgan Tjube, che presto sarebbe stata devastata dalla guerra, incontrammo una grande moschea costruita solo per metà. I lavoranti, fedeli musulmani che prestavano la loro opera gratuitamente, avevano avvertito l'arrivo di una tempesta e se ne erano andati impauriti, lasciando là da solo l'architetto a gloriarsi delle future dimensioni della moschea, che invece crollava a pezzi intorno a lui. Non aveva mai sentito parlare di Enver Pasha.

Il comandante dell'esercito russo aveva probabilmente detto a Krist che Enver era stato messo alle corde vicino alla città di Denau, e che era stato ucciso lì vicino presso la sorgente di Aqsu. Trovammo il forte di Denau, che circondava con un anello rotto in più punti il monticello sul quale si elevava, e le capre che brucavano nelle strade della città; ma quando arrivammo a un sentiero che portava alla vicinissima Aqsu (termine turco per "sorgente") i suoi abitanti reagirono alle nostre domande con facce perplesse.

Cominciammo a tormentare i clienti delle case da tè situate in varie strade. All'incirca ogni trenta chilometri ci fermavamo e facevamo domande ai clienti abituali. Satalmis? Abiderya? I vecchi ci ascoltavano confabulando imbarazzati, comodamente seduti con le loro barbe disordinate, mentre giocherellavano con pezzetti di pane. Nelle case da tè tadžike le nostre domande scatenavano un uragano di risposte e di opposte supposizioni, che si annullavano le une con le altre. Ma in quelle uzbeke (poiché ora stavamo procedendo a zigzag da uno stato all'altro) gli interpellati si grattavano la testa, si tiravano i baffi con un gesto di sobria meditazione, e ci guardavano con espressioni sinceramente vacue. Molti dichiaravano di sapere dove Enver aveva combattuto. "Ma nessuno sa dove venne ucciso," dicevano. "In qualche posto lassù sulle montagne..." Poi le tazze da tè venivano sollevate verso labbra contratte, le sopracciglia si corrugavano per formulare ipotesi, e tutti gli sguardi si dirigevano verso est.

In quest'atmosfera di frustrazione, mentre stavamo procedendo a sud di Denau in direzione del confine afghano, ci fermammo presso l'autorità militare locale. "Questi sanno tutto," disse Oman, ed entrammo sfacciatamente. Ci ricevette un sorpreso capitano russo, il quale si interessò e telefonò a un vecchio compagno, che confermò che sì, Enver Pasha era stato seppellito nel vicino villaggio di Yurchi con altri *basmachi* in una tomba priva d'identificazione.

Ci dirigemmo là pieni di speranza. All'estremità di un campo di calcio abbandonato ci imbattemmo nella tomba del comandante regionale bolscevico: un tumulo di cemento con sopra una stella di ferro. Vi era scritto semplicemente: "Licharov 1889-1924". Era stato ucciso due anni dopo Enver.

Raggiungemmo poi una collina ricoperta di tombe, con una minuscola moschea sotto. Il suo vecchissimo guardiano, esile e vivace, con una tonaca blu come il cielo e un turbante, salì al cimitero davanti a noi camminando silenziosamente. Si alzò una brezza che spinse fuori dalla boscaglia alcune farfalle bianche. Un paio di corna di montone, vecchi simboli di prestigio e di morte, si incurvavano alla sommità di un palo evocando riti di stregoni e sciamani. A ovest le montagne brillavano come decorazioni natalizie. Sotto si stendeva il villaggio, con un canale sottile.

Proseguimmo fino a una voragine sul margine della collina. L'interno era fitto di cespugli spinosi. Il vecchio si fermò sull'orlo. "Sono troppo giovane per ricordare quel periodo," disse. "Avevo solo sette anni. Ma quelli che custodivano il cimitero prima di me mi hanno raccontato quello che accadde qui. Dopo l'ultima battaglia di Enver Bey, i *basmachi* che erano stati catturati vennero uccisi lì sotto ai piedi della collina." Guardammo oltre il margine della collina e vedemmo un sentiero vuoto e un fico contorto. "Poi, i loro corpi vennero gettati in questo pozzo. Era profondo cento metri, così potete immaginarvi quanti ce n'erano! E dicevano che il corpo di Enver Pasha era tra quelli. Questo è quello che raccontavano."

I cardi battuti dal vento raschiavano contro le lapidi. "I pellegrini ci vengono?" chiesi.

"Un po' di gente ci viene."

"Per l'anniversario della battaglia?"

Sembrava perplesso. "Non so quando avvenne la battaglia."

Guardai oltre la sommità della collina, attraverso l'erba alta fino agli stinchi e il prezzemolo selvatico su cui ronzavano le api. Niente coincideva con la storia ufficiale. Nessun fiume costeggiava la tomba, e solo il noce ombreggiava la moschea. Soprattutto, il villaggio si era sempre chiamato Yurchi. Qui c'era solo la testimonianza di un'esecuzione avvenuta in loco. Enver Pasha, mi resi conto in quel momento, era morto molto più a est, nelle colline di Beljuan vicino a Kuljab. Ma non potevamo andarci. La regione stava sprofondando nella guerra, sconvolta dalle stragi provocate dai membri delle tribù di Kuljab, che ben presto avrebbero insanguinato anche la capitale. Per quel che riguarda la fossa comune del villaggio di Yurchi, era solo un elemento in più nell'enigma e nella confusione della storia.

Chiesi all'uomo: "Non c'è mai stato un fiume lì sotto?".

"Ah, sì," disse, risuscitando un dubbio assurdo, "c'era un fiume qui vent'anni fa, invece del canale. Si biforcava vicino al cimitero."

Un richiamo alla preghiera si levò dalla moschea sottostante con un lamento gutturale a cui nessuno rispose. L'unico suono era ancora il raschiare dei cardi contro i sassi.

Mentre ci avvicinavamo al confine afghano le montagne a ovest e a nord annegavano nella foschia, e al loro posto risplendevano colline deserte. L'aria scintillava nell'immobilità dei quarantaquattro gradi, che gravava sui campi. C'erano gruppi di donne intente a sarchiare la terra, armate di zappe con la punta larga, o a raccogliere il cotone con le mani annerite. Proprio a nord di Termez, dove i russi avevano costituito la loro testa di ponte verso l'Afghanistan, marciammo spediti in una squallida brughiera solcata da tralicci e da canali abbandonati. Accanto a noi l'Amu Darja si snodava in mezzo a un nastro di verde, e l'Afghanistan era piatto e giallo nella nebbia lontana. Girammo verso nord dove un fiume rossastro serpeggiava tra i pantani. I declivi si alzavano in rosse alture e creste aspre, e comparvero yurte e recinti di capre. Ma dopo un'ora raggiungemmo la cima di uno spartiacque; il fiume era scomparso e un ruscello chiaro stava scorrendo al nostro fianco, dove i campi di granturco si perdevano fra bionde colline.

Da quando avevamo lasciato Dušanbe, avevamo compiuto un inutile giro ad anello quasi fino a Samarcanda. L'euforia di essere nuovamente in viaggio era svanita alcuni giorni prima, e le ore trascorrevano in silenzio. Le differenze fra di noi si erano improvvisamente acuite. Oman desiderava affrettarsi verso casa, tenendo la radio dell'automobile a tutto volume. Solo occasionali bazar risvegliavano il suo interesse in queste sterili pianure, mentre il suo enigmatico compagno di viaggio contemplava il paesaggio, o parlava con qualche buono a nulla, o vagava attorno a una rovina. Avrebbe desiderato un'altra compagnia. Tuttavia, ogni volta che raggiungevamo un albergo, riteneva che il mio desiderio di prendere due camere separate fosse dispendioso e offensivo, e così raramente riuscivo a ottenerle. Non voleva rimanere da solo.

Quanto a me, era venuta a galla un'irritazione che da tempo andava crescendo, di cui Oman faceva le spese. La spietata cupidigia che mi circondava giorno dopo giorno mi era diventata insopportabile. Nelle strade delle città, gli occhi che mi scrutavano vedevano solo un assortimento di risorse materiali – un orologio, una penna, la possibilità di ottenere qualche dollaro – e cominciai a desiderare da parte degli altri solo curiosità e interessamento senza secondi fini. E adesso questa mia misantropia aveva contagiato anche Oman. Cercavo di tenere a freno la sua abituale avarizia al ristorante, e la sua monotona litania sull'inflazione. Non riusciva a controllare la sua taccagneria. Benché gli avessi fatto un regalo che valeva sette volte il costo del nostro viaggio, ogni volta che si doveva pagare un conto lui era furbescamente assente. Le somme erano sempre misere, ma la cosa mi indignava.

Ora, con rimorso, prendo tardivamente atto di quanto la vita fosse diventata costosa in due anni: il prezzo di un pollo era aumentato da quattro a trecento rubli. Una pecora da trecento a cinquemila; perfino una scatola di fiammiferi da un copeco era arrivata a un rublo e trenta. La benzina in meno di un anno era cresciuta del centocinquanta per cento. La farina, l'olio per cucinare, il burro e lo zucchero erano tutti razionati. Il problema dei soldi era sulla bocca di tutti, tranne che sulla mia.

Nel frattempo, mentre Oman e io sorseggiavamo *lagman* o sbocconcellavamo polpette di *samsa* nelle case da tè lungo i torrenti, le nostre chiacchierate incoerenti, espresse ad alta voce in un russo stentato, divennero meno frequenti e più astratte. E l'impazienza di Oman di essere a casa veniva esacerbata dai ripetuti guasti della macchina. Per più di trecento chilometri tra Termez e Šakhrisabz egli dovette fare i conti con un motore surriscaldato, finché arrivammo al punto di riempire il radiatore con acqua di sorgente ogni quarto d'ora. L'aggravarsi del guasto lo fece esplodere in una nuova serie di invettive contro il crimine – pensava di essere stato imbrogliato dai meccanici – finché si lanciò in una tirata in favore della legge islamica.

"Sì, penso che qui ci vorrebbe!" La sua voce si era trasformata in una cantilena autoipnotica e agitava le mani sul volante. "La gente non capisce nient'altro! Voi in Europa dite che è incivile, ma la civiltà è un processo. È graduale." Indicò con la mano tesa la graduale successione delle generazioni. "È necessario che questa gente abbia paura." Stava quasi urlando. "Sono stati i russi a portare qui queste ruberie e questa prostituzione! Mi ricordo che mio padre mi raccontava che ai suoi tempi nessuno rubava. Tutti lasciavano le porte aperte, perfino i gioiellieri. Poi negli anni trenta migliaia di russi vennero giù da Samara durante la carestia e da allora Taškent è piena di rapine."

Così era tutta colpa dei russi. Mi accorgevo che il mito della purezza della sua nazione stava crescendo davanti ai miei occhi: la convinzione che il male non nasca dall'interno ma che venga imposto dall'esterno. "La legge islamica può essere crudele," disse, "ma in realtà non era così crudele. Durante il regno dell'ultimo emiro di Bukhara, ho letto, solo otto o nove persone erano state giustiziate, scaraventate giù dal minareto di Kalan. Lo so che non è una bella cosa, ma non erano tanti." Tuttavia il suo viso rimaneva scioccamente indulgente. Una volta o due sterzò sulla strada per evitare di investire i passeri. "Se solo ci fossero un migliaio di persone oneste, intelligenti ed energiche in Uzbekistan – solo un migliaio su venti milioni! – staremmo bene. Ma dove sono? Dove?"

Quando ci fermammo con grande stridore di freni a Šakhrisabz, dove due mesi prima ero stato bene, Oman scoprì che il motore stava perdendo acqua. "Credo che il monoblocco sia andato," disse. "È un problema abbastanza grave." Guardò sotto il cofano. "Dovrò trovare un camion che ci traini indietro fino a Taškent."

"Ma sono più di trecento chilometri."

"Sì."

Guardai il suo viso pensando di scorgervi una reazione violenta, ma non successe. Le piccole spese e la noia lo facevano diventare gretto o triste, ma questo guaio sembrò sgravarlo di qualcosa, come se ne sentisse il bisogno. Sopravvenne una strana calma. Diventò spensierato, persino brioso. Quando gli chiesi quanto sarebbe costata la riparazione, si strinse nelle spalle e soffiò sul palmo, come per far volare in aria una montagna di rubli. "Non preoccuparti! Non è un problema tuo. All'inferno. Andiamo a mangiare!"

Era ridiventato il vecchio Oman. Pagò una generosa cena e parlò del suo pantheon di scrittori: Maupassant, Jack London, Rousseau, James Hadley Chase... Parlò di altri viaggi d'affari più felici, prima del suo periodo nero: da giovane aveva portato dieci camion carichi di meloni in Siberia, e aveva commesso un omicidio. Una volta aveva trasportato duecentocinquanta tonnellate di frutta e verdura nella penisola della Kamčatka. Là caldi geyser creavano saune naturali, e molte donne russe, che avevano i mariti lontani a pescare o imbarcati nella flotta, languivano incontrollabili... Ma tutto questo, diceva con un sospiro nostalgico, succedeva durante il periodo dorato del corrotto Rašidov.

Lasciammo l'auto in un cortile contrassegnato dalla scritta Autoriparazioni n. 35, e passeggiammo al tramonto ai piedi dei cancelli del palazzo di Tamerlano, dove Oman rimase impietrito dallo stupore, e parlò dello splendore della costruzione senza mai accennare a quanto poteva essere costata, e seguì il volo delle rondini attorno agli archi in rovina. Le rondini avevano costruito i loro nidi nei portalampade della sua casa a Taškent, diceva, e Sochibar aveva deciso di toglierli. "Ma io ho minacciato di cacciare prima lei!" Rise come un ragazzo. "E guarda come costruivano a quei tempi! Sei secoli fa! Il nostro albergo andrà distrutto nel giro di pochi anni, ma questo..." Fece una pausa e guardò in su. "Però, credo che abbia bisogno di riparazioni."

Non potevo biasimarlo per aver pensato alle riparazioni. "Io lo preferisco non restaurato."

"Ma immaginalo completo! Sarebbe magnifico! Se fossi uno dei Rockefeller..."

Il guasto della Lada si rivelò più lieve di quanto avevamo temuto: solo una guarnizione consumata. La mattina dopo Oman costrinse cinque pigri meccanici a cambiarla, mentre io vagavo incurante lungo un fiume lì vicino, progettando un'ultima sortita sul Pamir.

Ma quella sera al ritorno nel mio albergo scoprii che Oman era stato arrestato. Probabilmente era tornato ubriaco un'ora prima di me, e d'istinto aveva identificato nell'atrio un ufficiale del Kgb, lo aveva insultato e aggredito. Mi sentii mancare. Non avevo idea di che cosa gli avrebbero fatto. Secondo gli antichi sistemi sovietici il suo comportamento era da squilibrato, e il Kgb uzbeko non era cambiato con l'indipendenza.

Seguii le sue tracce fino a un posto di polizia vicino all'albergo. La porta era rimasta momentaneamente semiaperta, e vi guardai dentro furtivamente. Era come se stessi guardando una diapositiva vecchia e brutta. La stretta stanza era illuminata da una sola lampadina, che gettava un bagliore arancione sul cerchio di uomini in uniforme e in borghese. Oman stava al centro – piccolo, robusto, intransigente – mentre un uomo dal viso mellifluo con un vestito anonimo lo stava interrogando da dietro una scrivania. Sopra era appesa una fotografia di Feliks Dzeržinskij, fondatore della polizia segreta sovietica. A Mosca la sua statua era stata abbattuta da folle esultanti l'anno prima. Ma qui dominava ancora indisturbato. Udii la voce di Oman che si levava in un tono dolorosamente appassionato, e vidi il suo braccio che cominciò a sollevarsi con furia o con disperazione. Poi la porta venne chiusa di colpo.

Mi sedetti fuori su un muro. Due o tre uomini stavano gironzolando curiosi. "Probabilmente lo picchieranno," disse uno di loro. Ma Oman non mi era sembrato impaurito. Al contrario l'alcol l'aveva accecato e lo aveva fatto piombare in un abisso di rabbia e autocommiserazione. Temevo potesse inimicarseli ulteriormente. In quella improvvisa solitudine, oppresso da umiliazioni e ricordi, tutta l'antica amarezza per i torti subiti sarebbe riemersa in lui. Forse, pensai, si sarebbero trattenuti se avessero saputo che era in compagnia di uno straniero. Forse per loro sarebbe stato più difficile trattarlo come avrebbero voluto.

Aprii la porta con aria ingenua. Adesso era seduto. L'ufficiale in borghese lo stava arringando. Gli altri stavano in piedi sovrastandolo come caricature: tarchiati, inespressivi, fuori moda. Il ritratto di Dzeržinskij spiccava sulla parete. Oman era il mio autista e mio amico, dissi al suo inquisitore, e io ero responsabile per lui... Ci fu un attimo di stupore. Tutti gli occhi degli ufficiali si volsero dalla mia parte. La testa di Oman si abbassò improvvisamente. Per un momento il suo inquisitore rimase perplesso, poi un grosso ufficiale con gli occhi chiari mi si parò davanti, mi spinse indietro senza una parola, e mi chiuse delicatamente la porta in faccia.

Rimasi lì fuori per un tempo che mi sembrò lunghissimo. Non sentivo più le voci né di Oman né della polizia. Le persone che gironzolavano intorno si erano annoiate e se ne andarono. Alcune automobili passarono lungo la strada, e nel cielo si alzò una mezza luna. La porta poi s'aprì e Oman riemerse da solo. Le sue spalle erano piegate per la rabbia. Era disperatamente ubriaco. Si girò e gridò contro l'ufficiale che stava uscendo. "Sono un uomo, non una pecora! Non-sono-una-pecora!" Agitava i pugni in aria. Era vagamente ridicolo. Lo trascinai via lungo il marciapiede, mentre il grosso e mite ufficiale rimase in piedi a guardare. Oman si girò e disse a gran voce: "Non ho paura di te, figliolo!".

"Non chiamarmi figliolo," disse l'uomo, come se questo tipo di dialogo fosse andato avanti per lungo tempo.

"Figliolo! Maiale!" gridò Oman. "Maiale! Figliolo!"

Gettai un braccio attorno alle sue spalle e lo trascinai via. "Mi hanno chiamato pecora!" gridò. "Dicevano, 'Sei solo una pecora, una pecora sovietica!'" Era prossimo alle lacrime. Sembrava che sovietico fosse un termine offensivo in quel momento. Essere sovietico significava essere un traditore. "Bene, se questo è vero, per la prima volta io dico 'Gloria all'Unione Sovietica!'" I suoi pugni roteavano nuovamente nell'aria. "Gloria! Gloria!"

A est, dove il fiume Zeravšan scende dalla catena occidentale del Pamir, una strada ormai scassata lo seguiva sotto un cielo screziato. Dapprima attraversava pianure vuote. Poi all'orizzonte apparvero le montagne, illuminate da solitari raggi di sole, e si raccolsero attorno a un lungo corridoio di vallate che, senza che ce ne accorgessimo, ci portò verso l'alto. Oman era oppresso da una vergogna tardiva, e qualsiasi cosa gli dicessi non riusciva a risollevarlo. Guidava in uno stato di cupa indifferenza. Stavamo risalendo lo sperone più occidentale del Tadžikistan. Mentre ci avvicinavamo al confine un plotone di soldati uzbeki ci fermò e ci perquisì, ma non c'erano altri segni del confine.

Era per questa strada sopraelevata che gli antenati dei tadžiki, i sogdiani, erano sfuggiti agli invasori arabi nell'ottavo secolo. Per più di millecinquecento anni vissero sulle sponde dello Zeravšan suddivisi in una galassia di oasi-principato liberamente confederate. Erano, insieme alla meridionale Battriana, la culla della razza iranica. Ma, alla fine, le incursioni turche e arabe li spinsero nelle grandi città, dove vivevano i loro discendenti tadžiki, o li fecero confluire sulle montagne; la valle che stavamo percorrendo sembrava ancora riecheggiare la loro triste migrazione.

Vicino alla moderna Penzhikent, una delle loro ultime città giaceva in rovina sulle sponde del fiume. La pioggia e il vento avevano solidificato i suoi mattoni d'argilla nelle forme di ossa gialle, così le case, le strade, i cancelli, i templi tracciavano tutti sulla superficie del terreno un disegno levigato. La modesta estensione dei suoi bastioni, per metà inghiottiti dal terreno, emanava una pace domestica. I suoi abitanti erano stati per lo più artigiani e mercanti della Via della Seta, e contadini ingenui. Furono i sogdiani a dare il vino alla Cina e le albicocche al mondo.

Lasciai Oman meditabondo nell'automobile ed entrai in città. Un mare di fiori selvatici si stendeva sopra gli spalti – l'eliotropio purpureo, la veccia rosa – e nei passaggi privi di tettoie e nelle stanze squarciate si estendeva un mare di papaveri. Mi aggiravo tra misteriose entrate e vicoli ciechi, e poi fuori, lungo i viali che portavano al punto in cui la cittadella del governatore coronava la collinetta con un gruppo di locali e torri. Anche se in rovina, conservava qualcosa della passata opulenza. I palazzi, molti dei quali isolati, erano sprofondati con i loro due piani attorno ai colonnati dei saloni da ricevimento, ma qua e là antichi *iwan* – i portici a volta di tardo stile persiano – si mostravano in alcune facciate un po' più imponenti del resto.

Fra i frammenti di travi del tetto, di scale e di statue di legno carbonizzate che ingombravano le corti, gli archeologi avevano scoperto frammenti di affreschi: pigmenti che sbiadivano verso il color prugna e il marrone, su uno sfondo blu fumoso. Ritraggono gente ricca e cerimoniosa a banchetto e in guerra. Nei loro visi idealizzati i lineamenti appaiono delicati e minuti. Uno sfarzo irreale pervade i nobili seduti a gambe incrociate mentre festeggiano. Conversano senza sorridere in un intreccio di sottili mani bianche. Le loro tuniche ricamate sono fermate in vita, e sotto le tiare i capelli sono acconciati in modo perfetto, o cadono in neri riccioli sui lati. Spade e pugnali decorativi pendono sul loro grembo. Portano rami di mandorlo fioriti. È difficile stabilire chi sia un dio e chi un mortale. I guerrieri che galoppano o raggiungono lentamente il campo di battaglia su rossi cavalli da guerra sono elementi dell'epica persiana. Ma la splendida creatura ornata di bracciali che pizzica le corde dell'arpa potrebbe essere sia un mortale che una creatura celeste. Infatti pare che la città fosse un rifugio di molti dei e di molte eresie, ispirate dal buddhismo e da una moltitudine di divinità iraniche e di culti della resurrezione.

I visi lunghi e mortificati degli affreschi sogdiani sopravvivono nei loro discendenti tadžiki. I sogdiani fuggirono a est, facendosi strada nelle gole ora bloccate dai loro castelli in rovina, e intanto la loro lingua e il loro sangue si mescolarono con altri. La lingua sogdiana sembra rimasta simile al persiano dei grandi re achemenidi, e alla lingua sacra della scrittura zoroastriana. Ma già un migliaio di anni fa stava morendo tra i contadini delle oasi lungo lo Zeravšan, e l'antico idioma della Persia – la lingua di Ciro il Grande, di Dario il Grande, di Serse – era scomparsa molto prima.

Ma in alto sullo spartiacque dello Zeravšan, dove Oman e io seguivamo la nostra strada in silenzio, in alcuni villaggi dell'appartata valle di Yagnob avevo sentito parlare ancora un remoto dialetto della Sogdiana. Il loro isolamento li aveva fossilizzati. Oppressi da montagne scoscese, e isolati per metà dell'anno dalle nevi, avevano vissuto in uno stato di miseria e purezza forzata. Avevo sperato che in qualche posto, proprio sotto il passo di Anzob, bloccato da una valanga, avremmo trovato l'ingresso della valle. Ma Oman di fronte a questa assurdità si limitò a sospirare. Questa gente non esiste più, diceva.

Attorno a noi fiorivano frutteti di melograne e l'antico albicocco sogdiano, fino al punto dove lo Zeravšan si gettava in un profondo abisso, e i villaggi trovavano soltanto una precaria collocazione su fazzoletti di verde sui suoi fianchi. Passammo sferragliando sopra un ponte e per una gola frastagliata, seguendo l'affluente Fandariya. I villaggi avevano gutturali nomi sogdiani. Mi figurai che le loro donne, simili a uccelli, possedessero una certa eleganza semiperduta, con i loro capelli che certe volte fiammeggiavano sulle teste scure con un sorprendente color biondo rame. I contadini che sedevano nelle case da tè sembravano mimare i loro antenati ritratti negli affreschi; ma le loro scodelle invece di vino erano piene di zuppa di noodle, e sul loro grembo le spade dorate erano svanite per lasciar posto a bastoni nodosi.

A volte il fiume si stringeva fino a diventare un torrente in mezzo a vere e proprie scogliere, e la nostra strada serpeggiava di fianco tra precipizi che rifrangevano la luce e il suono da una sponda all'altra, e da cui piovevano cascate sottili come fili per decine di metri. Ora ci trovavamo molto al di sotto del passo, ed eravamo entrati in una desolata galleria di burroni, battuti da venti che soffiavano misteriosamente attraverso di essi.

Subito dopo la nostra strada si infilò sotto distese di neve che incombevano sopra i villaggi di pastori di Tafkon e Anzob. Le persone sembrava appartenessero sempre più a un unico ceppo. Incontrammo fragili personaggi astratti incoronati da alte sopracciglia, donne con seducenti occhi verdi e vecchi che sfoggiavano nasi romani e favoriti alla Dundreary. Occasionalmente scorgevo uno sconcertante viso europeo, come se un amico inglese mi stesse scrutando da sotto una papalina.

Un po' più in là, dove la valle di Yagnob si apriva, trovammo due uomini che caricavano capre sul retro di un camion. Indossavano vecchie giacche e stivali strappati. Timidamente, con la sensazione di essere invadente, chiesi le loro origini.

Sì, risposero, erano Yagnobski. In casa parlavano tutti sogdiano, vecchi e giovani, e avevano appreso oralmente la lingua dai loro genitori. Sedevano davanti a me presso il fiume: un vecchio brizzolato con un viso pacifico, e un giovane con occhi chiari. Avevano gli stessi lineamenti sottili e la fronte e il mento incassati. Per mesi un registratore era rimasto inutilizzato nel mio zaino, ma ora lo tirai fuori e chiesi al vecchio di parlare per me.

Si sistemò nervosamente davanti a esso. L'unico suono era il rumore del fiume. Poi iniziò a parlare come in un sogno a occhi aperti: un linguaggio sfuggente pieno di gutturali e di consonanti esplosive e dolci, con una triste, e ritmica energia. Si concentrò su di esso come se dovesse ricordare una canzone, i suoi occhi sovrastati da folte ciglia e le ginocchia bloccate da grandi mani macchiettate di rosso. Teneva lo sguardo fisso sulle luci intermittenti del registratore. Il giovane si unì a lui con il borbottio della sua voce tenorile, cadde nella stessa malinconica cadenza, finché tutte le loro frasi sembrarono svanire nel disincanto.

Ascoltavo quasi incredulo. Questo, mi dicevo, era l'ultima eco distorta dei gridi di battaglia emessi duemilacinquecento anni fa dall'esercito dei grandi re a Maratona e alle Termopili, tutto ciò che era rimasto del canto dei preti zoroastriani o delle suppliche dei satrapi persiani ad Alessandro il Grande. Tuttavia era parlato da poveri pastori del Pamir. Una volta o due qualche frammento raggiungeva le mie orecchie con la strana risonanza di una normale lingua indoeuropea – la parola "strada" aveva lo stesso suono che in inglese, "nose" era "nez" – ma il resto era incomprensibile.

Pensavo che stessero declamando poesie, o una saga, ma no, dissero in un russo incerto, stavano semplicemente parlando delle difficoltà della loro vita. Compravano capre in queste montagne e le vendevano trecento chilometri più giù nelle pianure. Riguardo al passato il vecchio sapeva che la sua gente era stata spinta qui dagli invasori, e che avevano portato con loro ricordi scritti su pergamena di pelle di cavallo. Ma tutte le sue date erano imprecise.

Anche il giovane aveva un'espressione assente. I villaggi degli Yagnob stavano morendo, diceva. La vita là era troppo isolata, faceva troppo freddo. Agli inizi degli anni sessanta la gente aveva iniziato a spostarsi a Dušanbe e nelle città a nord in zone pianeggianti. Egli stesso era nato in una fattoria statale nella pianura. "È là che si trova la nostra gente ora. Nelle fattorie collettive. Sentiamo parlare sogdiano solo a casa. Ho fatto tre anni di scuola, e nessuno lo insegnava." Sembrava contento di ciò. "Appartiene al passato."

Oman e io ridiscendemmo la triste valle del Fandariya, poi salimmo sull'ultima catena del Pamir nordoccidentale, a incontrare la linea delle nevi a tremila e trecento metri, dove egli buttava sventatamente acqua gelata sul radiatore bollente e sul motore. Poi scendemmo verso zone ricoperte d'erba e infine giungemmo alle pianure coltivate e industrializzate che abbondano a nord verso Taškent. Si fermò solo per comprare due carpe giganti in una pescheria, poi guidò tesissimo a tutta velocità nella notte. Entrambi eravamo stremati quando i sobborghi della città cominciarono a sfilarci accanto. Vicini a casa ci accorgemmo di un bagliore di luci e felicità, e un'orda di bambini corse fuori ad abbracciarlo.

Aveva uno sguardo sconcertato. "Abbiamo ospiti."

Poi vennero fuori anche Sochibar e sua nuora, e lo abbracciarono. Era il compleanno del figlio maggiore, e lui se l'era totalmente dimenticato.

La festa stava finendo, le gambe erano molli per la sbornia, e la metà dei quaranta ospiti se n'era andata. I rimanenti erano tutti parenti, tra cui il misterioso secondogenito e un gruppo di parenti acquisiti. Due lunghi tavoli avevano separato gli ospiti secondo il sesso, ed erano ancora stracarichi di insalate avanzate, frutta e dolci.

Un gagliardo nucleo di convitati ci salutò, e in men che non si dica eravamo immersi in una rumorosa baldoria. Erano uomini grossolani, semplici, che gridavano barzellette in uzbeko, quasi intraducibili, e che mi offrivano di continuo carne di montone e vodka. Erano tutti ubriachi. Sedetti tra un funzionario delle poste e un dirigente delle ferrovie, che mi tirava colpi nelle costole ogni volta che voleva parlare. Mi sentivo vagamente distante. Nel frattempo al loro tavolo le donne chiacchieravano a bassa voce fra loro, senza bere, oppure si agitavano attorno ai mariti, nella speranza di andarsene. Ma gli uomini continuavano a schiamazzare e a fare gli spiritosi e a ridere fragorosamente fra sprazzi di rozza allegria.

Il padre di Sochibar – un insegnante piccolo e nodoso, da tempo in pensione – si allungò scompostamente sul tavolo per baciarmi e abbracciarmi. "So tutto sulla storia inglese," balbettava. "Avete una dinastia, gli Stuart, e ora la vostra regina è Elisabetta III..." I suoi occhi mezzi chiusi scrutavano i miei. "Oliver Cromwell, era un uomo del popolo..."

Lentamente, mi resi conto che la tavola degli uomini andava dividendosi. All'inizio Oman era seduto e giocherellava svogliatamente con il cibo, e una volta i nostri sguardi si incontrarono e sorridemmo complici per il legame costituito durante il nostro viaggio. Ma ora era di nuovo ubriaco e stava accusando suo figlio di inettitudine. Il primogenito, in onore del quale era stata data la festa, dal capo della tavola fissava ostinatamente dietro di sé, in attesa che i suoi parenti se ne andassero, mentre le parole di Oman sfrecciavano attorno a lui. A volte la sua graziosa consorte gli guizzava alle spalle, per sussurrargli delle cose, e afferrava il suo braccio. Ma Oman continuava a inveire, rivolgendosi questa volta al secondo figlio, che sedeva rassegnato accanto a me. Era un ventenne di bell'aspetto, che sentiva una forte attrazione per la musica pop ma non aveva idea di come intraprendere quest'attività, e con uno sguardo dal fascino disarmante. Una volta tentò di difendersi, ma tre o quattro uomini dell'età di Oman all'improvviso lo assalirono, gridando e agitando le mani da ubriachi.

Durante un momento di calma il giovane si rivolse a me e disse: "Mio padre parla soltanto. Parla sempre. Mia madre è meravigliosa. Devo tutto a lei...". Oman, sapevo, l'aveva tradita molto tempo fa, e forse qualche sotterraneo senso di colpa eccitava la sua rabbia. "Non ho bisogno del suo aiuto," continuò il ragazzo. "Non ho bisogno di nessuno che mi aiuti. *Nessuno.*" Anche questo dev'essere stato un problema per Oman, il fatto che la sua autorità non venisse rispettata. Un'ora più tardi scoppiò una nuova lite, le voci degli uomini aumentarono fino alla massima violenza. Alcune frasi russe si mescolavano al vociare in uzbeko, così di tanto in tanto riuscivo a percepire qualche brandello di significato. All'inizio le fazioni rivali dei sostenitori avevano impedito a Oman e a uno dei suoi fratelli di scagliarsi l'uno contro l'altro. Ma questa volta tutti si alzarono arrabbiati e ben presto sotto la veranda si scatenò una vera e propria battaglia. All'origine c'era la disputa sui figli di Oman, ma altre vendette stavano covando sotto la cenere, e anche tra i sostenitori infuriava un gigantesco scontro con zuffe e scazzottate, mentre le varie mogli accorrevano con inutili suppliche di pace, e i cani del vicinato iniziavano un lungo e delirante latrato.

Il figlio maggiore, la cui festa di compleanno era svanita allo scoccare della mezzanotte, continuava a guardare annoiato dal capo della tavola vuota. Anch'io sedevo là, ospite inviolabile, sorpreso della mia tranquillità. Per un attimo pensai di intromettermi; ma immaginai quale sarebbe stata la loro vergogna in seguito, e rimasi al mio posto. Nel frattempo mi turbinava in testa la fantasmagoria del numeroso clan familiare: la loro felicità, la loro fragile unità.

Le figure che si picchiavano indiscriminatamente attorno al portico erano vive con le loro verità: genitori che smettono di amare i loro figli, vecchi per i quali non c'è più posto.

Sì, pensai, queste famiglie, sicuramente più di quelle occidentali, sopravvivono ai loro membri individuali, e sanno sopportare ogni perdita. Nel bene o nel male, rimpiazzavano qualsiasi legame esterno, e spesso rendevano la vita pubblica superficiale e quasi senza significato. E ora Sochibar e le altre stavano separando i contendenti uno per volta, spingendo e lamentandosi degli uomini, mentre gradualmente i pugni alzati si placavano trasformandosi in semplice spacconeria e i pugili scomparivano al di là dei cancelli dai quali continuavano a risuonare le loro imprecazioni, mentre erano iniziate riluttanti riconciliazioni e strette di mano.

Quando l'ultimo ospite se ne fu andato, le donne rimaste sparecchiarono il vasellame, poi ripiegarono le tovaglie sui frammenti di bicchieri, i noccioli di ciliegie e le bottiglie vuote. Intanto Oman fumava, fissando lo sguardo oltre la veranda nell'oscurità. "Mi dispiace, Colin. Non so perché si comportano in quel modo. Stavano difendendo i miei figli contro di me..." Era infelicemente abbattuto. Per un bel po' di tempo si accese una sigaretta dopo l'altra. Non seppi mai veramente in che modo i suoi figli lo avevano ferito, perché l'inettitudine lo faceva infuriare a tal punto: se la sua durezza lo aveva reso intollerante oppure se temeva di vedere in loro un qualche prolungamento di se stesso.

Evitammo ogni inutile addio. Non era ancora l'alba, e le nostre teste vorticavano. Sul binario della stazione ci abbracciammo intontiti.

Più di ogni espressione del viso, più del triste calore con cui disse arrivederci, o le tozze braccia che mi abbracciavano, mi ricordo la schiena di Oman che si rimpiccioliva andando verso l'uscita. Carico di un ostinato coraggio, sembrava esprimere nella sua limitata dimensione tutta la resistenza nei confronti dell'ingiustizia del mondo. Mi sentii improvvisamente sollevato e orfano, mentre lui si allontanava senza girarsi in mezzo alla folla, e il mio treno iniziò lentamente a spostarsi verso nord fra le steppe del Kazakhstan.

11.

LA STEPPA

Stavo varcando il confine di una tremenda solitudine. Per quasi millecinquecento chilometri il Kazakhstan si stendeva a nord in ondulate pianure erbose e deserti color polvere. Per ore, da tutte le parti, la terra era tutta uguale: una distesa desolata senza alberi sotto un cielo morto. Era come una cesura nel cuore dell'Asia, come se questo fosse il naturale stato di riposo della terra. Qui mi trovavo fuori dalle oasi coltivate, nella regione in cui ancora sopravviveva il nomadismo, da dove schiere di pastori-guerrieri erano scese nelle valli del sud. Fiori selvatici rosa e gialli segnavano ancora il suolo come cuciture, ma i cardi stavano morendo sui pendii, e i passeggeri attorno a me guardavano il monotono paesaggio esterno con uno sguardo inebetito e distratto. Solo occasionalmente i prati erbosi presentavano colline simili a vulcani, dove cavalli unni dal torace ampio pascolavano, e nessuno era in vista.

Questa opaca nazione si stende tra la Cina e il Caspio per più di un milione e mezzo di chilometri quadrati. Ha la stessa estensione dell'Europa occidentale. Le sue popolazioni provengono dalla fusione avvenuta, non più tardi del quindicesimo secolo, tra le tribù turche giunte da nord-est quasi mille anni prima e gli invasori mongoli, e i russi le avevano trovate sparpagliate sulle loro vaste distese riunite in una confederazione di tre gruppi tribali. Mentre i colonizzatori zaristi avanzavano verso i centri commerciali delle valli uzbeke, e della Persia e della Cina ancora più lontane, i kazakhi furono i primi ad allinearsi con la Russia, poi vennero sottomessi, finché, alla metà del diciannovesimo secolo, non furono invasi. Ma erano ancora gente nomade, che girava con i suoi greggi lungo ampi percorsi migratori, illuminata dall'Islam. Ancor oggi, quando la maggior parte di loro si stabiliva nelle fattorie statali o nelle città, la dottrina musulmana veniva attutita da tradizioni ancestrali ed era poco familiare. E la presenza dei russi creò subito profondi mutamenti. I russi si stabilirono come cerealicoltori distruggendo i pascoli, e aumentarono di numero fino a diventare la maggioranza nella regione.

A poco a poco il Kazakhstan diventò il bidone della spazzatura dell'impero di Mosca. Fu ricoperto da una fioritura di campi di lavoro, e Stalin trasferì qui, durante la seconda guerra mondiale, le persone assolutamente indesiderate. Poi i sovietici lo scelsero come prima zona per gli esperimenti atomici e nucleari: intere regioni vennero contaminate dalla polvere radioattiva, mentre gigantesche fabbriche e l'antiquata industria pesante soffocavano altre zone con le loro nebbie tossiche.

Questo è lo stato dell'Asia centrale maggiormente russificato. Il suo governo, come la maggior parte degli altri, era composto di vecchi comunisti che avevano preso un nuovo nome, per nulla infastiditi dalla nube di zanzare dei partiti dell'opposizione. Ora però, il governo aveva avviato una spinta verso la privatizzazione che stava danneggiando profondamente il commercio e l'agricoltura. Con l'indipendenza, il clima stava silenziosamente cambiando. L'alto tasso di natalità della popolazione locale aveva appena elevato il numero dei kazakhi proprio al di sopra di quello dei russi, e i legami economici con Mosca stavano diventando tesi. Le risorse minerarie ed energetiche del Kazakhstan – il più grande deposito di ferro, rame, piombo e zinco dell'ex Urss – stavano allertando il mondo degli affari internazionali, e le compagnie occidentali stavano investendo con prudenza nei giacimenti di metano e di petrolio.

L'Islam qui aveva solo una mite influenza, e fra russi e kazakhi si interponevano strati di sottogruppi etnici, il venti per cento circa della popolazione: un milione di tedeschi del Volga, con tartari della Crimea in esilio, ucraini, polacchi e turchi meskheti. C'erano tracce di ceceni e di ingushi del Caucaso, di uiguri che avevano lasciato la Cina, di uzbeki, kirgizi, armeni, georgiani, azeri, curdi, karakalpaki, greci e altri ancora. Condividevo la mia carrozza con tre donne coreane, le cui famiglie erano state deportate all'estremità orientale della Russia negli anni trenta. Erano dirette a Mosca, dichiararono, poi sussurrarono che avrebbero continuato verso Varsavia, ma avevano paura della mafia, dal momento che era noto che coloro che andavano in Polonia portavano con loro dollari o merce. "Adesso non c'è nient'altro che banditismo," dissero.

Accanto a me sedeva una cordiale insegnante kazakha che accompagnava un gruppo di ragazze quattordicenni di Dungan in gita – aggraziate creature mongole, i cui antenati, cinesi musulmani, avevano oltrepassato il confine un secolo prima. Si pigiavano nello scompartimento per osservarmi. Indossavano orologi digitali rosa e orecchini a buon mercato, e le loro unghie erano dipinte. Volevano tutte viaggiare, per poi diventare sarte. Nel loro russo fluente e ben intonato sopravvivevano alcuni frammenti di mandarino.

"Dovevano imparare il russo, prima," disse l'insegnante, "ma ora tutto è cambiato e tutti vogliono parlare il kazakho. Negli affari, nel governo." Era una donna robusta, dall'ossatura grezza con le guance arrossate tipiche di una terra crudele. Sembrava fossero in grado di sopportare qualsiasi cosa. "Mio marito parla un buon russo, e nel suo istituto è apprezzato, ma il kazakho lo parla poco. So che è strano, ma ci sono kazakhi di questo tipo. E ora il mondo si è capovolto. Nei giorni di festa e in occasione dei matrimoni tutte le vecchie tradizioni stanno tornando – le gare di cavalli, i giochi nuziali e i costumi e bere il latte di asina."

Tuttavia le sue parole suonavano artificiali, come se il suo popolo fosse diventato un gruppo di turisti. "Che cosa ne pensano i giovani?"

"Oh, i giovani stanno bene!" disse. "Sono i vecchi che hanno difficoltà. Ai miei genitori, per esempio, non piace quello che è successo. Mio padre si ricorda della guerra. Quelli erano tempi terribili che ci unirono ai russi. Combatté a Stalingrado e perse un braccio." Il suo viso gaio si aprì in un sorriso smagliante. "E durante la carestia degli anni trenta, durante la repressione, i miei genitori quasi morirono di fame."

"Erano diventati delle vittime?"

"No, no, erano solo gente normale in una fattoria statale. Tutti soffrirono... chiunque possedesse qualche cavallo o qualche cammello rischiava di essere ucciso. Mia madre ricorda bene quel periodo, come la gente mangiasse qualsiasi cosa – cani, gatti, le proprie scarpe. Un giorno diede a un bambino piccolo una manciata di grano e lui la mangiò troppo in fretta e morì davanti ai suoi occhi. Penso che se lo ricordi spesso..."

Tuttavia i vecchi continuavano ad avere nostalgia del passato. La loro tristezza, quando c'era, era inferiore alla loro sofferenza. Negli anni 1920-23, verso la fine della guerra civile, quasi un milione di kazakhi morì di fame, e in seguito la collettivizzazione forzata fu più crudele qui che in qualsiasi altro posto dell'Unione Sovietica. Tra il 1930 e il 1933 una feroce e caotica campagna per stabilizzare i nomadi e per scoraggiare i contadini più ricchi, costrinse i kazakhi a bruciare il grano e a uccidere le bestie piuttosto che lasciarli cadere in mani estranee. Quasi la metà del bestiame delle steppe sparì. Alcuni scapparono in Cina, ma solo un quarto sopravvisse al viaggio; altri vennero uccisi dai bolscevichi. Della popolazione kazakha che contava soltanto quattro milioni, più di un milione morì di fame o per malattia. Alla fine del decennio, il Grande Terrore aveva decimato funzionari, insegnanti, e un'intera generazione di giovani comunisti kazakhi.

Tuttavia, persino ora, con l'indipendenza, era difficile che la gente ne parlasse. Forse la tragedia li aveva colpiti senza distinzione, allo stesso modo russi e popolazione locale, ed era difficilmente visibile.

La donna continuò: "Mio padre pensa ancora che le cose allora erano migliori. Dice che le persone erano più gentili le une con le altre, che avevano più cuore. Ora ognuno pensa a se stesso. Tutti si dedicano soltanto agli affari. Ma credo che noi in realtà non siamo gente adatta agli affari, non come gli uzbeki". Fece uscire una risata crepitante. "Noi siamo capaci solo di allevare pecore!"

Mentre osservavo il suo allegro viso mongolo, era semplice immaginare la sua schiena nei pascoli verdi dove la sua gente aveva vagato fino a una generazione prima. Tuttavia viveva in un condominio a Čimkent. "Qui, i posti non sono adatti a noi. Vorrei un giardino, o una dacia, ma non abbiamo soldi." Poi sollevò il proprio corpo, come se il pessimismo l'avesse offesa. "Ma ora abbiamo la nostra libertà! Possiamo dire la verità, finalmente. È la prima cosa, la più importante: dire la verità." Frugò nella sua borsa e tirò fuori una coscia di pollo fredda. "Adesso faremo progressi."

Fuori dalla finestra l'erba si era assottigliata su una distesa cosparsa di saxaul. Solo occasionalmente la terra si alzava in lontani pendii su cui greggi di pecore sembravano appiccicati come larve, oppure un villaggio di pastori contornava la ferrovia con stalle invernali costruite con qualsiasi cosa capitasse sotto mano: pezzi di camion smontati, vecchi pneumatici, letti arrugginiti. I visi solitari che ci guardavano passare sembravano riflettere la noia di quella pianura: una distesa inanimata che scorreva verso la Siberia.

Scesi alla prima città. Turkestan era un posto sonnolento, che si estendeva in mezzo ad alberi polverosi sotto un cielo enorme. Percorrendo le sue strade con i suoi negozi vuoti, mi sentii improvvisamente spossato e solo. Mi chiedevo che cosa stesse facendo Oman. Alcune delle persone che mi circondavano erano ancora uzbeke – Turkestan era un tempo una meta di pellegrinaggio – ma tutt'intorno c'erano i kazakhi tarchiati simili a bambini. Avevano un aspetto schietto e tenace. I loro visi, che sembravano fatti in economia, con fronti basse e orecchie molto vicine alla testa, sembravano modellati per affrontare forti venti contrari. Pieghe scimmiesche stringevano i loro occhi in buffe fessure, che luccicavano dalle ossa appiattite del cranio ricoperte di uno spesso strato di pelle.

Trovai un albergo che mi fece pagare pochissimo per due notti, e divisi la stanza con un operaio metallurgico del nord del Kazakhstan, che era arrivato in camion per comprare travetti d'acciaio. Maruya aveva forse quarant'anni, ma mostrava quell'aspetto di perenne fanciullo tipico della sua gente. Vagava nella stanza come se non si fosse mai abituato a vivere in uno spazio chiuso. Dal suo sacco logoro tirò fuori alcuni sacchettini di palline di formaggio e pane, otto scatolette di grasso di maiale, uno spazzolino da denti e una treccia d'aglio per sua moglie. Nel posto dal quale proveniva, faceva troppo freddo per coltivare l'aglio, disse – un villaggio vicino a Dzhezkazgan, nel triste cuore della sua terra. Persino a maggio erano caduti trenta centimetri di neve.

Andammo a piedi in città in un ristorante in cui servivano solo *lagman*. Maruya si guardava attorno curiosamente, totalmente confuso. "Non conosco questa città," disse. "Non riesco a capire quello che dicono gli uzbeki." Lo presi in simpatia, timidamente sorpreso. È l'illusione del viaggiatore che tutti si sentano affiatati tranne lui. Ma Maruya, che andava in giro con il suo sorriso sgraziato e la sua borsa d'aglio, era straniero quanto lo ero io. Il fatto che fossi straniero lo fece precipitare in un silenzio confuso. Le sue ginocchia si muovevano nervosamente sotto il tavolo. "Nel paese da dove vengo io," disse, "c'è una fabbrica tessile costruita dagli inglesi molti anni fa." Mi guardò con rinnovata meraviglia. "Poi gli inglesi se ne andarono durante la Rivoluzione."

"E poi?"

"Poi venne la carestia. I vecchi ne parlano ancora, ma non ci sono quasi più vecchi. Allora quasi tutto il mio villaggio morì di fame."

"Come lo spieghi?"

"Fu una cosa gravissima. Morirono tre milioni dei nostri, sai." Fece un sorriso ottuso e compensatorio. Non cercava di spiegare nulla. Questa stima impressionante di tre milioni di morti stava diventando una verità inconfutabile in tutta la nazione. “Ma ora è tutto finito. Noi non siamo persone che coltivano rancori. La nostra gente va d'accordo con i russi, ho molti amici russi.” La sua voce si conformò al suo abituale tono basso. “Ma hanno rovinato i nostri giovani. Bevono soltanto. Prima non l'hanno mai fatto. E molti sono disoccupati.”

“Fate matrimoni misti?”

“I nostri uomini prendono mogli russe. Ma non nell'altro senso. Non ho mai sentito una cosa del genere. La nostra gente si rifiuta di farlo.”

Chiesi di nuovo: “Come lo spieghi?”.

Ma disse soltanto: “Per noi tutto è stato difficile, e gelido”.

Il giorno seguente la vecchia Unione Sovietica sistemò i propri affari intorno all'ora magica in cui una telenovela messicana trasmessa in televisione, *Anche i ricchi piangono*, sabotò ogni attività. Succedeva una volta alla settimana e si andava verso il centocinquantesimo episodio. Alle quattro, in tutta l'Asia centrale, operai e macchinari si arrestavano in una sosta ipnotica. Contadini turcomanni e negozianti uzbeki venivano tutti ugualmente catturati dalla domanda incandescente: Pedro sposerà Rosalia? I villaggi sprofondavano nel silenzio. I trasporti cittadini diminuivano, e i televisori negli atri degli alberghi attiravano tali folle che io mi ero immaginato ci fosse stato un incidente. I personaggi in questo melodramma abitavano un mondo dal fascino irraggiungibile, tuttavia erano diventati amici di famiglia e anche oggetto di chiacchiere scatenate. Lo stesso titolo, *Anche i ricchi piangono*, suggeriva una sottile rettifica a decenni di simpatie opposte.

Fu in questa tranquilla ora che raggiunsi il santuario che spiccava in glorioso contrasto oltre i miseri sobborghi di Turkestan. Il santuario dello sceicco Ahmad Yassawi, fondatore dell'ordine un tempo potente dei sufi, era stato inaugurato da Tamerlano nel 1397, ma non fu mai completato. Circondato da spalti caduti in rovina, si stagliava nella distesa deserta come una bruna roccaforte di muraglioni e cancelli. Era il santuario più sacro dei kazakhi. Il pellegrinaggio verso questo luogo era secondo solo a quello verso la Mecca. Negli anni di Chruščëv era stato chiuso e circondato da filo spinato, ma ora si ergeva ampiamente restaurato.

Raggiunsi un'entrata malagevole. La sua arcata era affiancata da tonde torri babilonesi alte più di trenta metri. Subito dietro, la cupola si sollevava in un bagliore di turchese, e al di sotto un'altra cupola con nervature sopra la camera tombale – più privata e squisita – si appoggiava su una base di lapislazzuli blu.

Pareva di entrare in una fortezza. Si trovava, dopotutto, sul limitare della steppa. Il sufismo qui sembrava farsi ricordare non tanto come un sentiero mistico, quanto come una confraternita bellicosa, che aveva alzato la spada contro i mongoli e la Russia zarista. Camminavo sotto il portico piccolo come una formica. Originariamente anche tutta questa facciata doveva aver atteso le maioliche che decoravano le altre pareti. Poi Tamerlano morì. Un restauro successivo non fu mai portato a termine. Guardando in su vidi le travi semipietrificate di vecchie impalcature che si sollevavano in alto sotto la volta, e le torri portavano ancora i segni dei buchi in cui gli operai avevano appoggiato i loro attrezzi mezzo millennio prima.

Passai da un'abbagliante luce solare all'oscurità. Comprai un biglietto per entrare nella sala centrale di preghiera. Ero confuso. Ero entrato in un museo. Sotto la cupola, imbiancata e spettrale come tutti i luoghi di culto sconsacrati, sulle pareti erano allineate vetrine che mostravano vecchie fotografie e alcuni documenti. In altre stanze erano appesi tappetini da preghiera e armature, e qua e là le lapidi incise di alcuni *khan* e sultani kazakhi erano doverosamente contrassegnate e private dei corpi dei loro morti. In un recesso, una polverosa piramide di teschi di montoni come quelle descritte da Marco Polo – ciascuno di essi arrivava a circa quindici chili – era accatastata in un disordine di corna arricciate.

Rimasi seduto lì fin dopo l'ora in cui *Anche i ricchi piangono* finiva, e guardavo la gente che si muoveva dietro alle vetrine: kazakhi urbani in jeans e abiti estivi, una donna con un vestito di cotone etichettato "US Army". Ma tra di loro ce n'erano altri – contadini, e qualche zingaro dal viso scuro – che ignoravano le mostre, ma appoggiavano la fronte sulle pareti di mezzo, pregando e accarezzando la bianca calce che cancellava tutto. Ebbi la sensazione di trovarmi a uno spartiacque in cui la santità stava trasformandosi in storia; o forse, invece, la storia, stava risorgendo e le vetrine presto sarebbero scomparse e i *muezzin* avrebbero chiamato alla preghiera. Non ero in grado di dirlo con precisione.

Sotto la parte più alta della cupola c'era la prima esposizione: un portico di due tonnellate, ricavato da bronzo, oro e zinco, creato da artigiani persiani, un dono di Tamerlano. I russi lo avevano portato all'Ermitage nel 1935 (si contavano numerose, oscure leggende sulla morte prematura dei trasportatori: era il volere di Dio) ed era ritornato in trionfo nel 1989, trainato da un trattore attraverso le porte principali. Ora, un folla agitata di vecchie che si infilavano i biglietti d'ingresso nelle calze, salì i gradini per abbracciarlo, mentre di sotto una fila di cittadini si fotografavano l'un l'altro.

Guardai all'interno della camera tombale. Era circondata da un fregio di ceramica verde opale, ma per il resto era spoglia. Alcuni piccioni stavano appollaiati come animali impagliati da esposizione attorno al cenotafio di nefrite. Dopo un po' un gruppo di vecchi uzbeki arrivò come una folata dai campi, avvolti in turbanti azzurri. Stavano ascoltando con feroce attenzione una guida di sesso femminile e qualche volta mormoravano per lo stupore. Era strano. Quegli anziani del villaggio venivano istruiti da un'elegante giovane donna con tacchi alti. Solo un uomo – un vecchio dalla voce alta con un bastone – ogni tanto la interrompeva, ma lei lo faceva tacere con un sicuro "*Zhok!*" – No! – e tutti zittivano.

Più tardi, dopo che gli uomini se ne furono andati, mi misi a parlare con lei. Avevo pensato che fosse russa – una treccia di capelli chiari si attorcigliava su una spalla – ma no, disse con orgoglio, era una kazakha pura. "Provengo da una tribù dell'Orda di Mezzo, gli Argha. Molti di noi sono di carnagione chiara, e i nostri occhi sono più chiari e tondi perfino di quelli degli uzbeki!"

Ma i suoi occhi erano neri e penetranti in un viso d'avorio, che spesso si infiammava di rosso. Ero stato ingannato dai suoi capelli biondi e dal lungo vestito rosso, con la cintura in vita. Aveva la bocca a forma di gemma, tipica delle steppe, e i suoi zigomi erano alti e ampi. Disse, sulla difensiva: "Siamo stati fin troppo russificati. Ad Alma Ata molti kazakhi non sanno più parlare la nostra lingua, solo un pessimo russo". Sibilò per il disprezzo. "Ma tutto ritornerà, le nostre tradizioni."

"E il velo?"

"No. Da noi le donne sono sempre state libere." Anche lei lo sembrava, aperta e spontanea. Il suo sorriso scoprì un paio di denti sporgenti che erano diabolicamente attraenti. "Noi donne kazakhe non abbiamo mai indossato il velo, e non lo faremo mai. Le nostre donne sono state bardi e guerrieri e addirittura lottavano a fianco degli uomini." Ora stavamo camminando in mezzo alle lapidi contrassegnate. "Vedi quanto longevi eravamo! Abbiamo una buona aria e una buona terra. E il latte delle nostre asine contiene tutte le vitamine! Lo bevo sempre!"

Tra le lapidi dei *khan* e dei legislatori kazakhi, si fermò presso un blocco di marmo venato di grigio. Era un pezzo significativo che aveva un'iscrizione incisa in basso. Una volta, diceva la guida, aveva ricoperto il corpo di uno dei suoi antenati, un capo vissuto nel sedicesimo secolo che aveva viaggiato come inviato a San Pietroburgo. Toccò la pietra allo stesso modo in cui avrebbe toccato un talismano. Stava per iniziare a studiare arabo e turco, disse, perché lei aveva anche in mente di diventare un diplomatico. La sua tribù era una tribù di ambasciatori, disse orgogliosa, sono sempre stati intelligenti. Aveva già uno zio nel nuovo ministero degli Esteri di Alma Ata, e quest'uomo era diventato il suo modello e la sua guida, assieme a quello lì nella tomba.

Girammo attorno a una stanza per la preghiera dove i sufi un tempo cantavano. Era affollata da un gruppo di donne vestite di bianco e inginocchiate. Nella risonante cupola decorata a nido d'ape le loro preghiere ronzavano come zanzare. Alcune indossavano fermagli ornati di piume come quelli dei principi moghul, che spuntavano misteriosamente dalle teste avvolte da sciarpe. Una teneva un sacchetto di carta su cui era scritto "Christian Dior".

La ragazza aveva mai visto dei sufi? – mi chiedevo.

"Sono pochissimi. Ma sì, una volta vidi una cerimonia. Circa trenta di loro vennero a pregare e a cantare nell'oscurità. Non ho mai più visto una cosa del genere." Proseguì, quasi fieramente: "Ora possiamo agire alla luce del sole!". Aveva assunto un'espressione radiosamente determinata. "È il nostro futuro. I russi e i tartari e gli altri alla fine non conteranno più nulla qui."

Guardai il suo viso penetrante e la sua figura ferma. "No," risposi; le davo una piccola possibilità.

Per un giorno e una notte il mio treno continuò a salire verso nord-est attraverso pianure erbose verso Alma Ata, la capitale kazakha. Di tanto in tanto il paesaggio si trasformava in pianure umide dove passeggiavano gli aironi bianchi, oppure si appiattiva in giganteschi campi. Discese un caldo debilitante. I passeggeri si sventolavano invano e cedevano al torpore. Uno alla volta i giochi di carte e le conversazioni morirono, e le merende a base di yogurt e ciliegie vennero abbandonate. Calò un silenzio meridiano. Di fronte a me due poliziotti sedevano vicini senza parlare. Ma quando uno dei due lasciava lo scompartimento l'altro si agitava: "Quanto guadagna la polizia in Inghilterra? Com'è la loro vita?

Sono armati? Quanto?..." finché non si azzittiva perché tornava il collega.

Lentamente, mentre procedevamo faticosamente verso est, la terra si liberò del suo torpore, alzandosi in basse colline sulla linea dell'orizzonte. Il sole e il vento l'avevano privata di qualsiasi forma di vita. Attraversammo vecchie città sulla Via della Seta, rase al suolo dall'invasione mongola. Si erano rianimate con un'inquinata vita industriale: il centro cotoniero di Čimkent formato da villini, le fuligginose centrali chimiche di Džambul. Poi la sera calò in tutta la sua gentilezza sopra gli sconfinati campi di grano, più simili a meraviglie della natura che a opere dell'uomo, e le catene più occidentali del Tienshan si ergevano sulla linea del cielo in nevai annuvolati e che verso il basso si trasformavano in zone verdi e alberate.

Vagabondando nelle varie carrozze per tenermi sveglio prima della notte, incontrai Malik, appoggiato nel corridoio intento a guardare la steppa. Era ancora giovane, ma i suoi capelli si stavano diradando ed erano tirati all'indietro su lineamenti delicati e malinconici. Lì lui era un visitatore come me, disse, e questa situazione di spaesamento lo aveva spinto alla conversazione. Suo padre era kazakho, ma sua madre era russa, e non c'era modo si sapere da chi avesse ereditato la pelle gialla che conferiva al suo viso quella luminosità effeminata, o i suoi tristi occhi castani dietro gli occhiali.

"I matrimoni misti possono essere difficili," disse. "I nostri paesi sono troppo diversi. Il mio nonno kazakho, per esempio, si fidanzò con mia nonna, caricandosela sul cavallo e scappando via con lei. A quei tempi si usava così. E adesso non è proprio tanto diverso. Mia sorella è stata rapita da suo marito ed è stata portata via in un camion da Alma Ata a Biškek. Poi lei ha telefonato per dirlo a mio padre."

Queste tradizioni riguardo al matrimonio erano dure a morire, lo sapevo. La propaganda comunista si era scagliata contro il tradizionale prezzo da pagare alla famiglia della sposa: spesso oltrepassava l'ammontare della dote. Avevo sentito dire che quindicimila rubli fosse il prezzo normale per una sposa cittadina. "Tuo padre s'era arrabbiato?"

"Sì, furioso. Mi ha addirittura telefonato, ma a quel tempo studiavo legge a Mosca, e che cosa potevo fare? In ogni caso, non poteva riprendersi sua figlia – lei aveva già 'indossato il velo', come diciamo noi. Si era fidanzata. Così si sono messi a discutere il prezzo della sposa." Stava sorridendo con un po' di cinismo. Non chiesi quanto era stata valutata sua sorella. "Penso che mio padre avesse dimenticato la sua giovinezza. Sua madre gli sbatté la porta in faccia quando si presentò con una fidanzata russa, anche se il Corano consente il matrimonio con i cristiani. Lei non poteva sopportare che lui si sposasse con una che non apparteneva alla loro gente. Aprì loro la porta solo un anno più tardi, quando sono nato io. Un nipotino risolve tutto!"

Ma guardava la landa desolata come se non avesse risolto nulla. Lui era fastidiosamente sulla difensiva. Il sole si era intrufolato fra le montagne, ed era scomparso.

"Così fai l'avvocato?"

"Vivo a Mosca. La preferisco."

"Ho sentito dire che è un inferno."

"È meglio che qui."

"Perché?"

Ma evitava le domande dirette. "Mi interessa ancora la mia gente. Mi appassionavo all'Islam quand'ero a scuola, all'Iran e all'Afghanistan, a tutto... Volevo studiarlo per la mia carriera, forse per insegnare."

A volte la sua espressione non sembrava naturale. Cominciai a domandarmi come doveva essere stato prima, da giovane. Dissi: "Ma tu hai abbandonato gli studi".

"Ho prestato servizio in Afghanistan tra il 1984 e il 1986." Improvvisamente assunse un'aria meschina. "Ero interprete, in servizio di collegamento tra le forze aeree sovietiche e quelle afghane, vicino a Kabul. Se mi fossi rifiutato di andare mi avrebbero sbattuto in galera." La sua voce era un sussurro appena percettibile, sopra lo sferragliare delle ruote del treno. "Vestivo l'uniforme militare afghana, senza nastrini. In alcune zone in cui ho lavorato i *mujahidin* e l'esercito afghano occupavano diverse parti della stessa città, e avevano semplicemente deciso di comune accordo di non combattere. Così, con quell'uniforme addosso, non mi sparavano. Andavo e venivo in mezzo a loro, come un traditore..."

"Hai mai ucciso un uomo?"

"Sono stato responsabile dell'uccisione di uomini." Il suo sguardo si allontanò da me, e attraverso la finestra imbrattata si diresse verso la sua terra natia, che si stava oscurando. "Potresti dire che ho tradito la mia gente, fratelli musulmani."

Dissi: "Per metà sei russo".

Ma continuò soltanto: "Così ho perduto il mio amore per quella parte del mondo. Di sicuro non tanto per la vicenda dell'Afghanistan, ma soprattutto per il ruolo che avevo là. Ne sono uscito come sporcato". Sollevò gli occhiali con attenzione, per strofinarli, scoprendo gli occhi piccoli e nostalgici. "È solo per questo che dico che Mosca è meglio."

È strano. Arrivi in una città di notte e, guardando giù dalla terrazza dell'albergo le sue strade illuminate, che paiono più misteriose e seducenti di quanto non lo saranno di giorno, ti chiedi come la giudicherai. Ma entro la mattina il mistero si risolve con velocità dissacrante. Una passeggiata di poche ore ti consente di localizzare le vie principali, e di scambiare un paio di chiacchiere con una o due persone, di scoprire uno stato d'animo, e così ritorni a un albergo che non naviga più tra luci e possibilità imprecisate, ma resta ancorato, grigio e sgradevole, all'angolo tra le vie Gogol' e Krasin.

Tuttavia, dalla mia terrazza ad Alma Ata, non s'intravedeva alcun segno che mi permettesse di stabilire che mi trovavo in una città. Guardavo attraverso distese di giardini dove le guglie di una cattedrale innalzavano croci d'oro contro le montagne. La sua popolazione era stimata sopra il milione – più della metà era russa – ma la sua rete stradale, che si alzava a sud verso le colline pedemontane del Tienshan, attraversava quasi vuota una moltitudine di querce e di pioppi. A volte, questi alberi erano così fitti che immaginavo di camminare in mezzo a una foresta lungo sentieri d'asfalto. Dietro di loro i grandi uffici e i condomini russi si stendevano anonimi chilometro dopo chilometro. L'aria soffiava tagliente e pura dalle montagne. Era come un sobborgo che confinava con un centro che non esisteva.

Erano stati i russi, naturalmente, che l'avevano costruita e ampliata. Tutti i suoi istituti e monumenti erano loro, dal viale con le fontane di via Gor'kij (ora ribattezzata Via della Seta) agli alberghi spogli e ai monumenti di guerra. Ma ora la città non apparteneva a nessuno. Le vie Comunismo, Marx e Lenin potevano essere ribattezzate con nomi di spettrali *khan* che avevano governato la steppa uno o due secoli prima, e le facciate dei ministeri potrebbero essere ridipinte con motivi pseudo turchi; ma la cultura kazakha non aveva una reale espressione urbana. Meno di tre generazioni prima la nazione era virtualmente suddivisa in un guazzabuglio di villaggi di popoli nomadi. I suoi primi regnanti erano stati in maggior parte dimenticati persino nelle saghe; e i suoi eroi moderni erano stati selezionati dalla propaganda sovietica – poeti e pensatori laici, le cui statue, disprezzate, ornavano i viali. Per decenni i kazakhi erano stati una minoranza nella loro terra. E ora questa città aliena era finita nelle loro mani. Si erano stranamente liberati, perfino dall'Islam: una *tabula rasa* su cui il futuro poteva cominciare a scrivere.

Mi diressi a sud-est attraverso la città, e raggiunsi i giardini sui quali, nel perverso stile classico staliniano, si stagliavano i palazzi del parlamento. Tutto era molto tranquillo. Il profumo del filadelfo ammorbava l'aria ferma. Alcuni cartelli ancora dichiaravano: "Gloria al Popolo Sovietico", e nessuno aveva fatto a pezzi le stelle rosse che scendevano dai capitelli pseudo ionici, e neppure la statua di Lenin nel giardino delle rose. Quelli, dopotutto, erano i simboli tramite i quali l'attuale leadership aveva ottenuto il potere. Non li disturbava. Di fronte al palazzo presidenziale, che si ergeva enorme sullo sfondo delle montagne sotto la sua bandiera blu, un blocco di pietra commemorava coloro che avevano contrastato ciò che con cautela era descritto come "la dittatura del centro". La pietra era cosparsa di mazzi di fiori avvizziti. Lì, nel dicembre del 1986, una folla di dimostranti aveva protestato contro la sostituzione operata da Gorbacëv del Primo segretario kazakho, Kunaev, che governava da moltissimi anni, con un russo del luogo. Le rivolte incontrollate e gli eccidi che seguirono provocarono ripercussioni in tutta l'Asia centrale.

Ora i kazakhi e i russi camminavano insieme nelle strade. I visi mongoli parevano calmi e pallidi. Le loro donne procedevano avvolte in abiti modesti. I loro capelli ricadevano sulle spalle, oppure erano legati alla nuca con vistosi fermagli. In mezzo a loro i russi si muovevano faticosamente come un riflusso depresso del colonialismo: stanchi funzionari civili, segretarie con la minigonna, pensionati con gli occhi appannati dall'alcol. Abitavano in strade che la nuova economia liberalizzata aveva decorato di cartelloni pubblicitari.

Nel fast food di Shaggie (che un imprenditore coreano aveva allestito sul modello di McDonald's) i figli e le figlie dell'élite – kazakhi e russi insieme – erano occupati a fare gli occidentali, gironzolando in magliette che esibivano il logo di una squadra di baseball statunitense, con gli auricolari alle orecchie, sbocconcellando hamburger al formaggio. Al di là, in passato una funicolare malandata scalava la collina sulla quale si trovavano alcuni ristoranti e un albergo che erano stati il rifugio dei privilegiati negli anni di Brežnev. Ora le scale salivano verso rovine imponenti, piene di mosaici scheggiati e di rifiuti, e ricoperte di graffiti.

Verso sera mi smarrii all'interno del teatro dell'opera, dove un pubblico ristretto stava guardando un balletto drammatico basato sulla *Madama Butterfly*. La selezione e l'allenamento avevano dotato le ballerine kazakhe di schiene e gambe lunghe e flessibili come quelle delle loro colleghe russe, e così facevano piroette e *bourrée* avanti e indietro attraverso la pomposa scenografia in uno scoordinato corpo di ballo. Nel buio dell'auditorium, inondato dalla caramellosa musica di Puccini, mi sedetti vicino a una donna con quel viso a forma di cuore tipico dei ballerini e uno sguardo da perenne adolescente. Durante l'intervallo disse che s'era fatta male a un ginocchio mentre danzava e quindi era diventata un'insegnante.

Per qualche ragione, non sembrava strano che il fascino occidentale del balletto avesse potuto ammaliare una ragazza kazakha discendente da una popolazione che aveva abbandonato il nomadismo soltanto da due generazioni. E il suo accanimento per salire su un palcoscenico era lo stesso di una qualsiasi ragazza occidentale folgorata dalla celebrità.

"Mio padre era un veterano, molto severo. Odiava l'idea che io danzassi, persino quando ero piccola." Colpì forte l'aria in un gesto di oppressione. "Pensava che la danza fosse una cosa frivola, e sperava che io diventassi un medico. Ma a sei anni ero già segretamente decisa. E alla fine lui si arrese." Sorrise tra sé al ricordo della sua passione d'infanzia. "Neanche mio marito capiva la danza. La considerava ridicola, come mio padre."

"È morto?"

"Ci siamo separati. Non ho ricevuto bambini" – usò la triste espressione russa, come se i bambini arrivassero per posta – "e lui non poteva sopportarlo. Avrei dovuto sposare un russo."

Non era insolito, domandai, per le donne kazakhe sposare i russi?

"No, non qui ad Alma Ata. Ne conosco molte. Mia sorella ha sposato un ucraino, ed è felice. Questa è una città in cui siamo uniti. Credo di essere felice per l'indipendenza, ma mi sento sovietica. Qui ad Alma Ata ci sono molte persone così – e non possiamo tornare indietro. Vedi, la Russia ci ha aperto gli occhi. La musica russa, la danza russa. Noi kazakhi non abbiamo niente di simile. La Russia ci ha dato così tanto, ah" – a volte terminava le frasi con una fugace interiezione. "Naturalmente anch'io sono kazakha. Ma quando ascolto Čajkovskij divento russa nel mio cuore" – e, similmente a un russo, parlava molto del cuore. "Come non potrei? Ho ballato *La bella addormentata* e *Il lago dei cigni*. Ero una celebrità. Mi è rimasto nelle vene."

Non appena il sipario si alzò sul secondo atto, venni a sapere quanti dei ballerini erano suoi allievi kazakhi – più di metà, disse – e all'improvviso riuscii quasi a stupirmi di come scivolavano e si tuffavano a pesce (con movimenti ereditati dal loro sangue gitano, in un'arte che affondava le proprie radici nelle corti di Caterina de' Medici e di Luigi XIV).

"Ma i nostri spettatori sono diminuiti," disse, mentre uscivamo dal teatro al tramonto. "La nostra vita è così difficile ora, tutto è così costoso."

Dissi dubbioso: "Il mio biglietto è costato cinque rubli". Erano circa settantacinque lire.

"Ma ci sono ancora quelli che non se lo possono permettere, e molti disoccupati. E d'inverno, quando è buio, la gente ha paura a causa dei delinquenti. È una cosa nuova per noi, ma qui di notte ora è così."

Sapevo che la gente cominciava ad aver paura della criminalità sempre più violenta. Mentre camminavamo nell'oscurità giù lungo il viale centrale di Furmanov, non passò quasi nessuna auto. Al tramonto la città moriva. Dissi: "Ma lei è abituata alle città".

"Sì, sono cresciuta a Mosca e a Kiev." I suoi piedi, che procedevano con le piante aperte come fanno le ballerine, producevano un ticchettio molto cittadino. "Ma mio padre nacque in un villaggio, nella campagna vicino a Džambul, e qualche volta torno là. È sepolto nella steppa, dove c'è l'aria pura che lui amava. Quando ritorno la gente fa un po' di musica all'ombra della nostra vecchia casa, e mi invitano per il tè, e per fare quattro chiacchiere. Sì, sento anche la steppa nel mio cuore, ma non quanto Čajkovskij, ah... Per mio padre era diverso. Sapeva anche l'arabo, gliel'avevano insegnato da bambino alcuni *mullah* del villaggio. Ma il mio posto è qui."

Cadde in un silenzio malinconico. Temetti un po' per lei. Sembrava essersi giocata tutto il suo passato per questa Russia opprimente, che ora se ne stava andando via. Con il declino della sua carriera, disse, stava ricadendo in desideri impossibili – essere di nuovo protagonista, studiare danza moderna, viaggiare in Occidente. "Voglio andare in Messico, soprattutto. Abbiamo un meraviglioso sceneggiato alla televisione ora, *Anche i ricchi piangono...*"

Nei parchi della città, dove il continuo rumore del traffico si perde nei boschi di pini e di acacie, si erge un monumento a ventotto soldati della divisione Panfilov, di stanza ad Alma Ata, che respinse un assalto di carri armati durante la Battaglia di Mosca, nel 1941. Alla fine della strada commemorativa, dove i monelli kazakhi stavano prendendo a calci un pallone, raggiunsi un trittico scolpito con enormi guerrieri che s'infuriavano brandendo granate e baionette. Era uno di quegli inni appassionati alla gloria e al dolore che erano disseminati con orgogliosa malinconia sui campi di battaglia della Russia occidentale. Lo fissai con una certa ansia. Lontani dal dolore e dal disordine della guerra vera e propria, questi eroi esagerati – feroci e muscolosi – svettavano dai loro piedistalli in un realismo socialista che congelava la realtà e rendeva i loro movimenti inverosimili.

Sostai lì accanto mentre alcune coppie di sposi andavano avanti e indietro per farsi fotografare. Uno sposo kazakho con un colletto inamidato e una cravatta a farfalla metteva in mostra la sua sposa dalla carnagione scura che luccicava per gli amuleti e il vestito argentato a pieghe. Un gilet ricamato e una camicetta di velluto le coprivano il seno di rosso – l'antico colore della fertilità – mentre dalle sue tempie di elevava una messa in piega a pan di zucchero come quelle delle castellane medievali.

Al loro fianco posava una coppia di sposi russi: la sposa era elegante nel suo abito bianco, con il marito sergente stretto nella sua rigida uniforme verde. Per un momento, mentre il fotografo scattava la foto, loro e tutti gli invitati, pieni di medaglie e di nastrini, si immobolizzarono in un classico quadretto ufficiale, mentre i kazakhi ridevano e chiacchieravano. Ma le spose deposero i bouquet di gigli e di garofani rosa vicino alla fiamma perenne. Poi se ne andarono tutti su automobili addobbate con gli stessi nastri svolazanti, le stesse bambole in bella mostra sul cofano.

I kazakhi sembravano condannati a imitare i loro conquistatori. Si può dare inutilmente la caccia a opere della creatività indigena per giorni. Perfino le origini della città, fondata nel 1853 come sede del presidio di Verny, sono russe. Alcune sopravvissute costruzioni in legno, soffocate da stucco e cemento, decorate con frontoni e grondaie filigranate, evocavano un luogo familiare, semplice, come un villaggio di frontiera. Perfino la vistosa cattedrale, svettante di guglie e di cupole squamate come pesci fantastici, dimorava nel parco con florida innocenza, come se fosse una celebrazione infantile di Dio. La immaginai costruita con mattoni o pietra. Ma quando battei le nocche sulle pareti e sulle colonne, riecheggiò un suono di legno verniciato.

Lì vicino, sotto un campanile turrito, si trovava il club dei vecchi ufficiali di Verny. Ma ora ospitava il cuore della cultura che questi ufficiali avevano conquistato: un'esposizione di ottimo livello di strumenti musicali kazakhi. Questi rozzi barbari, frequentatori di matrimoni e funerali ora riposavano in bacheche di vetro, disposti ad arte. Erano appesi come gabbie di uccelli: i *dombra*, liuti dalla forma di pesce, e le viole a tre corde, strumenti perlopiù di fattura piuttosto semplice, erano stati suonati da musicisti scomparsi ormai da molto tempo. Numerose viole *kobiz* erano state grossolanamente intagliate da tronchi, e le vetrine erano state ornate di una barbara cacofonia di corni di legno, cetre, zampogne di pelle di capra e cimbali di zoccoli di cavallo.

Sotto alcuni strumenti si poteva toccare un pulsante e far partire una registrazione della loro musica. Sotto le arpe di legno, modellate come corna di antilope, tremolava un suono simile a quello della pioggia battente, argenteo e inconsolabile. Poi seguì la stridula energia dei *dombra*, i flauti gutturali e le note sinuose dei *kobiz*, le cui dolci frasi iniziavano e finivano all'improvviso. Quando si accendeva un maggior numero di pulsanti, i rumori sembravano avvolgersi gli uni negli altri, sempre più tristi, finché la piccola sala non si riempì di vibrazioni e suoni di flauto, che erano di colpo stranamente chiari – potevo cogliere ogni fioca incertezza degli strumenti a fiato – tuttavia emozionalmente distanti, come se provenissero dalla steppa ormai scomparsa.

I bardi erano i detentori della cultura kazakha. Cantavano saghe eroiche, e tuttavia esprimevano sentimenti comuni. La loro musica accompagnava qualsiasi evento – la partenza e il ritorno dalla guerra o dai pascoli – ed esprimeva un'antica moralità. Ma il loro mantello non era stato ereditato da nessuno. Durante la dittatura sovietica, la musica e la letteratura decaddero, e mi domandavo: ora che l'indipendenza era sorta all'orizzonte, che cosa ne era stato della drammaturgia kazakha, che un tempo aveva alimentato il realismo socialista?

Ma Mukhtar Auezov, santo patrono del teatro kazakho comunista, era ancora seduto in una statua bronzea fuori dall'ingresso del teatro dell'opera, dove quella sera era in cartellone una delle sue opere più famose. L'auditorium era pieno e vibrante dei farfugliamenti blesi e delle gutturali dell'idioma kazakho, e tutto il pubblico sembrava giovane. Solo sul palcoscenico, un eroe molto anziano riviveva in una sequenza onirica il rito del suo passaggio attraverso il ventesimo secolo. Di volta in volta, in un pomposo dramma di idee, questo protagonista urtava con l'Islam (ritratto con un evidente disprezzo), la Russia zarista e lo stalinismo, poi procedeva a grandi passi in uno sciovinistico peana al futuro marxista. A un certo punto gli attori volteggiarono in un'atletica natura morta, tenendo in alto un martello illuminato e una falce, e il pubblico scoppiò in uno spontaneo applauso, non per il comunismo, mi disse la donna vicino a me – "è un altro tipo di persone che lo fa" –, ma per la bellezza scenica della cosa.

Ma quella sera la rappresentazione terminava diversamente. Uno scrittore contemporaneo aveva ideato la scena finale. Quando l'ultimo atto raggiunse il climax, gli stendardi rossi del vecchio finale si abbassarono all'improvviso e gli inni marxisti scemarono. Scoppiarono insurrezioni – riconoscibili dal pubblico come quelle del 1986 – durante le quali la figlia dell'eroe veniva uccisa. A questo punto egli interruppe le sue fantasticherie (all'età, calcolai, di centodieci anni), ridendo della tragica follia della storia, e se ne andò camminando con una certa fatica e stanchezza, portandosi dietro uno stendardo abbattuto. Ma sullo stendardo c'era scritto "La terra dei kazakhi al popolo kazakho" e scatenò il pubblico in un diluvio di applausi ritmati. Mi resi conto che stavano acclamando la loro nazione, così come facevano gli attori o la rappresentazione – ma senza aggressività o tristezza –, poi si alzarono in piedi e si accalcarono sul palcoscenico con i fiori.

Uscendo dal teatro, mentre tutti erano raggianti e chiacchieravano, provai una sensazione di nausea. L'opera di Auezov era stata rimaneggiata senza remore allo stesso modo in cui era stato rimaneggiato tutto il pensiero precedente. Continuava a essere in ostaggio. Pensavo che soltanto quando gli fosse stato permesso di tornare alla sua sottile verità, questo popolo sarebbe stato veramente libero.

"Ma stai assistendo a una rinascita!" gridò uno studente di legge mentre ci trovavamo pigiati assieme nella calca dell'uscita. Era un kazakho del sud, vivace e sincero. Il suo amico e compagno di studi veniva dal nord ed era un tipo silenzioso. "Prima, questo posto era quasi vuoto! Rappresentava solo opere di propaganda sovietica, assolutamente mai la vita." Gesticolò per annunciare i programmi futuri. "Ma ora stiamo ritrovando di nuovo noi stessi. Sta per essere messa in scena un'opera di Makataeb – ha sentito parlare di lui? Era un vero e proprio dissidente, morto dodici anni fa. Hanno iniziato da poco a rappresentare le sue opere... e c'è un'opera che racconta in forma di dramma la vicenda di un eroe kazakho che combatté contro gli zar. Prima era proibita..."

"Una cosa noiosa," disse il settentrionale.

"So che non possiamo tornare indietro," continuò con foga il meridionale, "ma dobbiamo ricostruire il nostro mondo. Che ne pensa della nostra città? Le piace? È o non è orientale?"

Era una domanda strana, ingenua. Desiderava che fosse orientale. Era completamente preso dal rifiuto della Russia europea. Dissi duramente: "Qua e là giocherella con motivi orientali. È moderna."

Ma era accanito, carico dell'entusiasmo di rimpossessarsi delle proprie radici, come se queste fossero in grado di rivelargli la sua identità. Ora eravamo fuori dal teatro, occupati a osservare la sua facciata, e riuscivamo a vedere il circo che si trovava di fronte, simile a una pagoda buddhista afflosciata, e un palazzo malridotto dove si celebravano i matrimoni.

"Sono stati costruiti dallo stesso architetto, come un insieme di edifici!" Parlava come se fosse stato il Centro Pompidou o il Lincoln Centre. "Questa è la nostra architettura nazionale! Penso che sia kazakha. Nel sud abbiamo mantenuto la cognizione delle cose kazakhe. Nel nord, da dove viene lui," – indicò il suo amico, che sembrava più scuro e rude di lui – "nel nord l'hanno persa. Anche la lingua che lui parla è più povera della mia." L'amico sogghignò e non disse nulla. "Nel nord sono stati travolti dai russi. Ma nel sud siamo la maggioranza, e abbiamo mantenuto vive la nostra epica e la nostra storia. Io le conosco, ma lui no." L'amico continuava a sogghignare, come se stesse facendo da spalla a un attore comico. "Ha frequentato le scuole russe, mentre io ho frequentato quelle kazakhe."

"Andate d'accordo con i russi," attaccai – mi era sovvenuto un antico dubbio – "ma ho letto di quanto è accaduto negli anni trenta. Tre milioni di morti, dicono..."

"Però è una vicenda che abbiamo superato. Adesso quelli che si ricordano delle sofferenze patite sono rimasti in pochi. Vedi com'è giovane la gente!" Stavano scendendo le scale tutt'intorno a noi: le ragazze disinvolte nella loro grazia moderna e i giovani azzimati che le accompagnavano.

Il settentrionale disse: "Ma siamo sempre stati circondati dalla cultura russa. Ne abbiamo ricavato molto. Gli stati baltici l'hanno rifiutata in blocco, e l'Uzbekistan si rifà al suo passato, ma noi non abbiamo un passato come il loro. Quasi tutte le cose che abbiamo provengono dalla Russia."

"Ma ci ha accecato!" disse il meridionale – la folla li stava trascinando via. "Ci raccontavano che facevamo parte di un grande movimento di progresso, e nel frattempo il nostro passato veniva sepolto."

"Ma il nostro passato non è abbastanza..." cominciò il settentrionale, poi vennero spinti via da un gruppo di amici che passavano, e io rimasi in piedi vicino alla statua di Auezov, seduto in poltrona come uno zio incanutito.

Ritornato al mio albergo – un sepolcro per turisti, dove non funzionava niente – un gruppo di languide prostitute, per la maggior parte russe, era riuscito a entrare, sborsando laute mance. La custode del mio piano aprì l'ascensore per far scendere una di loro, con rassegnazione, quasi con pietà. "È l'unico modo in cui ora riusciamo a sopravvivere," disse. "Nessuno ce la fa soltanto con lo stipendio."

Sembrava che anche per lei i tempi fossero duri. Aveva cinquant'anni, forse, ma le rughe, che le scendevano dagli occhi sulle guance, disegnavano una mappa di prolungate sofferenze. La paga di una custode di piano era misera. Chiesi: "Come riesce a tirare avanti?".

"Commercio oggetti oltre confine in Cina. Compro scarpe e giacche sportive, e le vendo là." Non riuscivo a immaginarmelo, era troppo delicata e chiusa, ma sapevo che il commercio oltre frontiera stava prosperando. Una linea ferroviaria già collegava Alma Ata a Pechino, unendo il Mar della Cina a Istanbul – e ben presto al Golfo Persico – e un giorno o l'altro potrebbe diramarsi per l'intera Asia centrale. "Questo commercio è l'unica cosa che ci è rimasta per poterci mantenere. Mio marito se n'è andato. Una visita al mercato, e anche la mia paga settimanale se ne va. Un'altra visita, e se ne va quella di mio figlio. Un'altra, e così quella di mia figlia. Non possiamo più comprare vestiti." Fece cadere una mano sul suo leggero vestito nero. "Tutti i nostri vestiti sono vecchi." Mi seguì nella mia stanza e rimase incerta sulla soglia. "I miei figli ora sono entrambi sposati e felici. Ma viviamo ancora tutti insieme in un appartamento di tre stanze. Qui viviamo così, in collettività e in povertà...”

Dapprima avevo creduto fosse russa ma, quando glielo dissi, scoppiò a ridere. Era una risata triste. “Sono una kazakha occidentale, della tribù dei Sachs. Là siamo più chiari, con visi completamente europei e occhi grandi. Noi siamo i kazakhi originali.”

La guardai di nuovo, dubbioso. Forse questa rivendicazione tribale riguardo alla pelle chiara e agli occhi grandi era uno strascico del colonialismo russo. Disse: “Molti dei miei amici sono russi. Non so se cominceremo a sentirci diversi gli uni dagli altri. È strano”.

Tuttavia, pensai fosse un po’ troppo vecchia per preoccuparsene davvero. Sembrava come spenta. “Le cose cambieranno solo lentamente,” dissi, senza convinzione.

“Quando l’ho vista,” continuò lei, “ho pensato che lei fosse uno del nostro popolo sovietico, sembrava così disinvolto.” Poi disse con schiettezza: “Ora sto cercando un uomo. Vorrei un compagno. Non per la famiglia, ma per il cuore”. Si toccò il seno. Pensai che in passato doveva essere stata piuttosto bella. La sua bocca e le sue gote erano un po’ cadenti sopra delle ossa delicate, e i suoi modi rispecchiavano un antico orgoglio. “Lei crede che, se si trattiene un po’ più a lungo, potremmo vederci? O che per me sarebbe possibile venire in Inghilterra?” La sua voce era scesa su un tono basso e sentimentale. “Qualche volta, quando vedo una persona, penso: potrei essere felice con lui, è libero e decoroso. Quando l’ho vista, ho pensato la stessa cosa.”

Di fronte a questa fiducia sfrenata mi sentii frastornato, per niente libero e decoroso. Il suo calore e la sua franchezza, perfino la nuvola dei suoi capelli tinti con l’henné mi ricordavano le donne russe. Non sapeva niente dell’Inghilterra, o di me. Nuotava semplicemente nel flusso dei suoi istinti; e quando le parlai di una donna in Inghilterra, accettò la cosa con un sorriso, come se un casuale incidente avesse bloccato una strada libera.

Alcuni anni fa il circo, come il balletto, era la vetrina della cultura sovietica. Nessuna città dell’impero era completa senza il suo tendone circolare all’interno del quale ruota una galassia di acrobati, di trapezisti, di mangiatori di fuoco, di prestigiatori, di ventriloqui, di domatori d’orsi, di pagliacci e di contorsionisti.

Quell’estate una compagnia di Mosca era in tournée ad Alma

Ata e gli spettatori non erano diminuiti. Più di un migliaio si accalcavano nelle gradinate del circo, verso le quali salivano le note di un'allegra ouverture di un'orchestrina di dodici elementi. I bambini e gli adulti guardavano con la stessa meraviglia un mondo pieno di lustrini e dinamicissimo, dove i fisici prestanti e i sorrisi da stelle del palcoscenico diffondevano un'aura di straordinaria mondanità. Rimanevano a bocca aperta alla vista dei prestigiatori dai capelli lucidi che facevano uscire cucchiai dalle dita, applaudivano rispettosamente l'esibizione del bue tibetano, attaccavano applausi ritmati per i danzatori avvinghiati a pitoni lunghi sei metri, e rimanevano in un silenzio in cui si sarebbe potuto sentire volare una mosca, mentre un uomo con una frusta di cuoio colpiva una rosa sulla bocca di una ragazza, a sei metri di distanza.

Su, nel punto più alto della cupola, dove un globo girevole di stelle roteava nell'oscurità, una squadra di trapezisti in calzamaglie fosforescenti volteggiava, staccandosi e riunendosi. La musica rallentava in un fremito irreale. La gravità perdeva il suo significato. Nuotavano sopra di noi in un balletto notturno che la silenziosa agilità trasformava in uno scambio di fantasmi, che si afferravano e si lasciavano l'uno con l'altro senza sforzo alcuno, tanto da farmi immaginare che, nel caso avessero sbagliato, i loro corpi immateriali non sarebbero caduti a terra.

Tuttavia già si percepiva un che di antiquato. I riferimenti musicali al *Lago dei cigni* abbondavano, e le battute dei pagliacci sulla *perestroika* sembravano fossero state coniate in un'altra epoca. Verso la fine un dondolante orso bruno venne portato al centro della pista per suonare la fisarmonica. Sembrava vecchio e drogato. Ondeggiava sul podio. La fisarmonica era legata alle sue zampe come se avesse avuto le manette, così alcune note malinconiche si levavano involontariamente mentre dondolava. Era allo stesso tempo ridicolo e straziante. Il pubblico applaudiva. Suppongo stessero semplicemente vedendo una bestia complice che faceva finta di essere un uomo. Penso che l'animale non vedesse quasi niente. I suoi occhi erano granelli impercettibili. Bizzarramente forse ero l'unico che vedeva in quella massa traballante l'Orso Russo in piedi per l'ultima volta.

In un parco vicino al centro della città, lungo un viale di frassini, incontrai una ragazza di nome Dilia che sognava di diventare direttore d'orchestra. Una sera sì e una sera no, sedeva vicino a un'orchestra per seguire lo spartito in uno stato di rapimento estatico e con un'ambizione quasi senza speranza, e durante il giorno tornava al suo lavoro di accompagnatrice di cantanti con il pianoforte. Nel suo viso ancora giovane, i tipici lineamenti dei kazakhi apparivano semplificati e intensi. I suoi occhi erano allungati, delicati e scuri, sotto lucide sopracciglia, e sotto di essi la bocca delicata e gli zigomi sembravano come dipinti sul viso da un pittore di miniature perfezionista. Ma un paio di occhiali spessi sembrava respingere ogni intromissione, e lo spartito del *Requiem Tedesco* di Brahms giaceva tra le sue ginocchia e la panchina.

"Qui, i direttori d'orchestra mi dicono che il mio desiderio di dirigere un'orchestra è senza speranza. Dicono: 'Rinuncia! Non va!' Ma io non li ascolto." La sua risata era cristallina. "Pensano che dovrei concentrarmi nello studio del pianoforte. Quello è un ruolo femminile. È un buon lavoro, ma alcune delle nostre cantanti hanno delle voci divine che coltivano a malapena, e allora mi arrabbio. Sono severa con loro, e si offendono. Pensano che non sia il mio ruolo!" Si passò una mano sulla gola come se volesse suicidarsi, poi la sua voce si oscurò in un sarcasmo che non era ancora cinismo, ma sarebbe potuto diventarlo. "*No, no, tu sei soltanto una donna, Dilia, dovresti fare quello che ti dicono*... Ma non l'ho mai fatto. I russi dicono: 'Se hai paura dei lupi, non andare nella foresta', ma io ci sono andata e non ne esco di certo ora."

Sembrava così giovane, e mi trovai a dire: "Che cosa ne pensano i tuoi genitori?".

"I miei genitori sono morti. Vivo da sola. Mio padre era un ingegnere ferroviario e mia madre un'insegnante, ma è stata malata per tutta la vita. Era felice che io amassi la musica, ma entrambi volevano che mi sposassi. Volevano nipotini." Si tolse gli occhiali e sollevò il viso di profilo, tacendo consapevolmente. Senza occhiali sembrava più severa. "Nessuno capisce la mia decisione di non sposarmi. Ma gli uomini che i miei genitori mi presentavano non mi sono mai piaciuti. Mi sono sempre piaciuti altri uomini." Per un attimo sembrò timida, come se questo fosse un vizio. "Quando gli uomini giovani mi corteggiavano, li respingevo. Era la sensibilità che io volevo, e l'intelligenza."

"E i bambini?"

"I bambini non sono importanti per me. Mi importa solo che gli uomini mi amino." Distolse di nuovo il suo sguardo dal mio, ma le sue mani si torcevano sul *Requiem Tedesco* e la sua voce riprese la sua cadenza ironica. "*Oh no, devi avere dei figli e vivere in mez-*

zo alle padelle, Dilia. Non vuoi? Che cosa c'è che non va in te?" Rise di nuovo, vivacemente. Non potevo prevedere quando la sua risata sarebbe diventata triste.

"Puoi ancora sposarti," dissi. Nella sua severità era bella.

Ma allontanò la questione con la mano. "Da noi le donne spesso si sposano a diciassette anni. A ventitré una donna è vecchia – e io ho trentun anni!"

"Ma ancora..."

"Il matrimonio qui può essere terribile. Quando le donne ottengono ciò che vogliono, tutto ciò che fanno è lamentarsi per avere più soldi. Gli uomini bevono e picchiano le mogli, e le donne stanno zitte e nascondono i lividi." Chiuse lo spartito sul grembo. "*Ma tu preferisci la carriera alla famiglia, Dilia? Oh no, è terribile.*"

Sarebbe stata strana in qualsiasi paese, pensai, ma in questo mondo dominato dagli uomini che è il Kazakhstan, era straordinaria e commovente. Rimanemmo seduti insieme per un po', ammutoliti dal suo impaccio, finché un vecchio non venne barcollando verso di noi, il petto ornato da nastrini con medaglie di guerra. Il suo era il volto antico della sofferenza della Russia, con lineamenti profondamente scavati nella disperazione, e con gli occhi offuscati. Quando si inchinò davanti a noi, esalò una zaffata di birra. "Ho bisogno di mangiare, giovani... Ho bisogno di mangiare." Camminava vacillando verso una casa da tè in mezzo agli alberi. La sua bocca molle era incerta tra la deferenza e una parvenza di dignità. "Potete dare qualcosa?" Dilia alzò il suo occhio clinico verso di lui, disse qualcosa con tono distante, ed entrambi donammo qualcosa. "Grazie, grazie." Scrutò il denaro nel palmo, poi ci fece un tremolante inchino, e se ne andò incespicando.

"Mi dispiace per questi vecchi comunisti che hanno combattuto in guerra, e che hanno creduto. A loro non è rimasto nulla, ora. Tutto ciò che per loro aveva valore è crollato, tutto ciò per cui avevano vissuto. Dev'essere difficile."

Mi piaceva. Mi aspettavo che il vecchio risvegliasse la sua intolleranza: quell'uomo era stato spossessato del suo corpo e dell'anima e il suo mondo, il suo passato erano totalmente lontani dal futuro da lei immaginato. Egli non avrebbe creduto alla sua comprensione.

Lei continuò come se nessuno l'avesse interrotta: "Tutti tranne me sembrano accettare le cose. Forse non avrei dovuto nascere donna". Si passò le mani sul viso, come per cancellare rughe che non c'erano. Era un viso senza età, senza un'espressione decifrabile; e la sua figura era androginamente sottile. "Ma c'è stato un uomo..."

C'era stato un visitatore della sala concerti, un ebreo lituano che l'aveva incoraggiata e forse amata. L'aveva invitata a Vilnius, ma i suoi genitori ne erano rimasti sconvolti.

"Perché era ebreo?"

"No, no! Perché non era kazakho. Gli uomini possono fare quello che vogliono, ma una ragazza kazakha deve prendere un marito kazakho!" Le sue mani si torcevano di nuovo sul grembo. "Ma io li ho ingannati, e ci andai, e fummo felici. Camminavamo nel parco, parlavamo. Aveva quarantacinque anni." Sembrò improvvisamente ingenua, sconsolata. "Ora sta in America, e pensa che anch'io debba andare là. Ma che cosa ci farei? Potrei sopportare di lavorare come cameriera per un anno o due, dopo di che, se non diventassi una musicista, morirei dentro." Si toccò il cuore al modo dei russi. "Non so che cosa farò. Qui ho la mia musica. Ma laggiù penso che non avrei nulla."

"Forse questo amico vorrebbe aiutarti." Ma non sapevo ciò che passava nella testa dei due.

"Forse. Quando telefona da là sembra felice. È la mia voce che suona triste... Sono infelice da quando è partito." Riattaccò un'immaginaria cornetta. "Sola."

Così rimaneva sospesa tra il suo piccolo mondo e la crudele sfida dell'America, e non sapeva che fare. Solo la bocca piccola e volitiva e il profilo dicevano che non voleva essere commiserata.

La mattina successiva volai a Karaganda, la seconda città del Kazakhstan. Non era altro che un inganno nel cuore di una steppa scarsamente popolata che si espande verso la Siberia, tanto che si può viaggiare per settimane su di essa senza incontrare nessuno. Molto più giù, sotto le ali del nostro scricchiolante Tupolev, si muoveva una terra immutabile, di colore grigio, dove avanzavano ombre di nubi simili a laghi grigi e non c'era alcun bagliore di vita. Era difficile guardarla senza provare ansia. In questi deserti misteriosi e nelle distese erbose che li lambivano a nord, i russi avevano nascosto, per decenni, un arcipelago di campi di lavoro, centrali per gli esperimenti nucleari, missili balistici e la vecchia industria pesante. Era la discarica di popoli indesiderati. Rispetto al gruppetto di quegli esuli che si fecero un nome – Dostoevskij prestò servizio qui quando era in disgrazia, Solženicyn qui macerò – molti altri milioni scomparvero nella morte o nell'oscurità. Trockij trascorse due anni in esilio ad Alma Ata, prima che la piccozza del suo assassino lo rintracciasse in Messico.

Ogni tanto la terra suscitava visioni. Alla fine degli anni cinquanta i russi e gli ucraini inondarono le steppe settentrionali per poter coltivare cento milioni di acri di grano e orzo sulle "Terre Vergini" di Chruščëv (terre nient'affatto vergini, ma pascoli kazakhi) e per alcuni anni quell'esperimento fiorì spettacolarmente, prima che l'erosione del suolo ne limitasse l'espansione. Dal centro spaziale di Leninsk, vicino al lago d'Aral, venne lanciato in orbita il primo Sputnik, il primo cane salì nello spazio, e poi i primi astronauti.

Ma le centrali per gli esperimenti vicino a Semipalatinsk avevano lasciato mezzo milione di persone sconvolte dalle malattie conseguenti alla radioattività, alcune delle quali – ai tempi di Stalin – erano state esposte di proposito come cavie. In questa regione ora contaminata dall'uranio non fissile, circa cinquecento bombe, fatte esplodere per più di quarant'anni hanno indebolito e sconvolto la popolazione con cancri, leucemia, malattie cardiache, deformazioni congenite e cecità, così che il primo atto di indipendenza del Kazakhstan, nel 1990, fu quello di bandire tutti gli esperimenti sul suo territorio. Tuttora, in questa nazione piagata, fonderie di piombo e rame, fabbriche di cemento e fosfati espellono nel cielo e nell'acqua scarichi velenosi, e si dice che circa due milioni di kazakhi e di russi siano malati cronici a causa dell'inquinamento.

Ma mentre volavamo sopra quella zona la steppa sembrava sterminatamente vasta. Ogni tanto era solcata da una valle verde, apparivano i resti di una miniera, oppure un solitario quadrato coltivato a grano; e mentre scendevamo verso Karaganda una macchia di bestiame scuro e di pecore bianche, invisibile prima, emerse contro il vuoto. Sotto, la pista d'atterraggio si stendeva su una pianura sgombra. Il cielo rimbombava. Dopo molto tempo apparvero villaggi di dacie con orticelli, molte delle quali erano state costruite soltanto parzialmente, e tutte abbandonate. Poi vennero le acciaierie annunciate dal fumo; e all'improvviso i sobborghi di Karaganda si sollevarono in condomini di venti piani come un futuristico inferno. Si raggruppavano in isole di cemento, separati da distese desolate, così che l'intera città era circondata da questi tristi microcosmi troppo lontani gli uni dagli altri.

Procedevamo sussultando su strade malandate. Era una città

giovane, fondata nel 1926, e sembrava senza padroni. Nella Russia occidentale era il bersaglio di tremende barzellette: sinonimo di "un posto sperduto". La sua unica ragione di esistenza erano i bacini carboniferi su cui si stendeva. Un quarto dei suoi settecentomila abitanti, che erano in maggior parte russi, lavorava sotto terra. In superficie sembrava semideserta. A questi dedali soffocanti la seconda guerra mondiale aveva aggiunto un arsenale di fonderie. Durante gli anni di Stalin il posto era stato riempito da ex carcerati ancora oggi per metà in esilio. Dalla sua stazione ferroviaria, tuttora spaventosa con i suoi riflettori, le carrozze "Stolypin" stipate smistavano i loro prigionieri verso una serie di campi di lavoro nei dintorni, e camion pieni di altri prigionieri scomparivano verso le vicine Samarka e Kengir, i cui carcerati si erano ribellati alla fine nel 1954 – uomini e donne insieme – finché i carri armati non fecero irruzione lasciandosi dietro settecento morti.

Il mio albergo si trovava nel centro. Il suo cemento stava cadendo a pezzi, ma possedeva uno squallido ristorante che vendeva alcolici sottobanco. Quando risposi al telefono che squillava, una donna iniziò a chiedere di suo figlio, che aveva perso. Aveva sbagliato numero. La sua voce sembrava riecheggiare da un'altra epoca.

Uscii nelle strade. Erano enormi e quasi vuote, gli edifici avevano il colore della polvere, senza decorazioni. Bandiere con falce e martello penzolavano ancora lungo le strade, e alcune persone stazionavano alla fermata dell'autobus o ai chioschi che vendevano birra, come per mettersi al riparo da qualcosa. Sulla facciata del Palazzo dei Minatori una serie di grosse colonne, da cui si protendevano immagini di operai e soldati, nascondevano alcuni ricurvi archi moreschi; mentre davanti, in un complesso di brutale, fuligginosa fratellanza, un minatore russo e uno kazakho sorreggevano un grosso pezzo di carbone. Nel suo terribile isolamento, pensai, la città sarebbe potuta impazzire. Il suo carbone era scadente, e produceva una cenere corrosiva. Il suo fiume era soffocato da rifiuti radioattivi, la sua aria contaminata dal carbone. In inverno, dicevano, la neve diventava nera prima di toccare terra.

Quando i campi di lavoro vennero aboliti nel 1956, Karaganda venne inondata da ex carcerati, alcuni dei quali dissidenti istruiti, che non potevano tornare a casa. Si stabilirono qui, vicino ai loro ex carcerieri, e per una generazione la città si colorò di una sfumatura più gentile. Ma un gran numero di esuli, forzati o volontari, rimase. Ora, in fondo alla prospettiva della Pace, la sala da concerti in legno, da tempo chiusa, stava cadendo a pezzi. Perfino il quartier generale del Kgb – un palazzo dorico con un intonaco verde e bianco – sembrava fuori uso (ma non lo era). Oltrepassai duecento persone che erano in fila fuori dalla pasticceria: donne pallide con sciarpe e gonne chiare che sembravano venir fuori dagli anni quaranta, non fosse stato per un tocco di rossetto.

Anche il tedesco stava facendo la fila: un uomo con brillanti occhi azzurri e una spruzzata di capelli grigi. Era un viso che mostrava più delicatezza di quanta la vita ne avesse concessa al suo possessore. "Nessuno appartiene a questa città," disse. "È miserabile. Avevo una casa in Ucraina prima della guerra, ma mio padre venne ucciso durante la repressione quattro mesi prima che nascessi" – indicò il numero dei mesi con le dita piene di vesciche – "...Marzo... Aprile... Dopo, quel che era rimasto della mia famiglia si trasferì nella Germania orientale, poi in Siberia, e ora qui." Disse "qui" con un amaro fremito. "Ho lavorato qui per ventiquattro anni come muratore, ma ora è diventato inutile. Non mi pagano da tre mesi. Non c'è legge, niente. Perfino i russi non hanno un loro paese, nessuno ha un paese. Voglio che mio figlio vada nella Germania occidentale, e anch'io voglio andarci. Preferirei essere sepolto là." Il suo sorriso svanì su una bocca piena di buchi e macchie. Mi vennero in mente i miei denti radi e gli sorrisi di rimando. "Non ho paura di lavorare. E recupererò la mia lingua." Disse alcune parole tedesche nel suo russo, ma uscirono grevi e distorte. "Qualunque posto è meglio di questo."

Andando in giro per i sobborghi il giorno seguente dovetti dargli ragione. Le miniere di carbone circondavano la città con cataste di rifiuti dove i nastri trasportatori circolari giravano sulle loro impalcature come negli anni trenta. Questo posto era sempre stato così impregnato di segreti che ai delegati europei in visita non veniva offerta nessuna carta geologica. Le misure di sicurezza (confidò un funzionario) erano abitualmente trascurate. Non c'erano più soldi. All'interno di sinistri uffici, dove mi venne rifiutato il permesso di scendere sotto terra, vetrine illuminate mettevano minacciosamente in mostra onorificenze e medaglie sovietiche per meriti di lavoro.

Tuttavia il letargo in superficie traeva in inganno. Nel 1989, da quelle spaventose gallerie sbucarono fuori i minatori per uno sciopero che ebbe vasta eco nell'Unione. Quegli uomini erano giovani, arrabbiati e organizzati. Chiesero, ed ottennero, un sindacato indipendente. Dopo sessant'anni di schiavitù, gli operai erano in marcia. Ma il loro modello, dicevano, erano gli Stati Uniti d'America.

12.

LE MONTAGNE DEL PARADISO

Eravamo quasi a luglio. Per oltre un centinaio di miglia le montagne di Alatau, la catena occidentale del Tienshan, gettavano la loro ombra sul mio autobus che si dirigeva a sud lungo il confine kirgizo, mentre la strada filava completamente dritta sotto il loro riparo, alla ricerca di un passo. Oltre un gruppo di morbide colline, i picchi innevati spumeggiavano di nuvole che il sole illuminava da dietro, come spazzate da un pallido fuoco.

Accanto a me sedeva una timida ragazza kazakha, una studentessa di ingegneria elettrica che stava tornando a casa. Qualche volta girava il suo viso da bambina verso di me e mi faceva domande sull'Europa. Parlava a sussurri, con labbra da pesciolino. Ogni volta che le chiedevo qualcosa che la riguardava, mormorava "Chi? Io?" come se nessuno le avesse mai chiesto nulla di lei prima d'ora. Scese in mezzo a un pascolo, tenendo stretto un acquerello che raffigurava alcune rose, e s'incamminò verso un villaggio di pastori sulle colline.

Dopo due ore l'autobus superò un passo ed entrò in un altopiano di roccia grigia che riluceva di erba e fiori. Eravamo entrati senza alcun segnale nello stato montagnoso del Kirgizstan, il tratto più orientale dell'Asia centrale prima di arrivare ai deserti dello Sinkiang. Di tutte quelle nazioni tormentate, questa era la più remota: un santuario alpino con meno di quattro milioni e mezzo di abitanti. Quando arrivò l'indipendenza il potere venne tolto ai vecchi comunisti, e il presidente liberista – il solo nell'Asia centrale – governava con il consenso politico, e stava cercando di liberalizzare l'economia.

Nell'autobus, intorno a me, sedeva una nazione in miniatura: alcuni russi, alcuni uzbeki e un'esigua quantità di individui appartenenti a minoranze di passaggio. Durante la salita, un gruppo di persone gioviali, rustiche – forse imparentate ai kazakhi – gridava e dormiva e gozzovigliava con rozze merende. Settecento anni prima, gli antenati kirgizi, attaccati dall'esercito di Kublai Khan, erano migrati dal fiume Jenisej in Siberia, e secoli più tardi entrarono lentamente nel Tienshan, mescolandosi con le tribù delle valli. La loro fede nell'Islam era tenue. Erano guerrieri nomadi, che usavano come monete di scambio pecore e cavalli. Divisi da valli scoscese, non si consideravano tanto una nazione, quanto una tribù, finché Stalin non li radicò definitivamente ai loro villaggi, e non decise chi fossero. Poi la loro lingua venne codificata con prestiti dal russo, per separarli dai kazakhi, e vennero stabiliti i loro confini.

Verso il tramonto il nostro autobus si arrampicò su un altopiano battuto dalle piogge che avevano levigato le rocce lucide all'orizzonte. In lontananza, le spalle e i fianchi della montagna balzarono fuori all'improvviso dalle nubi. Poi apparvero le fattorie e alcune piccole fabbriche, e gli estesi sobborghi della capitale, Biškek: casette slave con grondaie intagliate e fragili recinti, aggrovigliati da viti e ortaggi. Donne bionde si crogiolavano all'ultimo sole sulle soglie delle case, mentre capre e polli razzolavano. Tutto sembrava più piccolo rispetto agli altri posti: i condomini, le strade, persino le statue di Lenin erano minuscole nei cortili delle fabbriche.

La notte era già calata prima che riuscissi a raggiungere un albergo – una decorata vestigia dell'epoca stalinista, rumoroso per la presenza di ospiti kirgizi venuti dalle montagne. Ma ero stanco della coriacea carne di montone e della zuppa *solyanka* dei ristoranti degli alberghi, con il loro riso scotto e i succhi di frutta zuccherosi, e uscii fuori, assai speranzoso, nella città buia.

Era invasa dal profumo dei castagni, mentre una falce di luna si stava alzando nel cielo. Non mi pareva proprio di essere in una città. Sembrava solo vagamente abitata. Ogni strada e ogni viale erano avviluppati da file fittissime di alberi, lungo i quali stavano sospesi i tondi e solitari lampioni dell'illuminazione stradale, come enormi lampadine appese su un albero di Natale. Era come se i suoi costruttori avessero scavato una galleria nella foresta, ritagliando ombrose radure e viottoli di campagna, che a volte si aprivano su spiazzi boschivi che risplendevano inspiegabilmente di edifici.

Da una parte all'altra del cuore della città, il viale che un tempo prendeva il nome da Dzeržinskij, ma che ora si chiamava Pace, passava in mezzo a un indecifrabile groviglio di frasche, fra le quali sedevano alcune coppie di amanti, che non si baciavano, né si coccolavano, ma che se ne stavano rannicchiati insieme in un'atteggiamento di muto desiderio. A un certo punto, una desolata statua equestre si stagliò sopra di me. Un braccio nero si protendeva contro il cielo nero, ma non riuscivo a distinguere il viso, né a leggere l'iscrizione. Mi fermai su un ponte ferroviario di legno marcescente. Una coppia di russi si stava abbracciando in silenzio, la schiena di lei si inarcava sul parapetto durante il bacio. Da questo punto le luci della città scintillavano contro il versante delle montagne illuminato dalle stelle, e io improvvisamente ebbi timore della luce del giorno, che avrebbe probabilmente restituito quel luogo alla tetraggine sovietica.

Tuttavia, in un primo momento, l'alba non rivelò nulla. Sembrava una città costruita per i contadini. Le sue vie erano costellate da casette rustiche, e i canali scorrevano lungo giardini di ciliegi e albicocchi in fiore. Una rustica invasione di kirgizi si stava infiltrando nei sobborghi e stava cominciando a popolare i negozi. Sembravano pastori genuini, più rozzi e tarchiati dei loro cugini kazakhi. Li osservavo affascinato. Si muovevano lungo le strade come se stessero scalando le montagne, e avevano l'abitudine di accoccolarsi distrattamente sui marciapiedi. I loro colli massicci ruotavano su petti gonfi. Portavano i capelli con un taglio pratico a forma di cespuglio nero, sotto il quale le teste dalle grosse mascelle, brachicefale, rivelavano la loro appartenenza al ceppo mongolo. Infatti una mappa fisiognomica (se si omette il Tadžikistan) dimostrerebbe che i lineamenti dei turchi risultano inesorabilmente sempre più schiacciati se si procede dal Mar Caspio verso est, finché non si arriva a questi montanari dinoccolati, con gambe corte e labbra turgide, rubizzi e con gli zigomi fieri. Molti sembravano i contadini di una pantomima. Le loro braccia a mattarello dondolavano all'infuori sbucando da spalle fasciate di muscoli, e i cappelli di feltro davano loro un'aria stoltamente allegra. Ma nel giro di una generazione avrebbero potuto raffinarsi diventando un po' più cittadini, e anche questi altri kirgizi lo stavano diventando, gestendo le loro piccole attività commerciali di un'economia liberalizzata, infiltrandosi lentamente nell'amministrazione dello stato.

Mentre mi avvicinavo al centro della città, le strade ancora si aprivano in mezzo alle querce e alle acacie, e i parchi fiorivano di filadelfi e di alberi a fazzoletto; ma la foresta pullulava di traffico ora, e in fondo alle strade intravedevo i camini delle fabbriche.

Improvvisamente, senza alcun preavviso, il fogliame si aprì su uno spiazzo desolato lastricato di pietre. Da un lato c'era il Parlamento, di marmo, con dietro il museo pure di marmo. C'era un albergo squallido e un inespressivo monumento ai caduti. Una prepotente statua di Lenin, enorme sul suo piedistallo, dominava la piazza pricipale. Tutto d'un tratto la città aveva perso il contatto con la sua gente, che sfrecciava in giro a bordo di vecchie Zhiguli e di altre automobili moscovite, o camminava infreddolita nel vuoto.

Tuttavia, in una città ancora piena di russi, ritenni che quest'ordine sovietico evocasse una nostalgia per un tempo in cui i prezzi erano stabili e la gente sapeva in che luogo si trovava. Ora tutto era cambiato. Il futuro apparteneva ai kirgizi di campagna.

"Stanno invadendo tutto," disse un camionista russo. "Quando la mia gente scese giù dalla Siberia, nel 1945, questa città era completamente russa e ucraina, con qualche altro. Non si vedeva questa gente scura in giro. In Inghilterra avete negri? Qual è la loro posizione?"

"È diversa."

"Bene, ora in città abbiamo questi negri, che ammontano al quaranta per cento della popolazione. Arrivano dalle fattorie statali perché non vogliono più lavorare. Non mi ricordo di loro qui, quand'ero bambino. Per vederli andavamo fuori in campagna, come se fossero state scimmie. E ora sono qui, non lavorano per niente, ma comprano e vendono e basta, e si aggirano come scimpanzè." Un paio di ragazze kirgize passeggiavano nelle vicinanze, snelle nelle loro camicie nere. "Hanno la possibilità di vestirsi decentemente perché fanno i commercianti. Possiedono persino valuta straniera." I suoi occhi vagarono su di me, poi si distrassero. "Ma non hanno nient'altro. Niente industrie, niente cervelli."

"Ma trovano lavoro."

"Non ci sono lavori. I miei figli devono lavorare come insegnanti, con stipendi da fame. Ma dove possiamo andare? I miei genitori sono sepolti qui, e mia sorella che è giovane..." Uno spasmo di sofferenza lo attanagliò. "Non posso tornare in Siberia, e allora rimarrò qui. Ma tanti se ne sono andati, tanti, tanti... tutti quelli che potevano." Si piantò a gambe larghe e sputò. "Ora questi negri pensano di essere diventati i capi."

Attraversai squallidi spiazzi fino a piazza Lenin, e camminai costeggiando i roseti ben curati dell'ufficio presidenziale. Dal silenzio salì il lungo squillo di un telefono a cui nessuno rispose. Mi inerpicai sul podio sotto la statua di Lenin, e guardai in basso il viale realizzato per le sfilate del Primo Maggio, cerimonie di orchestrato tripudio ormai abbandonate. Tutt'intorno alla piazza, gli altoparlanti ormai inutilizzati pendevano dai loro piloni, e al centro del podio, dove un tempo un microfono trasmetteva gravi esortazioni, i fili si attorcigliavano come un groviglio di vermi morti.

Scesi una rampa di gradini sbilenchi che portavano alle stanze chiuse sottostanti. Il corridoio di marmo era scolorito e le balaustre erano cadenti. Procedetti guardingo, come se mi trovassi dietro le quinte di un teatro. Un tubo dell'acqua, rotto, gocciolava nella tromba delle scale, e c'era puzzo di urina. Le porte d'acciaio erano sbarrate, ma si stavano già arrugginendo, e io sbirciai attraverso di esse un santuario vuoto e maleodorante.

Oltrepassata via Primo Maggio, lungo le scale e i corridoi dell'Unione degli scrittori – un tempo fulcro di burocratica mediocrità e di ostruzionismo – incontrai uno scrittore di nome Kadyr. La sua gentilezza e cautela, perfino la sensibilità cadaverica del suo viso facevano pensare che appartenesse a una generazione molto distante da quella dei suoi compatrioti sulle colline. Tuttavia, disse che era nato in un villaggio di montagna, ai confini con la Cina.

Sedemmo nell'ufficio di qualcuno, vicino a una sala riunioni deserta, sulla porta della quale c'era scritto con una certa reverenza il nome di Chingiz Aimatov, il romanziere kirgizo esiliato, come se lui fosse ancora lì dentro. Chiesi che cosa facevano le persone lì adesso.

"Non fanno niente," disse Kadyr. "Abbiamo centinaia di scrittori, ma neanche un soldo... e i nostri editori non riescono a procurarsi la carta. Prima arrivava dalla Russia, ma ora tutto è bloccato. Così, in conclusione, abbiamo la libertà di stampa – ma niente carta!" I suoi capelli lisci e gli occhiali gli conferivano un fascino giovanile piuttosto instabile. Era pervaso da una radicata diffidenza. Se gli facevo delle domande, diventava vago. "C'era sempre un mucchio di cose che non potevamo dire. Non potevamo far ricorso alle nostre tradizioni o scrivere la nostra storia. Ora la nostra situazione spirituale è più ricca, molto più ricca, ma quella materiale è senza speranza."

"Di che cosa scrivevate?"

“I miei romanzi parlavano della natura,” disse velocemente, come per discolparsi di qualcosa, “su come le montagne pervadano gli spiriti degli individui, e di come avvenga uno scambio reciproco fra queste due identità. A Biškek c'è gente di questo genere, e io credo di essere uno di loro.” Si esaminò le mani. Sembravano troppo grandi rispetto al corpo, che era molto magro. “Ci chiamano ‘gente di montagna’, perché non abbiamo mai veramente lasciato le regioni selvagge.”

Scrivere delle montagne, pensai, era un modo velato di esprimere il proprio patriottismo.

“Non era pericoloso,” disse. “La natura è natura, chiunque detenga il potere.” Prese un libro in brossura da una mensola. “L'ho scritto io...”

Era una guida molto superficiale del Kirgizstan. Aprendola a caso, lessi: “Proprio come l'aquila spicca il volo dal suo nido, la mia gente ha raggiunto alti risultati creativi che non hanno precedenti, grazie all'appartenenza alla patria sovietica...”.

“Sì, sì. Ho contattato gli editori moscoviti che mi hanno detto ‘Bello, bello’.” La sua diffidenza s'era all'improvviso dissolta. Sembrava orgoglioso.

Meschinamente sottolineai la frase con il dito, e poi glielo misi sotto gli occhi. Sentii che gli domandavo: “Sei stato costretto a scrivere questa cosa?”.

Lo fissò. “Era una specie di... beh... di formula.” Non mi guardava. Entrambi scoppiammo improvvisamente a ridere. Infatti, chi ero io per biasimarlo? Io non avevo vissuto il suo incubo. Cominciò: “Naturalmente nei miei romanzi non c'è nulla di simile. Descrivono come le montagne pervadono lo spirito della gente...”.

Ma la sua voce crollò.

Il museo Lenin era stato ribattezzato Museo Storico, ma al suo interno la storia quasi non esisteva o era travisata. Le stanze inferiori erano dedicate a una misconosciuta schiatta di popoli turchi: ai guerrieri tartari che avevano percorso a cavallo queste valli nell'ottavo secolo, con le loro mazze da battaglia e i loro scudi rotondi, a sonnolenti menhir di pietra che giacevano sopra le tombe dei nomadi, ai bronzi provenienti dai templi buddhisti.

A questi resti, le reliquie kirgize del diciannovesimo secolo aggiungevano solo una variante più intima. C'erano le bambole di pezza dei loro bambini, così come i liuti e le viole squadrate che gemettero al canto dei *Mana* – l'*Iliade* kirgiza che contiene tutta la loro storia come un enorme palinsesto. Per secoli i *manaschi*, i bardi erranti dalla prodigiosa memoria, l'avevano cantata con strumenti di questo genere da una capanna all'altra, prima di scomparire soltanto una generazione prima. Nelle bacheche del museo c'erano anche bottiglie fatte con pelli di capra, e imbuti di pelle utilizzati per mungere il latte d'asina, mentre i cavalli di montagna – creature instancabili con zoccoli duri come pietre – avevano lasciato frammenti di finimenti e di occhielli di staffe.

Ma prima della fine degli anni trenta, questo ciclo eterno era stato buttato alle ortiche. Persino i più isolati allevatori di yak furono collettivizzati, e sulle valli cominciarono ad arrampicarsi i primi campi di frumento. Il bolscevismo veniva celebrato nei piani superiori del museo da una collezione che faceva già parte della storia. Era come vagare nella chiesa di una religione ormai defunta: plastici a grandezza naturale di avvenimenti storici canonizzati, e bacheche con facsimili di lettere e di documenti, tutti amorosamente disposti come se fossero originali. Ma di reale qui non c'era proprio nulla: solo il ricordo della propaganda. I busti dei suoi dei e santi proletari sembravano fissarci da centinaia di anni. Presto sarebbero stati rimossi.

Al piano superiore, da poco allestito, c'erano le fotografie delle vittime delle purghe staliniane e dei cadaveri riesumati di una fossa comune.

Una mattina, mentre mi aggiravo intorno a un grande magazzino statale vicino al mercato occidentale udii un canto distante. Dapprima pensai che qualcuno avesse lasciato la radio accesa, poi uscii dai corridoi in una stanza ornata da tubi fluorescenti. Una donna in chiffon bianco stava suonando un organo elettrico, mentre un proiettore proiettava su un piccolo schermo il testo russo di alcuni inni battisti. Fra sedie rimediate, circa trenta persone stavano cantando in tremante unisono. Sembravano cinesi tarchiati: donne dagli occhi intelligenti e bambini con vestitini stirati, tre giovani dal viso fresco e una fila di uomini più anziani. Nessuno aveva osato rimuovere i vessilli comunisti che pendevano dalle pareti della loro stanza affittata. L'unica altra decorazione era un vaso di garofani di plastica vicino all'organo.

I mortali costruirono una casa, e vennero le piogge,
E i fiumi straripavano e la casa crollò...

Sopra di loro la testa di Lenin troneggiava da un poster che diceva "Il nostro amato leader", e una bandiera rossa era sospesa lungo la parete posteriore, adornata con la scritta "Il Popolo e il Partito sono una cosa sola". A volte il frastuono dei camion e il vociare lontano delle contrattazioni si intromettevano, disperdendosi poi nel mercato lì sotto.

Questa casa è costruita da te e vengono le piogge
E i fiumi straripano, ma la casa resiste,
La casa costruita da Gesù...

Una donna graziosa con il viso sciupato dirigeva il canto della congregazione, sorridendo con un'espressione radiosa, arzilla e un po' fanatica e la gente copiava i gesti delle sue mani che ondeggiavano e roteavano per illustrare gli inni. "Gesù mi ama" – i palmi si posavano sul cuore. "Gesù vi ama" – e le dita guizzavano all'infuori davanti a loro. "Gesù..."

Mi venne in mente che forse erano coreani. Sedevano immobili, mentre un pastore si rivolgeva loro. Più tardi seppi che costui veniva dalla Corea del Sud, e stava parlando la lingua originaria che molti di loro avevano dimenticato. Stava a piedi uniti e con le mani strette davanti a sé. Una giovanile ciocca di capelli gli cadeva sul viso, che risplendeva di intensa felicità. Verso la fine della cerimonia fece il nome di una nuova ragazza della congregazione, e la invitò a "fare testimonianza". Lei si alzò in piedi terrorizzata, vestita con una giacca di velluto ricamato e un nastro intonato ai capelli. "Sono molto contenta," cominciò, "sono così contenta... sono così felice... felice..." poi sprofondò in un silenzio vergognoso, mentre tutti applaudivano.

Poi il pastore mi notò. "Abbiamo un ospite," disse. Mi fece cenno di alzarmi, e udii la mia voce annunciare che mi faceva piacere essere tra di loro, mentre le facce in fila mi sorridevano con la loro disarmante bontà, e io sorrisi debolmente. Vedere la loro piccola chiesa uscire dall'oppressione, dava un senso di fiducia dissi – e mentre le pronunciavo, queste parole divennero vere.

Tuttavia la loro felicità, la convinzione di ritrovarsi in un santuario divino, era fragile e tremante nella sala ornata di stendardi, e ora il chiasso del bazar – dove kirgizi e russi si mischiavano – quasi sommergeva il loro canto.

Amare per sempre Gesù,
Salvatore meraviglioso...

Alla fine tutti abbracciarono i loro vicini da ogni lato, mormorando il rituale "Ti amo", e io mi ritrovai fra le braccia di un imbarazzato taxista. La comunità aveva cominciato a celebrare le messe soltanto da sette mesi, disse, e dovevo perdonare gli stendardi rossi. La sala era stata data in affitto da un komsomol disciolto.

Ma come si erano evoluti i battisti nell'Asia centrale? chiesi.

Il taxista aggrottò le sopracciglia. "Dopo l'indipendenza, un ricco cristiano coreano venne qui da Los Angeles e ci chiese che cosa eravamo. Gli dicemmo che pensavamo di essere buddhisti, ma che non lo sapevamo. Ma l'uomo disse 'No, voi siete cristiani'. E così diventammo cristiani." Il racconto che scaturiva dalle sue labbra acquistò un peso biblico. I suoi occhi sinceri mi esaminavano da un viso fiducioso. Soltanto un delicato sorriso gli storceva la bocca, che sembrava ammettere una certa bizzarria in tutto questo. "Ora siamo settecento battisti, e continuiamo ad aumentare."

Camminammo nel sole accecante. Vidi che i suoi occhi erano addolciti da rughe sorridenti, e che i suoi capelli elastici erano spolverati di grigio. La sua gente aveva perso la propria storia, disse. Persino il suo nome, Pasha, suonava artificiale. I suoi antenati si erano trasferiti dalla Corea all'isola di Sakhalin. "Ma nel 1937 Stalin li trasferì nel Kazakhstan su camion per il bestiame. Io sono nato là dove è morto mio padre..."

"Perché la vostra gente lasciò la Corea?"

"Non lo so."

"Eravate buddhisti prima?"

"Non lo so." Sembrava leggermente afflitto. "Ma in qualche modo diventammo comunisti. Io ero un giovane pioniere e membro del komsomol. Ma non credevamo a niente. Non eravamo niente."

Avevamo rivolto la schiena al mercato e stavamo camminando lungo un viottolo dove una fila di ragazzi e di donne provati dalla miseria sedevano accoccolati dietro a cassette di legno. Ognuno aveva disposto davanti a sé alcuni indumenti, sigarette e dentifricio su sporchi fogli di giornale, ma due poliziotti li stavano costringendo ad andarsene.

"Vendono cose che non si trovano nei negozi," disse Pasha. "Le comprano di nascosto a prezzi irrisori. È l'unico modo in cui riescono a sopravvivere."

Sedevano con rassegnata stanchezza, mentre la polizia stava facendo loro una predica. Poi, lentamente, capovolsero le scatole e impacchettarono la loro merce. Non potevano pagare l'affitto di un posto al mercato, disse Pasha.

Un vecchio allungò il collo verso di loro con rabbia. Teneva stretta una bottiglia di vodka avvolta in un panno. "Io lavoro!" gridò. "Ma che cosa fanno questi giovani? Stanno seduti in mezzo alla sporcizia!" Lavoro: era lo slogan dei comunisti negli anni della fede e della piena occupazione. "Perché non fanno un lavoro da uomini?" Agitò il suo bastone, ma nessuno lo stava ascoltando. Nei suoi occhi appannati e ubriachi si leggeva tutto il percorso di uno storico fallimento.

"Che cosa possono fare?" disse Pasha. "Ora siamo tutti seduti per strada. Io trascorro la mia vita ad aspettare alla stazione. Ma non ci sono turisti, e ci sono solo due treni al giorno da Mosca."

La polizia se n'era andata. E i venditori del mercato nero stavano di nuovo disponendo la loro merce.

Pasha disse: "Per sette anni ci hanno detto che le cose sarebbero migliorate, ma non ci credo. Nessuno ci crede".

La gigantesca statua equestre di cui avevo intravisto la sagoma sopra di me nella notte si rivelò un monumento a Michail Frunze, il conquistatore bolscevico dell'Asia centrale. Come un oltraggio permanente nei confronti di coloro che erano stati conquistati, la città venne ribattezzata Frunze nel 1926, e riportata al familiare nome di Biškek solo dopo l'indipendenza. Ma la sua statua dominava ancora intatta dal suo piedistallo, e la casupola con il tetto di paglia dov'era nato continuava a essere custodita in un meraviglioso museo. Manufatti devotamente conservati riempivano le modeste stanze: calamai e guanti, una culla sospesa e un cavallo a dondolo in miniatura, la borsa da veterinario del padre moldavo. Una povertà rispettabile modellava l'ideale tempio sovietico.

Ma io ero l'unico visitatore, e qualcuno aveva ricoperto la porta con adesivi su cui si poteva leggere "Amo il Kirgizstan". La custode kirgiza era seduta, concentrata nella lettura di un romanzo d'amore. Quando chiesi che cosa la gente pensasse ora di Frunze, il suo naso si arricciò. "Ai vecchi può piacere, ma non ai giovani." Poi arrossì. Era molto giovane. "Ne ha uccisi troppi."

Una domenica sera un'anziana signora siede nel parco di querce vicino alla statua di Frunze. I suoi occhi blu sono appannati, e le sue sopracciglia quasi sparite. Le sue mani si intrecciano sul manico di un bastone color ebano. Ma sotto il fazzoletto il suo viso mostra uno splendore intermittente, come se qualche ricordo lo risvegliasse. Poi gli occhi infossati sembrano vedere di nuovo, le appare un sorriso sulle labbra pallide, e sembra quasi bella. "Che ora è, giovanotto?"

Sbaglio sembre a dire l'ora in russo, e lei ride. Non è russa, dice, è polacca, nata a Vilnius.

"E che cosa faceva là?" chiedo.

Sono abituato a immigrati polacchi che ostentano titoli e proprietà; ma lei dice: "Avevamo un giardino sul retro, e qualche maiale, e coltivavamo un po' di verdure". Attraverso le ondeggianti fronde delle querce la luce dei lampioni stradali illumina un viso rugoso e adorno di un esile naso. "Ma i tedeschi arrivarono per distruggere la città, e incendiarono la nostra casetta." Strofina un immaginario fiammifero contro il suo vestito. "E noi scappammo." Capisco improvvisamente che non sta parlando della seconda guerra mondiale, ma della prima. "Allora lavoravo in un ospedale."

"Come medico?"

"No, non sono istruita. Solo come infermiera." Trema. Persino nel caldo della notte. Le sue gambe scompaiono dentro calze di lana e ciabatte da camera. Sembra trasformata in un'istituzione. "Poi andai a Vladivostok e mi sposai con un chirurgo – ma è morto molto tempo fa – e andai ad Alma Ata e poi qui." Il suo bastone batte sulla terra. "Ho novantasei anni, ora, e mia figlia ne ha settantaquattro, e alcuni dei miei nipoti si stanno interessando per andare in pensione. Eh, sono vecchia." Ride quasi con fare civettuolo a questo pensiero che sembra ancora sorprenderla. "Guarda, le rughe!" Solleva il viso verso di me. È pallido e infossato, ma i suoi occhi sono diventati vivaci. "E le mie mani!" Le apre davanti a me. "Guardale." Le loro vene si attorcigliano come corde sotto la pelle maculata. Le fissa come se appartenessero a qualcun altro. "Ma non so se le cose sono peggiorate per gli altri oppure nel paese. Sono vecchia e non so niente. Non ho mai saputo niente di politica." Forse qualche valvola di sicurezza interna la protegge dall'esterno. Non è un caso che sia sopravvissuta agli anni di Stalin. "E che cosa fai tu? Vieni dall'Inghilterra, ah sì, e là hai la tua famiglia," ha deciso, "e tutto è tranquillo." Stringe di nuovo le dita sul bastone, compiaciuta. "Sì."

Sul ponte sopra la ferrovia passavano alla spicciolata gli operai che venivano dai sobborghi, con un flusso di disoccupati che si dedicano a piccole e insignificanti occupazioni, oppure a niente. A nord la città si rannicchiava nella sua foresta, e solo qualche tetto occasionale o una fabbrica spuntavano sopra il fogliame, mentre a sud le montagne di Alatau gettavano la loro ombra sui sobborghi più elevati con un luccichio di neve sospesa sopra le nubi. Di tanto in tanto il ponte tremava tutto sotto di me, mentre un treno carico di marmo proveniente dalla montagna si dirigeva con fracasso a ovest verso la Russia, e fumi caldi di gasolio si alzavano dalla ferrovia.

Il marmo era un materiale da costruzione prezioso, disse l'uomo accanto a me, ma i sovietici lo avevano sempre comprato a basso prezzo. Lui stesso era un muratore: un allampanato kirgizo in congedo per malattia. Guardò giù il carico che sferragliava sotto. "La mia ditta qui ha costruito la metà degli edifici," disse. "Abbiamo costruito perfino i ministeri. Ma ora guarda! Questi nuovi condomini sono senza speranza. Il loro cemento è fatto di sabbia e di ghiaia fine, e fissato con acciaio comprato dalla Russia. Non durano. Le stanze sono troppo calde d'estate e gelide d'inverno."

"E il lavoro ti ha danneggiato la salute?"

"È una malattia della mia professione. Sono uno stuccatore, e ho avuto problemi alle braccia. Mi fanno sempre male." Sembrava più vecchio dei suoi trentaquattro anni: la sua giovinezza si era spenta. "Quello è il blocco su cui stiamo lavorando ora, là!" Mosse la testa verso una struttura di cemento dove una gru era abbassata e immobile. "Ma il lavoro si è interrotto perché l'acciaio non è ancora arrivato. Ora è tutto così. A ogni modo ora mi pagano la metà, milleseicento rubli al mese."

Era meno di quarantamila lire. "Hai famiglia?"

"Mia moglie sta a casa a badare ai bambini. È il nostro stile di vita kirgizo." Rivolse la schiena ai sobborghi. Una momentanea felicità pervase i suoi pensieri. "Ho un piccolo appezzamento di terra dove coltivo carote e pomodori, e un giorno costruirò una casa in qualche posto, lontano da tutto questo."

"È difficile..."

"Ora la legge lo consente, ma spesso non si riesce. Se vuoi comprare della terra, la fattoria collettiva locale dice di no, e per ottenerla bisognerebbe corrompere una serie di funzionari. È tutta una mafia." Adesso parlava come Oman. "Un giorno, quando avrò finito, ritornerò sulle montagne. Ma ci vogliono quattro giorni per raggiungere il villaggio della mia famiglia, prima in aereo, poi sui sentieri delle colline, è proprio lontano. La gente qui lavora quasi per niente, ma io tornerò là."

Fumava con fierezza, poi gettava i mozziconi mezzo consumati sulla ferrovia sottostante. "Guarda questa città. Non è mai stata così. Perfino io riesco a ricordare quando era tutta erba e alberi." Con tristezza guardò la città come se fosse una distesa d'acciaio. In alto le montagne si stavano liberando delle nubi su metà dell'orizzonte. "In quei giorni, durante le notti estive, soffiava un vento fresco," disse, "ma i grattacieli ora lo bloccano." Guardò la ferrovia in basso, stringendo il parapetto. Sulla vernice marrone che si stava squamando in vari punti erano incisi dei leggeri graffiti. I suoi polsi erano come steli bianchi.

Non riuscivo a trattenere la sensazione che la sua malattia scaturisse da una qualche sofferenza mentale. Era giunto in città come operaio, aveva imparato un mestiere e si era sposato a ventun anni. Poi la sua vita si era stabilizzata. Per quindici anni aveva costruito una città che odiava sempre di più. Il cemento era di gran lunga più scadente del vecchio mattone, disse, e perfino il mattone era inferiore al locale *saman*, che ormai non si vedeva più. Forse la malattia alle braccia era piuttosto una tossina della sua mente, tanto profonda era la reazione contro l'asfissia delle sue montagne. Disse di nuovo: "Alla fine tornerò là".

Il ponte tremava sotto i nostri piedi al passaggio di un altro treno merci. Qualcuno aveva attaccato una bandiera sovietica in testa alla locomotiva. Era un saluto beffardo. Un vecchio istinto per le classificazioni, per la comodità dell'identificazione, mi fece chiedere: "Non ti senti sovietico?".

"No." Il suo no suonava interdetto, come se rispondesse usando una lingua a lui poco familiare. "O forse non molto." Stava guardando di nuovo le montagne, senza espressione. Le linee che tormentavano i suoi occhi stavano già intaccando anche le guance. "Sovietico? Sovietico? Tentarono di farci sentire così nei riguardi dell'Afghanistan, ma nessuno lo era."

"Hai fatto il servizio militare là?"

"No, ma l'hanno fatto molti miei amici, e alcuni non sono mai tornati. Solo Mosca sa quanti sono spariti, o forse hanno disertato... Alcuni sono ritornati dentro alle bare per essere sepolti qui. Nessuno di loro voleva combattere. I miei amici dicono che ogni volta che puntavano il fucile pensavano 'Sparo o no?'. Ma naturalmente avevano paura."

"Ci sono kirgizi in Afghanistan?"

Di nuovo parlò con la voce interdetta. "Non lo so, credo di no." Persino il vestito del nazionalismo gli andava stretto.

"Ma i fratelli musulmani..."

"Sì." Questo lo ammise. "Anche se noi kirgizi non siamo ferventi musulmani."

Il loro Islam era come quello dei kazakhi, lo sapevo: leggermente tratteggiato sopra lo sciamanesimo nomade.

Il muratore sembrò per un istante sfuggire a ogni identificazione: un uomo su un ponte ferroviario, con un vestito grigio e i sandali. "Ma guarda l'Afghanistan, ora. Come è stato tutto inutile!" Buttò l'ultimo mozzicone di sigaretta sul treno in partenza. "Lo sai che bastava soltanto che uno sparasse da un villaggio perché i russi lo distruggessero completamente senza tante storie: vecchi, donne, bambini. I miei amici quando ne parlano si sentono ancora male. E loro erano là."

Continuammo a guardare la ferrovia. Corvi color della fuliggine stavano beccando tra i vagoni letto. Le nocche dell'uomo sopra il parapetto erano diventate bianche. Sotto di esse, sulla vernice, qualcuno aveva inciso "Aleksis ama Anfisa". Mi chiesi distrattamente chi l'avesse inciso, Aleksis o Anfisa?

L'uomo disse: "Gli afghani ci somigliano più dei russi".

"Sì." Una tenace pedanteria mi spingeva a cercare per lui una collocazione più precisa. Ma sapevo che se aveva un'aria preoccupata era perché si stava interrogando sulla sorte della sua famiglia, non su quella della sua nazione. Ero io, non lui, a essere infastidito dalla vaghezza della sua identità: la guida di un Islam a lungo represso in queste zone, la diminuita lealtà al clan o alla tribù, l'esteriorità sovietica, il poco radicato senso della nazione. Ma non gliene importava molto. Non sentiva la mancanza di una devozione che la sua gente non aveva mai avvertito. Aveva moglie e figli in un appartamento costruito con i mattoni a nord, e un orto coltivato a pomodori. Solo io stavo cercando di ridefinirlo. Egli, intanto, era bloccato in bilico sull'antico confine di questa terra: tra la vita dei pastori e quella della città.

Voleva ritornare alle sue montagne.

All'alba, fuori dalla stazione trovai Pasha, il battista coreano, che stava aspettando il primo treno per Mosca della giornata, sonnecchiando nel suo taxi. Un'ora più tardi ci stavamo dirigendo verso est, giù per una valle silenziosa dove le montagne del Tienshan cullano il lago Issyk-kul e spingono l'ultima lingua di terra del Kirgizstan nei deserti cinesi. A sud, fuori dalle sonnolente colline, i massicci dell'Alatau si stagliavano contro un cielo blu. A nord il fiume Chu scorreva pigramente attraverso i prati. L'aria era leggera e fresca. La fertile valle, circondata dalle sue montagne siderali, era immersa in un'illusione di felicità.

Ma le case russe e ucraine lungo la strada erano il segno delle sanguinose incursioni dei cosacchi avvenute nel diciannovesimo secolo e, nel 1916, una rivolta dei kirgizi venne selvaggiamente repressa. La fuga precipitosa dei pastori verso est nello Sinkiang, attraverso i valichi ghiacciati, si ripeté negli anni trenta, quando oltre duecentocinquantamila membri delle tribù sfuggirono alle collettivizzazioni forzate, portandosi dietro cavalli, buoi, cammelli e pecore nelle profondità del Pamir.

Ora la valle sembrava in pace. Altre abitazioni si mescolavano a quelle degli invasori, e presto i villaggi scomparvero del tutto, mentre percorrevamo viali di salici e campi di grano. In questa solitudine, nei pressi del fiume, i resti della città di Balasagun stavano affondando nei campi dove l'erba era alta quanto un cavallo. Era stata fondata nel decimo secolo da un'ondata di invasori karakhanidi e si era estinta insieme al loro impero.

Pasha non mostrava alcun entusiasmo per queste cose. Tirò fuori la sua Bibbia, avvolta in una vecchia copia dell'*Izvestija*, e si sistemò all'ombra del taxi. Ero rimasto solo a girare per la città. Le sue rovine erano imperscrutabili. Un rettangolo di bastioni franati lasciava una vaga traccia di sé in mezzo all'erba e un contadino stava facendo pascolare il suo asino tra i cardi che spuntavano sopra un palazzo incendiato. Lì vicino si alzava il minareto di una moschea scomparsa. Un terremoto l'aveva spezzato a metà, ma il mozzicone di due metri e mezzo, cinto da un'austera decorazione di mattoni, spuntava da un enorme plinto ottagonale a guisa di solitaria manifestazione della potenza della città.

Vagai in quel luogo ignaro. Un millennio prima vi erano fioriti il sapere e la pietà. La Via della Seta, che si apriva un varco attraverso la valle, vi aveva depositato i relitti del commercio e del sapere, e i cadaveri, da tempo consumatisi nei suoi mausolei, avevano lasciato dietro di loro monete cinesi e braccialetti indiani di conchiglie di ciprea. Erano state trovate anche spade di ferro, lampade di bronzo e amuleti, e croci scolpite in pietra dai cristiani nestoriani: era tutto raccolto in un piccolo museo.

Mentre vagavo intorno a mura livellate, mi imbattei in una folla di statue di pietra, trasportate qui da lontane sepolture di nomadi. Ciottoli piatti, leggermente incisi, erano i rimasugli di un vasto khanato occidentale di tribù turche che avevano devastato le steppe meridionali e le vallate fra le colline tra il sesto e il settimo secolo. Ora, circa un'ottantina di questi *balbali* si ergeva nell'erba alta. I loro nasi a forma di colonna dividevano in due le lunghe facce, dalle quali sembrava che colassero baffi sottili. Erano allo stesso tempo rozzi e sconvolgenti. Sembravano bambole profane. Sotto il loro mento a forma di pera, sollevavano calici, e qualche volta spade. I loro occhi molto ravvicinati avevano uno sguardo di sonnolenta semplicità. Sembravano ritratti: oppure lastre di pietra dalle quali era spuntata un'espressione. Alcuni ritenevano che fossero raffigurazioni di nemici uccisi che nell'aldilà diventavano i servitori dei defunti.

Una donna stava falciando l'erba attorno a loro, dando colpi meticolosi. Ne parlava con affetto, come se fossero suoi figli. Disse di capire la ragione per la quale i pagani li avevano creati. Anche la sua gente, a Bairam, banchettava attorno alle tombe di famiglia e si immaginava che i morti fossero lì a festeggiare insieme a loro. Era questa, secondo lei, la ragione per la quale i *balbali* erano stati fatti. Li osservava con tenera competenza. "In un certo senso sono vivi, e partecipano alla nostra vita." Accarezzò una testa di pietra. Avevano tutti lo sguardo rivolto lontano, verso la direzione da cui spuntava il sole.

In occasione dell'anniversario di un decesso, disse, la sua famiglia metteva da parte del cibo per i defunti. Però le donne non piangevano mai sulle tombe. Dovevano piangere a casa, altrimenti le loro lacrime avrebbero disturbato i morti. Lo disse con una certa enfasi, come se desiderasse che le cose stessero in un altro modo. Attorno a noi la varietà delle espressioni delle statue di pietra, scolpite dalla mano dell'uomo o dal vento, trasformavano i *balbali* in un vero e proprio pubblico. Se le persone colpite dal lutto piangessero, disse, le acque si solleverebbero attorno ai fantasmi, e così questi finirebbero con l'annegare. "A ogni modo, lì noi preghiamo," disse, come rapita da una sorta di dolore privato, "e immaginiamo che il morto sia con noi."

A est il fiume Chu si stringeva e sui versanti della valle l'erba si staccava da rocce scintillanti di frammenti dorati. Mentre stavamo avvicinandoci a Issyk-kul, ci infilammo in una gola e superammo una sorgente ornata da pezzi di stoffa lasciati in voto dai pellegrini. Poi, all'improvviso, i dirupi si aprirono e guardammo le montagne in basso separate da un corridoio d'acqua di quasi duecento chilometri, dello stesso colore del cielo, spolverato da piccolissime nubi.

Un'aridità dolorosa era calata su tutte le cose. La terra intera sembrava bruciata. Una serie di colline spoglie rosicchiava la linea delle nevi, e attorno a noi i salici e i pioppi erano di un prematuro color ruggine, come arsi dallo scirocco. I venti occidentali spingevano abitualmente verso est il vapore acqueo che saliva dal lago, e che poi ricadeva su colline fuori dalla nostra vista. Ma qui la sponda si allungava brulla, come un dipinto astratto.

Superata la città di Balikchi, ci avviammo lungo la costa settentrionale in un silenzio incantato. Al di là della distesa d'acqua, lontano davanti a noi, le colline stavano sbiadendo a causa della foschia, ma svettanti al di sopra di esse i picchi innevati di Tienshan, che riempivano il cielo da una parte all'altra, rimanevano sospesi come se fossero stati fantasticamente amputati della loro parte inferiore. Non un soffio di vento increspava la superficie dell'acqua. Vicino alla spiaggia dominava il color acquamarina, ma più in là prevaleva una tonalità più profonda, d'indaco intenso, che rifletteva la catena di luce ghiacciata delle vette.

La nostra strada era deserta. Scendeva un specie di corridoio tra le montagne e il mare. Talvolta il segno lasciato dall'acqua su un indicatore di profondità a sessanta metri sopra il livello del lago, oppure una sponda profonda cosparsa di sassolini, segnalavano che l'acqua aveva continuato a evaporare per secoli. Questo rimaneva un mistero. Qui confluiscono molti torrenti, ma non ne esce nessuno. Salmastro, puro, stranamente caldo, il lago si macera nella sua solitudine. Si stendeva piatto di fronte a noi per quasi cinquemila chilometri quadrati, in una scintillante distesa cinque volte più vasta del lago di Ginevra: ed è il lago di montagna più profondo del mondo.

Pasha guidava rispettando il limite dei sessanta chilometri all'ora. Era stato qui da bambino, disse, con una spedizione dei giovani pionieri, quando il suo zelo comunista era ancora intatto. "È stato molto tempo fa!"

Dissi che non sapevo che fosse mai stato pervaso da un simile zelo.

“Sì, l’ho provato. Sì.” Sorrise. La calma del lago lo placava. “Perfino quando facevo parte del komsomol non ci credevo tanto. Era come una religione, vedi. Ma quando cominciai il mio primo lavoro – allora lasciai perdere. Quando vidi come i nostri locali capi del partito ci defraudavano delle nostre paghe, e come si assicuravano i loro privilegi, smisi di crederci.”

“Avevi diciassette anni?”

“Anche meno.” Stava parlando con un tono di vaga sorpresa, come quello di un parente lontano. “Ma la mia generazione fu l’ultima a credere in quel modo. I miei due figli non hanno mai voluto partecipare a quegli incontri politici. Marinavano semplicemente la scuola. Lo facevano tutti, non solo noi coreani. Anche i russi. Tutti li consideravano noiosi e se ne facevano beffe. E quella fu la fine.” Era diventato un po’ triste. “Quando penso fino a che punto i miei genitori avevano fiducia in Stalin, anche se li opprimeva! Pensavano che lui forse non sapeva delle persecuzioni che subivano – come se ne fosse stato al di sopra! La gente moriva in guerra con il suo nome sulle labbra, sai...”

La sua separazione dalla originaria Corea, pensai, lo aveva reso in qualche modo più ricettivo al comunismo. Gli aveva prospettato una nuova sicurezza. Aveva ancora nostalgia delle leggi sovietiche, quando tutto era ordine e pace. “Non sono sicuro da dove esattamente provenga la mia gente. Forse siamo rimasti a Sakhalin per duecento anni, non lo so. È sbagliato non conoscere la propria storia. Ma qui *nessuno la sa.*”

“Vi sono rimaste delle tradizioni?”

Aggrottò le sopracciglia. “Abbiamo un modo speciale per preparare i noodle. E alcuni dei più vecchi cantano canzoni che noi giovani non sappiamo. Ma persino la nostra lingua è cambiata. Quando parlo con il nostro pastore che viene dalla Corea del Sud ci capiamo a malapena.”

Ci fermammo sul bordo del lago per fare merenda con pancetta secca, tenuta in fresco nel suo thermos cinese. La luce del giorno era abbagliante nell’aria pura. Camminai lentamente lungo la spiaggia, cosparsa di sassi piatti portati in superficie dall’arretramento delle acque, verso una minuscola baia di sabbia grigia. Il terreno era punteggiato dalla malva e dal convolvolo bianco e, quando veniva calpestata, la lavanda esalava una secca fragranza. Il silenzio era assoluto. Non c’era alcun segno che rivelasse se qualcuno avesse mai camminato qui in precedenza. Le piccole e calde onde del lago sciabordavano verso le mie mani. Davanti a noi, al di là dei settantacinque chilometri di distesa d'acqua, i picchi innevati rimanevano sospesi nel vuoto.

Mentre riposavo una lancia sbucò dal nulla e gettò l'ancora nella baia. Due pescatori quasi senza denti e con barba da pirati, si spinsero fino a riva alla ricerca di esche, muniti di canne da pesca fatte a mano. Un secolo prima il lago era talmente pieno di pesci che i cosacchi dell'esploratore russo Semyonov avevano recuperato circa duecento chili di carpe sferzando la superficie con le loro sciabole. Ma i pescatori dissero che adesso un micidiale pesce persico, portato dal Volga, aveva sconvolto l'equilibrio naturale divorandosi tutte le aringhe. Tuttavia il fondo della loro barca era colmo di squame blu. Subito dopo se ne andarono remando, gridandomi: "Inghilterra!... Football!... Hooligans!". Le loro voci morirono nel silenzio. "Meglio andarsene... qui... a pescare..."

Durante il pomeriggio Pasha e io procedemmo lentamente verso est. A metà strada, lungo la sponda, dove le piogge cominciano a colorare le colline, apparve un gruppo disordinato di campeggi per le vacanze e di sanatori. Poi comparve una residenza presidenziale estiva, costruita in modo da somigliare all'incrociatore *Aurora*, che con le sue cannonate aveva dato inizio alla Rivoluzione d'Ottobre. Ma più in là, la solitudine si fece più intensa, Alcuni villaggi, simpatici con le loro casette in miniatura, si raggruppavano in mezzo a frutteti di ciliegi e albicocchi, e nei cimiteri kirgizi i mausolei turriti sembravano più grandi delle case dei vivi, coronati dalla mezzaluna islamica o dalla stella comunista, o da entrambe.

Ma non appena il lago si restrinse e su di esso calò l'ombra della sera, il Tienshan si innalzò verso sud-est con le sue punte frastagliate, più rabbiose e persino più alte, grondanti di nubi. Si alzavano verso il loro apice selvaggio, ancora invisibile, dove gli altipiani del *syrt* sono sospesi fra nevi perenni e rocce, e i ghiacciai carichi di massi e bordati da erbe bluastre scivolano impercettibilmente giù verso l'abisso. In questo spaventoso labirinto nasce il Syr Darja, mentre altri fiumi si rovesciano dallo spartiacque nello Sinkiang: il Khan Tengri, il "Signore degli Spiriti", erompe in una triedrica piramide di marmo rosa, e il Monte Vittoria, alto settemilatrecentoventi metri risplende sulla Cina.

Intanto, nella direzione verso cui andavamo, il fiume aveva lasciato ai bordi del lago prati impregnati d'acqua. I campi coltivati a marijuana, abbandonati durante gli anni di Brežnev, erano stati bruciati; ma la valle del Chu ne era ancora piena, disse Pasha – metà dei contadini la fumava – e dall'Asia centrale, avevo sentito dire, il papavero bianco da oppio raggiungeva l'Europa sotto forma di eroina attraverso il Baltico e l'Ucraina. Ma per il momento solo l'acacia era fiorita lungo la sponda, e mentre raggiungevamo la città di Karakol, dipinta di bianco, i frutteti diventavano lussureggianti viluppi di meli, dove procedevano come in parata galletti e anatroccoli.

A Karakol, per la prima volta, sentimmo la vicinanza della Cina. Su un promontorio a picco sul lago, dove l'esploratore Przhevalskij venne sepolto nel 1888, un'aquila di bronzo stendeva i suoi artigli sulla mappa arrotolata dei suoi viaggi: il Gobi, il Kun Lun, il Tibet... Un cuculo si stava pulendo le ali su alcune betulle soprastanti.

La città era piena di uiguri, i cui antenati erano migrati dallo Sinkiang un secolo prima, e ci imbattemmo in una moschea costruita nel 1910 dai dungani che erano sfuggiti alla rivolta dei T'aip'ing. Era circondata da una staccionata come quella russa, e le sue imposte e i telai delle finestre avrebbero potuto appartenere a una casupola ucraina. Ma il cornicione a dragoni e il tetto sorridente erano quelli di un tempio cinese; fu costruita con insoliti mattoni grigio-blu, e il suo minareto era una pagoda di legno.

Pasha lo fissò privo d'espressione. "Vengono dalla Cina, ma sono rivolti alla Mecca! Come sono arrivati a questa religione?"

Dissi: "Non lo so. Come hai fatto a credere nel cristianesimo?".

Senza un accenno di umorismo, voltò la testa verso di me. "Ero diventato curioso," disse. "Volevo conoscere questo pastore della Corea del Sud che ci era stato mandato. Tutti lo volevamo. Perché veniva dal mondo capitalista." Ci eravamo fermati nel punto in cui dalla staccionata spuntava un portone cinese con grondaie all'insù. "Ma poi abbiamo continuato ad andare in chiesa perché ci dispiaceva un po' per lui. Se non ci fossimo andati, sarebbe rimasto solo. Ed era venuto da così lontano... Poi scoprii che stavo cominciando a credere. Non so perché. Ma durante la messa tutto è allegro. Hai sentito come cantiamo. Sento che il mio cuore si alleggerisce." Sollevò i palmi delle mani. "Fuori nelle strade tutto sta diventando più truce. Non c'è più pace, e nessuno sa cosa può succedere. Ma là dentro... Penso che abbiamo bisogno di Dio, vero? Se un uomo commette un crimine, e non c'è un Dio, come può essere costretto ad aver paura?"

Queste domande rimasero senza risposta sotto i portici cinesi, con le loro travi dipinte con colori sintetici. Dio ha dato significato a un mondo caotico, disse, Egli era uno strumento vitale. A volte non riuscivo a decidere se Pasha era ingenuo o cinico.

Dissi: "Non puoi crearti un Dio perché ne hai bisogno".

Ma Pasha aveva letto due volte tutto il Nuovo Testamento. Mentre stavo ammirando i *balbali* pagani nell'erba a Balasagun, lui stava terminando l'*Apocalisse* di san Giovanni. "Mi preoccupavo sempre per il futuro," disse, "soprattutto per i miei figli. Ma ora ho smesso. Dopo tutto, se Dio dà qualcosa, è un bene. Ma se non la dà, anche questo fa parte della Sua volontà. E allora di che altro mi devo preoccupare?"

Era facile da capire: il rifugio appartato della piccola cappella, con la sua gente pulita che inneggia al perdono, e l'amore di un Padre meno fallibile di Lenin che trionfa dal suo manifesto. "Penso che molte donne ci vadano perché sono infelici," disse Pasha. "I loro mariti sono morti o le hanno lasciate. E nessuno conosce il futuro, ora che kirgizi e russi si fronteggiano sempre più duramente." Si sfregò le nocche. "Ma quando cantiamo ci dimentichiamo."

"Avete anche convertiti kirgizi?"

"Sì, quasi settanta, e per loro è più difficile. Hanno paura che i musulmani li possano uccidere." Sbirciammo nella sala di preghiera cosparsa di pezzi di tappeti cinesi sotto lanterne cinesi. La sua stranezza la faceva sembrare sconsacrata. "L'Islam non è veramente forte in Kirgizstan, ma nessuno sa leggere l'arabo, così la gente non sa cosa dice il Corano e se qualche *mullah* gridasse 'Uccidete tutti i cristiani' – sarebbero anche capaci di farlo."

Adesso questi incubi popolavano l'immaginazione della gente. Le confuse promesse del comunismo e della *perestroika* avevano lasciato il posto a un orizzonte di assoluta ignoranza. Per Pasha il paradiso marxista sulla terra era fin troppo in ritardo, e disse che tutti da tempo avevano smesso di crederci. "Ma suppongo che anche la Bibbia lo dica, vero?" chiese improvvisamente. "Che c'è un paradiso futuro." Sembrava curiosamente imbarazzato.

Dissi: "Sì. Penso che la Bibbia dica 'Aspetta'".

"Aspetta," ripeté debolmente. Qualcosa di penosamente familiare lo stava turbando. "Ah, sì."

L'estremo lembo orientale dell'Issyk-kul pullula di favole su città sommerse. Antiche mappe localizzavano in quel luogo un monastero nestoriano del tredicesimo secolo, in cui sarebbe custodito il corpo di san Matteo, e un secolo fa le spedizioni russe avevano individuato fondamenta di mattoni sotto la superficie del lago, da cui le onde avevano portato frammenti di corpi umani. Tenebrose memorie circondavano un'insenatura vicino al villaggio di Koysary, e il mattino seguente Pasha guidò fin là con stanco fatalismo. Mentre io, quella notte, avevo trovato un letto in uno squallido albergo, lui aveva dormito nella sua auto per impedire eventuali furti. "La paura della legge qui scompare," disse.

Attraversammo campi di grano tenero. Un airone sbatteva le ali nel cielo come fossero un ombrello rotto e calava senza grazia all'imboccatura della laguna. Poi la nostra strada finiva in un ingresso tra due alte torrette, e in un ammasso nascosto di edifici circondati da filo spinato. Era una base navale militare. Sembrava in rovina e la sua torre di controllo era vuota. Ma eravamo giunti casualmente quasi all'entrata, e io ebbi modo di vedere il viso imbarazzato di una sentinella bionda, prima che Pasha sterzasse di lato giù lungo la strada che portava all'insenatura.

Scherzai: "I russi sono ancora qui!".

"È anche il nostro esercito," disse Pasha. "La confederazione di stati indipendenti..." Sembrava stesse collaudando questo concetto. "Lì dentro ci sono i nostri uomini."

Anni prima avevo sentito parlare di un'installazione militare sul lago, costruita per sperimentare i missili. Gli abitanti di Biškek erano stati ingannati dalle uniformi della Marina che comparivano nelle strade di una città distante ventiduemila chilometri da qualsiasi oceano. Pasha fermò l'automobile in mezzo agli alberi e io camminai da solo lungo la sponda. Non c'era alcun segno che il livello del lago si fosse mai abbassato. Invece le sue rive si immergevano in insenature blu lapislazzulo, cosparse di insetti acquatici, poi calavano in momentanee sporgenze rocciose e affondavano lontano. Cercai invano qualche edificio sommerso. Solo un mulino abbandonato era sospeso sopra una cala tra gli abeti da cui si levava il rauco verso dei corvi. Ancora più in là il lago era solcato da tracce che sembravano scie di navi scomparse.

Mi infilai tra le porte sprangate del mulino. Sul suo pontile le ruote e gli argani stavano arrugginendo, e sotto, nell'acqua, si vedeva la sagoma di una chiatta, spettrale e di traverso, sotto una scintillante pioggia di moscerini. Lì vicino alcuni blocchi di granito risplendevano su uno sperone, come se una cittadella fosse stata parzialmente assorbita dalla terra.

Gironzolai vagamente divertito. Per molto tempo nulla si mosse né si udì alcun suono, tranne il volteggiare dei corvi. Poi sentii qualcosa muoversi nell'aria dietro il mulino sventrato, e mi ricordai che forse stavo sconfinando in una zona militare. Se fossi un soldato della base navale, pensai, e scoprissi un inglese con una carta di navigazione aerea della regione e un giornale pieno di note indecifrabili, chiederei una spiegazione più convincente di una storiella su una città sommersa. Camminai lungo il perimetro del mulino e mi infilai sotto il filo spinato. Una lepre del colore della sabbia scattò fra gli alberi. Coperto di polvere, mi aggirai furtivamente attorno alla parete esterna e mi trovai faccia a faccia con una vecchia.

Il suo pugno rosso era stretto attorno a un bastone da passeggio, e sul corpo era gettato un cappotto consunto. Ci fermammo a pochi centimetri l'uno dall'altra. Vidi un primordiale viso slavo, il suo naso era un mozzicone girato all'insù. Ma su di esso scorsi una materna ed eccentrica benevolenza. Era raggiante. Avevo incontrato questo viso, pensai, mille altre volte nella ormai scomparsa Unione Sovietica. Sembrava vecchio, ma piacevolmente informe: il grezzo e paffuto archetipo della Madre Russia.

Cominciai a chiacchierare, cercando di dare una spiegazione della mia presenza. Era una bella spiaggia, dissi, ma sembrava così deserta, in quel momento. Pensavo alla base navale semiabbandonata. Tutto sembrava in smobilitazione, dissi. Il mio sguardo vagava sulla sua giacca e sui pantaloni consunti. La vita è diventata così difficile...

Ma lei mi interruppe. "No! Va tutto bene, è meraviglioso!" La sua mascella si indurì. "Quando la gente dice che tutto va male, io domando: 'Perché?' Che cosa vogliono tutti?" Si piantò sulle gambe avvolte dai pantaloni. Scendevano su calzettoni di lana e stivali strappati. Sembrava che per un attimo si fosse dimenticata di quanto fosse strano quell'incontro con uno straniero a cui mancavano un po' di denti, con un cappotto coperto di polvere. "Perché la gente non può essere felice? Ho un piccolo giardino su di là" – indicò l'orizzonte – "dove coltivo ciliegie e nocciole, e c'è un appezzamento di terra per i pensionati dove piantiamo le patate. Ho tutto ciò che mi serve. La mia pensione di insegnante è di soli novecento e cinque rubli al mese, ma va bene. Il sole è bello, la terra è buona e gli inverni sono miti qui!"

Le sorrisi di rimando. Il suo viso sereno fugava ogni ansia. Da dove veniva allora?

"Sono venuta dalla Siberia trent'anni fa. Si stava bene anche lassù. Era difficile, ma si campava bene. Avevamo tre vacche, ed era abbastanza. Latte, formaggio, burro! Va tutto bene ed è sempre stato così." Piantò il bastone in mezzo ai piedi. "Il nostro Gorbacëv ha fatto una cosa giusta."

Era la prima volta che sentivo qualcuno lodarlo da queste parti. "Sì, in Occidente lo ammiriamo. So che ha fatto degli errori..."

"Chi non fa errori? Nessuno che cammini su questa terra non ha mai fatto errori. Ma è una buona cosa che la vecchia Unione si sia divisa. Era finita comunque. E ora questi piccoli stati devono reggersi sulle proprie gambe. Dovranno crescere! Dovranno lavorare!" Colpì la polvere con il bastone. "Che ogni nazione possegga la sua terra, e che ogni persona ne possegga un pezzettino! Allora si sentiranno responsabili."

Soltanto una volta la sua espressione di coraggiosa contentezza cedette allo sconforto. "Ma provai vergogna," cominciò, "sì, vergogna, quando Gorbacëv disse che la sua pensione era insufficiente, e quando Yeltsin chiese la carità all'Occidente. Chiedi un prestito, ma non la carità!" La sua voce si oscurò per il disgusto. "E il nostro Gorbacëv! Quando si lamentò della sua pensione gli scrissi una lettera per offrirgli duecento rubli della mia! Gli dissi che potevo cavarmela con settecento e cinque rubli, anche se lui non ce la faceva con quattromila."

La fissai meravigliato. Spinse indietro i capelli bianchi che sbucavano da sotto lo scialle. Il suo cappotto trapuntato perdeva l'imbottitura di lana da ogni cucitura. Dissi: "E lui ha risposto?".

"No, naturalmente no," rispose. "Era troppo occupato a tenere conferenze in America, a fare soldi."

Poi si mise a ridere stoica, e marciò via.

Pasha e io lasciammo il lago dietro di noi nel tardo pomeriggio. Per un po' seguimmo il fiume Tiup attraverso valli inondate di erba medica. L'acqua scorreva dorata tra le verdi sponde sotto di noi. Stavamo viaggiando lungo l'ultima salita dell'Asia centrale verso est prima che le sue montagne si dispiegassero al di là del confine con la Cina. Nei villaggi i russi erano scomparsi. Le stelle rosse erano sparite dai cimiteri; le mezzelune islamiche si moltiplicavano. Uomini tarchiati che impugnavano la frusta e indossavano stivali seguivano sui loro cavalli i greggi di pecore attraverso le colline, e le donne erano in piedi nei prati a guardarci passare. Questa gente dura che andava a caccia di gazzelle con astori e falconi, era dedita alla pastorizia e allevava meravigliosi cavalli bastardi e le pecore per la lana d'Astrakhan. Ogni pochi chilometri i loro villaggi diventavano sempre più selvaggi e più mongoli. La fessura dei loro occhi neri era sottile fin quasi alla cecità; esili baffi e barbe mandarine colavano dalle narici e dal mento.

Improvvisamente la valle si restrinse. I pascoli laccati da fiori vellutati sfioravano la strada mentre salivamo, e le betulle si ammassavano sulle colline. Dietro di loro, da entrambi i lati, i picchi perennemente innevati vegliavano sul nostro passaggio, convogliandoci verso la Cina.

Una volta, da un posto di guardia sulla strada tre poliziotti ci fermarono e ci ordinarono di uscire dall'automobile. Avevano visi duri di persone ignoranti, e le dita sui grilletti delle pistole. "Queste carte geografiche sono segrete?" Si rivolsero a Pasha. "È una spia?"

"No," disse Pasha con molta determinazione. "È uno storico."

Scrutarono il mio passaporto e notarono vecchi visti cinesi. La via per la Cina era chiusa, dissero. L'unico passo aperto era quello di Torugart, lontano, a sud. Non stavamo viaggiando verso la Cina, dissi, e ci lasciarono andare.

La nostra strada era diventata di pietra. Tutt'intorno le colline si infittivano in speroni vellutati, tagliando via le montagne. Sotto il fiume vorticava. In questo vuoto improvviso, a un tempo verdeggiante e tetro, vagavano solo alcune mandrie di cavalli allo stato brado. Per chilometri le colline si dispiegavano attorno a noi come ossa coperte da un velo di terra, poi le loro rocce spuntavano dall'erba e screziavano i fianchi delle valli. Superammo un altro posto di polizia, abbandonato. Per la prima volta Pasha divenne nervoso. Il sole tramontò, ma nella fenditura del passo di fronte a noi il suo ultimo bagliore illuminò un'ondata di montagne di ghiaccio, l'ultima barriera prima dello Sinkiang.

Qui, alla fine del mondo, sull'orlo di una nuda valle, incontrammo un mostruoso *kurgan*, una tomba rialzata costituita con rocce disposte irregolarmente in un macabro ammasso alto quindici metri: il sepolcro di qualche capo scita o turco. Lo raggiunsi camminando su una distesa erbosa schiarita da ranuncoli e campanule. Un vento freddo si alzò giù nella valle, mentre le montagne stavano scomparendo nell'ultima luce. Attorno al cratere della sepoltura, un semicerchio di cespugli tremava con i suoi ex voto fatti con pezzi di stoffa. Ma lì non c'era nessuno. Avrebbero potuto benissimo essere stati legati da una schiera di fantasmi in pellegrinaggio. Sbirciai giù nella buca della tomba. Aveva duemila anni o più, ed era stata profanata molto tempo fa.

Accanto a essa si alzava la collina di sassi. Grigio acciaio, rossastri o rosa e argentati di licheni, se ne potevano contare almeno cinquantamila: era impossibile calcolarli. Ogni pietra era stata accatastata lì, come ricordo reverenziale, da un solo uomo; ma è sorta una leggenda che li riguarda. Si dice che Tamerlano, mentre con il suo esercito si dirigeva a est, avesse ordinato ai suoi soldati di raccogliere un sasso ciascuno e di depositarlo su quel passaggio. Anni dopo, al ritorno, ognuno dei suoi uomini riportò il proprio sasso a Samarcanda, e quelli rimasti formarono il cenotafio per i caduti.

Mentre mi arrampicavo in silenzio su di essi, facevano rumore e stridevano sotto i miei piedi. Erano tutti di dimensioni ridotte, in modo tale che un uomo li potesse trasportare. Sotto un cielo illuminato dal crepuscolo, con la corona di montagne tutt'intorno, questi sassi crearono un ammasso di morti senza nome: un monumento che i caduti avevano innalzato a loro stessi. Alcuni erano rosso sangue o bianchi come il marmo. Scricchiolavano come teschi sotto i miei piedi e rotolavano giù uno sull'altro.

Poi udii Pasha che mi chiamava per tornare indietro. Era tardi e buio, disse, e questo non era il nostro paese.

INDICE

Stampa Grafica Sipiel
Milano, maggio 2003